특허받은 분해조립식 한자 삼篇

공앤박 한자연구소 **박건호** 著

특허받은 분해조립식한자 삶篇

초판발행 2016년 1월 1일
저자 박건호 · 공앤박 한자연구소
발행인 공경용

발행처 공앤박㈜
출판등록 2008년 9월 2일 · 제300-2008-82호
주소 05116 서울시 광진구 광나루로56길 85, 프라임센터 1518호
전화 02-565-1531
팩스 02-3445-1080
전자우편 info@kongnpark.com
홈페이지 www.kongnpark.com

ISBN 978-89-966216-2-1 14700
978-89-966216-0-7(세트)

머리말

'무연 휘발유'의 '무연'은 무슨 뜻인가? '개기일식'이란 正確히 무엇을 가리키는 말일까? 혜초가 인도를 다녀와 썼다는 기행문인 왕오천축국전의 '왕오천축국'은 무슨 뜻일까? '不定詞'란? 소수(素數)란 무엇인가? 이런 식으로 질문을 받으면 대답하기 困難한 語彙들이 꽤 됨을 알고 내가 이렇게도 우리말에 무지 했던가 할 것이다.
그러나 실은 우리말에 무지한 것도 맞지만 漢字語에 대한 지식 부족이기도 한 것이다.

우리말의 주요 부분인 명사의 대부분은 사실 漢字語이다.
韓國語나 日本語는 공히 언어의 대부분 특히 주요부분인 명사는 漢字語이고 助詞나 前置詞 接續詞와 같은 부분만 순수 자국어에 지나지 않는다.

한국에서는 한글 優待政策으로 1969년에 漢字가 廢止되고 말았다.

漢字를 폐지했다고 우리 한국 사람들이 더 愛國者가 된 것도 아니고 오히려 어떤 면에서는 文盲을 부추긴 꼴이 되고 말았다.

勿論 한자어를 모른다고 無識하다거나 세상을 뒤처지는 것은 아니다, 미국사람이나 서양 사람들이 漢字를 모른다고 우리보다 더 무식한 것은 결코 아니다.

蔽一言하고 漢字語는 결코 外來語로 볼 수 없고 우리말로 봐야 한다고 筆者는 생각한다.
따라서 漢字학습은 우리말 深化學習이므로 母國語를 정확히 驅使하기 위해서는 반드시 漢字語에 대한 학습이 竝行되어야 한다고 감히 主張하고 싶다.

1969년도에 한글학자들이 무슨 생각으로 漢字를 廢止했는지는 모르나 이들은 분명 漢字를 中國語나 漢文과 同一視했기 때문일 것이다. 무식함의 發露였던 것이다.

오랫동안 漢字가 庶子취급을 받아온 데는 千字文식 學習方法과 敎習방법이 一助를 했다고 본다. 가르치는 것도 엄연히 技術인데 개발 發展시켜오지 못한 우리 선배들의 責任이 크다 아니 할 수 없다.

筆者는 앞으로 漢字를 가르쳐야 될 선생님들이 먼저 제대로 된 漢字敎育을 받고 나름대로 더 유지 발전시켜 後學들을 가르쳤으면 하는 바람으로 감히 이 '組立 分解 漢字'를 세상에 내 놓기로 하였다.

不足한 부분이 적지 않음을 率直히 認定하므로 필자도 계속 努力을 기울이겠지만 이 책을 접할 先後輩 여러분들의 眞心어린 助言이나 協助를 부탁드린다.

조립분해한자의 창안자 朴乾晧
2009년 5월

차 례

전 쟁

✍ 활을 들고 쏘는 과정에서 마지막 활줄을 놓는 과정까지

弓(궁) 弦(현) 弧(호) 發(발) 弘(홍) 引(인) 張(장) 彈(탄) 弛(이)

弓

훈음 활 궁 부수 제 부수
과거 최고의 공격용 무기. 등 굽은 활 모양을 최대한 간결 단순하게 표현한 글자다.
●●●●● 弓術(궁술)/國弓(국궁)/洋弓(양궁)

弦

훈음 시위 현 부수 활 弓(궁) ▶▶▶ 활 弓(궁) + 검을 玄(현) ➡ 활줄이 떨면 잘 보이지 않는다.
활에 맨 활줄을 가리키는 말이므로 활 弓(궁)과 실의 상형인 玄(현)이 의미요소이며 玄(현)은 발음기호로도 사용된다.
●●●●● 上弦(상현)/下弦(하현)/弦月(현월)

弧

훈음 활 호 부수 활 弓(궁) ▶▶▶ 활 弓(궁) + 오이 瓜(과) ➡ 활의 둥근 부분
弦(현)이 활시위 즉 줄을 가리키는 글자라면, 弧(호)는 둥근 모양의 활을 가리키는 말로 '매달린 오이의 둥글게 비틀어진 모습과 활등이 굽은 것을 접목시킨 글자로 두 글자 모두 의미요소로 사용됐다.
●●●●● 圓弧(원호)/括弧(괄호)/弧形(호형)

發

훈음 쏠 발 부수 등질 癶(발)
▶▶▶ 필 癶(발) + 활 弓(궁) + 창 殳(수) ➡ 활과 창을 쏘고 던지는 자세
현대의 글자는 활(弓)을 쏘고 창(殳)을 던지는 자세(癶)를 나타낸 것으로 보이나 짓밟을 癹(발)을 발음기호로 활 弓(궁)을 의미요소로 하여 '활을 쏘다'를 의미하게 한 글자였으나, 후에 '시작하다, 떠나다' 등으로 의미 확대됐다.
●●●●● 發射(발사)/出發(출발)/發生(발생)/發展(발전)/發見(발견)

引

훈음 당길/끌 인 부수 활 弓(궁) ▶▶▶ 활 弓(궁) + 丨(곤) ➡ 활시위를 당기다
활시위를 당기는 모습에서 나온 글자이므로 두 글자 모두 의미요소에 사용된 상형자이다.
●●●●● 牽引(견인)/我田引水(아전인수)/引導(인도)

張

훈음 베풀/떠벌릴 장 부수 활 弓(궁) ▶▶▶ 활 弓(궁) + 길 長(장) ➡ 한껏 당겨진 활시위
활을 쏘기 위해 시위를 한껏 당긴 모습에서 '당기다, 크게 늘이다' 등의 본뜻이 생겼으며, '떠벌리다, 베풀다, 펴다' 등의 의미가 파생되었다. 長(장)은 발음기호로 弓(궁)이 의미요소로 쓰였다.
●●●●● 表面張力(표면장력)/緊張(긴장)/誇張(과장)

彈

훈음 탄알/튀길 탄 부수 활 弓(궁) ▶▶▶ 활 弓(궁) + 홑 單(단) ➡ 튕겨져 나가는 화살
화살의 시위에서 튕겨져 나가는 화살이나 돌의 모습에서 '탄알, 튀기다'의 뜻이 나온 것으로 활 弓(궁)이 의미요소이며 單(단)은 발음기호이다.
●●●●● 彈丸(탄환)/彈力(탄력)/彈劾(탄핵)/爆彈(폭탄)

弘

훈음 넓을 홍 부수 활 弓(궁) ▶▶▶ 활 弓(궁) + 厶(사) ➡ 시위의 울림이 넓게 퍼지다

활 소리를 나타내기 위해 활에 한 점을 찍어 놓은 指事(지사)문자였으나, 후에 厶(사)가 추가된 글자로 활 소리의 울림이 점점 퍼지는 데서 '넓다, 크다'로 의미 파생됐다.

●●●●● 弘益人間(홍익인간)/弘報(홍보)

弛

훈음 늦출 이 부수 활 弓(궁) ▶▶▶ 활 弓(궁) + 어조사 也(야) ➡ 줄어드는 활시위

張(장)이 화살 줄을 크게 당기는 모습이라면 弛(이)는 화살 줄을 손에서 놓아 푸는 모습의 글자로, 수축하는 여성 음부를 가리키는 也(야)를 이용하여 만든 흥미 있는 글자이다. 따라서 두 글자 모두 의미요소로 사용되었다.

●●●●● 弛緩(이완)/解弛(해이)

窮(궁) 强(강) 弱(약) 弟(제) 第(제) 夷(이) 弔(조) 彎(만)

躬

훈음 몸 궁 부수 몸 身(신)

▶▶▶ 몸 身(신) + 활 弓(궁) ➡ 임신부의 모습과 비슷한 활의 본체

활 弓(궁)을 발음기호로 '몸을 구푸리면' 세워 놓은 활 모습과 비슷하다 하여 몸 身(신)을 의미요소로 하여 만든 상형자이다.

●●●●● 實踐躬行(실천궁행)

窮

훈음 다할/막힐/가난할 궁 부수 구멍 穴(혈)

▶▶▶ 굴 穴(혈) + 몸 躬(궁) ➡ 굴속에 갇힌 몸

몸 躬(궁)이 발음기호이다. 굴 즉 거처(穴)가 너무 좁아 몸(身)을 제대로 가누지도 못하고 마치 활(弓)처럼 몸을 웅크려야만 잘 수 있는 상황이니 앞이 콱 막힌 것 같기도 하고... 막다른 골목에 와 있는 것 같기도 하여 만들어진 의미에 상호 연관이 있는 글자이다.

●●●●● 窮極的(궁극적)/窮地(궁지)/貧窮(빈궁)

强

훈음 굳셀 강 부수 활 弓(궁) ▶▶▶ 弘(弓+口=厶) + 벌레 虫(충) ➡ 등껍질이 단단한 벌레

활(弓)처럼 등이 굽고 단단한 껍질을 뒤집어쓰고 있는 딱정벌레(虫)의 일종인 바구미를 나타낸 글자였으나 점차 '강하다'로 의미 확대됐다. 클 弘(홍)이 발음요소이다.

●●●●● 强力(강력)/强盜(강도)/强大(강대)/强辯(강변)/强弱(강약)

弱

훈음 약할 약 부수 활 弓(궁) ▶▶▶ 활 弓(궁) + 깃 羽(우) ➡ 깃털로 장식한 활

깃털(羽)을 장식으로 치장한 활(弓)은 어디까지나 장식용이지 실전용이 아니다. 따라서 매우 부서지기 쉽고 끊어지기 쉬웠기에 '약하다'라는 대명사로 사용된다.

●●●●● 强弱(강약)/弱小國(약소국)/弱骨(약골)/病弱(병약)/弱體(약체)

弟

훈음 아우 제 부수 활 弓(궁)

▶▶▶ 가장 귀 丫(아) + 활 弓(궁) + 丿(별) ➡ 전쟁놀이하는 동생

몸에 칭칭 감긴 주살줄, 즉 화살(弓)줄을 감아 빙빙 돌리며 노는 동생. 오늘날로 말하면 장난감 총으로 전쟁놀이하는 꼬마의 모습에서, 창이나 깃대에 가죽 끈 등을 동여맨 모습으로 '순서적으로 올라가는 모습'에서 순서, 차례란 뜻이 파생되었다. 순번 상 가장 막내인 아우의 뜻도 나왔으나 지금은 '아우'로만 쓰이자 순서, 차례의 第(제)자가 따로 만들어졌다.

●●●●● 兄弟(형제)/弟嫂(제수)/師弟(사제)/子弟(자제)/難兄難弟(난형난제)

第

훈음 차례 제 부수 대 竹(죽) ▶▶▶ 대 竹(죽) + 조상할 弔(조) + 丿(별) ➡ 나무를 감고 올라가는 식물

나팔꽃 같은 식물이 대나무(竹) 마디 정도의 간격으로 나무를 칭칭 말며(弓) 한 칸 한 칸 위로 순차적으로 올라가는 장면에서 '차례, 순서'의 뜻이 파생된 글자다. 대 竹(죽)이 의미요소로 아우 弟(제)가 발음기호로 쓰였다

●●●●● 第一(제일)/及第(급제)/落第(낙제)/第三者(제삼자)

夷

훈음 오랑캐 이 부수 큰 大(대) ▶▶▶ 큰 大(대) + 활 弓(궁) ➡ 사람을 동여맨 활줄

중국의 동부 지역에 거주하던 소수 민족인 오랑캐 족을 가리키는 글자로 여기서 활 弓(궁)은 화살이 아니라 사람(大)을 칭칭 동여맨 밧줄을 가리키는 것으로 오랑캐 족을 멸시하기 위해 만든 글자임을 알 수 있다.

●●●●● 東夷(동이)/以夷制夷(이이제이)

弔

훈음 조문할 조 부수 활 弓(궁) ▶▶▶ 弓(궁) + 丨(곤) ➡ 죽은 영혼을 하늘로 보내는 장면

갑골문을 보면 사람(丨)의 몸을 감고 있는 화살 줄(弓)의 모양을 하고 있어 죽은 사람의 영혼을 하늘로 빨리 올려 보내려고 하는 염원을 담은 글자로 보인다. 여기에서 '조문하다, 위문하다' 등의 뜻으로 파생되었다.

●●●●● 弔問客(조문객)/弔喪(조상)/弔旗(조기)/慶弔(경조)

彎

훈음 굽을 만 부수 활 弓(궁)

발음기호인 윗부분에 등이 굽은 활(弓)을 의미요소로 사용하여 '굽다'라는 말을 만들어 냈다.

●●●●● 彎曲(만곡)/彎月(만월)/彎長窟(만장굴)

弗(불) 佛(불) 拂(불) 費(비) 沸(비) 彌(미) 弼(필) 粥(죽)

弗

훈음 아닐 불 부수 활 弓(궁) ▶▶▶ 활 弓(궁) + 丨 ➡ 사물을 동여맨 모습

弓(궁)은 활이 아니라 칭칭 동여맨 줄의 모습으로 "사용치 못하도록 사람이나 사물을 묶어 놓은 모습"으로 보이나 '아니다'라는 강한 부정의 의미가 왜 있는지는 여전히 오리무중이며, 만약 사람이나 동물을 묶어 놓은 모습이라면 움직이지 못하게 하여 포로나 제물로 사용하기 위함 이었을 것이다. 현재로는 미국의 화폐 단위인 달러의 표기로 더 많이 쓰이고 있다.

●●●●● 千弗(천불)

佛

훈음 부처 불 부수 사람 亻(인) ▶▶▶ 사람 亻(인) + 弗(불) ➡ 부처를 사람이 아니라고 본 것

弗(불)을 발음기호로 하며 부처와 불교를 칭하는 데 사용되는 글자로 그냥 외우자.

●●●●● 佛教(불교)/佛蘭西(불란서)/佛畵(불화)

拂

훈음 떨 불 부수 손 扌(수) ▶▶▶ 손 扌(수) + 아닐 弗(불) ➡ 손으로 칭칭 감긴 끈을 몸에서 떼어내다

손으로 무엇을 떨어내는 모습의 글자로 손 扌(수)가 의미요소로 弗(불)은 발음기호로 쓰였다.

●●●●● 拂拭(불식)/拂入(불입)/拂下(불하)

費

훈음 쓸 비 부수 조개 貝(패) ▶▶▶ 아닐 弗(불) + 조개 貝(패)

돈을 쓰다가 본뜻이니 돈을 상징하는 조개 貝(패)가 의미요소고 弗(불)은 발음요소로 쓰였다.

●●●●● 費用(비용)/經費(경비)/學費(학비)/浪費(낭비)/消費(소비)

沸

훈음 끓을 비 부수 물 氵(수) ▶▶▶ 물 氵(수) + 아닐 弗(불)

물이 끓는 것을 묘사한 글자이므로 물 氵(수)가 의미요소고 (불)은 발음요소로 쓰였다.

●●●●● 沸騰(비등)

훈음 두루 미 **부수** 활 弓(궁) ▶▶▶ 너 爾(이) + 활 弓(궁) ➡ 두루 미치다 떨어지는 어떤 것

만물에 두루 비치는 해(日)를 그린 글자가 너 이(爾)로써 높이 날아 멀리 가는 활(弓)과 어우러져 만물에 '두루 미치다' 해(日)도 지듯이 활(弓)의 화살도 날아가다 떨어지므로 '그치다'에 쓰여 미봉책(彌縫策)/미륵(彌勒)의 두루/그칠 미(彌)

●●●●● 彌縫(미봉)/南舞阿彌陀佛(남무아미타불)/彌陀三尊(미타삼존)

弼

훈음 도울 필 **부수** 활 弓(궁) ▶▶▶ 일백 百(백) + 활 弓(궁) ➡ 병자를 부축해주는 장면

금문(金文)은 두 사람(弓→人)이 낑낑대며 자리에 누운(百→因)사람을 도와주는 장면을 그려 보필(輔弼)의 도울 필(弼)자가 만들어졌으며 죽(米)도 못 먹어 활(弓)처럼 몸이 휜 사람(弓→人)의 모습에서 어죽(魚粥)의 죽 죽(粥)자가 탄생되었다.

●●●●● 輔弼之才(보필지재)/俊弼(준필)

矢(시) 失(실) 疾(질) 嫉(질) 秩(질) 矦(후) 候(후) 喉(후)

矢

훈음 화살 시 **부수** 제 부수

화살촉과 화살대 그리고 오늬를 나타내는 화살의 모양을 단순 간결하게 처리한 글자다.

●●●●● 弓矢(궁시)/嚆矢(효시) – 우는살 – 속이 빈 나무막대기를 뒷부분에 붙여 활을 쏘면 공기와 부딪히면서 소리가 나는데 이를 우는 화살이라 하였다/옛날에 싸움을 시작한다는 신호로 적진에 우는살을 먼저 쏘아 보낸 데서 나온 말로 사물이 비롯된 맨 처음을 가리킨다.

失

훈음 잃을 실 **부수** 큰 大(대)부 ▶▶▶ 화살 矢(시) + 한 一(일) ➡ 손에서 빠져나간 화살 혹은 그 무엇

생김새는 화살 矢(시)와 유사하여 마치 화살이 손에서 벗어나므로 무엇인가를 '잃었다'로 변한 것으로 보이나, 사실은 손 手(수)자와 손에서 벗어나는 그 무엇(丿)의 합자로 손에서 빠져나가는 모습에서 '잃다, 잘못, 착오' 등의 뜻이 파생된 글자다.

●●●●● 損失(손실)/紛失(분실)/失明(실명)/失脚(실각)/失格(실격)

疾

훈음 병 질 **부수** 병 질 疒(엄) ▶▶▶ 병들 疒(녁) + 화살 矢(시) ➡ 화살에 맞아 부상당함

사람(大)이 화살(矢)에 맞아 부상을 당한 모습에서 사람을 상징하는 大(대)가 병을 상징하는 疒(녁)으로 바뀐 글자로, '병으로 인한 고통 및 질병, 빠르다' 등으로 의미 확대됐다.

●●●●● 疾病(질병)/疾患(질환)/疾風怒濤(질풍노도)/痼疾(고질)

嫉

훈음 시기할 질 **부수** 계집 女(여) ▶▶▶ 계집 女(녀) + 병 疾(질) ➡ 여자의 시기는 무서운 병과 같음

여자의 시기는 본인은 물론 상대방도 병들게 하는 무서운 질병이므로, 계집 女(여)와 병 疾(질) 모두가 의미요소로 나아가 疾(질)은 발음기호로도 사용된다.

●●●●● 嫉妬(질투)/嫉視(질시)/反目嫉視(반목질시)

秩

훈음 차례 질 **부수** 벼 禾(화) ▶▶▶ 벼 禾(화) + 잃을 失(실)

'수확한 곡식을 차곡차곡 쌓아 두다'는 뜻을 나타내기 위한 것으로 벼 禾(화)를 의미요소로 失(실)은 발음요소로 쓰였다. 차곡차곡 쌓는 모습에서 '질서, 차례'라는 의미가 파생됐다.

●●●●● 秩序(질서)/位階秩序(위계질서)/秩序整然(질서정연)

矦

훈음 과녁 후 **부수** 사람 人(인) ▶▶▶ 과녁을 향해 활을 쏘려는 모습

언덕(亻→厂)과 화살(矢)을 그려 높은 곳에서(产) 동물이나 적을 쏘기 위해 조준하는 모습을 나타낸 글자가 봉건 시대 임금인 제후(諸侯)의 과녁/제후 후(侯)자이며 사람(亻)을 추가하여 적의 동태를 살피는 모습을 분명히 한 글자로 훗날 날씨등과 같은 앞날을 살펴보는 뜻으로 발전하여 기후(氣候)/척후(斥候) 철/물을 후(候)자이고 동태를 살펴보다(侯) 적의 침공을 소리쳐 외치는(口) 모습이 이비인후과(耳鼻咽喉科)의 목구멍 후(喉)자이다.

●●●●● 王侯將相(왕후장상)/候補(후보)/斥候(척후)/問候(문후)

族(족)　短(단)　醫(의)　疑(의)　矯(교)　矮(왜)

族

훈음 겨레 족 부수 모 方(방)

▶▶▶ 깃발 언(方+人) + 화살 矢(시) ➡ 어려움을 함께하는 운명 공동체

깃발(方+人) 아래 화살(矢)을 그려 넣어서 전쟁에서 운명을 함께하는 겨레와 부족을 상징한다. 따라서 겨레란 운명 공동체로서 생명의 위험을 함께 맞서는 집단을 가리킨다.

●●●●● 民族(민족)/族閥(족벌)/族譜(족보)/族長(족장)/親族(친족)/大家族(대가족)/貴族(귀족)/同族相殘(동족상잔)

短

훈음 짧을 단 부수 화살 矢(시)

▶▶▶ 화살 矢(시) + 콩 豆(두) ➡ 화살촉이 상대적으로 활대에 비해 짧다

화살(矢)만큼 짧은 제기(豆)나 콩깍지(豆)와 화살촉의 크기가 서로 비슷하다는 데서 '짧다, 작다, 뒤떨어지다'라는 뜻이 파생됐다.

●●●●● 長短(장단)/短點(단점)/短距離(단거리)/短命(단명)

醫

훈음 의원 의 부수 술 酉(유)

▶▶▶ 상자 匚(방) + 화살 矢(시) + 창 殳(수) + 술 酉(유) ➡ 전쟁터에서 치료함

화살(矢)과 창(殳)이 등장한다는 것은 戰時(전시)라는 것이고, 전쟁터에서 날아온 화살(矢)을 맞아 생긴 상처 구멍(匚)에 술(酉)을 부어 소독하는 장면에서 '치료하다, 치료하는 사람'의 뜻이 생겨났다.

●●●●● 醫院(의원)/醫師(의사)/醫術(의술)/醫療(의료)/韓醫(한의)

疑

훈음 의심할 의 부수 짝 疋(필)

▶▶▶ 匕(비) + 화살 矢(시) + 矛(모)의 윗부분 + 疋(필) ➡ 갸우뚱거리는 노인

머리를 갸우뚱하는 노인의 모습에서 '골똘히 생각하다, 머뭇거리다, 의심하다'로 의미가 파생된 글자다. 갑골문에서 疋(필)은 가다라는 뜻을 가진 사거리 行(행)의 변형으로, 화살 矢(시)는 지팡이로, 비수 匕(비)는 노인으로 변해서 지팡이를 짚고 사거리에서 고개를 갸우뚱하는 모습으로 나타나 있다. 여기서 '골똘히 생각하다, 머뭇거리다, 의심하다'로 의미가 확대되었음을 충분히 짐작할 수 있다.

●●●●● 疑惑(의혹)/疑問(의문)/質疑(질의)/疑心(의심)

矯

훈음 바로잡을 교 부수 화살 矢(시)

▶▶▶ 화살 矢(시) + 높을 喬(교) ➡ 멀리 날리기 전에 여러 번 조정함

먼 과녁을 맞추기 위해 높이(喬) 쳐든 화살(矢)을 제대로 쏘기 위해 여러 번 '바로잡다'에서 나온 글자로, 화살 矢(시)가 의미요소고 喬(교)는 발음기호이다.

●●●●● 矯正(교정)/矯角殺牛(교각살우)

矮

훈음 키 작을 왜 부수 화살 矢(시) ▶▶▶ 화살 矢(시) + 맡길 委(위)

키 작은 사람을 나타내는 말로, '작음'의 상징인 화살 矢(시)를 의미요소로 委(위)는 발음요소로 하여 만든 글자이다.

●●●●● 矮小(왜소)/矮軀(왜구)/矮松(왜송)

知(지)　智(지)　痴(치)

知

훈음 알 지 **부수** 화살 矢(시) ▶▶▶ 화살 矢(시) + 입 口(구)

지식을 나타내는 '알다'라는 글자가 왜 화살(矢)과 입(口)의 조합인지 분명치 않으니 여러분들이 추리해 보기 바란다. 필자는 "지식은 빠르게 입으로 전달된다."라고 생각해 본다.

●●●●● 知識(지식)/知性(지성)/知彼知己(지피지기)/不知(부지)

智

훈음 슬기로울/지혜 지 **부수** 해 日(일) ▶▶▶ 알 知(지) + 해 日(일) ➡ 하늘의 뜻을 알다

"하늘의 뜻을 아는 것 곧 신의 뜻을 파악하고 그대로 행동하는 것이 지혜롭다"는 사상을 가진 글자로, 하늘이나 신을 상징하는 해 日(일)과 알 知(지) 모두가 의미요소이며 知(지)는 발음을 겸한다.

●●●●● 智慧(지혜)/智德體(지덕체)/機智(기지)

痴

훈음 어리석을 치 **부수** 병들 疒(녁) – 癡(치)의 속자

▶▶▶ 병들 疒(녁) + 알 知(지) ➡ 지식에 병이 들었다 즉 알고도 행하지 않는다.

어리석다는 것은 알면서도 그대로 행동하지 못하는 것을 가리키는 말로, "지식에 병이 들었다"는 것과 마찬가지이므로 '알 지(知)'와 '병들 疒(녁)' 모두가 의미요소이며 知(지)는 발음기호이다.

●●●●● 癡呆(치매)/音癡(음치)/癡漢(치한)

去(거) 到(도) 倒(도) 致(치) 室(실) 屋(옥)
臺(대) 姪(질) 窒(질) 膣(질) 桎(질)

至

훈음 이를/몹시 지 부수 제 부수 ▶▶▶ 화살 矢(시) + 땅 一(일) ➡ 화살이 날아와 거꾸로 땅에 꽂힌 모습
화살(矢)이 날아와 땅(一)에 거꾸로 꽂힌 모양에서 '이르다, 도달하다, 힘을 다하다'의 뜻으로 쓰인 글자다.
●●●●● 至極(지극)/自初至終(자초지종)/至誠感天(지성감천)/至急(지급)/至難(지난)/至毒(지독)

去

훈음 갈/없앨 거 부수 사사 厶(사) ▶▶▶ 土 + 厶 = 大(대) + 凵(감) ➡ 배설하는 모습
이를 至(지)와 위아래만 바뀐 꼴이나 의미는 전혀 관계없는 글자로, 사람(土=大의 변형)과 입(厶=口) 혹은 통의 모습으로 사람(土) 아래에 통(凵)을 두어 마치 배설하는 장면을 떠올리게 함으로 '가다, 없애다'의 뜻을 가진 글자다.
●●●●● 過去(과거)/除去(제거)/去頭截尾(거두절미)/去勢(거세)

到

훈음 이를 도 부수 칼 刂(도) ▶▶▶ 이를 至(지) + 칼 刂(도) ➡ 무장을 하고 다다름
'이르다'를 나타내기 위한 글자로 이를 至(지)가 의미요소고 칼 刂(도)는 발음기호이다.
땅 위에 날아와 꽂힌 화살(至)과 칼(刂)이란, 전쟁 상황을 묘사한 글자로 적군을 무찌르기 위해 칼과 활로 무장하고 마침내 성에 이르렀다는 의미가 포함됐다.
●●●●● 到着(도착)/到達(도달)/到底(도저)히/周到綿密(주도면밀)

倒

훈음 넘어질 도 부수 사람 亻(인) ▶▶▶ 사람 亻(인) + 이를 到(도) ➡ 무장 세력에 쓰러진 사람
사람이 넘어지는 모습을 나타내기 위한 글자이므로 사람 亻(인)을 의미요소로 到(도)는 발음기호로 사용했다.
●●●●● 打倒(타도)/卒倒(졸도)/倒置(도치)/倒産(도산)/壓倒(압도)

致

훈음 보낼/이를 치 부수 칠 攵(복) ▶▶▶ 이를 至(지) + 칠 攵(복) ➡ 직접 감/도달함
'중요한 심부름'을 보내는 것을 말하는 것으로 이르다 의 至(지)와 발 치(夂-攵으로 변형됨)를 합하여 그 뜻을 더욱 분명히 한 글자로 至(지)는 발음에도 영향을 미쳤다.
●●●●● 送致(송치)/理致的(이치적)/致命傷(치명상)/景致(경치)/言行一致(언행일치)/韻致(운치)/滿場一致(만장일치)

室

훈음 집 실 부수 집 宀(면) ▶▶▶ 집 宀(면) + 이를 至(지) ➡ 신성한 화살이 꽂힌 자리에 지은 집
신성한 화살(矢)이 날아와 꽂힌 자리에 지은 집(宀)이 거실(居室)의 집 실(室)이며
●●●●● 內室(내실)/室內(실내)/應接室(응접실)/室外(실외)/病室(병실)

屋

훈음 집 옥 부수 주검 尸(시) ▶▶▶ 주검 尸(시) + 이를 至(지) ➡ 신성한 곳에 지은 집
신성시 되는 화살이 도착한(至) 곳에 지은 건물(尸)이 옥상(屋上)의 집 옥(屋)이고, 그곳(至)에 평화(吉)를 위해 망대(冖)를 세우니 망대(望臺)의 돈대(墩臺) 대(臺)자가 되었다.
집 屋(옥) = 집이란 죽어서도(尸) 찾아오는 곳(至)
●●●●● 家屋(가옥)/屋上加屋(옥상가옥)/屋外(옥외)/洋屋(양옥)

훈음 조카 질 부수 계집 女(여) ▶▶▶ 계집 女(여) + 이를 至(지)
여자 조카를 지칭하는 말이므로 계집 女(여)를 의미요소로 至(지)는 발음기호이며, 더 나아갈(至) 수 없는 굴(穴)의 끝에 이르는 모습이 질식(窒息)의 막을 질(窒)자이고, 막혀(窒) 있는 여성의 생식기관이(月) 질구(膣口)의 여성 생식기 질(膣)자고, 나무(木)을 더하여 질곡(桎梏)의 세월이라는 표현에 나오는 나무로 만든 형구인 차꼬 질(桎)자도 만들어졌다.

●●●●● 姪女(질녀)/姪婦(질부)/長姪(장질)/窒息(질식)

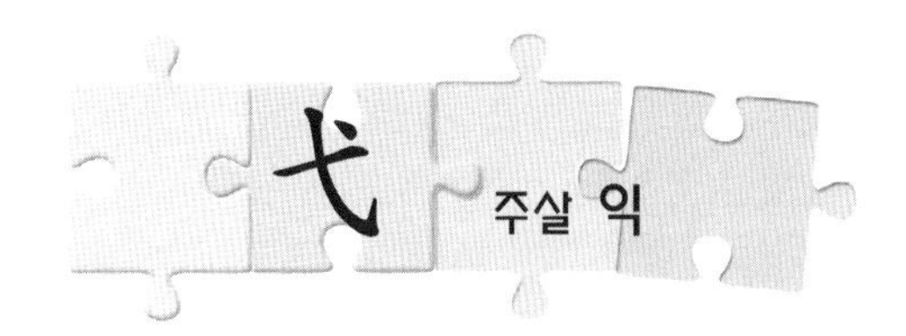

弋(익) 代(대) 式(식) 拭(식) 試(시) 弑(시) 武(무)

弋

훈음 주살 익 **부수** 제 부수 – 연습용/사냥용/수거용 화살

테니스공을 고무줄에 매달면 달아나지 않으므로 연습하기 편하듯이 화살의 끝 부분(오늬)을 시위(활 줄)에 매달아 연습용으로 또는 사냥을 위해 반복적으로 사용할 수 있어 고안했다.

代

훈음 대신할 대 **부수** 사람 亻(인) ▶▶▶ 사람 亻(인) + 주살 弋(익) ➡ 닭 대신 꿩

사람이 화살 대신 주살(弋)로 활 연습을 한다 하여 '대신하다, 번갈아 하다, 세대'의 뜻이 파생되어 사용됐다.

●●●●● 代身(대신)/代行(대행)/一代記(일대기)/代辯(대변)

式

훈음 법 식 **부수** 주살 弋(익) ▶▶▶ 장인 工(공) + 주살 弋(익) ➡ 잘 만들어졌는지 비교해 봄

사악한 기운을 없앤다거나 악귀를 쫓아 내기위해 사용하던 祭具(제구)가 장인 공(工)이며 주살 익(弋) 역시 같은 목적으로 사용되었을 것으로 추정한다. 따라서 비정상적인 상황을 바르게 하였다 하여 모범 규범의 뜻을 갖는 법 식(式)이 되었으며

●●●●● 法式(법식)/式順(식순)/儀式(의식)/公式(공식)

拭

훈음 닦을 식 **부수** 손 扌(수) ▶▶▶ 손 扌(수) + 법 式(식) – 발음기호

법 식(式)이 사악한 기운을 떨쳐 버린다는 뜻에서 법 식(式)으로 의미 발전하자 사악한 기운을 손(扌)으로 떨쳐 버린다하여 불식(拂拭)의 떨/닦을 식(拭)자가 되었다

●●●●● 拂拭(불식)/拭目(식목)

試

훈음 시험할 시 **부수** 말씀 言(언) ▶▶▶ 말씀 言(언) + 법 式(식) ➡ 제대로 아는지 말로 살펴봄

사람이 말(言)하는 방식(式)을 규정된 틀(式)에 비추어 보면 그 사람이 어떠한 사람인가를 가려내기에 충분하다 하여 두 글자 모두 의미요소에 式(식)은 발음기호로도 사용하였다.

●●●●● 試驗(시험)/試食(시식)/試金石(시금석)/試圖(시도)

弑

훈음 죽일 시 **부수** 주살 弋(익) ▶▶▶ 매듭 모양 + 나무 木(목) + 법 式(식)

글자의 왼편은 지네의 상형으로 보아 아무런 도움도 되지 않는 벌레 등을 죽이는 모습에서 '죽이다, 윗사람을 죽이다'의 뜻이 파생된 글자로 式(식)은 발음요소이다.

●●●●● 弑害(시해)

武

훈음 굳셀 무 **부수** 발 止(지) ▶▶▶ 창 戈(과) + 발 止(지) ➡ 주살 弋(익)이 아니라 창 戈(과)의 변형임

창(戈)과 발자국(止)을 그려서 전쟁터로 향하는 군인들의 씩씩한 모습에서 '굳세다, 용맹스럽다, 군인, 무기' 등의 뜻으로 의미 발전됐다. 창 戈(과)의 삐친 부분(丿)이 위로 올라간 꼴이다.

●●●●● 武勇(무용)/武器(무기)/武力(무력)/文武(문무)

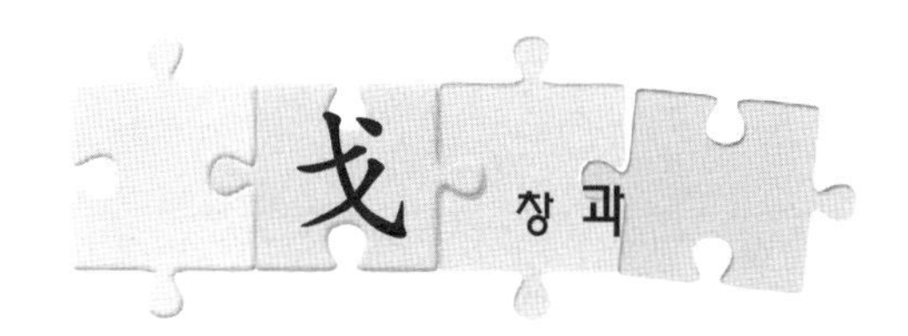

戈(과) 戊(무) 戌(술) 戍(수) 戉(월) 戎(융) 戒(계)

戈

훈음 창 과 부수 제 부수 ▶▶▶ 전쟁과 공격을 상징

날 한쪽에 가지가 있는 창으로 마치 창 앞이 곡괭이나 낫(ㄱ)처럼 생긴 옛날의 대표적 무기 중 하나로 부수자로 대단히 많이 쓰이는 중요한 글자이다.

戊

훈음 도끼 무 부수 창 戈(과) ▶▶▶ ノ + 창 戈(과) ➡ 자루가 긴 의장용 도끼

창(戈)처럼 긴 자루의 儀仗(의장)용 도끼로 병사들이 한꺼번에 이 도끼를 들고 있으면 마치 숲이 무성한 것처럼 보여 무성하다/우거지다의 의미를 갖게 되었으나 훗날 '다섯째 天干(천간) 무'로 사용되자 그 본뜻은 茂(무)가 대신하게 되었다.

••••• 戊夜(무야) = 오경 = 새벽 3~5시 사이

戌

훈음 개 술 부수 창 戈(과) ▶▶▶ 도끼 戊(무) + 一(일)

넓적한 날(一)이 강조된 儀仗(의장)용 도끼.

••••• 戊戌(무술)년/戌時(술시 = 하루를 12시로 나누어서 11번째 = 오후 7~9시)

戉

훈음 도끼 월 부수 창 戈(과)

통치자의 위엄을 나타내는 儀仗(의장)용 큰 도끼의 상형이다.

•••••

戍

훈음 지킬 수 부수 창 戈(과) ▶▶▶ 사람 人(인) + 창 戈(과) ➡ 창을 들고 보초 서는 병사

창(戈)을 들고 보초를 서고 있는 병사(人)의 모습으로 두 글자 모두 의미요소이다.

••••• 戍衛(수위)/戍兵(수병)

戎

훈음 되/오랑캐 융 부수 창 戈(과) ▶▶▶ 열 十(십)=(甲) + 창 戈(과) ➡ 완전 무장 군인

갑옷(十)과 무기(戈)의 합자로 완전 무장한 군인/흉악스런 무기를 상징한다.

••••• 戎器(융기)/戎蠻(융만)/夷蠻戎狄(이만융적)

※ 夷蠻戎狄(이만융적) - 동/남/서/북쪽의 오랑캐를 지칭하는 글자들 - 戎(융)은 서쪽 오랑캐를 가리킨다.

戒

훈음 경계할 계 부수 창 戈(과)

▶▶▶ 두 손 받들 廾(공) + 창 戈(과) ➡ 두 손으로 무기를 들고 경계 근무

창(戈)을 들고(廾) 경계 서는 모습에서 경계하다/삼가다/훈계 등의 뜻이 파생됐다.

••••• 警戒(경계)/戒嚴令(계엄령)/懲戒(징계)/受戒(수계)

戊(무) 茂(무) 戚(척) 歲(세) 戉(월) 越(월)

茂

훈음 우거질/무성할 부수 무 – 풀 艹(초) ▶▶▶ 풀 艹(초) + 도끼 戊(무)
풀이 무성하게 자란 모습을 나타내는 글자이므로 풀 艹(초)는 의미요소, 戊(무)는 발음기호이다.
●●●●● 茂盛(무성)

戊

훈음 도끼 무 부수 창 戈(과) ▶▶▶ ノ + 창 戈(과) ➡ 자루가 긴 의장용 도끼
창(戈)처럼 긴 자루의 儀仗(의장)용 도끼로 병사들이 한꺼번에 이 도끼를 들고 있으면 마치 숲이 무성한 것처럼 보여 무성하다/우거지다의 의미를 갖게 되었다. 그러나 훗날 '다섯째 天干(천간) 무'로 사용되자 그 본뜻은 茂(무)가 대신하게 되었다.
●●●●● 戊夜(무야) = 오경 = 새벽 3~5시 사이

戚

훈음 겨레 척 부수 창 戈(과) ▶▶▶ 戊(무) + 叔(숙)의 왼편 – 작은 도끼
작은(叔) 도끼(戊)가 원래의 뜻이었으나 후에 '겨레, 친척' 등으로 차용되었다. 叔(숙)은 발음요소로 사용됐다.
●●●●● 親戚(친척)/外戚(외척)/姻戚(인척)

歲

훈음 해 세 부수 그칠 止(지) ▶▶▶ 그칠 止(지) + 도끼 戊(무) + 발 疋(필) ➡ 세월 앞에 장사 없다
큰 도끼의 상형으로 날 양쪽 부분에 장식으로 뚫은 두 구멍이 변해서 두 개의 발 止(지)자처럼 변했다. "수확하기 위해 도끼로 베다"로 사용되다 수확은 1년에 한 차례 함으로 '한 해'라는 뜻이 생겨났다. 걸음(步)을 멈추게 하는 무기는 도끼(戊)로서 걸음 步(보)를 止(지)와 疋(필) 둘로 갈라버려 "강제로 걸음을 멈추게 하다"는 뜻으로 만들어진 글자다. "歲月(세월) 앞에 壯士(장사)없다"는 말이 그래서 나온 말이다.
●●●●● 歲月(세월)/年歲(연세)/歲拜(세배)/萬歲(만세)

越

훈음 넘을 월 부수 달릴 走(주) ▶▶▶ 달릴 走(주) + 도끼 戉(월)
장애물을 타고 넘는 모습을 그린 글자로 달릴 走(주)를 의미요소로 戉(월)은 발음기호로 쓰였다.
●●●●● 越境(월경)/越班(월반)/播越(파월)/越權(월권)/卓越(탁월)

戌(술) 威(위) 滅(멸) 成(성) 城(성) 盛(성) 誠(성)

戌

훈음 개 술 부수 창 戈(과) ▶▶▶ 도끼 戊(무) + 一(일) ➡ 날이 강조된 도끼
넓적한 날(一)이 강조된 儀仗(의장)용 도끼.
●●●●● 戊戌(무술)년/戌時(술시 = 하루를 12시로 나누어서 11번째 = 오후 7~9시)

威

훈음 위엄 위 부수 계집 女(여) ▶▶▶ 도끼 戌(술) + 계집 女(여) ➡ 칼 앞에 약자
권위를 상징하는 도끼 戌(술) 앞에서 사람은 누구나 할 것 없이 주눅이 들고 말 것이다. 요즘 생각으로 보면 곤란하다. 따라서 기죽은 사람으로 힘이 없는 계집 女(여)를 의미부여 및 발음기호로 사용한 글자이다.
●●●●● 威嚴(위엄)/權威(권위)/威信(위신)/威風堂堂(위풍당당)/威脅(위협)/猛威(맹위)/街頭示威(가두시위)/威壓(위압)/威力(위력)/狐假虎威(호가호위)

滅

훈음 멸망할 멸 부수 물 氵(수)
▶▶▶ 물 氵(수) + 불 火(화) + 도끼 戌(술) ➡ 물과 불로 완전히 파괴됨
옛사람들이 재앙이라는 글자를 나타내기 위해 물 水(수)와 불 火(화)를 합하여 재앙 災(재)를 만들었는데 거기에 무시무시한 도끼 戌(술)이 더해졌으니, 완전히 없애버린다는 사상을 전달하기에 충분할 것이다.
●●●●● 滅亡(멸망)/滅族(멸족)/滅種(멸종)/不滅(불멸)/消滅(소멸)

成

훈음 이룰 성 부수 창 戈(과) ▶▶▶ 戊(술) + 넷째 천간 丁(정) ➡ 도끼로 공격함

서슬이 시퍼런 도끼를 상징하는 戊(술)과 발음을 담당한 丁(정)의 합자로, "최고의 무기로 공격하니 성공은 확실하다"하여 '이루다, 다스리다'로 의미 확대됐다.

●●●●● 成就(성취)/成功(성공)/成果(성과)/成敗(성패)

城

훈음 성 성 부수 흙 土(토) ▶▶▶ 흙 土(토) + 이룰 成(성) ➡ 흙으로 쌓은 성

성곽에 세워져 있는 망루와 큰 도끼의 합자였으나 훗날 망루가 흙 土(토)로 바뀌었다.

성곽을 지키는 모습에서 '성'이 파생되었으며, 옛날엔 토성이 많았으므로 城(성)을 더욱 분명히 하기 위해 흙 土(토)를 의미요소로 成(성)은 발음기호로 쓰였다.

●●●●● 土城(토성)/城門(성문)/城郭(성곽)/古城(고성)/牙城(아성)

盛

훈음 담을/왕성할 성 부수 그릇 皿(명) ▶▶▶ 이룰 成(성) + 그릇 皿(명) ➡ 그릇에 가득 담음

잔치 음식이나 높은 사람에게 바치는 귀한 음식을 담는 그릇을 뜻하기 위한 것이므로 그릇 皿(명)이 의미요소이고, 成(성)은 발음기호이다. 후에 '담다, 가득 차다, 성하다'라는 의미로 쓰였다.

●●●●● 茂盛(무성)/繁盛(번성)/珍羞盛饌(진수성찬)/盛況(성황)/旺盛(왕성)/極盛(극성)/全盛(전성)/興亡盛衰(흥망성쇠)

誠

훈음 정성 성 부수 말씀 言(언) ▶▶▶ 말씀 言(언) + 이룰 成(성) ➡ 진정한 말

사람의 진심을 나타내고자 하는 표현으로 '속에서 나오는 말'로 진심을 드러낸다 하여 말씀 言(언)이 의미요소로 成(성)은 발음기호로 쓰였다.

●●●●● 精誠(정성)/誠心(성심)/至誠感天(지성감천)/忠誠(충성)

咸(함) 喊(함) 緘(함) 感(감) 減(감) 憾(감) 箴(잠)

咸

훈음 다 함 부수 입 口(구) ▶▶▶ 도끼 戌(술) + 입 口(구) ➡ 감히 딴소리는 불가능

서슬 시퍼런 도끼 앞에서 어느 누가 고분고분하지 않을 수 있으며 진실을 말하지 않을 수 있으랴? 따라서 '다, 모두, 같다'의 뜻이 파생됐다. 홀로 쓰이는 경우가 드문 글자이다.

●●●●● 咸興差使(함흥차사)/咸告(함고)

喊

훈음 소리 함 부수 입 口(구) ▶▶▶ 입 口(구) + 다 咸(함) ➡ 비명 소리

다 咸(함)이 형 집행을 당하며 비명을 질러대는 모습의 글자였다. '다, 모두' 등으로 의미가 변하자 입 口(구)를 추가하여 비명 소리를 분명하게 나타낸 글자로 咸(함)은 발음기호이다.

●●●●● 喊聲(함성)/高喊(고함)

훈음 봉할 함 부수 실 糸(사) ▶▶▶ 실 糸(사) + 다 咸(함) ➡ 끈으로 묶어 버림

'입구를 묶어 밀봉하다'의 뜻이므로 묶는 도구인 밧줄의 상형이다. 실 糸(사)가 의미요소고 咸(함)은 발음기호이다.

●●●●● 封緘(봉함)/緘口無言(함구무언)/緘口(함구)

感

훈음 느낄 감 부수 마음 心(심)

▶▶▶ 다 咸(함) + 마음 心(심) ➡ 처형당하는 사람의 고통을 느낌

사람이 모든 사물에 대하여 갖는 느낌, 곧 감정을 나타내는 표현이므로 마음 心(심)이 의미요소고 咸(함)은 발음기호이다.

●●●●● 感動(감동)/同感(동감)/感受性(감수성)/感慨無量(감개무량)

減

훈음 덜 감 **부수** 물 氵(수) ▶▶▶ 물 氵(수) + 다 咸(함) ➡ 물이 줄어듬

물이 줄어드는 것을 나타내기 위함이었으므로 물 氵(수)가 의미요소로 咸(함)은 발음기호로 쓰였다.

●●●●● 減少(감소)/加減(가감)/減免(감면)/減速(감속)/減員(감원)

憾

훈음 한할/서운할 감 **부수** 마음 忄(심) ▶▶▶ 마음 忄(심) + 느낄 感(감) ➡ 한을 품다

지우려 해도 지울 수 없는 섭섭한 마음의 감정을 나타내기 위해 느낄 感(감)에 마음 忄(심) 하나를 더 추가하여 "정말로 서운하고 한스러운 감정을 나타낸 글자"다.

●●●●● 遺憾千萬(유감천만)/私憾(사감)/憾情(감정)

箴

훈음 바늘 잠 **부수** 대 竹(죽) ▶▶▶ 대 竹(죽) + 다 咸(함) ➡ 찔러서 고통을 줌

가죽옷을 만들 때 사용하던 대나무 바늘을 나타내기 위하여 대 竹(죽)을 의미요소로 다 咸(함)을 발음기호로 사용했다. 여기에서 '찌르다, 훈계하다'라는 뜻이 파생됐다.

●●●●● 箴言(잠언)

戍(수) 幾(기) 機(기) 饑(기) 畿(기) 蔑(멸)

戍

훈음 지킬 수 **부수** 창 戈(과) ▶▶▶ 사람 人(인) + 창 戈(과) ➡ 변방에서 창을 들고 보초 서는 병사

창(戈)을 들고 보초를 서고 있는 병사(人)의 모습으로 두 글자 모두 의미요소이다.

●●●●● 戍衛(수위)/戍兵(수병)

幾

훈음 기미/몇 기 **부수** 작을 幺(요) ▶▶▶ 작을 幺(요) + 지킬 戍(수) ➡ 철저히 국경을 지킴

幺(요) 두 개는 '두 가닥 실'을 상형한 글자로 '끊어지기 쉬운 실'을 나타내었다. 따라서 국경을 지키는 병사(戍)들이 가장 취약한 부분(幺)의 동태를 예의 주시하다에서 '기미, 낌새, 살핌' 등의 뜻이 파생됐다.

●●●●● 幾微(기미)/幾何級數(기하급수)/幾日(기일)

機

훈음 틀/베틀/기미 기 **부수** 나무 木(목) ▶▶▶ 나무 木(목) + 기미 幾(기) ➡ 나무의 미묘한 변화

베틀을 나타내는 글자이므로 베틀의 재료인 나무 木(목)이 의미요소로 幾(기)는 발음기호로 쓰인 글자이다. 幾(기)와 발음이 같아 '위기, 기회'라는 단어에서처럼 '機微(기미)라는 뜻도 넘겨받은 글자다.

●●●●● 機械(기계)/危機(위기)/機會(기회)/機密(기밀)/時機(시기)/心機一轉(심기일전)/投機(투기)/好機(호기)/天機漏泄(천기누설)/代謝機能(대사기능)

饑

훈음 주릴 기 **부수** 밥 食(식) ▶▶▶ 밥 食(식) + 기미 幾(기)

먹을 게 없어 배를 주리는 상황을 묘사한 글자로, 밥 食(식)이 의미요소이고 幾(기)가 발음기호다.

●●●●● 饑餓(기아)/饑饉(기근)/飢渴(기갈)

畿

훈음 경기 기 **부수** 밭 田(전) ▶▶▶ 밭 田(전) + 幾(기)의 생략형

서울(도성)을 중심으로 500리 이내의 땅을 가리키는 글자로, 밭 田(전)이 의미요소고 幾(기)는 발음기호로 쓰였다.

●●●●● 京畿(경기)/畿内(기내)

蔑

훈음 업신여길 멸 **부수** 풀 艹(초) ▶▶▶ 풀 艹(초) + 눈 目(목) + 지킬 戍(수) ➡ 부릅뜬 눈

눈을 부릅뜨고 쳐다보는 병사의 모습에서 상대방을 깔보듯이 쳐다본다하여 '업신여기다'의 뜻이 파생된 글자다. 艹(초)는 눈썹으로 눈 目(목)과 함께 쓰여 눈썹이 치켜 올라가도록 부릅뜬 눈으로 창과 도끼로 무장한 병사(戍)가 쳐다보니 얼마나 모멸감을 느끼겠는가?

●●●●● 蔑視(멸시)/侮蔑(모멸)/輕蔑(경멸)

戎(융) 絨(융) 賊(적) 戒(계) 誡(계) 械(계)

戎

훈음 되/오랑캐 융 부수 창 戈(과) ▶▶▶ 열 十(십)=(甲) + 창 戈(과) ➡ 완전 무장한 오랑캐의 모습
갑옷(十)과 무기(戈)의 합자로 완전 무장한 군인/흉악스런 무기를 상징한다.
●●●●● 戎器(융기)/戎狄(융적)/戎蠻(융만)

絨

훈음 융 융 부수 실 糸(사) ▶▶▶ 실 糸(사) + 戎(융) ➡ 오랑캐 족들의 두툼한 옷
감이 두툼한 모직물을 나타내는 글자이므로 실 糸(사)가 의미요소며 戎(융)이 발음기호이다.
오랑캐족들이 입고 있는 두툼한 옷이나 덮고 까는 양탄자/이불의 모습을 연상하라.
●●●●● 絨緞(융단)/絨毛(융모)

賊

훈음 도둑 적 부수 조개 貝(패) ▶▶▶ 조개 貝(패) + 무기 戎(융) ➡ 약탈을 일삼는 오랑캐
도적이란 귀중품을 빼앗거나 훔치거나 하는 것이므로 귀중품을 상징하는 조개 貝(패)를 의미부로 무기 戎(융) 역시 의미요소로 사용하여 만든 글자다.
※ 일설에는 則(칙) + 戈(과)의 합자이고 則(칙)은 또 솥 鼎(정) + 칼 刂(도)의 변형이므로 왕의 명령이나 당부를 솥에 새겨 넣은 것이 지켜야 할 법칙이나 명령이어서, 생긴 법칙을 파괴하는 흉기로 창 戈(과)가 쓰인 글자로 따라서 이 둘을 합한 賊(적)은 '법을 파괴하다'에서 추출한 '해치다'를 본뜻으로 삼았다고 한다.
●●●●● 盜賊(도적)/賊反荷杖(적반하장)/逆賊(역적)/山賊(산적)

戒

훈음 경계할/삼갈 계 부수 창 戈(과) ▶▶▶ 두 손 받들 廾(공) + 창 戈(과) ➡ 두 손으로 창을 들고 경계 근무 서는 보초
창(戈)을 들고(廾) 경계 서는 모습에서 '경계하다/삼가다/훈계' 등의 뜻이 파생됐다.
●●●●● 警戒(경계)/戒嚴令(계엄령)/懲戒(징계)/受戒(수계)/訓戒(훈계)/沐浴齋戒(목욕재계)/自肅自戒(자숙자계)

誡

훈음 경계할 계 부수 말씀 言(언) ▶▶▶ 말씀 言(언) + 경계할 戒(계) ➡ 말로 경계함
경계란 무기를 들고 철저히 경비를 서는 것을 말하기도 하지만 말(言)로 주의(戒)를 주어 긴장감을 갖도록 하는 것도 있으므로 두 의미요소를 다 합하여 만든 글자이다. 말로 하는 훈계를 뜻한다.
●●●●● 十誡命(십계명)

械

훈음 형틀 계 부수 나무 木(목) ▶▶▶ 나무 木(목) + 戒(계) ➡ 형틀로 타이름
형틀의 재료인 나무 木(목)을 의미요소로 戒(계)를 발음기호로 쓰였다.
※ 형틀이란 오늘날로 말하면 수갑 등을 말하며 손발을 꼼짝 못하게 가둬 두는 형구로써 무기를 들고 서 있는 모습의 戒(계)가 단순히 발음기호에만 관여한 것이 아니라, 그러한 죄인을 지키는 경계병이라는 뜻에서도 이 형틀 械(계)의 의미를 더욱 확실히 하는 데 도움을 주었다.
●●●●● 機械(기계)/醫療器械(의료기계)/器械體操(기계체조)

或(혹) 惑(혹) 域(역) 國(국)

或

훈음 혹/어떤/늘 혹 부수 창 戈(과) ▶▶▶ 창 戈(과) + 입 口(구) + 한 一(일) ➡ 나라를 상징
국경(口)과 영토(一)와 이를 지키는 군사(戈)를 그려 넣어 나라, 국가라는 글자를 만들었다. 음이 같아서 '혹시, 또'로 가차되어 널리 쓰이자 나라의 의미를 더 확실하게 하기 위해 에워쌀 위(囗 - 국경을 분명히 나타내기 위해 울타리 격으로)를 넣어 새로 만든 글자가 나라 國(국)자이다.
●●●●● 或是(혹시)/或者(혹자)/間或(간혹)

惑

훈음 미혹할 혹 부수 마음 心(심) ▶▶▶ 혹 或(혹) + 마음 心(심) ➡ 마음을 어지럽힘

남을 홀린다는 것은 타인의 마음을 훔치는 것 또는 빼앗는 것이므로 마음 心(심)을 의미요소로 혹 或(혹)을 발음기호로 만든 글자다.

●●●●● 迷惑(미혹)/誘惑(유혹)/惑世誣民(혹세무민)/不惑(불혹)/惑星(혹성)/三不惑(삼불혹 = 여자, 재물, 술)

域

훈음 지경 역 부수 흙 土(토) ▶▶▶ 흙 土(토) + 혹 或(혹) ➡ 국토/영역

나라나 마을의 경계를 나타내기 위해 군사들이 무기를 들고 지키는 땅(곳)이 곧 경계를 의미하므로, 흙 土(토)와 或(혹) 모두가 의미요소이며 或(혹)은 발음기호로도 사용됐다.

●●●●● 地域(지역)/聖域(성역)/異域萬里(이역만리)/區域(구역)

國

훈음 나라 국 부수 나라 囗(국) ▶▶▶ 혹 或(혹) + 나라 囗(국) ➡ 나라의 국경을 강조

국가의 영토를 둘러싸고 있는 국경을 큰 담으로 에워싸서(囗-에워쌀 위의 古字(고자)) 나라를 상징했던 혹 或(혹)자의 원래 의미를 분명히 한 글자다.

●●●●● 國家(국가)/韓國(한국)/國際社會(국제사회)/國民(국민)

哉(재)	載(재)	裁(재)	栽(재)	截(절)
鐵(철)	韱(섬)	纖(섬)	殲(섬)	懺(참)

哉

훈음 비롯할/어조사 재 부수 입 口(구) ▶▶▶ 재(十+戈) + 입 口(구) ➡ 발음기호로 많이 쓰임

어조사로 쓰이므로 입 口(구)가 의미요소고 나머지는 발음기호다(才가 발음에 영향 미침).

●●●●● 哉生明(재생명)/哀哉(애재)/快哉(쾌재)

載

훈음 실을/해 재 부수 수레 車(거) ▶▶▶ 재(十+戈) + 수레 車(거) ➡ 수레에 싣다

싣다, 적재하다의 뜻이므로 수레 車(거)가 의미요소고 나머지는 발음요소다.

●●●●● 積載(적재)/搭載(탑재)/記載(기재)/連載(연재)/登載(등재)/千載一遇(천재일우)

裁

훈음 마를/재단할/결단할 재 부수 옷 衣(의) ▶▶▶ 재(十+戈) + 옷 衣(의) ➡ 천을 재단함

옷을 만들기 전 재단하는 모습을 나타내고자 하므로 옷 衣(의)가 의미요소고 나머진 발음요소에 기여했다.

●●●●● 裁斷(재단)/裁縫(재봉)/裁判(재판)/制裁(제재)/獨裁(독재)/裁量(재량)/總裁(총재)/決裁(결재)

栽

훈음 심을 재 부수 나무 木(목) ▶▶▶ 재(十+戈) + 나무 木(목) ➡ 나무를 심다

나무를 심다가 원뜻이므로 나무 木(목)이 의미요소고 나머지는 발음기호이다.

●●●●● 植栽(식재)/盆栽(분재)/栽培(재배)

截

훈음 끊을 절 부수 창 戈(과)

▶▶▶ − 재(十+戈) + 새 隹(추) ➡ 새의 날개를 잘라버림

재(十+戈)를 발음요소로 새(隹)의 날개를 잘라낸다 하여 절단(截斷)의 끊을 절(截)

●●●●● 截斷(절단)/去頭截尾(거두절미)

鐵

훈음 쇠 철 부수 쇠 金(금)

▶▶▶ 쇠 金(금) + 呈(정) + 재(十+戈) − 발음요소

검은 쇠를 본뜻으로 하는 글자이므로, 쇠 金(금)이 의미요소이며 나머지는 발음기호이다.

●●●●● 鐵器(철기)/鐵窓(철창)/製鐵(제철)/鋼鐵(강철)/古鐵(고철)

殲

훈음 산 부추 섬 **부수** 부추 韭(구) ▶▶▶ 다할/끊을 첨(𢦏) + 부추 韭(구) ➡ 가늘게 썰다

사물을 실(糸)이나 부추(韭)처럼 가늘게 쪼개니(𢦏-다할/끊을 첨) 부추 섬(韱)자가 되었고, 부추(韱)처럼 가는 실(糸)이 섬유(纖維)의 가늘 섬(纖)자이며, 실(糸)과 부추(韭)의 특징은 가늘다는 것이므로 섬유(纖維)의 가늘 섬(纖)자가 만들어졌으며, 부서진 뼈 알(歹)을 더하여 뼈도 추리지 못하게 하였다는 섬멸(殲滅)의 다 죽일 섬(殲)자를 만들어냈고 그리고 마음(忄)이 갈기갈기(韱) 찢어지는 아픔이 참회(懺悔)의 뉘우칠 참(懺)자도 만들어졌다.

●●●●● 纖細(섬세)/纖纖玉手(섬섬옥수)/懺悔錄(참회록)

戠(시) 職(직) 識(식) 織(직) 熾(치) 幟(치)

戠

훈음 찰진 흙 시/새길 지 **부수** 창 戈(과) ▶▶▶ 音(음) + 창 戈(과) ➡ 점토판에 무엇인가를 새기다

뾰족한 것(戈)을 가지고 점토판에 무엇(音)인가를 새겨 놓은 모습에서 '찰진 흙 시와 새길 지'라는 글자가 만들어졌으며 "무엇인가를 기억하기 위한 표시나 標識(표지)"로 여겨진다. 따라서 창 戈(과)는 점토판에 글자나 부호를 새기는 도구이며 音(음)은 새겨진 부호이며, 점토판(戠)을 오래 보존키 위해 뜨거울 풀무 불(火)에 구우니 치열(熾熱)의 성할 치(熾)자가 단순히 수건 巾(건)자를 추가하여 기치(旗幟)의 기 치(幟)자도 만들어냈다.

職

훈음 벼슬 직 **부수** 귀 耳(이)

▶▶▶ 귀 耳(이) + 찰진 흙 시(戠) ➡ 잘 알아들어야 직분을 맡을 수 있다

찰진 흙 시(戠)가 발음요소로 귀(耳)가 밝아 잘 '알아듣다'라는 뜻이었으나 후에 잘 알아들어야 할 수 있는 일이라 하여 '일' '벼슬'등으로 의미 확대됐다.

●●●●● 職分(직분)/職業(직업)/職場(직장)/免職(면직)/職務(직무)/職員(직원)/職級(직급)/公職(공직)/教職(교직)/就職(취직)/天職(천직)/賣官賣職(매관매직)

識

훈음 알 식 **부수** 말씀 言(언) ▶▶▶ 말씀 言(언) + 찰진 흙 시(戠) ➡ 말을 해야 알 수 있다

찰진 흙 시(戠)가 발음요소로 무엇을 알아야 말(言)을 한다 하여 '알다' '인정하다'의 뜻이 생겼다.

●●●●● 識別(식별)/知識(지식)/識見(식견)/識字憂患(식자우환)

織

훈음 짤 직 **부수** 실 糸(사) ▶▶▶ 실 糸(사) + 찰진 흙 시(戠) ➡ 실로 천을 만들다

찰진 흙 시(戠)가 발음요소로 실(糸)은 직물을 하는데 필수요소임으로 두 자가 합쳐져 생긴 글자다.

●●●●● 組織(조직)/綿織(면직)/紡織(방직)/織物(직물)/織造(직조) 기치

我(아) 義(의) 儀(의) 議(의) 餓(아)

我

훈음 나 아 **부수** 창 戈(과) ▶▶▶ 才(재) + 창 戈(과) ➡ 톱니 모양의 날을 가진 창

톱니 모양의 날을 가진 창의 상형으로 다양한 무기 중의 하나지만, '나'를 뜻하는 '아'와 발음이 같아서 가차되어 사용되고 있다.

●●●●● 自我(자아)/我田引水(아전인수)/我軍(아군)/自我陶醉(자아도취)/沒我(몰아)/無我之境(무아지경)

훈음 옳을 의 부수 양 羊(양) ▶▶▶ 양 羊(양) + 나 我(아) ➡ 옳고 그름을 판단하는 의장용 무기를 든 권력자

장식용 무기 즉 儀仗(의장)용 무기를 든 권력자가 옳고 그름을 판결한다 하여 '옳다'는 뜻이 파생됐다. 새의 깃털(양의 뿔이 아님에 유의)로 장식한 무기가 본뜻이므로 새의 깃털 모양과 비슷한 양의 뿔에서 양 羊(양)이라는 글자가 의미요소로, 나 我(아) 역시 무기로 의미요소 겸 발음요소로 사용되었음을 알 수 있다.

●●●●● 義務(의무)/正義感(정의감)/義俠心(의협심)/義理(의리)/義人(의인)/義勇兵(의용병)/義足(의족)/講義(강의)/ 君臣有義(군신유의)/大義名分(대의명분)

훈음 거동/본보기 의 부수 사람 亻(인)

▶▶▶ 사람 亻(인) + 옳을 義(의) ➡ 올바른 본을 보이는 사람의 행동거지

장식용 무기를 들고 올바른 판단을 해야 하는 권위자의 한마디 한마디의 모든 말들과 행동들은 본이 되고 절도가 있어야 함으로 여기서 '거동, 본, 법' 등의 의미가 파생되었다.

사람 亻(인)과 義(의) 모두가 의미요소이며 義(의)는 발음을 겸한다.

●●●●● 儀式(의식)/儀仗(의장)/禮儀凡節(예의범절)/祝儀金(축의금)/國民儀禮(국민의례)/儀仗隊(의장대)

훈음 의논할 의 부수 말씀 言(언) ▶▶▶ 말씀 言(언) + 옳을 義(의) ➡ 올바른 결론을 도출하기 위해 의논함

올바른 결론을 내기 위해 의논하다가 원뜻이므로 말씀 言(언)이 의미요소이며 義(의)가 발음기호이다. 의논이란 올바른 결론을 내기 위한 과정이므로 장식용 무기인 義(의)를 들고 있는 권위자가 바른 판단을 하기 위해 자문을 구하는 것이므로 義(의) 역시 의미요소에도 기여했음을 알 수 있다.

●●●●● 議論(의논)/論議(논의)/議題(의제)/建議(건의)/決議(결의)/議員(의원)/議席(의석)/異議(이의)/提議(제의)/討議(토의)/不可思議(불가사의)/會議(회의)

餓

훈음 주릴 아 부수 밥 食(식) ▶▶▶ 밥 食(식) + 나 我(아)

나 我(아)를 발음기호로 '배를 주리'는 것도 먹을 것이 없다는 뜻이므로 밥 食(식)을 의미요소로 하여 만든 形聲(형성)자다.

●●●●● 飢餓(기아)/餓死(아사)/餓死之境(아사지경)

戔(잔) 殘(잔) 盞(잔) 淺(천) 賤(천) 踐(천) 錢(전) 餞(전)

훈음 해칠 잔/쌓일 전 부수 창 戈(과) ➡ 단독으로 쓰이지 않음

창(戈) 두 개를 그려 놓았으니 분명 싸움과 관련이 있을 것이고, 발음기호로 사용된 글자들이 모두 적고/가볍고/얇고 등의 뜻으로 사용됨에 유의하자.

훈음 해칠/나머지 잔 부수 부서진 뼈 歹(알)

▶▶▶ 부서진 뼈 歹(알) + 해칠 戔(잔) ➡ 바스러지고 남은 얼마 안 되는 뼛조각

뼈가 부서지도록 창으로 찌르고, 찍고, 해치고 한다 하여 뼈 歹(알)과 해칠 戔(잔) 모두가 의미요소로 쓰였으며 해칠 戔(잔)은 발음기호 역할도 한다.

●●●●● 殘忍(잔인)/殘金(잔금)/敗殘兵(패잔병)

훈음 잔 잔 부수 그릇 皿(명) ▶▶▶ 해칠 戔(잔) + 그릇 皿(명) ➡ 얇은 받침 그릇

무엇인가를 받치는 잔을 의미하므로 그릇 皿(명)이 의미요소고 해칠 戔(잔)은 발음기호이다.

과거의 전쟁에서 승자는 패자의 피를 빨아먹던 관습이 있던 부족들이 있었으며 그 피를 담는 그릇에서 술잔, 핏잔이 나왔다.

●●●●● 燈盞(등잔)/金盞(금잔)/金盞玉臺(금잔옥대)

훈음 얕을 천 부수 물 氵(수)변 ▶▶▶ 물 氵(수) + 戔(전) ➡ 얕은 물
강물이 깊지 않고 얕다는 뜻을 위함이나 물 氵(수)가 의미요소고 해칠 戔(잔)은 발음기호이다.
전쟁터에서 수심이 얕은 곳을 확보하는 것은 중요한 일이다.
●●●●● 淺薄(천박)/淺學(천학)/寡聞淺識(과문천식)

훈음 천할 천 부수 조개 貝(패) ▶▶▶ 조개 貝(패–여기서는 돈) + 해칠 戔(잔) ➡ 돈이 적은 사람
아무리 부자고 많이 배워도 행동거지가 거기에 걸맞지 못하면 어울리지 않는다는 뜻으로 "천박하다"고 얘기한다. 전쟁터에서 아니면 창을 들고 강도질하여 빼앗은 돈이야말로 천한 게 아니겠는가? 돈 貝(패)는 의미요소고 해칠 戔(잔)은 발음기호이다.
●●●●● 賤民(천민)/賤待(천대)/賤視(천시)/貴卑賤(귀비천)

훈음 밟을 천 부수 발 足(족) ▶▶▶ 발 足(족) + 해칠 戔(잔) ➡ 밟고 지나감
발로 밟고 지나간다 하여 발 足(족)을 의미요소로 해칠 戔(잔)은 발음기호로, 전시에 창을 든 군인들이 남의 논밭을 인정 사정 없이 밟아 뭉개버리며 행진하는 장면을 연상하라.
●●●●● 實踐(실천)/實踐躬行(실천궁행)

훈음 돈 전 부수 쇠 金(금) ▶▶▶ 쇠 金(금) + 해칠 戔(잔) ➡ 얇은 쇳조각이 곧 돈이다
쇠로 만들어진 돈을 가리키는 말로 그 재질인 쇠 金(금)이 의미요소고 해칠 戔(잔)은 발음기호이다.
●●●●● 金錢(금전)/換錢(환전)/無錢旅行(무전여행)/銅錢(동전)

훈음 전별할 전 부수 밥 食(식) ▶▶▶ 밥 食(식) + 해칠 戔(잔) – 밥을 먹여 보냄
여러 부족들이 함께 힘을 합해 전쟁(戔)에서 승리를 거둔 후 각자의 성으로 돌아가는 참전자나 승리에 공헌한 자들에게 밥(食)을 먹여서, 혹은 포상을 하면서 헤어진 데서 유래한 글자다. 오늘날 공직자들이 퇴직하면 남아 있는 동료 직원들이 십시일반으로 거두어 주는 돈을 말한다.
●●●●● 餞別(전별)금/餞送(전송)/餞別式(전별식)

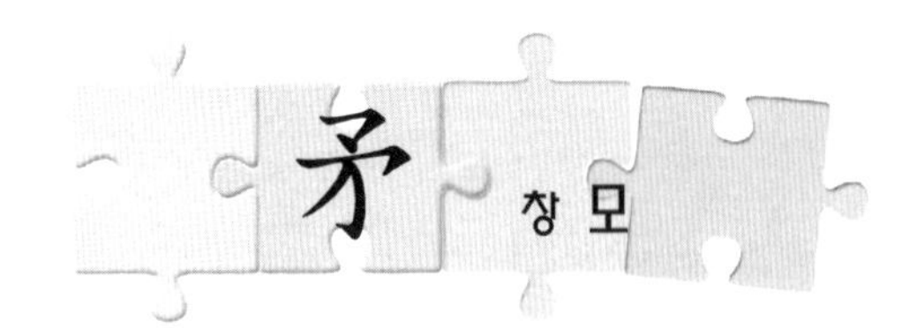

矛(모) 矜(긍) 柔(유) 務(무) 霧(무)

훈음 창 모 **부수** 제 부수

앞이 뾰족하고 날카로운 날로 이루어진 자루가 긴, 찌르는 부분만으로 이루어진 창을 일컫는다.

●●●●● 矛盾(모순) – 창과 방패

矜

훈음 불쌍히 여길/자랑할 긍 **부수** 창 矛(모) ▶▶▶ 창 矛(모) + 이제 今(금) ➡ 처형당하는 장면

목숨이 곧 달아날 처지에 있는 죄인을 처형하는 입장에서는 죄인이 '불쌍할 것이고' 가족의 입장에서는 떳떳하게 죽음을 맞는 아들이 '자랑스러울 것'이다. 따라서 처형의 입장에서 창 矛(모)가 이제 곧 죽음을 맞이한다는 입장에서 이제 今(금)이 쓰였으며 今(금)은 발음기호로 쓰였다.

●●●●● 矜持(긍지)/矜恤(긍휼)히/自矜心(자긍심)

훈음 부드러울 유 **부수** 나무 木(목) ▶▶▶ 창 矛(모) + 나무 木(목) ➡ 나무로 만든 부드러운 창

나무로 만든 창이 원뜻이므로 나무 木(목)과 창 矛(모)가 의미요소로 쓰였다. "창은 모름지기 뾰족하고, 날카로워야지 나무처럼 찔러도 들어가지 않아서야 어디 쓸모 있겠는가?" 해서 나무로 만든 창은 부드럽고, 유약 하다는 뜻으로 쓰였다.

●●●●● 優柔不斷(우유부단)/柔順(유순)/柔道(유도)/柔弱(유약)/外柔內剛(외유내강)/懷柔(회유)/柔軟(유연)

훈음 일/힘쓸 무 **부수** 힘 力(력) ▶▶▶ 창 矛(모) + 칠 攵(복) + 힘 力(력) ➡ 죽을힘을 다해야 하는 일

모든 글자의 구성 요소들(창+몽둥이+힘)이 전쟁이나 싸움과 관련된 글자들이다. 따라서 전쟁이나 싸움은 장난으로 하는 놀이가 아니라 죽을힘을 써야 할 일이자 작업인 것이다. 창 矛(모)가 발음기호로도 사용되었다.

●●●●● 義務(의무)/勤務(근무)/公務員(공무원)/任務(임무)/職務(직무)/事務(사무)/用務(용무)

훈음 안개 무 **부수** 비 雨(우) ▶▶▶ 비 雨(우) + 힘쓸 務(무) ➡ 나아가기 힘들게 만드는 비

안개를 나타내는 글자이므로 비 雨(우)가 의미요소로 힘쓸 務(무)는 발음기호로 쓰였다.

●●●●● 雲霧(운무)/霧散(무산)/五里霧中(오리무중)/濃霧(농무)

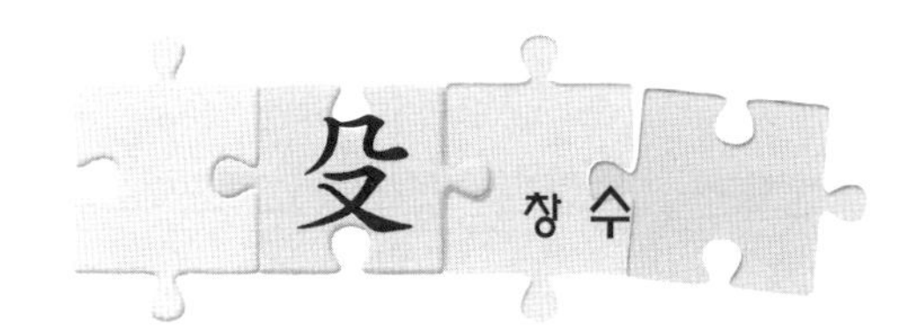

殳(수)	投(투)	發(발)	醫(의)	般(반)	盤(반)
搬(반)	役(역)	疫(역)	穀(곡)	殼(각)	設(설)

殳

훈음 창/칠 수 **부수** 제 부수 ▶▶▶ 丨(곤) + 又(우)

창을 나타내는 글자로 3종류가 있다. 창 殳(수)는 흔히 생각하는 찌르는 창이라기보다는 긴 자루를 손에 들고 있는 모습으로 '창 혹은 몽둥이'의 뜻을 지녀서 주로 두들겨패는 동작과 관련이 많다.

投

훈음 던질 투 **부수** 손 扌(수) ▶▶▶ 손 扌(수) + 창 殳(수) ➡ 창을 던짐

긴 창을 멀리 던지는 것을 나타낸 것으로 손 扌(수)와 창 殳(수) 모두가 의미요소로 사용되었으며, 이 글자를 통해서도 창 殳(수)가 앞이 뾰족하고 자루가 긴 창임을 알 수 있다.

●●●●● 投手(투수)/力投(역투)/投槍(투창)/投賣(투매)/投身(투신)/意氣投合(의기투합)/投資(투자)

發

훈음 쏠 발 **부수** 등질 癶(발) ▶▶▶ 필 癶(발) + 활 弓(궁) + 창 殳(수) ➡ 던지고 쏠려는 자세

현대의 글자는 활(弓)을 쏘고 창(殳)을 던지는 자세(癶)를 나타낸 것으로 보이나 짓밟을 癹(발)을 발음기호로 활 弓(궁)을 의미요소로 하여 만든 글자다. '활을 쏘다'를 의미하게 한 글자였으나 후에 '시작하다, 떠나다' 등으로 의미 확대됐다.

●●●●● 發射(발사)/出發(출발)/發生(발생)/發令(발령)/發祥地(발상지)/發熱(발열)/發作(발작)/百發百中(백발백중)/一觸卽發(일촉즉발)

醫

훈음 의원 의 **부수** 술 酉(유)

▶▶▶ 상자 匚(방) + 화살 矢(시) + 창 殳(수) + 술 酉(유) ➡ 전쟁터에서 치료함

화살(矢)과 창(殳)이 등장한다는 것은 戰時(전시)라는 것이고, 전쟁터에서 날아온 화살(矢)을 맞아 생긴 상처 구멍(匚)에 술(酉)을 부어 소독하는 장면에서 '치료하다, 치료하는 사람'의 뜻이 생겨났다.

●●●●● 醫院(의원)/醫師(의사)/醫療器(의료기)/醫療(의료)

般

훈음 돌 반 **부수** 배 舟(주) ▶▶▶ 배 舟(주) + 창 殳(수) ➡ 노를 저어 배를 움직임

창 수(殳)는 손에 막대기를 들고 있는 모습이므로 여기서 배를 젓는 노를 잡고 배를 움직이는 모습에서 '돌다, 옮기다, 되돌리다'가 원뜻이다. 그리고 '재미있다'의 뜻이 파생된 글자로 두 글자 모두 의미요소에 기여했다.

●●●●● 彼此一般(피차일반)/諸般(제반)/般若心經(반야심경)

盤

훈음 소반 반 **부수** 그릇 皿(명) ▶▶▶ 돌 般(반) + 그릇 皿(명) ➡ 배가 돌듯 쟁반으로 음식을 나름

얇고 넓적한 음식을 나르는 접시를 나타내는 글자이므로 그릇 皿(명)이 의미요소고 돌 般(반)이 발음기호이다. 쟁반에 음식을 담아 나르는 모습이 여기저기 옮겨 다니는 배의 모습과 유사해서 의미에도 돌 般(반)자가 기여하고 있음을 알 수 있다.

●●●●● 小盤(소반)/錚盤(쟁반)/盤石(반석)/音盤(음반)/骨盤(골반)

搬

훈음 옮길 반 부수 손 扌(수) ▶▶▶ 손 扌(수) + 돌 般(반) ➡ 배로(담는 용기) 물자를 운반하다

물건을 옮기는 일은 주로 손이 하는 일이므로 손 扌(수)가 의미요소고 般(반)은 발음기호이다. 般(반) 역시 물자를 운반하는 배 舟(주)의 역할이 있으므로 의미요소에 기여하고 있다.

●●●●● 運搬(운반)/搬入(반입)/搬出(반출)

役

훈음 부릴 역 부수 길 갈 彳(척) ▶▶▶ 彳(척) + 창 殳(수) ➡ 몽둥이를 들고 노예에게 강제노역을 시킴

'일을 시키다'는 뜻을 가진 글자로 남에게 강제로 일을 시킬 수 있는 권위를 상징하는 무기인 창(殳)을 들고 있는 사람(亻)으로 그 뜻을 묘사한 글자이다. 훗날 사람(亻-彳의 변형)이 길 갈 彳(척)으로 바뀌었다. '부리다, 일' 등으로 뜻이 확대됐다.

●●●●● 使役(사역)/苦役(고역)/勞役(노역)/懲役(징역)/兵役(병역)

疫

훈음 염병/돌림병 역 부수 병들 疒(녁) ▶▶▶ 병들 疒(녁) + 창 殳(수) ➡ 유행병

돌아다니는 병 즉 유행병이나 돌림병을 나타내는 글자이므로 '돌아다니다'의 뜻을 갖는 돌 般(반)의 생략형인 창 殳(수)와 병을 가리키는 병들 疒(녁)을 합쳐서 만든 회의자다.

●●●●● 疫病(역병)/防疫(방역)/疫神(역신)

殼

훈음 껍질 각 부수 창 殳(수)

▶▶▶ 士(사) + 冖(멱) + 一(일) + 几(궤) + 창 殳(수) ➡ 두드려서 깨트려야 되는 껍질

땅 속에 파묻혀 있는 식물의 씨앗처럼 껍질이 있는 곡식이나 호두 같은 堅果(견과) 등을 몽둥이로 때려서 속을 꺼내는 장면이 담긴 글자에서 '껍질'이라는 뜻이 파생됐다. 따라서 창 殳(수)가 몽둥이로 껍질을 깨는 것을 나타내며 나머지는 그 껍질을 나타냈다.

●●●●● 地殼運動(지각운동)/甲殼類(갑각류)/殼果(각과)

穀

훈음 곡식 곡 부수 벼 禾(화) ▶▶▶ 껍질 殼(각) + 벼 禾(화) ➡ 껍질 있는 곡식

껍질에 쌓여 있는 곡물을 나타내는 글자로 곡물의 대표격인 벼 禾(화)와 껍질 殼(각) 모두가 의미요소이며 殼(각)은 발음기호이기도 하다.

●●●●● 穀食(곡식)/糧穀(양곡)/穀倉(곡창)/五穀(오곡)/禾穀(화곡)

設

훈음 베풀 설 부수 말씀 言(언) ▶▶▶ 말씀 言(언) + 창 殳(수) ➡ 작업 지시를 손과 말로 함

몽둥이(殳)나 창 등으로 땅에 작업 계획이나 지시를 적어둔 모습에서 훗날 지시하는 것으로 바뀌어 말씀 言(언)이 추가된 글자로 '베풀다, 세우다'로 의미 발전했다.

●●●●● 建設(건설)/設立(설립)/施設(시설)/設備投資(설비투자)

段(단) 殺(살/쇄) 刹(찰) 弑(시) 毁(훼) 擊(격) 毆(구)

段

훈음 구분 단 부수 창 殳(수) ▶▶▶ 언덕/기슭 厂(엄) + 三(삼) + 창 殳(수) ➡ 쪼아서 층층대를 만듦

바위나 언덕을 쪼아서 오르내리기 편리하도록 층층대를 만드는 모습에서, 손에 망치나 징을 든 모습의 殳(수)와 언덕이나 바위에 계단(三)을 만드는 모습 모두가 의미요소로 쓰였다.

●●●●● 段階(단계)/段落(단락)/手段(수단)/上段(상단)/段數(단수)

殺

훈음 죽일 살/덜/심할 쇄 부수 창 殳(수)

▶▶▶ 매듭 모양 + 나무 木(목) + 창/몽둥이 殳(수) ➡ 벌레를 때려죽임

글자의 왼편은 지네의 상형으로 '보이는 즉시 몽둥이로 때려잡는 모습'에서 '죽이다'라는 뜻이 생긴 글자다.

●●●●● 殺人(살인)/屠殺(도살)/殺害(살해)/殺氣(살기)/殺蟲劑(살충제)/減殺(감쇄)/殺到(쇄도)/虐殺(학살)/自殺(자살)/ 他殺(타살)/殺身成仁(살신성인)

剎

훈음 절/짧은 시간 찰 부수 칼 刂(도)

▶▶▶ 매듭 모양 + 나무 木(목) + 칼 刂(도) ➡ 벌레를 죽이는 짧은 시간

글자의 왼편은 지네의 상형으로 칼 刂(도)가 첨가되어 때려죽이는 것이 아니라 칼로 찌른다거나 베어서 '빨리 죽이다'라는 뜻에서 '짧은 시간'이 파생되었다. 그러나 후에 '사찰, 절'로 더 많이 쓰이게 되었다.

●●●●● 寺剎(사찰)/剎那(찰나)/古剎(고찰)

훈음 죽일 시 부수 주살 弋(익) ▶▶▶ 매듭 모양 + 나무 木(목) + 법 式(식)

글자의 왼편은 지네의 상형으로 보아 아무런 도움도 되지 않는 벌레 등을 죽이는 모습에서 '죽이다, 윗사람을 죽이다'라는 뜻이 파생된 글자로 式(식)은 발음요소이다.

●●●●● 弑害(시해)/弑君(시군)/弑逆(시역)

毁

훈음 헐 훼 부수 창/몽둥이 殳(수)

▶▶▶ 절구 臼(구) + 흙 土(토) + 창/몽둥이 殳(수) ➡ 몽둥이로 새집을 헐다

사람이 까치발(工-壬)을 하고 처마 밑에 달린 벌집(臼)이나 새집(臼) 등을 몽둥이(殳)로 때려 부수는 모습에서 '헐다/헐뜯다'라는 뜻이 파생됐다.

●●●●● 毁損(훼손)/毁謗(훼방)

훈음 부딪힐/칠 격 부수 손 手(수) ▶▶▶ 부딪힐 毄(격) + 손 手(수) ➡ 전차 바퀴가 서로 부딪히다

'치다'라는 것은 주로 손이 하는 일이므로 손 手(수)를 의미요소로 부딪힐 毄(격)을 발음 및 의미요소로 사용하여 만든 글자다.

●●●●● 出擊(출격)/銃擊(총격)/擊破(격파)/擊沈(격침)/攻擊(공격)

훈음 때릴 구 부수 창/몽둥이 殳(수) ▶▶▶ 지경 區(구) + 창/몽둥이 殳(수)

몽둥이를 휘둘러 죄인이나 동물을 죽일 듯이 패는 모습에서 '때리다'가 파생된 글자로, 창/몽둥이 殳(수)가 의미요소고 區(구)는 발음기호이다.

●●●●● 毆打(구타)

刀/刂 칼 도

刀(도)	分(분)	切(절)	初(초)	召(소)	丰刀(갈)
契(글)	契(계)	喫(끽)	齧(설)	絜(혈)	潔(결)

刀

훈음 칼 도 부수 제 부수

자루가 있는 칼 모양을 본떠서 그린 그림글자이다.

●●●●● 單刀直入(단도직입)/一刀兩斷(일도양단)

分

훈음 나눌 분 부수 칼 刀(도) ▶▶▶ 여덟 八(팔) + 칼 刀(도) ➡ 칼로 반을 나누다

칼(刀)로 쪼개어 반으로 나누는(八) 모습을 본떠서 그린 그림글자다.

●●●●● 分割(분할)/分配(분배)/分房(분방)/分散(분산)/分家(분가)

切

훈음 끊을 절 부수 칼 刀(도)

▶▶▶ 일곱 七(칠) + 칼 刀(도) ➡ 칼로 배를 갈라 동물의 내장을 도려내는 모습

일곱 七(칠) 자체만으로도 물체를 가로로 가른 모습이었으나, 숫자 七(칠)로 가차되자 그 뜻을 분명히 하기 위해 칼 刀(도)를 더한 글자로 일곱 七(칠)이 발음기호로도 쓰였다.

동물의 배를 가로세로(十 - 七로 변형)로 잘라(刀) 내장을 도려내고 하는 모습에서 만들어진 글자다.

●●●●● 切斷(절단)/親切(친절)/切齒腐心(절치부심)/適切(적절)

初

훈음 처음 초 부수 칼 刀(도)

▶▶▶ 옷 衤(의) + 칼 刀(도) ➡ 천을 마름질하는 일로 옷 만드는 일이 시작됨

옷(衣)을 만들기 위해 처음으로 하는 일은 천을 자르고(刀) 마름질하는 일로부터다. 아담이 에덴동산에서 추방되기 전에 선악과를 따먹고 가장 먼저 한 것으로, 옷(衣)을 만들(刀)어 주요 부위를 가렸다고 성서는 알려 주는데 흥미롭기까지 하다.

●●●●● 初等(초등)/初步(초보)/初期(초기)/今時初聞(금시초문)

召

훈음 부를 소 부수 입 口(구) ▶▶▶ 칼 刀(도) + 입 口(구) ➡ 손님을 부르다

손님을 '불러' 대접하기 혹은 손님을 '초대하여' 연회를 베풀기 위해 술독에서 술을 퍼내는 장면의 글자였으나, 술 병(酉)은 입 口(구)로 간략화 되었고 술 뜨는 기구인 구기(勺)는 칼 刀(도)로 변형되었다. 따라서 원 뜻은 '접대하기 위해 손님을 부르다'이다. 제단 위에 동물을 잡아 놓고(刀) 신을 부르는(口) 행위로 여겨졌다.

●●●●● 召喚(소환)/召集(소집)/召命(소명)/遠禍召福(원화소복)

丰刀

훈음 새길 갈/약속할 계 부수 칼 刀(도)

▶▶▶ 칼 로 표시(丰) + 칼 도(刀) ➡ 칼로 나무에 표시함

중요한 약속이나 계약 사항을 나무에 표시한 글자가 새길 갈(丰刀)자이며, 칼 대신 이빨(齒)로 갉아 먹는 동물을 가리키는 글자로 설치류(齧齒類)의 물 설(齧)자가 만들어졌다.

契

훈음 새길/맺을 계 **부수** 큰 大(대) ▶▶▶ 丰(봉) + 칼 刀(도) + 大(木의 변형) ➡ 계약 내용을 칼로 새김

나무(大→木의 변형)나 동물의 뼈 등에 칼(刀)로 계약이나 약속의 내용(丰)을 새겨 넣는 모습에서 만들어진 글자가 새길 글(契)/맺을 계(契)이며 계약을 체결하고 나서 피나 술을 함께 나눠 마시(口)던 풍습이 남아 있는 글자가 만끽(滿喫)의 마실 끽(喫)자이다.

●●●●● 契約(계약)/契機(계기)/金蘭之契(금란지계)/親睦契(친목계)/斷金之契(단금지계)/喫煙(끽연)

潔

훈음 깨끗할 결 **부수** 물 氵(수) ▶▶▶ 물 氵(수) + 헤아릴 絜(혈) ➡ 한 점 부끄럼 없는 물

계약서(㓞-새길 갈/약속 계)를 끈(糸)으로 묶는 모습에서 묶을/헤아릴 혈(絜)자가 만들어졌으며 중요한 계약이나 약속을 하기에 앞서 깨끗하게 물로 목욕재개 하는 장면이 깨끗할 결(潔)자이다.

●●●●● 潔白(결백)/淸潔(청결)/簡潔(간결)/不潔(불결)/純潔(순결)

刀(도) 刃(인) 忍(인) 認(인) 刅(창) 梁(량)

刃

훈음 칼날 인 **부수** 칼 刀(도) ▶▶▶ 칼 刀(도) + 점 丶(주)

칼날을 가리키기 위해 칼 刀(도)에 날의 위치를 가리키는 부호(丶)를 넣어 만든 글자로, 이러한 글자를 六書(육서)의 분류상 指事字(지사자) 즉 사물을 가리키는 글자라고 한다.

●●●●● 刀刃(도인)/刃創(인창)

忍

훈음 참을 인 **부수** 마음 心(심) ▶▶▶ 칼 刀(도) + 마음 心(심) ➡ 심장이 터지는 아픔을 견딤

참는다는 것은 상징적 심장인 마음이 칼로 베이는 것과 같은 고통을 견딘다는 것이므로, 마음 心(심)과 칼날 刃(인) 모두가 의미요소이며 칼날 刃(인)은 발음을 겸한다.

참으로 고통스러운 상황을 "심장이 터질 듯하다"고 말하는 것에서 유추 가능한 글자이다.

●●●●● 忍耐(인내)/忍苦(인고)/目不忍見(목불인견)/隱忍自重(은인자중)

認

훈음 알/승인할/인정할 인 **부수** 말씀 言(언)

▶▶▶ 말씀 言(언) + 참을 인(忍) ➡ 말로 인정하기까지 인내가 요구됨

말을 듣고 분간하는 것이 곧 '알다'를 의미하므로 말씀 言(언)이 의미요소고 忍(인)은 발음기호이다. 지식의 습득이란 오랜 세월 참고 견뎌야 가능한 것이다.

●●●●● 認定(인정)/承認(승인)/公認(공인)/認可(인가)/否認(부인)/是認(시인)/認知(인지)

梁

훈음 비롯할 창 **부수** 칼 刀(도) ▶▶▶ 칼 刀(도) + 점 丶(주) ➡ 물건을 만들기 시작하는 장면

칼날을 가리키기 위해 칼 刀(도)에 날의 위치를 가리키는 부호(丶)를 넣어 만든 글자가 칼날 인(刃)자라면 물건을 만들기 위해 칼(刀)로 깎거나 파서 다듬고 있는 모습의 글자가 비롯할 창(刅)자이고, 나무(木)를 다듬고(刅) 씻어(氵) 기둥이나 보로 사용하니 상량식(上梁式)의 들보 량(梁) 또는 강(氵)위에 달아매어 다리로 사용하니 橋梁(교량)의 들보/다리 梁(량)

●●●●● 棟梁(동량/橋梁(교량)/梁上君子(양상군자)

券(권) 卷(권) 捲(권) 倦(권) 圈(권) 拳(권)

훈음 문서 권 부수 칼 刀(도)

▶▶▶ 분별할 釆(변) + 두 손 받들 廾(공) + 칼 刀(도) ➡ 진품 여부를 살펴봄

반으로 쪼개(刀) 보관하던 중요 문서가 진품인지를 가리기 위해 두 손으로 들고(廾) 자세히 살펴보는(釆) 모습에서 '문서'의 뜻을 자연히 지니게 된 글자다.

●●●●● 招待券(초대권)/債券(채권)/株券(주권)

훈음 말다/책/굽을 권 부수 병부 㔾(절)

▶▶▶ 분별할 釆(변) + 두 손 받들 廾(공) + 병부 㔾(절) ➡ 두루마리를 말다

여기서 釆(변)은 분별하다의 뜻이 아니라 쌀 米(미)를 이용하여 주먹밥을 만들어 놓은 모양으로, 무릎을 구푸리고 앉아서(㔾) 두 손으로 주먹밥을 말듯이 두루마리 책을 말고 있는 모습에서 '말다, 책, 굽다' 등의 뜻이 파생됐으나 주로 책 卷(권)으로 많이 쓰이자 마는 행위를 하는 손 扌(수)를 넣어서 의미를 살린 글자가 권토중래(捲土重來)의 말 권(捲)자이며 사람(亻)이 너무 오랫동안 누워 있어 몸이 둥글게 말리는(卷) 현상에서 倦怠(권태)의 게으를 倦(권)자가 만들어 졌다.

●●●●● 壓卷(압권)/卷頭(권두)/卷末(권말)/卷煙(궐련)/手不釋卷(수불석권)

훈음 주먹 권 부수 손 手(수)

▶▶▶ 분별할 釆(변) + 두 손 받들 廾(공) + 손 手(수) ➡ 손을 말아 주먹을 만듦

주먹을 나타내고자 하였으므로 손 手(수)가 의미요소고 나머지는 발음요소이다. '나머지'라는 구성요소가 주먹밥을 말고 있는 모습임으로 손을 말아 주먹을 만드는 모습에 적용한다.

●●●●● 拳鬪(권투)/鐵拳(철권)/拳銃(권총)/赤手空拳(적수공권)

훈음 우리 권 부수 큰 입구 囗(국) ▶▶▶ 囗(국) + 문서 券(권) ➡ 문서를 보관하는 울타리/서고

일정 구역이나 세력이 미치는 범위를 의미하는 글자로 울타리를 뜻하는 囗(국)이 의미요소고 券(권)은 발음기호이다.

●●●●● 商圈(상권)/勢力圈(세력권)/共産圈(공산권)

刺(자) 班(반) 割(할) 剖(부) 判(판) 削(삭) 刮(괄) 刷(쇄) 副(부) 劇(극)

훈음 찌를 자 부수 칼 刂(도) ▶▶▶ 가시 朿(자) + 칼 刂(도) ➡ 찔러 상처를 내다

가시나무의 가시가 사람을 찌르는 것을 칼 刂(도)를 추가하여 찔러서 해를 입히다/죽이다로 의미결합 확대된 글자로 두 글자 모두 의미요소고 가시 朿(자)는 발음도 겸한다.

●●●●● 刺客(자객)/諷刺(풍자)/刺戟(자극)/刺繡(자수)

훈음 나눌 반 부수 구슬 玉(옥) ▶▶▶ 구슬 玉(옥) + 칼 刂(도) ➡ 옥을 둘로 쪼개다

구슬이나 옥(玉)을 칼(刂)로 반으로 쪼개는 모습으로 두 글자 모두 의미요소이다. 나누어서 상품 중품을 구별하여 등급을 정하니까 '차례, 지위, 순서' 등의 뜻이 파생됐다.

●●●●● 班列(반열)/班次(반차)/兩班(양반)

割

훈음 나눌/벨 할 부수 칼 刀(도)

▶▶▶ 해칠 害(해) + 칼 刂(도) ➡ 웃자란 싹을 칼로 베어 버리다

칼로 베서 나누는 것을 말하므로 칼 刀(도)가 의미요소고 해칠 害(해)가 발음요소이다.

●●●●● 割賦(할부)/割腹(할복)/割禮(할례)/割當(할당)/割引(할인)

※ 轄(할) - 관할 할 - 管轄(관할)/統轄(통할)/直轄(직할)

剖

훈음 쪼갤 부 부수 칼 刂(도) ▶▶▶ 부(立+口) + 칼 刂(도) ➡ 속을 쪼개다
둘로 나누다/쪼개다의 뜻을 위한 글자이므로 칼 刂(도)가 의미요소고 부(立+口)는 발음기호이다.
●●●●● 解剖(해부)

判

훈음 판가름할 판 부수 칼 刂(도) ▶▶▶ 반 半(반) + 칼 刂(도) ➡ 사물을 반으로 쪼개다
사물을 반(半)으로 쪼개(刂)보면 내용물이 좋은 것인지 여부를 쉽게 알 수 있다 하여 만들어진 글자로 두 글자 모두 의미요소이며 반 半(반)이 발음기호이다.
●●●●● 判斷(판단)/審判(심판)/判決(판결)/裁判官(재판관)

削

훈음 깎을 삭 부수 칼 刂(도) ▶▶▶ 닮을 肖(초) + 칼 刂(도) ➡ 태아의 머리가 골고루 자라도록 잘라줌
머리가 골고루 잘 자라라고 갓 태어난 아기(肖)의 머리카락을 잘라(刂)주는 풍습에서 생긴 글자다.
●●●●● 削減(삭감)/削髮(삭발)/削除(삭제)/添削(첨삭)

刮

훈음 깎을/비빌 괄 부수 칼 刂(도) ▶▶▶ 혀 舌(설) + 칼 刂(도) ➡ 표면을 도려냄
표면을 깎아내고 도려낸다는 의미이므로 칼 刂(도)를 의미요소로 舌(설)을 발음기호로 했다.
●●●●● 刮目(괄목)/刮目相對(괄목상대)

刷

훈음 쓸/털다 쇄 부수 칼 刂(도)
▶▶▶ 주검 尸(시) + 수건 巾(건) + 칼 刂(도) ➡ 칼로 도려낸 부분을 털어냄
사람이 쪼그리고 앉아(尸) 칼(刂)로 새기고 잘못된 부분을 도려내고 하여 생긴 부산물들을 수건(巾)으로 깨끗하게 쓸고 닦고 하는 모습을 그린 글자로 쓸고 닦고 털고의 뜻 외에도 '찍다, 없애다'의 뜻이 파생됐다.
●●●●● 印刷(인쇄)/刷新(쇄신)

副

훈음 버금/도울 부 부수 칼 刂(도) ▶▶▶ 가득할/가득 찰 복(畐) + 칼 刂(도) ➡ 술병과 칼
술이 가득 들어있는 술 병(畐)을 칼(刂)로 반을 쪼개는 모습에서 신에게 바칠 예비용 제물을 만일의 사태에 대비하여 마련해 두려는 행위를 나타낸 글자로 '버금가다, 돕다' 등의 뜻으로 의미가 발전되었다.
●●●●● 正副(정부)/副社長(부사장)/副業(부업)/副作用(부작용)

劇

훈음 심할 극 부수 칼 刂(도) ▶▶▶ 범 虍(호) + 돼지 豕(시) + 칼 刂(도) ➡ 호랑이와 돼지의 싸움
호랑이(虍(호)와 돼지(豕(시)는 싸움(刂) 자체가 되지 않는다. 그러나 호랑이와 돼지 가면을 쓰고 하는 놀이에서는 재미요소를 가미하기 위해 극렬하게 싸우는 것으로 묘사하였다. 여기에서 '심하다, 연극하다'의 뜻이 파생됐다. 모든 글자가 의미요소에 기여했다.
●●●●● 演劇(연극)/悲劇(비극)/劇藥(극약)/京劇(경극)

刻(각) 刊(간) 劃(획) 則(칙) 剝(박)

刻

훈음 새길 각 부수 칼 刂(도) ▶▶▶ 돼지 亥(해) + 칼 刂(도) ➡ 동물의 뿔에 새김
칼로 새기다가 본뜻이므로 칼 刂(도)를 의미요소로 초기에 동물의 가죽이나 뼛조각에 그 새기는 일을 했으므로 멧돼지를 상징하는 돼지 亥(해) 역시 의미요소 및 발음기호로 쓰였다.
●●●●● 彫刻(조각)/刻苦(각고)/刻骨難忘(각골난망)/深刻(심각)

刊

훈음 책 펴낼 간 부수 칼 刂(도) ▶▶▶ 방패 干(간) + 칼 刀(도) ➡ 칼로 새겨 책을 만듦
책을 펴낸다는 것은 과거에 칼(刂)로 나무를 다듬어 그 위에 글을 쓰고 줄로 엮어야만 하였는데 그 모습을 보고 칼 刂(도)를 의미요소로 干(간)은 발음기호로 하여 만들어 낸 글자다.
●●●●● 刊行物(간행물)/創刊號(창간호)/發刊(발간)/廢刊(폐간)

劃

훈음 그을 획 **부수** 칼 刀(도)

▶▶▶ 붓 聿(율) + 밭 田(전) + 한 一(일) + 칼 刂(도) ➡ 칼이나 붓으로 그어 경계를 분명히 함

선을 그어 경계 표시를 하는데 필요한 도구인 붓(聿)과 칼(刂)을 합쳐서 '긋다'라는 글자를 만들어 냈다. 또한 붓으로(聿) 옷이나 천에 본(도형-디자인)(田)을 그어 칼(刂)로 잘라내는(一) 모습으로 보기도 한다.

●●●●● 劃期的(획기적)/分劃(분획)/劃一(획일)/區劃(구획)

則

훈음 법칙 칙/곧 즉 **부수** 칼 刀(도) **▶▶▶** 조개 貝(패) + 칼 刂(도) ➡ 청동 솥에 칼로 글자를 새겨 넣다

칼(刂)로 솥(貝-鼎)에 글을 새기는 것을 의미하는 것으로 오늘날의 단순한 솥을 생각하면 안 된다. 공을 세워 하사품으로 받은 고가의 청동기 제품인 솥등에 신하가 지켜야 할 왕의 명령이나 당부 등을 새겨 넣어 "법칙"이란 뜻이 생겨났다. 칼(刂)로 솥(貝-鼎)에 눌러 붙은 음식을 빨리 떼어냄에서 혹은 下賜(하사)를 한 왕의 이름을 어떠한 이유에서든 빨리 제거해 버려야 하였으므로 "곧"이라는 뜻도 생겼다.

●●●●● 法則(법칙)/原則(원칙)/規則(규칙)/民心則天心(민심즉천심)

剝

훈음 벗길 박 **부수** 칼 刂(도) **▶▶▶** 나무 깎을 彔(록) + 칼 刂(도) ➡ 나무나 동물의 껍질(가죽)을 벗겨냄

'나무껍질이나 동물의 가죽을 벗겨내다'가 원뜻이므로 그 행위를 하는 칼 刂(도)가 의미요소고 彔(록)은 발음기호다.

●●●●● 剝離(박리)/剝皮(박피)/剝奪(박탈)

利(리) 梨(리) 列(열) 烈(렬) 例(례) 裂(렬) 別(별)

利

훈음 날카로울 리 **부수** 칼 刂(도) **▶▶▶** 벼 禾(화) + 칼 刂(도) ➡ 벼 베기

벼(禾)를 수확하기 위해서 칼(刂)이 날카로워야 하며 수확 행위는 곧 이로움을 말하는 것이다.

●●●●● 利得(이득)/利權(이권)/利己主義(이기주의)/利他(이타)

梨

훈음 배나무 리 **부수** 나무 木(목) **▶▶▶** 날카로울 利(리) + 나무 木(목)

배나무를 나타내는 글자이므로 나무 木(목)을 의미요소로 利(리)는 발음기호로 쓰였다.

●●●●● 梨花(이화)

列

훈음 줄/벌일 렬 **부수** 뼈 歹(알) **▶▶▶** 뼈 歹(알) + 칼 刂(도) ➡ 살을 발라 벌려놓은 모습

칼로(刂) 뼈(歹)와 살을 분리하여 벌려 놓은 모습에서 만들어진 글자이며, 살과 가죽을 제외한 필요 없는 부분(列)을 맹렬히 타는 불(灬)에 태우는 모습이 맹렬(猛烈)의 세찰 렬(烈)자이고 절차에 따라 염하기 위해 늘어놓은(列) 사람(亻)모습에서 혹은 죽은 사람을 늘어놓은 모습은 다 비슷비슷하므로 사례(事例)/예외(例外)의 법식/모두/본보기 례(例)자이다.

●●●●● 行列(행렬)/隊列(대열)/列國(열국)/一列(일렬)

裂

훈음 찢을 렬 **부수** 옷 衣(의) **▶▶▶** 벌일 列(렬) + 옷 衣(의) ➡ 옷을 갈기갈기 찢음

옷을 갈기갈기 찢는 모습을 나타낸 글자이므로 옷 衣(의)가 의미요소고 列(렬)은 발음기호이다.

●●●●● 分裂(분열)/決裂(결렬)/支離滅裂(지리멸렬)

別

훈음 나눌 별 **부수** 칼 刂(도) **▶▶▶** 冎(골) + 칼 刂(도) ➡ 칼로 뼈에서 살을 발라냄

살을 다 발라내고 남은 뼛조각과 칼 刂(도)를 합쳐서 만든 글자다. '칼로 살을 발라내다'에서 '분해하다'는 본뜻이 생겼고, '나누다/헤어지다'의 의미로 확대된 글자다.

●●●●● 離別(이별)/別居(별거)/別館(별관)/別冊(별책)/別世(별세)

刑(형) 荊(형) 形(형) 型(형)

刑

훈음 형벌 형 **부수** 칼 刂(도) ▶▶▶ 우물 井(정) + 칼 刂(도) ➡ 형벌을 가하는 도구

감옥을 상징하는 창틀(井)과 처벌도구인 칼 刂(도)를 합하여 죄인에게 형벌을 가한다는 뜻을 전달한 글자이며, 벌(刑) 받는 것 같은 고통을 주는 가시(艹)가 가시나무를 뜻하는 형극(荊棘)의 모형나무 형(荊)자이다.

●●●●● 刑罰(형벌)/死刑(사형)/減刑(감형)

形

훈음 모양/형상 형 **부수** 터럭 彡(삼) ▶▶▶ 우물 井(정) + 터럭 彡(삼)

터럭 彡(삼)은 리본이나 스카프처럼 대상을 더 빛나게 해 주는 악세사리나 조미료에 해당하는 글자이다. 따라서 여기 모양 形(형)에서도 사각 틀(井)에 장식(彡)을 달아 그 모양을 더 아름답게 만들었을 것이다. 井(정)은 발음기호이다.

●●●●● 人形(인형)/形狀(형상)/形容詞(형용사)

型

훈음 거푸집 형 **부수** 흙 土(토) ▶▶▶ 형벌 刑(형) + 흙 土(토)

옛날의 거푸집은 전부 흙으로 만들어졌으므로, 흙 土(토)를 의미요소로 刑(형)은 발음기호로 쓰였다.

●●●●● 模型(모형)/原型(원형)/典型(전형)

斤(근) 斥(척) 訴(소) 析(석) 斬(참) 新(신) 斷(단) 繼(계) 兵(병)

斤

훈음 도끼 근 부수 제 부수

나무를 패거나 찍는 연장의 모양을 바탕으로 만든 글자로 점차 무기로 사용됐다.

●●●●● 斤量(근량)/斤秤(근칭)/千斤萬斤(천근만근)/斧斤(부근)

斥

훈음 물리칠 척 부수 도끼 斤(근) ▶▶▶ 도끼 斤(근) + 점 丶(주) ➡ 도끼로 찍어 잘라냄

도끼(斤)와 도끼에 찍힌 한 점(丶)을 통해 '물리치다, 내치다'의 뜻을 만들어 냈다.

●●●●● 排斥(배척)/斥候(척후)/衛正斥邪(위정척사)

訴

훈음 하소연할/호소할 소 부수 말씀 言(언) ▶▶▶ 말씀 言(언) + 물리칠 斥(척) ➡ 말로 물리침

말(言)로 물리치기(斥) 위해 하는 행동이 곧 하소연이므로, 말씀 言(언)을 의미요소로 斥(척)은 발음기호이다.

●●●●● 訴訟(소송)/起訴(기소)/呼訴(호소)

析

훈음 가를 석 부수 나무 木(목) ▶▶▶ 나무 木(목) + 도끼 斤(근) ➡ 나무를 갈라 속을 살펴봄

도끼로 장작 패는 모습을 그린 글자로 두 글자 모두 의미요소이다.

●●●●● 分析(분석)/狀況分析(상황분석)/精神分析(정신분석)

斬

훈음 벨 참 부수 도끼 斤(근) ▶▶▶ 수레 車(거) + 도끼 斤(근) ➡ 도끼로 머리를 내리쳐 죽임

목을 베어 참수형을 하는 장면이므로 도끼 斤(근)이 의미요소임은 쉽게 파악된다. 수레 車(거)는 참수형을 당한 사람을 내다 버리기 위해서라는 설과, 사지를 수레에 묶어 찢어 죽인데서 더해졌다는 설도 있다.

●●●●● 斬首(참수)/斬新(참신)/泣斬馬謖(읍참마속)/陵遲處斬(능지처참)

新

훈음 새 신 부수 도끼 斤(근)

▶▶▶ 매울 辛(신) + 木(목) + 도끼 斤(근) ➡ 가지치기를 통해 나무가 잘 자라도록 함

나무를 베다가 원뜻이므로 나무 木(목)과 도끼 斤(근)이 의미요소고 辛(신)은 발음기호이나, 단순히 나무를 베는 것이 아니라 필요 없는 가지들을 잘라주어 나무가 잘 자라게 한다는 뜻에서 '새롭다'의 뜻으로 파생됐다.

●●●●● 新芽(신아)/刷新(쇄신)/新學期(신학기)/新年(신년)

斷

훈음 끊을 단 부수 도끼 斤(근) ▶▶▶ 실 糸(사) + 도끼 斤(근) ➡ 밧줄을 자름

어떤 밧줄(실)로 묶어 놓은 물체를 도끼나 낫으로 잘라내는 장면에서 만들어진 글자로 두 글자 모두 의미요소이다.

●●●●● 外交斷絕(외교단절)/斷面(단면)/斷交(단교)/斷念(단념)

繼

훈음 이을 계 부수 실 糸(사) ▶▶▶ 실 糸(사) + 실 糸(사) ➡ 많은 실이 등장

끈이나 실의 주요 역할인 묶어서 잇는다는 뜻을 더 분명히 하기 위해 실 糸(사)를 추가하여 '잇다'의 뜻을 분명히 한 글자로 두 글자 모두 의미요소이다.

●●●●● 繼承(계승)/後繼者(후계자)/繼母(계모)

兵

훈음 군사 병 부수 여덟 八(팔) ▶▶▶ 도끼 斤(근) + 두 손 廾(공) ➡ 도끼를 들고 있는 병사

부수는 여덟 八(팔)이나 두 손의 상형인 廾(공)으로 도끼(斤) 즉 무기를 들고 있는 모습에서 '군사, 군인'의 뜻과 전쟁과 관련된 글자가 되었다.

●●●●● 兵器(병기)/兵士(병사)/海兵(해병)/卒兵(졸병)

折(절) 哲(철) 誓(서) 逝(서)

折

훈음 꺾을 절 부수 손 扌(수)변 ▶▶▶ 손 扌(수) + 도끼 斤(근) ➡ 도끼로 내려침

도끼로 나무를 내리쳐 꺾어지게 한 후 나무를 잘라내는 일련의 행동을 나타내는 글자로, '손으로 도끼를 잡고 내리 친다' 하여 두 글자 모두 의미요소로 쓰였다.

●●●●● 骨折(골절)/折半(절반)/曲折(곡절)/夭折(요절)/挫折(좌절)

哲

훈음 밝을 철 부수 입 口(구) ▶▶▶ 손 扌(수) + 도끼 斤(근) + 입 口(구) ➡ 말로 상대방을 제압

지식, 지혜가 많아 논리 즉 말(口)로 상대방을 제압시킨다 하여 입 口(구)가 의미요소고 꺾을 折(절) 역시 의미요소 겸 발음기호이다.

●●●●● 哲人(철인)/哲學(철학)/明哲(명철)/聖哲(성철)

誓

훈음 맹세할 서 부수 말씀 言(언)발 ▶▶▶ 손 扌(수) + 도끼 斤(근) + 말씀 言(언) ➡ 말로 맹세함

신에게 희생제물을 바치면서 말로 다짐하다가 원뜻으로 말씀 言(언)이 의미요소고, 희생제물을 잡는 행위를 나타내는 꺾을 折(절)도 의미요소 겸 발음기호로 쓰였다.

●●●●● 盟誓(맹서)/誓約(서약)/誓願(서원)

逝

훈음 갈 서 부수 책받침 辶 변 ▶▶▶ 쉬엄쉬엄 갈 辶(착) + 꺾을 折(절) ➡ 처형한 후 시체 내다버림

처형한(折) 후에 시체를 내다버리는(辶) 장면이 서거(逝去)의 갈 서(逝)

●●●●● 逝去(서거)/急逝(급서)

近(근) 匠(장) 欣(흔) 所(소) 斧(부) 質(질) 祈(기)

近

훈음 가까울 근 부수 갈 辵(착) ▶▶▶ 갈 辶(착) + 도끼 斤(근)

가까운 거리를 나타내는 말로 갈 辶(착)이 의미요소고 斤(근)이 발음기호임을 쉽게 알 수 있는 글자이다. "도끼(斤)가 간다(辶)" 즉 "나무를 하다" 도끼(斤)가 자루에서 빠져 날아갈(辶) 수 있는 범위를 가까운 거리라고 하여 우발적 사고냐 고의냐를 판단하는 기준으로 삼았다.

●●●●● 近視眼(근시안)/遠近(원근)/隣近(인근)/近代(근대)

匠

훈음 장인 장 부수 상자 匚(방) ▶▶▶ 상자 匚(방) + 도끼 斤(근) ➡ 도끼로 작업하는 사람

나무를 정교하게 깎고(斤) 속을 파내고(匚(방) 하여 유용한 용기나 예술품을 만들 수 있는 사람을 우리는 흔히 匠人(장인)이라고 한다. 따라서 두 글자 모두 의미요소이다.

●●●●● 匠人(장인)/巨匠(거장)/名匠(명장)/意匠(의장)/美匠(미장)

欣

훈음 기뻐할 흔 부수 하품 欠(흠) ▶▶▶ 도끼 斤(근) + 하품 欠(흠)
뛸 듯이 기뻐하는 모습을 나타낸 글자로, 너무 좋아 입을 크게 벌리고 웃는 모습을 나타내려고 하품 欠(흠)이 의미요소로 쓰였으며 도끼 斤(근)은 발음기호이다.
●●●●● 欣快(흔쾌)

所

훈음 바/장소 소 부수 외짝문 戶(호) ▶▶▶ 외짝문 戶(호) + 도끼 斤(근) ➡ 공구 두는 장소
도끼(斤)와 초가집(戶) 혹은 외짝 문(戶)을 합하여 도구를 두는 공간이나 헛간의 뜻을 만들어 낸 글자로 두 글자 모두 의미요소이다.
●●●●● 場所(장소)/所屬(소속)/派出所(파출소)

質

훈음 바탕 질 부수 조개 貝(패) ▶▶▶ 도끼 斤(근) + 斤(근) + 조개 貝(패) ➡ 공구의 품질
'저당물이나 볼모'를 나타내는 글자로 한때 전당포에 시계를 잡혀 돈을 구하던 시절이 있었던 것처럼 당시 중요한 물건이던 도끼를 맡기고 돈(패)을 융통하는 모습으로 두 글자 모두 의미요소로 쓰였다.
●●●●● 品質(품질)/質量(질량)/質疑(질의)/本質(본질)/素質(소질)

祈

훈음 빌 기 부수 보일 示(시)변 ▶▶▶ 보일 示(시) + 도끼 斤(근) ➡ 희생제물을 바치면서 소원을 빌다
신에게 기원하는 모습을 그린 글자로 제단 示(시)와 희생물을 잡는 도구인 도끼 斤(근)을 합하여 '빌고, 간청'하는 모습을 나타낸 글자다.
●●●●● 祈願(기원)/祈禱(기도)

車(거)　軍(군)　運(운)　轉(전)　揮(휘)　輝(휘)　陣(진)

車

훈음 수레 거/차 **부수** 제 부수

수레의 모습을 위에서 보면 양쪽의 일(一)은 바퀴의 모습이고 (中)은 본체의 모습이다.

●●●●● 兵車(병거)/車馬費(거마비)/車輛(차량)/駐車(주차)/電車(전차)

軍

훈음 군사 군 **부수** 수레 車(거)

▶▶▶ 덮을 冖(멱) + 수레 車(거) ➡ 수레 위를 덮어 군사용 트럭을 만듦

수레(車) 위를 덧씌웠다(冖)는 것은 兵車(병거)를 만든 것으로 오늘날의 군용 트럭에 해당함으로 전쟁과 관련된 글자로 군사 軍(군)이라는 글자가 만들어졌다.

●●●●● 軍事(군사)/軍民(군민)/我軍(아군)/孤軍奮鬪(고군분투)

運

훈음 돌 운 **부수** 갈 辶(착) ▶▶▶ 갈 辶(착) + 군사 軍(군) ➡ 병거로 물자를 나름

병거(軍)가 하는 일은 군수물자와 군인들을 목적지까지 데려다(辶) 주는 것이다.

●●●●● 運搬(운반)/運輸業(운수업)/運營(운영)/不運(불운)/運轉(운전)

轉

훈음 구를 전 **부수** 수레 車(거)

▶▶▶ 수레 車(거) + 오로지/실패 專(전) ➡ 수레바퀴가 구르다

수레(車)바퀴(專)를 묘사한 글자로, 專(전)자는 실패를 손으로 감는 모습이고 실패란 실을 감아 두는 물건으로 바퀴처럼 중앙이 둥그렇기도 하고 실패를 감는다는 것은 돌린다는 것으로 수레의 바퀴가 도는 모습과 같다고 하여 두 글자가 어우러져 '구르다, 굴러서 상황이 바뀌다'로 의미 확대됐다.

●●●●● 運轉(운전)/轉落(전락)/轉勤(전근)/移轉(이전)/轉禍爲福(전화위복)

揮

훈음 휘두를 휘 **부수** 손 扌(수) ▶▶▶ 손 扌(수) + 군사 軍(군) ➡ 군사를 지휘함

손(扌)에 지팡이를 들고 병사들(軍)을 통솔하고 있는 장군의 모습에서 만들어진 글자다.

●●●●● 指揮官(지휘관)/發揮(발휘)/陣頭指揮(진두지휘)/揮毫(휘호)

輝

훈음 빛날 휘 **부수** 수레 車(거) ▶▶▶ 빛 光(광) + 군사 軍(군) ➡ 횃불 공격

횃불(光)을 환하게 밝혀 야간 공습을 하는 군대(軍)의 모습에서 만들어진 글자다.

●●●●● 輝煌(휘황)

陣

훈음 진칠 진 **부수** 언덕 阝(부)

▶▶▶ 언덕 阝(부) + 수레 車(거) ➡ 진지에 줄지어 세워진 병거

병거(車)가 머물러 있는 곳(阝)을 陣地(진지)라고 하며, 군사들이 전쟁을 하기 위해 대열을 갖추고 언덕 주위로 진을 친 모습을 상상하기 바란다. 또한 도열해 있는 병거들의 모습이 마치 언덕을 연상시키기에 충분하다.

●●●●● 陣地(진지)/陣營(진영)/陳頭(진두)/陣容(진용)

連(련)	蓮(련)	輩(배)	輕(경)	軟(연)	輿(여)
範(범)	輯(집)	較(교)	轂(격)	擊(격)	繫(계)

連

훈음 잇닿을 련 부수 갈 辶(착) ▶▶▶ 갈 辶(착) + 수레 車(거) ➡ 길거리를 쉴 새 없이 달리는 인력거

수레 즉 인력거(車)들이 손님을 태우고 거리를 연이어 달리고(辶) 있는 모습과 길에 늘어서 있는 수레의 모습에서 생긴 글자로 처음엔 인력거를 말하였으나 점차로 '늘어서다, 이어지다' 등의 뜻으로 의미 확대되었다. 두 글자 모두 의미요소이다.

●●●●● 連續(연속)/連累(연루)/連結(연결)/連敗(연패)/連日(연일)

蓮

훈음 연밥 련 부수 풀 艹(초) ▶▶▶ 풀 艹(초) + 잇닿을 連(련) ➡ 포기가 이어져 피는 꽃(식물)

호수 위에 포기가 연이어(連) 피어 호수를 완전히 덮고 있는 꽃. 즉 풀(艹)은 연꽃을 가리킨다.

●●●●● 蓮花(연화)/木蓮(목련)/白蓮(백련)/蓮池(연지)/垂蓮(수련)

훈음 무리 배 부수 수레 車(거) ▶▶▶ 아닐 非(비) + 수레 車(거) ➡ 야타족

무리지어 늘어서 있는 많은 수레를 나타내는 글자로 수레 車(거)가 의미요소고 아닐 非(비)는 발음기호이다. 한때 강남 등지에서 고급차를 몰고 다니며 지나가는 아가씨들을 "야 타"로 유혹하던 젊은이들을 빗대어 '야타족'이라고 했었다. 과거에도 카오다시를 하기 위해 수레(車)를 타고 돌아다니던 인간 같지도 않은(非) 무리들이 있었나 보다.

●●●●● 同年輩(동년배)/輩出(배출)/年輩(연배)/先輩(선배)

輕

훈음 가벼울 경 부수 수레 車(거) ▶▶▶ 수레 車(거) + 지하수 巠(경) ➡ 베틀의 민첩한 움직임

巠(경)은 베틀의 날실을 팽팽하게 한 모습으로 천 짜는 과정의 베틀의 씨실과 날실이 마차(車)처럼 빠르게 움직이는 모양에서 병거의 움직임이 빠르고 가볍다는 의미로 진화한 글자다. 두 글자 모두 의미요소이며 巠(경)이 발음부호 역할을 한다.

●●●●● 輕重(경중)/輕擧妄動(경거망동)/輕率(경솔)/輕快(경쾌)

훈음 연할 연 부수 수레 車(거) ▶▶▶ 수레 車(거) + 하품 欠(흠) ➡ 수레가 부드럽게 잘 구름

가냘픈 耎(연)자가 하품 欠(흠)자로 바뀐 글자로 수레가 부드럽게 잘 구르다가 원뜻이므로 수레 車(거)가 의미요소고, 耎(연)이 발음기호이다. 점차로 '부드럽다, 약하다'로 사용됐다.

●●●●● 軟弱(연약)/柔軟(유연)/軟骨(연골)/軟性(연성)

훈음 수레 여 부수 수레 車(거) ▶▶▶ 마주 들 舁(여) + 수레 車(거) ➡ 들어 나르던 가마의 모습

바퀴로 움직이는 수레가 아닌 사람의 손에 의해 옮겨지던 옛날의 운송도구를 그린 글자로, 두 글자 모두 의미요소이며 마주 들 舁(여)가 발음을 겸한다. 수레의 의미를 분명히 하기 위해 수레 車(거)를 추가한 글자다.

●●●●● 輿論(여론)/喪輿(상여)

훈음 법 범 부수 대 竹(죽)

▶▶▶ 대 竹(죽) + 수레 車(거) + 병부 㔾(절) ➡ 수레의 수리 지침서

犯(범)/氾(범)/範(범) 세 글자에 들어 있는 병부 㔾(절)의 원래 모양은 사람을 상징하는 글자가 아니고 원형이 파손되어 흐트러진 모습을 하고 있는 그 무엇을 가리킨다. 따라서 고장난(㔾) 수레(車)를 고치는 방법이 적혀 있는 수리 지침서(竹)에서 '법, 틀, 본' 등으로 파생됐다.

●●●●● 模範(모범)/規範(규범)/範圍(범위)/示範(시범)/率先垂範(솔선수범)

輯

훈음 모을 집 부수 수레 車(거)

▶▶▶ 수레 車(거) + 귓속말 할 咠(집) ➡ 돌아다니며 귀동냥을 함

사람이나 물건을 모아 실으려고 돌아다니는 수레(車)를 의미요소로 사용하고 귓속말하는 咠(집)을 발음기호로 하여 '돌아다니는 말을 모으다'에서 모을/모일 집자가 만들어졌다.

●●●●● 編輯(편집)

較

훈음 견줄 교 부수 수레 車(거) ▶▶▶ 수레 車(거) + 사귈 交(교) ➡ 수레를 비교하다

수레의 나무때기를 가로세로로 짜 놓아 만든 수레 자체를 뜻하는 글자여서 수레 車(거)를 의미요소로 交(교)를 발음기호로 사용했다. 차차 '견주다, 비교하다'로 의미 확대됐다.

●●●●● 比較(비교)

毄

훈음 부딪칠 격 부수 창 殳(수) – 발음기호

▶▶▶ 수레 車(거) + 口(구) + 창 殳(수) ➡ 경주 전차/격투기용 전차

수레바퀴(口)에 창살(殳)을 달아 상대방의 수레와 부딪치며 쓰러뜨리는 장면에서 나온 글자로 모두 의미요소로 쓰이고 있으나 현재는 발음기호 역할만 할뿐 단독으로 쓰이지 않는다.

擊

훈음 부딪칠 격 부수 손 手(수) ▶▶▶ 부딪칠 毄(격) + 손 手(수)

'치다'라는 것은 주로 손이 하는 일이므로 손 手(수)를 의미요소로 부딪칠 毄(격)을 발음 및 의미요소로 사용하여 만든 글자다.

●●●●● 出擊(출격)/銃擊(총격)/擊破(격파)

繫

훈음 맬 계 부수 실 糸(사) ▶▶▶ 부딪칠 毄(격) + 실 糸(사) ➡ 묶어 두다

바퀴에 창살(殳)을 단단히 묶어 두다는 뜻을 위해 실 糸(사)를 의미요소로 부딪칠 毄(격)을 발음기호로 했다.

●●●●● 繫留(계류)

庫(고) 輪(륜) 軸(축) 軌(궤) 軋(알) 載(재) 輸(수)

庫

훈음 곳집 고 부수 집 广(엄) ▶▶▶ 집 广(엄) + 수레 車(거) ➡ 차고

귀중한 수레(車)를 밖에 방치해 두지 않고 커다란 곳간(广)이나 차고를 만들어 넣어 두던 데서 '곳집, 창고'를 뜻하는 글자가 만들어졌다. 두 글자 모두 의미요소고 車(거)는 발음에 영향 주었다.

●●●●● 倉庫(창고)/車庫(차고)/寶庫(보고)/國庫(국고)

輪

훈음 바퀴 륜 부수 수레 車(거) ▶▶▶ 수레 車(거) + 둥글 侖(륜) ➡ 둥근 바퀴의 특성

수레의 바퀴를 뜻하는 글자로써 수레 車(거)가 의미요소고 둥글 侖(륜)은 발음기호이다. 바퀴는 둥글고 굴러가는 특성 때문에 '돌다'라는 뜻으로도 널리 쓰이게 됐다.

●●●●● 車輪(차륜)/輪廻(윤회)/輪廓(윤곽)/輪番(윤번)/輪姦(윤간)

軸

훈음 굴대 축 부수 수레 車(거)

▶▶▶ 수레 車(거) + 말미암을 由(유) ➡ 바퀴를 돌리는 축(굴대)

수레의 굴대(샤프트)를 지칭하기 위한 글자이므로 수레 車(거)가 의미요소고 由(유)가 발음기호임은 동서 妯(축)/고물 舳(축)자에서 확인 가능하다.

●●●●● 車軸(차축)/主軸(주축)/天方地軸(천방지축)/地軸(지축)

軌

훈음 길/바퀴자국 궤 **부수** 수레 車(거) ▶▶▶ 수레 車(거) + 아홉 九(구) ➡ 자동찻길/바퀴 자국

수레바퀴 자국을 말하는 글자로 아홉 九(구)를 발음기호로 만든 글자가 길 궤(軌)자이며, 수레바퀴에 문제가 생겨 수레(車)가 좌우로 흔들리며(乚→乙) 가는 모습에서 알력(軋轢)의 삐걱거릴 알(軋)자가 만들어졌다.

●●●●● 軌道(궤도)/狹軌列車(협궤열차)/廣軌(광궤)

載

훈음 실을 재 **부수** 수레 車(거) ▶▶▶ (才 + 戈) + 수레 車(거) ➡ 수레는 물건을 싣는 도구

싣다, 적재하다의 뜻이므로 수레 車(거)가 의미요소고 나머지는 발음요소이다.

●●●●● 積載(적재)/搭載(탑재)/記載(기재)/連載(연재)/千載一遇(천재일우)

輸

훈음 나를/보낼 수 **부수** 수레 車(거) ▶▶▶ 수레 車(거) + 점점/통할 俞(유) ➡ 짐을 실어나름

육지의 운송 수단인 수레(車)에 물건을 실어 보내다를 나타내려고 배가 앞으로 나아가는 모습을 하고 있는 글자인 俞(유)를 의미 및 발음기호에 이용한 글자다.

●●●●● 運輸業(운수업)/輸送(수송)/輸出(수출)/輸血(수혈)

斬(참) 塹(참) 慙(참) 暫(잠) 漸(점)

斬

훈음 벨 참 **부수** 도끼 斤(근) ▶▶▶ 수레 車(거) + 도끼 斤(근) ➡ 도끼로 머리를 내리쳐 죽임

목을 베어 참수형을 하는 장면이므로 도끼 斤(근)이 의미요소임은 쉽게 파악된다. 수레 車(거)는 참수형을 당한 사람을 내다 버리기 위해서라는 설과 사지를 수레에 묶어 찢어죽인 데서 더해졌다는 설도 있다.

●●●●● 斬首(참수)/斬新(참신)/泣斬馬謖(읍참마속)/陵遲處斬(능지처참)

塹

훈음 구덩이 참 **부수** 흙 土(토) ▶▶▶ 벨 斬(참) + 흙 土(토)- 발음기호 ➡ 시체를 구덩이에 던짐

적군의 목을 벤(斬) 후 흙(土)을 파내어 구덩이 즉 참호를 만들어 그 속에 던져 버리는 장면의 글자다.

●●●●● 塹壕(참호)

慙

훈음 부끄러울 참 **부수** 마음 心(심) ▶▶▶ 벨 斬(참) + 마음 心(심) ➡ 목 베임 당한 부끄러움

싸워 보지도 못하고 적군에게 베임(斬)을 당한 것에 대하여 병사의 마음(心)은 얼마나 부끄러웠겠는가?

●●●●● 慙愧(참괴)

暫

훈음 잠시 잠 **부수** 날 日(일)

▶▶▶ 수레 車(거) + 도끼 斤(근) + 날 日(일) ➡ 순간적으로 적에게 공격을 당하여 부상을 입다

전쟁에서 목 달아나는 것은 순간적인 일이므로 때를 나타내는 해 日(일)을 의미요소로 추가하여 만든 글자로 벨 斬(참)은 발음에도 영향을 미쳤다.

●●●●● 暫時(잠시)/暫定的(잠정적)

漸

훈음 점점 점 **부수** 물 氵(수) ▶▶▶ 물 氵(수) + 벨 斬(참) ➡ 상처로 인해 출혈이 점점 심해짐

전쟁터에서 도끼나 칼에 맞아 베어진(斬) 상처로부터 출혈(氵)이 점점 심해지는 모습에서 '피로 물들다'의 뜻이 그리고 '점점, 차례로'라는 뜻이 파생됐다. 물 氵(수)가 의미요소고, 斬(참)은 발음기호이다.

●●●●● 漸入佳境(점입가경)/漸進(점진)/漸次(점차)

舟(주) 船(선) 般(반) 盤(반) 搬(반) 磐(반) 舶(박) 艦(함) 艇(정)

舟

훈음 배 주 부수 제 부수
속을 긁어낸 통나무배 혹은 작은 쪽배를 뜻하기 위한 글자로 배와 관련된 글자들의 의미요소로 주로 사용되고 있다.
●●●●● 一葉片舟(일엽편주)/孤舟(고주)/方舟(방주)/吳越同舟(오월동주)

般

훈음 돌 반 부수 배 舟(주) ▶▶▶ 배 舟(주) + 창 殳(수) ➡ 노를 저어 배를 돌림
창 수(殳)는 손에 막대기를 들고 있는 모습이므로 여기서 배를 젓는 노를 잡고 배를 움직이는 모습에서 '돌다, 옮기다, 되돌리다'의 원뜻이 그리고 '재미있다'의 뜻이 파생된 글자로 두 글자 모두 의미요소에 기여했다.
●●●●● 彼此一般(피차일반)/諸般(제반)/萬般(만반)/般若心經(반야심경)

盤

훈음 소반 반 부수 그릇 皿(명) ▶▶▶ 돌 般(반) + 그릇 皿(명) ➡ 쟁반으로 음식을 나름
얇고 넓적한 음식을 나르는 접시를 나타내는 글자이므로 그릇 皿(명)이 의미요소고 돌 般(반)이 발음기호이다. 쟁반에 음식을 담아 나르는 모습이 여기저기 옮겨 다니는 배의 모습과 유사해서 의미에도 돌 般(반)자가 기여하고 있음을 알 수 있다.
●●●●● 小盤(소반)/錚盤(쟁반)/盤石(반석)/音盤(음반)/骨盤(골반)

搬

훈음 옮길 반 부수 손 扌(수) ▶▶▶ 손 扌(수) + 돌 般(반) ➡ 물건을 옮기다
물건을 옮기는 일은 주로 손이 하는 일이므로 손 扌(수)가 의미요소고 般(반)은 발음기호이나 般(반) 역시 물자를 운반하는 배 舟(주)의 역할이 있으므로 의미요소에도 기여하고 있다.
●●●●● 運搬(운반)/搬入(반입)/搬出(반출)

磐

훈음 너럭바위 반 부수 돌 石(석) ▶▶▶ 돌 般(반) + 돌 石(석)
쟁반처럼 생긴 넓은 바위를 나타내는 글자로 돌 石(석)이 의미요소로 般(반)은 발음기호로 쓰였다.
●●●●● 巖盤(암반)/磐石(반석)

舶

훈음 큰 배 박 부수 배 舟(주) ▶▶▶ 배 舟(주) + 흰 白(백) ➡ 눈에 확 띄는 배
큰 배를 뜻하기 위해 배 舟(주)를 의미요소로 흰 白(백)을 발음기호로 했다.
●●●●● 船舶(선박)

艦

훈음 싸움배 함 부수 배 舟(주) ▶▶▶ 배 舟(주) + 볼 監(감) ➡ 볼만한 배
대포를 쏘아 대는 전투함을 가리키기 위한 글자로 배 舟(주)가 의미요소고 監(감)은 발음요소이다.
●●●●● 艦船(함선)/艦艇(함정)/潛水艦(잠수함)/艦隊(함대)/軍艦(군함)

艇

훈음 거룻배 정 부수 배 舟(주)
▶▶▶ 배 舟(주) + 조정 廷(정) ➡ 길게 늘어선 조정의 신하들처럼 좁고 긴 배
좁고 긴 거룻배를 뜻하므로 배 舟(주)가 의미요소고 조정 廷(정)은 발음기호이다.
●●●●● 漕艇(조정)/艦艇(함정)/小艇(소정)

沿(연) 鉛(연) 船(선) 航(항)

훈음 따르다/물가 연 **부수** 물 氵(수)

▶▶▶ 물 氵(수) + 산속 늪 연(㕣) ➡ 노아 홍수 후 물가에 방주가 다다름

좁고 긴 물길과 접하는 물가나 길가를 가리키는 글자로 물 氵(수)가 의미요소고 나머지는 발음기호이며, 하늘을 날아다니는 배(舟)가 목 항(亢)을 발음으로 항공기(航空機)의 배 항(航)

●●●●● 沿岸(연안)/沿邊(연변)/沿道(연도)/沿海(연해)/沿革(연혁)

鉛

훈음 납 연 **부수** 쇠 金(금) **▶▶▶** 쇠 金(금) + 八(팔) + 口(구)

쉽게 변형시킬 수 있는 부드러운 금속인 납을 가리키는 글자로, 금속을 상징하는 쇠 金(금)을 의미요소로 나머지는 발음기호로 쓰였다.

●●●●● 鉛筆(연필)/亞鉛(아연)/黑鉛(흑연)

船

훈음 배 선 **부수** 배 舟(주) **▶▶▶** 배 舟(주) + 여덟 八(팔) + 입 口(구) ➡ 노아방주

배 船(선)자는 노아방주 이야기 - 방주(舟)를 타고 노아시대의 대홍수를 살아남은 사람이 8명(八 + 口)에서 유래된 글자로 산속 늪 연(㕣)은 발음기호 역할을 겸한다.

●●●●● 船舶(선박)/船主(선주)/遊覽船(유람선)

方(방) 彷(방) 放(방) 倣(방) 防(방) 訪(방)
旁(방) 傍(방) 謗(방) 妨(방) 紡(방) 芳(방)

方

훈음 모 방 부수 제 부수
모가 났다는 것은 귀퉁이가 둥글지 않고 사각형처럼 뾰족하게 튀어나왔다는 말로 사각형이나 책상의 네 모서리를 의미하여 정해짐 없는 사방천지를 가리킨다. "배와 쟁기"가 관련이 있는 글자라는 설이 유력하나 갑골문을 보면 쟁기에서 유래했을 가능성이 높다.
●●●●● 方位(방위)/四方八方(사방팔방)/方舟(방주)/方席(방석)/方言(방언)

彷

훈음 거닐/비슷할 방 부수 조금 걸을 척(彳) ▶▶▶ 조금 걸을 彳(척) + 모 方(방) ➡ 정처 없이 돌아다님
정해진(方) 행선지 없이 여기저기(方) 사방천지를 떠돌아다닌다(彳) 하여 갈 彳(척)을 의미요소로 方(방)을 발음기호로 했다.
●●●●● 彷徨(방황)/彷彿(방불)케 함

放

훈음 놓을 방 부수 칠 攵(복) ▶▶▶ 모 方(방) + 칠 攵(복) ➡ 놓아서 내보냄
곤장으로 죄수의 엉덩이를 친(攵) 다음 마음대로 아무 곳(方)이나 가게 한다. 즉 풀어 준다는 의미로 놓을 방자이며 따라서 두 글자 모두 의미요소이고 方(방)은 발음기호이다.
●●●●● 解放(해방)/放送(방송)/放免(방면)/放浪(방랑)/放流(방류)

倣

훈음 본뜰 방 부수 사람 亻(인) ▶▶▶ 사람 亻(인) + 놓을 放(방) ➡ 남을 똑같이 흉내 내는 사람
다른 사람의 재주나 본받을 점을 '흉내 내고 따라하다'의 뜻을 가진 글자로 본받고 싶은 사람이라 하여 사람 亻(인)을 의미요소로 放(방)은 발음기호로 쓰였다. 모 方(방)이 아니라 놓을 放(방)이 쓰인 것은 용도 폐기/토사구팽의 이유가 있었다고 보여 진다.
●●●●● 模倣(모방)

防

훈음 둑 방 부수 언덕 阝(부) ▶▶▶ 언덕 阝(부) + 모 方(방) ➡ 적군을 방어하는 자연 제방
사방팔방(方)에서 쳐들어오는 적군을 방어하기 위해 자연 제방인 둑(阝)이나 언덕만큼 좋은 요새는 없었다. 따라서 언덕 阝(부)를 의미요소로 方(방)을 발음기호로 했다.
●●●●● 堤防(제방)/防役(방역)/防禦(방어)/防彈(방탄)/防止(방지)/防波堤(방파제)/防風(방풍)/防音(방음)/衆口難防(중구난방)

訪

훈음 찾을 방 부수 말씀 言(언)
▶▶▶ 말씀 言(언) + 모 方(방) ➡ 어딘지 모르는 곳을 물어서 찾아감
여기저기(方) 물어 가며(言) '찾아내다'의 뜻을 담고 있는 글자로 말씀 言(언)을 의미요소로 方(방)은 발음기호로 쓰였다.
●●●●● 訪問(방문)/探訪(탐방)/來訪(내방)/尋訪(심방)

훈음 두루/곁 방 부수 모 方(방) ➡ 양편으로 쌓이는 흙 두렁
쟁기가 지나간 자리 곁으로 흙이 양편으로 쌓이며 고랑을 이루는 모습에서 '곁, 옆'이라는 의미를 지니게 된 글자이나 지금은 그 의미를 곁 傍(방)에게 물려주고 발음요소로만 사용된다.

●●●●●

훈음 곁 방 부수 사람 亻(인) ➡➡➡ 사람 亻(인) + 곁 旁(방) ➡ 주위에 둘러선 사람
주위에 두루 그리고 곁에 있는 사람을 나타내는 글자로 사람 亻(인)을 의미요소로 旁(방)을 의미보조 겸 발음기호로 쓰였다.

●●●●● 傍系(방계)/袖手傍觀(수수방관)/傍若無人(방약무인)

謗

훈음 헐뜯을 방 부수 말씀 言(언) ➡➡➡ 말씀 言(언) + 두루 旁(방) ➡ 두루 다니며 하는 허튼 소리
중상은 여기저기 두루 다니며(旁) 쓸데없이 남을 헐뜯는 이야기(言)를 하고 다니는 것을 말한다. 따라서 말씀 言(언)을 의미요소로 두루 旁(방)을 의미 겸 발음요소로 했다.

●●●●● 誹謗(비방)/毁謗(훼방)

妨

훈음 방해할 방 부수 계집 女(여) ➡➡➡ 계집 女(여) + 모 方(방) ➡ 어디를 가든 여자가 걸림돌
필요에 의해 생긴 妓生(기생)이지만 모든 남자들이 도덕군자라면 몸 파는 여자가 생길 이유가 어디 있겠는가? 그럼에도 남자들은 자신의 인생길(方)에 계집(女)들이 늘 있어 방해거리라고 생각했나 보다.
※ 妓(기) - 몸 파는 여자 기

●●●●● 妨害(방해)/無妨(무방)

紡

훈음 실 자을 방 부수 실 糸(사) ➡➡➡ 실 糸(사) + 모 方(방)
실 만드는 의미를 나타내기 위해 실 糸(사)를 의미요소로 方(방)을 발음기호로 했다. 예전에는 가장 큰 일이 실 짜는 일이어서 여기저기(方)에서 실(糸) 만드는 모습을 흔히 볼 수 있었다.

●●●●● 紡織(방직)/紡績機(방적기)

芳

훈음 꽃다울/향기 방 부수 풀 艹(초)
➡➡➡ 풀 艹(초) + 모 方(방) ➡ 사방으로 퍼지는 꽃향기
향기란 풀(艹) '내음' 즉 좋은 냄새가 사방팔방(方)으로 퍼지는 것을 뜻하므로 냄새의 주체인 풀 艹(초)를 의미요소로 모 方(방)은 의미보조 겸 발음기호로 쓰였다.

●●●●● 芳年(방년)/芳香劑(방향제)/綠陰芳草(녹음방초)/芳名錄(방명록)

方(방) 㫃(언) 旗(기) 族(족) 旅(려) 旋(선)
遊(유) 施(시) 敖(오) 傲(오) 激(격) 於(어)

方

훈음 모 방 부수 제 부수
농기구의 일종으로 "손잡이가 달린 쟁기 모양이다/양쪽에 자루가 튀어나온 가래 모양이다" 등 여러 설이 있으나 소리로 사용될 때는 오른쪽, 부수로 사용될 때는 모두 왼쪽에 와서 깃발이라는 의미가 강하다. 따라서 사람 인(人)의 변형과 함께 쓰여 휘날리는 깃발을 의미하는 글자로 다시 태어난 것이 깃발 언(㫃)자이며 그 아래 점(丶)두개를 찍어 놓은 글자가 甚至於(심지어)의 어조사 於(어)자이다.

●●●●● 四方(사방)/方位(방위)/八方美人(팔방미인)/於焉間(어언간)/於此彼(어차피)

旗

훈음 기 기 부수 모 方(방) ▶▶▶ 깃발 언(㫃) + 其(기) ➡ 깃발의 대표 글자
사방팔방으로 휘날리는 깃발의 모양에서 만들어진 글자로 깃발 언(方+人)이 의미요소고 그 其(기)가 발음 기호이다.
●●●●● 太極旗(태극기)/星條旗(성조기)/旗手(기수)/白旗(백기)

族

훈음 겨레 족 부수 모 方(방) ▶▶▶ 깃발 언(㫃) + 화살 矢(시) ➡ 운명 공동체
깃발(方+人) 아래 화살(矢)을 그려 넣어 전쟁에 출정하는 군사들의 모습에서 운명을 함께하는 겨레와 부족을 상징하는 의미가 파생됐다.
●●●●● 民族(민족)/族閥(족벌)/族長(족장)/族譜(족보)/親族(친족)

旅

훈음 군사/나그네 려 부수 모 方(방) ▶▶▶ 깃발 언(㫃)+ 人(인) ➡ 깃발 아래 모여든 사람
깃발(方+人) 아래 두 사람(人)을 그려 넣어 전쟁에 참여한 '군인'의 의미와 전쟁을 위해 여기저기 돌아다녀야 함으로 '여행, 나그네'의 뜻이 파생됐다.
●●●●● 旅行(여행)/旅團(여단)/旅館(여관)/旅路(여로)/旅券(여권)

旋

훈음 돌 선 부수 모 方(방) ▶▶▶ 깃발 언(㫃)+ 필 疋(필) ➡ 깃발 아래 발을 그려 넣음
깃발(方+人) 아래 발(疋)을 그려 넣음으로 성을 정복하기 위해 성 주위를 돌고 있는 군사들을 그려서 돌다/회전하다라는 뜻을 나타냈다.
●●●●● 旋回(선회)/旋盤(선반)/旋風的(선풍적)/旋律(선율)/旋毛(선모)

遊

훈음 놀 유 부수 쉬엄쉬엄 갈 辶(착)
▶▶▶ 쉬엄쉬엄 갈 辶(착) + 깃발 언(㫃)+ 아들 子(자) ➡ 깃발 아래 뛰어다니는 아이들
깃발(方+人) 아래 아이들(子)이 모여들어 개선하는 군인들 주위를 마구 뛰어다니며 환호하며 노는 모습에서 갈 辶(착)이 의미요소로 깃발 斿(유)가 발음기호로 쓰였다.
●●●●● 遊覽船(유람선)/遊說(유세)/遊戱(유희)/外遊(외유)

施

훈음 베풀 시 부수 모 方(방) ▶▶▶ 깃발 언(㫃) + 어조사 也(야) ➡ 성 노리개
깃발(方+人) 아래 여자의 생식기(也)가 왜 있을까? 우리네 할머니들이 일본군의 위안부로 性(성) 노리개가 되었다는 이야기를 알고 있을 것이다. 전쟁을 하느라 오래 굶주린 병사들에게 줄 수 있는 최상의 선물은 "여자"였을까?
●●●●● 施設(시설)/施行(시행)/施工(시공)/布施(보시)/施惠(시혜)

傲

훈음 거만할 오 부수 사람 亻(인) ▶▶▶ 사람 亻(인) + 놀 敖(오) ➡ 쫓김을 당하는 거만한 사람
놀 敖(오)의 원 글자는 날 出(출)과 내칠 放(방)으로 죄인을 벌하여 쫓아내다는 뜻을 갖고 있는 글자로 무리로부터 내침을 당하는 건방지고 거만한 사람을 칭하기 위해 사람 亻(인)을 추가하여 만든 글자로 놀 敖(오)가 발음 및 의미요소에도 기여했다.
●●●●● 傲慢(오만)/傲氣(오기)/傲霜孤節(오상고절 = 菊花(국화))

激

훈음 격할 격 부수 물 氵(수)
▶▶▶ 물 氵(수) + 흰 白(백) + 놓을 放(방) ➡ 물이 세차게 바위에 부딪치며 솟아오름
물이 장애물에 부딪치며 세차게 튀어 오르는 장면에서 나온 글자로 물 氵(수)가 의미요소고 노래할 敫(교)가 발음기호이다.
●●●●● 激動(격동)/激流(격류)/感激(감격)/激減(격감)

✍ 제사는 조상과 신에게 예물을 바치면서 소원(복과 화)을 비는 것

示(시)	礻(시)	祭(제)	祀(사)	祖(조)	神(신)
禮(례)	祝(축)	祈(기)	禱(도)	福(복)	禍(화)

示

훈음 귀신/보일 시 **부수** 제 부수 – 제단위에 제물을 올려놓은 모습

조상이나 영계에 사는 하느님에게 복을 빌고 재앙을 막아달라고 제물을 바치던 제단의 모습에서 '하느님/귀신' 및 하느님의 계시의 뜻에서 '보이다'의 뜻이 파생됐다.

●●●●● 示威(시위)/示範(시범)/提示(제시)/告示(고시)

祭

훈음 제사 제 **부수** 보일 示(시)

▶▶▶ 고기 肉(육) + 오른손 又(우) + 제단 示(시) ➡ 제단에 희생물을 바침

제단(示) 위에 고기(肉)를 올려놓는다(又)는 것은 조상이나 신에게 무엇인가를 기원하는 행위이므로 '제사'라는 뜻이 파생됐다.

●●●●● 祭物(제물)/慰靈祭(위령제)/祝祭(축제)/司祭(사제)

祀

훈음 제사 사 **부수** 보일 示(시) ▶▶▶ 보일 示(시) + 태아 사(巳) ➡ 제사 지내는 모습

제사란 신에게 무엇인가를 바친다거나 기원을 하는 것을 말하므로 神(신)을 상징하는 귀신/보일 礻(시)를 의미요소로 巳(사)는 발음기호로 쓰였다. 그런데 이 글자는 제단(示) 앞에 엎드려 있는 사람(巳)을 나타내는 글자이므로 두 글자 모두 의미요소에 기여했다.

●●●●● 祭祀(제사)/無祀鬼神(무사귀신)

祖

훈음 조상 조 **부수** 보일 示(시) ▶▶▶ 보일 示(시) + 또 且(차) ➡ 죽은 조상의 위패를 제상에 올림

마치 초상화 올려놓듯 조상의 위패(且)를 제상 위에 올려놓고 죽은 조상을 기리는 모습에서 '조상, 할아비' 등의 뜻이 파생됐다. 여기서 위패(且)를 갑골문에서는 남성의 상징인 성기로 보고 묘비 곁에 비석의 모양이 여기서 유래되었다 하여 역시 죽은 조상을 뜻하는 글자임을 알 수 있다.

●●●●● 祖上(조상)/先祖(선조)/祖國(조국)/元祖(원조)/祖父母(조부모)

神

훈음 귀신/하느님 신 **부수** 보일 示(시)

▶▶▶ 보일 示(시) + 번개 申(신) ➡ 번개를 신의 계시나 천벌로 여김

천둥 번개를 하늘의 노여움으로 받아들이던 조상들에게 번개(申)와 제단(示)을 신의 계시로 여기는 데는 어려움이 없었을 것이다. 따라서 두 글자를 합하여 귀신/하느님을 나타냈다.

●●●●● 鬼神(귀신)/神秘(신비)/神聖(신성)/三神(삼신)

禮

훈음 예도 례 **부수** 보일 示(시) ▶▶▶ 제단 示(시) + 풍성할 豊(풍) ➡ 상다리가 부러지도록 바치는 것

禮(례)를 갖춘다는 것은 조상과 신(示)에게 정성을 다하여 질 좋은 것을 가득(豊) 제단(示)에 바치는 것을 말한다.

●●●●● 禮儀(예의)/祭禮(제례)/婚禮(혼례)/禮式(예식)

祝

훈음 빌 축 부수 귀신/제단/보일 示(시) ▶▶▶ 제단 示(시) + 맏형(兄) ➡ 대표로 가족의 평안을 빌다
제단(示) 앞에 꿇어앉아(兄) 신에게 무엇인가를 요청하는 모습에서 '빌다'가 파생됐다.
●●●●● 祝福(축복)/祝辭(축사)/祝賀(축하)/祝儀金(축의금)

祈

훈음 빌 기 부수 보일 示(시) ▶▶▶ 보일 示(시) + 도끼 斤(근) ➡ 희생 제물을 바치면서 소원을 빌다
신에게 기원하는 모습을 그린 글자로 제단 示(시)와 희생물을 잡는 도구인 도끼 斤(근)을 합하여 '빌고, 간청'하는 모습을 나타낸 글자다.
●●●●● 祈願(기원)/祈禱(기도)

禱

훈음 빌 도 부수 귀신/보일 示(시) ▶▶▶ 귀신/보일 示(시) + 목숨 壽(수) ➡ 살려 달라 비는 것보다 더한 것은 없다
목숨을 살려 달라고 비는 것보다 더 간절한 것은 없을 것이다. 따라서 제단을 상징하는 示(시)와 목숨을 상징하는 壽(수) 모두가 의미요소로 사용된 글자다. 壽(수)는 발음을 겸한다.
●●●●● 祈禱(기도)/祝禱(축도)

福

훈음 복 복 부수 보일 示(시) ▶▶▶ 示(시) + 畐(부)의 아랫부분만 – 제사에 빠질 수 없는 것이 술
제단(示)에 술(酒)을 따르는 이유는 단 하나 복을 빌고 재앙을 막아 달라는 것이다. 따라서 술이 가득 든 술병(畐)과 제단 示(시)를 합하여 '복'을 비는 글자를 만들었다.
●●●●● 禍福(화복)/祝福(축복)/福券(복권)/福音(복음)/幸福(행복)

禍

훈음 재난/재앙/불행 화 부수 보일 示(시) ▶▶▶ 보일 示(시) + 咼(괘) ➡ 재앙을 당하지 않도록 빌다
조상이나 신에게 제사를 드리는 또 다른 이유는 재앙으로부터 보호해 달라는 의미이며, 재난이나 재앙을 신의 노여움으로 보았으므로 귀신/보일 示(시)를 의미요소로 咼(괘)를 발음기호로 사용했다.
●●●●● 吉凶禍福(길흉화복)/轉禍爲福(전화위복)

有(유) 祭(제) 際(제) 察(찰) 擦(찰)

有

훈음 있을 유 부수 육 달 월(月) ▶▶▶ 손 又(우) + 고기 肉(육) ➡ 고기를 들고 있는 모습
고깃덩어리(月=肉)를 손(又)으로 들고 있는 모습에서 '있다'라는 의미가 생겼다.
●●●●● 所有(소유)/有無(유무)/有限(유한)/有名(유명)

祭

훈음 제사 제 부수 보일 示(시) ▶▶▶ 고기 肉(육) + 오른손 又(우) + 제단 示(시) ➡ 제단에 희생물을 바침
제단(示) 위에 고기(肉)를 올려놓는다(又)는 것은 조상이나 신에게 무엇인가를 기원하는 행위이므로 '제사'라는 뜻이 파생됐다.
●●●●● 祭物(제물)/慰靈祭(위령제)/祝祭(축제)/司祭(사제)

際

훈음 사이 제 부수 좌부 방(언덕 阝 부) ▶▶▶ 언덕 阝(부) + 제사 祭(제)
두 담이 서로 맞닿는 곳을 뜻하여 언덕 阝(부)가 의미요소로 쓰였고, 祭(제)는 발음기호로 사용되었으나 후에 '닿다, 만나다, 사귀다'로 의미 확대됐다.
●●●●● 交際(교제)/國際(국제)/一望無際(일망무제)

察

훈음 살필 찰 부수 집 宀(면) ▶▶▶ 집 宀(면) + 제사 祭(제) ➡ 제상을 살펴봄
살핀다는 것은 종묘(宀)에서 조상이나 신에게 바치는 제물의 상태를 자세히 살피는 것을 말함으로 제사 祭(제) 및 집 宀(면)이 모두 의미요소로 사용됐다.
●●●●● 査察(사찰)/觀察(관찰)/洞察(통찰)/診察(진찰)

擦

훈음 비빌 찰 부수 손 扌(수) ▶▶▶ 손 扌(수) + 살필 察(찰)

비빈다는 것은 손을 마찰시킨다는 것이므로 손 扌(수)를 의미요소로 察(찰)은 발음기호로 쓰였다.

●●●●● 摩擦(마찰)/擦過傷(찰과상)/冷水摩擦(냉수마찰)

社(사) 禁(금) 祥(상) 禪(선) 宗(종) 綜(종) 崇(숭) 祠(사) 祿(록)

社

훈음 땅 귀신/단체 사 부수 귀신 示(시) ▶▶▶ 보일 示(시) + 흙 土(토) ➡ 근본이 되는 땅 귀신

초목을 생장시키는 힘을 가진 흙을 땅의 신으로 숭배하는 모습을 그린 글자로 흙 土(토)와 제단 示(시) 모두가 의미요소이다.

●●●●● 社稷(사직)/社會(사회)/本社(본사)/入社(입사)

禁

훈음 금할 금 부수 보일 示(시) ▶▶▶ 수풀 林(림) + 보일 示(시) ➡ 창세기에서 유래

생명나무와 선악과를 따먹지 말라고 한 하느님의 계시가 담긴 성서 창세기의 기록에서 만들어진 글자로 추정된다.

●●●●● 禁止(금지)/通禁(통금)/禁酒(금주)/解禁(해금)

祥

훈음 상서로울 상 부수 보일 示(시) ▶▶▶ 보일 示(시) + 양 羊(양) ➡ 제물을 바친 후의 심정

제단 위의 한 마리 양을 통해 신의 축복으로 좋은 일이 일어날 조짐을 가리키는 글자가 탄생됐다. 제단 示(시)가 의미요소고 양 羊(양)은 발음기호이다. ※ 詳(상) – 자세할 상

●●●●● 祥瑞(상서)/吉祥(길상)/祥雲(상운)/不祥事(불상사)

禪

훈음 봉선 선 부수 보일 示(시) ▶▶▶ 보일 示(시) + 홑 單(단) ➡ 홀로 도를 닦는 모습

하늘의 계시를 받기 위해 도를 닦는 모습으로 보일 示(시)가 의미요소고 單(단)은 발음기호이다.

※ 嬋(선) – 고울 선

●●●●● 禪宗(선종)/禪房(선방)/參禪(참선)/坐禪(좌선)

宗

훈음 마루/으뜸 종 부수 집 宀(면)

▶▶▶ 집 宀(면) + 제단 示(시) ➡ 제단이 모셔진 집이 가장 으뜸

집(宀) 안에 조상의 제단(示)이 모셔져 있는 모습으로 죽은 조상들의 英靈(영령)이 모셔진 장소로, 가장 중요하고 높이 받들어졌던 조상님에서 '마루/으뜸'이라는 뜻이 파생됐으며, 흩어진 제사(宗)를 한 곳으로 모으는(糸) 것이 종합(綜合)의 모을 종(綜)자이다.

●●●●● 宗敎(종교)/宗孫(종손)/改宗(개종)/宗廟(종묘)

※ 宗廟(종묘) – 왕이나 제후의 位牌(위패)를 모셔 두는 사당을 말한다.

崇

훈음 높을 숭 부수 뫼 山(산) ▶▶▶ 뫼 山(산) + 마루 宗(종) ➡ 산처럼 높이 받듦

숭배의 위치까지 차지한 높고 웅장한 큰 산을 가리키는 말로 뫼 山(산)과 으뜸 宗(종) 모두가 의미요소이며 마루 宗(종)이 발음에 영향을 미쳤을 것이다.

●●●●● 崇拜(숭배)/崇尙(숭상)/崇佛(숭불)/崇高(숭고)/崇儒(숭유)

祠

훈음 사당/제사 사 부수 보일 示(시) ▶▶▶ 보일/땅 귀신 示(시) + 맡을 司(사) ➡ 제사를 맡아 지내는 곳

제사(示)를 맡아(司) 지내는 곳이 곧 사당이고, 신의(示) 뜻을 맡아(司) 받들어야 하는 행위로 제사를 의미하는 글자다.

●●●●● 祠堂(사당)

祿

훈음 복 록(녹) 부수 보일 示(시) ▶▶▶ 보일 示(시) + 나무 깎을 彔(록) ➡ 신의 하사품

일반 사람들이 특히 높은 공무원들이 직무 태만을 하거나 부정부패를 저지를 때 흔히 "국가의 녹을 먹는 공직자가 그럴 수 있나?"라고 하는 말을 들어본 적이 있다면 이 祿(녹)이 오늘날에 봉급이나 국가로부터 받는 포상임을 쉽게 이해 할 수 있다. 과거에는 신 즉 하느님이 내리는 하사품이라 여겼다. 따라서 보일 示(시)가 의미요소고 彔(록)은 발음기호이다.

●●●●● 祿俸(녹봉)/祿食(녹식)/俸祿(봉록)

票(표) 標(표) 漂(표) 粟(속) 栗(율) 尉(위) 慰(위) 蔚(울)

票

훈음 불똥 튈 표 부수 보일 示(시) ▶▶▶ 덮을 襾(아) + 보일 示(시) ➡ 축문을 불사름

불똥 튄다는 말을 쓸 때의 그 '불똥'을 나타내는 글자였으나, 불 火(화)가 示(시)로 바뀐 글자로 활활 타오르는 불(火)꽃에 날아가는 재나 불똥을 나타내는 글자로 훗날 쉽게 날아가는 종이쪽지로 많이 사용되기 시작했다.

●●●●● 投票(투표)/票決(표결)//賣票(매표)/手票(수표)

標

훈음 우듬지 표 부수 나무 木(목) ▶▶▶ 나무 木(목) + 불똥 튈 票(표) ➡ 나무에 걸어둔 표시

나무 꼭대기 줄기에 흰 천을 매달아 신호를 위해 표시를 한 것에서 생긴 글자로 나무 木(목)이 의미요소고 票(표)는 발음기호이다. ※ 무당들의 집에는 대나무에 천을 달아 세워놓았다.

●●●●● 標識(표지)/標的(표적)/里程標(이정표)/標本(표본)

漂

훈음 떠돌 표 부수 물 氵(수) ▶▶▶ 물 氵(수) + 불똥 튈 票(표)

물 위에 떠다니는 것을 나타내기 위함이니 물 氵(수)가 의미요소고 票(표)는 발음기호이다.

●●●●● 浮漂(부표)/漂流(표류)/漂着(표착)/漂白(표백)

粟

훈음 조 속 부수 쌀 米(미) ▶▶▶ 서녘 西(서) + 쌀 米(미) ➡ 쌀 알갱이

쌀보다 작은 좁쌀을 의미하는 글자로 쌀 米(미)가 의미요소고 윗부분도 의미요소에 기여했다.

西(서)처럼 생겼으나 西(서)가 아니라 곡식의 알갱이를 가리키는 글자이다. 따라서 쌀(米) 알갱이(西)로서 좁쌀을 의미한다.

●●●●● 粟米(속미)

栗

훈음 밤나무 율 부수 나무 木(목) ▶▶▶ 서녘 西(서) + 나무 木(목) ➡ 껍질이 있는 밤송이

열매가 껍질로 쌓여 있는 밤송이를 잘 묘사한 글자로 나무 木(목)이 의미요소고 윗부분도 의미요소에 기여한 글자이다. 나무(木) 알갱이(西)로서 밤을 의미한다.

●●●●● 生栗(생률)

尉

훈음 벼슬 위 부수 마디 寸 ▶▶▶ 주검 시(尸) +손 촌(寸) + 보일 示(시) ➡ 고문하는 모습

손(寸)으로 인두(尸)를 들고 고문(示→火) 하는 모습에서 벼슬로 발전한 글자가 대위(大尉)의 벼슬 위(尉)자이며, 높은 사람(尉)이 아랫사람을 염려(心)해주면 위로가 되므로 위로(慰勞)의 위로할 위(慰)자고, 벼슬 위(尉)에 풀 초(艹)를 더한 글자가 울산(蔚山)의 성할 위/풀이름 울(蔚)자이다.

●●●●● 大尉(대위)/准尉(준위)/慰問(위문)/安慰(안위)/弔慰金(조위금)/蔚山(울산)

卜(복) 占(점) 店(점) 點(点/점) 粘(점)

卜

훈음 점 복 부수 제 부수 ▶▶▶ ㅣ + ㆍ - 손금보기

소뼈나 거북의 껍질을 태울 때 갈라지며 나타나는 '선 혹은 금'을 보고 마치 손금 보듯이 그 갈라진 금 모양으로 점을 치던 풍습에서 만들어진 글자다.

●●●●● 卜債(복채)/卜占(복점)/卜居(복거)

占

훈음 차지할/점칠 점 부수 점 卜(복)

▶▶▶ 점 卜(복) + 입 口(구) ➡ 점괘 일러주기/깃발 꼽기(침 바르기)

점쟁이가 점괘(卜)를 말(口)해 주는 것이 점치는 행위이다.

●●●●● 占卦(점괘)/占術(점술)/買占賣惜(매점매석)/占據(점거)/占領(점령)/占有(점유)

店

훈음 가게 점 부수 집 广(엄)

▶▶▶ 큰 집 广(엄) + 점칠 占(점) ➡ 자리 펴고 점치는 곳

상점이나 가게의 탄생 역사는 점괘(卜)를 말해 주며(口) 복채를 받던 집(广)에서 점집이 시작되었음을 보여준다.

●●●●● 店鋪(점포)/商店(상점)/店員(점원)/露店(노점)/支店(지점)

點

훈음 점 점 부수 검을 黑(흑)

▶▶▶ 검을 黑(흑) + 점 占(점)

작고 까만 점을 나타내기 위한 글자이므로 검을 黑(흑)이 의미요소고 占(점)이 발음기호이다.

후에 점차로 '점찍다, 불을 켜다' 등으로 발전하여 點火(점화)/要點(요점) 등에 사용됐다.

●●●●● 採點(채점)/點線(점선)/點燈(점등)/畵龍點睛(화룡점정)

※ 点(점) - 점 점 - 불 灬(화) - 點(점)의 俗字(속자).

粘

훈음 끈끈할 점 부수 쌀 米(미) ▶▶▶ 쌀 米(미) + 점 占(점)

끈적끈적 들러붙는 것을 나타내는 글자로 끈끈함의 대명사인, 풀의 재료인 쌀 米(미)를 의미요소로 占(점)을 발음기호로 만들어낸 글자다.

●●●●● 粘液(점액)/粘土(점토)

外(외) 卓(탁) 悼(도) 貞(정) 偵(정) 赴(부)
訃(부) 朴(박) 卝(관) 卦(괘) 掛(괘) 卞(변)

外

훈음 바깥 외 부수 저녁 夕(석) ▶▶▶ 저녁 夕(석) + 점 卜(복) ➡ 저녁 점은 과녁을 빗나간다.
저녁(夕)에 점(卜)을 치면 귀신들도 피곤하여 잘 틀린다 하여 '벗어나다, 멀다'의 뜻이 파생된 글자로 두 글자 모두 의미요소이다.
●●●●● 外國(외국)/外部(외부)/治外法權(치외법권)/外觀(외관)/外家(외가)

卓

훈음 높을 탁 부수 열 十(십) ▶▶▶ 점 卜(복) + 일찍 早(조) ➡ 아침 점이 기가 막히다
아침(早)에 치는 점(卜)이 기가 막히게 들어맞는다하여 '탁월하다, 높다'라는 뜻이 파생됐으며 높이(卓) 추앙받던 사람의 죽음을 슬퍼(忄) 하는 것이 애도(哀悼)의 슬퍼할 도(悼)
●●●●● 卓越(탁월)/卓球(탁구)/卓上空論(탁상공론)/食卓(식탁)

貞

훈음 곧을 정 부수 조개 貝(패)
▶▶▶ 점 卜(복) + 조개 貝(패) ➡ 억만금을 줘도 점괘를 구부려 말하지 않는다.
돈(貝)을 받고 점(卜)을 쳐준다 할지라도 점괘를 구부려서 말하지 않는 것이 '곧은, 올바른' 것이다 하여 생겨난 글자로 두 글자 모두 의미요소이다.
●●●●● 貞節(정절)/貞操(정조)/不貞(부정)/貞淑(정숙)/忠貞(충정)

偵

훈음 정탐할 정 부수 사람 亻(인)
▶▶▶ 사람 亻(인) + 곧을 貞(정) ➡ 점괘를 올바로 말하는지 엿보는 사람
점치다가 본래 뜻인 곧을 貞(정)이 '곧다'로 사용되자 사람 亻(인)을 추가하여 점치는 사람을 지칭하려했으나 이 역시 '정탐하다'로 바뀌었다. 사람 亻(인)이 의미요소고 貞(정)은 발음기호이다.
●●●●● 偵探(정탐)/探偵(탐정)/偵察(정찰)/密偵(밀정)

赴

훈음 나아갈 부 부수 달릴 走(주) ▶▶▶ 달릴 走(주) + 점 卜(복) ➡ 점괘를 알리기 위해 뛰어가다
달려서 가다가 본뜻이므로 달릴 走(주)를 의미요소로 卜(복)은 발음기호로 쓰였다. 일설에는 점괘를 듣고 좋아서 그 사실을 알리기 위해 달려가는 것으로 보기도 했다.
●●●●● 赴任(부임)/赴援(부원)

訃

훈음 부고 부 부수 말씀 言(언) ▶▶▶ 말씀 言(언) + 점 卜(복) ➡ 부정한 일을 알리다
사람의 죽음을 알리는 글이나 말을 뜻하므로 말씀 言(언)이 의미요소고 卜(복)이 발음기호다
●●●●● 訃告(부고)/訃音(부음)

朴

훈음 후박나무/성 박 부수 나무 木(목) ▶▶▶ 나무 木(목) + 점 卜(복)
어떤 나무 또는 나무껍질을 뜻하는 글자여서 나무 木(목)이 의미요소로 卜(복)은 발음기호임을 쉽게 알 수 있으며, 점차로 '수수하다, 순수하다'로 확대되었고 한국에서는 성씨로 사용된다.
●●●●● 素朴(소박)/淳朴(순박)/厚朴(후박)

卝

훈음 북상투 관 부수 점 卜(복) ➡ 모양이 비슷할 뿐
새의 머리 위에 달리 긴 장식 깃털을 상징하는 글자인데 '백로 雚(관)'에서 보듯 풀 艹(초)로 대체되어 사용되는 경우가 흔하며 법/조급할 변(卞) 역시 복(卜)과는 관련 없는 성씨의 하나로 그냥 외우자

卦

훈음 걸/괘 괘 부수 점 卜(복) ▶▶▶ 홀 圭(규) + 점 卜(복) ➡ 점쳐서 나타난 징후
점과 관련된 글자로 점 卜(복)을 의미요소로 圭(규)는 발음기호로 쓰였다.
●●●●● 占卦(점괘)/卦辭(괘사)/八卦(팔괘)/卦象(괘상)

掛

훈음 걸 괘 부수 손 扌(수) ▶▶▶ 손 扌(수) + 卦(괘)
걸다는 뜻의 卦(괘)가 점과 관련되어 사용되자 물건을 벽이나 나뭇가지에 거는 행위를 하는 손 扌(수)를 첨가하여 '걸다'라는 의미를 살려둔 글자이다. 손 扌(수)가 의미요소고 卦(괘)는 발음기호로 사용됐다.
●●●●● 掛念(괘념)/掛鐘時計(괘종시계)

兆(조) 眺(조) 跳(도) 逃(도) 挑(도) 桃(도)

兆

훈음 조짐 조 **부수** 사람 儿(인) ▶▶▶ 물 氺(수)의 변형 + 사람 儿(인) – 발음기호 ➡ 손금

거북의 껍질이나 소뼈의 표면에 열을 가하면 생기는 줄무늬(사람의 손금에 해당) 모양이 점 卜(복)이나 조짐 兆(조)자의 원형이다. 마치 손금을 보듯 그 갈라진 잔금 모양을 보고 점을 쳤으므로 '조짐'이라는 글이 탄생되었다. 사람 儿(인)과는 아무런 관련이 없다.

●●●●● 兆朕(조짐)/吉兆(길조)/前兆(전조)/兆民(조민)

眺

훈음 바라볼 조 **부수** 눈 目(목) ▶▶▶ 눈 目(목) + 조짐 兆(조) ➡ 손금을 바라봄

점괘를 알아보기 위해 거북의 껍질이나 소뼈에 나타난 줄무늬(兆)를 '바라본다하여 생긴 글자이므로 눈 目(목)이 의미요소고 兆(조)는 발음기호 및 의미요소이며 조짐(兆)이 좋아 뛸(𧾷)듯이 기뻐하는 모습이 도약(跳躍)의 뛸 도(跳)자이다.

●●●●● 眺望(조망)/跳躍(도약)

桃

훈음 복숭아나무 도 **부수** 나무 木(목) ▶▶▶ 나무 木(목) + 조짐 兆(조) ➡ 조짐이 좋은 나무

복숭아를 조짐(兆)이 좋은 나무(木)로 보았던 것 같다. 그래서 武陵桃源(무릉도원=별천지)이라는 말도 있지 않은가? 兆(조)는 '도'로 발음 나는 발음기호이다.

●●●●● 桃花(도화)/武陵桃源(무릉도원)

逃

훈음 달아날 도 **부수** 책받침 辶(착) ▶▶▶ 갈/뛰어넘을 辶(착) + 조짐 兆(조) ➡ 조짐이 나빠 도망감

달아나는 것도 발이 하는 일이므로 발 足(족)이 의미요소고, 兆(조)는 발음기호이다.

●●●●● 逃亡(도망)/逃走(도주)/逃避(도피)/夜半逃走(야반도주)

挑

훈음 의욕 돋울/집적거릴 도 **부수** 손 扌(수) ▶▶▶ 손 扌(수) + 조짐 兆(조) ➡ 점괘에 대항함

심리작용이 세차게 일도록 자극하기 위해 손 발짓으로 상대방을 약 올리는 모습으로 손 扌(수)가 의미요소고 兆(조)는 발음기호이다.

●●●●● 挑發(도발)/挑戰(도전)

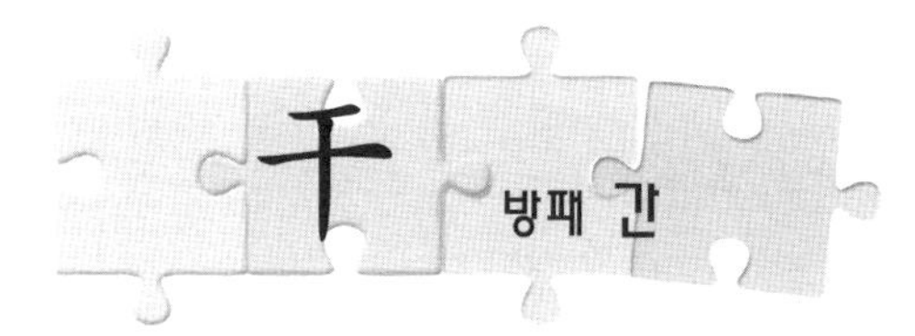

✍ 방패 간(干) – 부수 글자로 유일한 방어용 무기

干(간)	刊(간)	肝(간)	奸(간)	幹(간)	旱(한)
汗(한)	岸(안)	平(평)	評(평)	坪(평)	

干

훈음 방패 간 부수 제 부수 ▶▶▶ 二 + 丨 – 앞이 갈라진 막대기

지게막대기(丨)처럼 그리고 영어의 Y자처럼 앞이 두 갈래로 갈라져 도끼나 큰 칼 같은 무기의 공격을 막고 적을 밀치기도 하던 방어 겸 공격용 무기이나 지금은 오로지 '막다'라는 뜻으로만 사용된다.

●●●●● 干城(간성)/干戈(간과)

刊

훈음 책 펴낼 간 부수 칼 刂(도) ▶▶▶ 방패 干(간) + 칼 刀(도)

책을 펴낸다는 것은 과거에 칼(刂)로 나무를 다듬어 그 위에 글을 쓰고 줄로 엮어야만 하였는데 그 모습을 보고 칼 刂(도)를 의미요소로 干(간)은 발음기호로 하여 만들어 낸 글자다.

●●●●● 刊行物(간행물)/創刊號(창간호)/停刊(정간)/季刊(계간)

肝

훈음 간 간 부수 고기 肉(육) ▶▶▶ 육(肉)달 月(월) + 방패 干(간) ➡ 신체를 외부 병원균으로부터 방어하는 역할

유독성분의 해독 작용을 하는 신체기관인 간을 나타내는 글자로 육 달 월(月)이 의미요소로 干(간)은 발음기호로 쓰였다.

●●●●● 肝膽(간담)/肝要(간요)/肝臟(간장)

奸

훈음 범할/악할 간 부수 계집 女(여) ▶▶▶ 계집 女(여) + 방패 干(간)

사악하다의 뜻을 위해 계집 女(여)를 의미요소로 干(간)을 발음기호로 한 글자다. 이 글자에서 보듯 女子(여자)를 나쁜 이미지로 사용한 한자어가 많음을 알 수 있다. ※ 妓(기) – 기생 기/妄(망) – 허망할 망

●●●●● 弄奸(농간)/奸邪(간사)/奸臣(간신)/奸巧(간교)

幹

훈음 줄기 간 부수 방패 干(간) ▶▶▶ 아침 朝(조)의 왼편 + 간(干–木의 변형) ➡ 중추 역할

榦(간)자의 변형으로 나무 木(목)이 干(간)으로 바뀌어 쓰이고 있는데 나무기둥이나 나무줄기를 나타내는 글자이다. 나무 木(목)이 의미요소로 쓰였으나 지금은 干(간)으로 바뀌어 발음기호로 사용되는 글자로 '줄기, 근본, 능력'의 원뜻은 보존하고 있는 글자다.

幹(간)에서 干(간)을 뺀 나머지 부분만 '깃대'의 상형으로 발음 역시 '간'이므로 두 개의 글자 모두가 발음이 동일한 글자이다.

●●●●● 幹事(간사)/幹線道路(간선도로)/幹部(간부)/根幹(근간)

旱

훈음 가물 한 부수 해 日(일) ▶▶▶ 해 日(일) + 방패 干(간) ➡ 방패로도 막을 수 없는 햇볕

햇볕이 강하게 내리쬐어 모든 것이 다 말라 버려 아주 심한 가뭄을 나타내려고 한 글자다. 해 日(일)을 의미요소로 干(간)은 발음기호로 쓰였다.

●●●●● 旱魃(한발)/旱害(한해)

汗

훈음 땀 한 **부수** 물 氵(수) ▶▶▶ 물 氵(수) + 방패 干(간) ➡ 땀을 흘려야 몸이 보호 받는다

몸에서 흐르는 땀을 가리키는 말로 땀의 성분인 물 氵(수)를 의미요소로 干(간)은 발음기호로 사용된 글자다. 땀은 몸을 지켜주고 보호해 주는 방패의 역할을 한다.

●●●●● 汗蒸幕(한증막)/冷汗(냉한)/汗馬之勞(한마지로)

岸

훈음 언덕 안 **부수** 뫼 山(산) ▶▶▶ 뫼 山(산) + 낭떠러지 厂(엄) + 방패 干(간)

높은 언덕 특히 바다나 강과 면하는 높은 바위 언덕을 뜻하는 글자로 뫼 山(산)과 낭떠러지 厂(엄)이 의미요소로 干(간)은 발음기호로 쓰였다.

●●●●● 沿岸(연안)/海岸(해안)/接岸(접안)

平

훈음 평평할 평 **부수** 방패 干(간) ▶▶▶ 방패 干(간) + 八(팔) ➡ 저울의 모습을 본뜬 글자

좌우 대칭인 저울의 모습에서 유래된 것으로 '衡平(형평)'이 본뜻이며, '평평하다, 균등하다'로 의미 확대된 글자다.

●●●●● 平均臺(평균대)/平行(평행)/平常時(평상시)/平和(평화)

評

훈음 평할 평 **부수** 말씀 言(언)

▶▶▶ 말씀 言(언) + 平(평) ➡ 저울로 달듯 공평하게 말함

사물의 옳고 그름을 가려서 말 하다는 뜻이다. 말씀 言(언)이 의미요소고 저울에 올려놓아 '달아보다'의 뜻을 품는 平(평) 역시 발음 겸 의미요소에 기여했다.

●●●●● 評價(평가)/論評(논평)/評論(평론)/好評(호평)/世評(세평)

坪

훈음 평평할 평 **부수** 흙 土(토) ▶▶▶ 흙 土(토) + 平(평) ➡ 평평한 땅

평평한 땅을 뜻하므로 흙 土(토)가 의미요소고 平(평)은 발음기호 겸 의미보조로서 땅 넓이를 재는 단위다. 사방 6자 즉 사방 1.8미터가 1坪(평)이며 약 3.3평방미터라고도 한다.

●●●●● 坪數(평수)/建坪(건평)/坪當(평당)

幸(행)	倖(행)	達(달)	撻(달)	報(보)	執(집)
睪(역)	驛(역)	譯(역)	釋(석)	澤(택)	擇(택)

幸

훈음 다행 행 **부수** 방패 干(간) ▶▶▶ 幸(행) ➡ 수갑을 차지 않아 다행이다

양쪽 발목과 손목을 채우는 차꼬(수갑)의 모양에서 따온 글자로, 수갑을 차지 않고 갇히게 된 것만 해도 다행이다 하여 '다행, 운이 좋다' 등의 뜻으로 파생됐으며 죄를 지은 사람이(亻) 잡히지(幸) 않을 거라 생각하는 것이 사행심(射倖心)의 요행 행(倖)

●●●●● 幸福(행복)/多幸(다행)/不幸(불행)

達

훈음 통달할 달 **부수** 쉬엄쉬엄 갈 辶(착)

▶▶▶ 어린양 羍(달) + 갈 辶(착) ➡ 뛰어다니는 어린 양

활달하게 뛰어다니는 어린 양의 모습(羍=大+羊)과 갈 辶(착)을 합하여 '힘차게 나아가다'라는 글자를 만들었으며 '다다르다, 통하다'의 뜻으로 의미 확대된 글자이며, 갈 辶(착)이 의미요소이며 羍(달)이 발음기호이므로 幸(행)을 발음기호로 착각하지 않도록 조심하자. 너무 설쳐대는(達) 아이를 회초리(扌)로 다스리는 모습이 초달(楚撻)의 매질할 달(撻)

●●●●● 通達(통달)/到達(도달)/達人(달인)/達辯(달변)

훈음 엿볼 역 부수 눈 目(목) ▶▶▶ 눈 目(목) + 幸(행) ➡ 죄인을 살핌

죄인을 포박하는 형구인 차꼬(幸)와 눈 目(목)을 합하여 '누가 죄인인지 살피다'라는 뜻과 '죄인을 유심히 살피다'라는 뜻에서 '엿보다'의 뜻이 파생되었으나 독자적으로는 쓰이지 않는다.

훈음 알릴/갚을 보 부수 흙 土(토)

▶▶▶ 다행 幸(행) + 병부 卩(절) + 손 又(우) ➡ 포로를 잡아와 굴복시키는 장면

죄수(卩)를 포박하여(又) 차꼬(幸)에 채우는 모습에서 마침내 원수를 잡아 벌을 준다 하여 '갚다'의 뜻과 죄인을 포박하여 가두었음을 죄인의 집에 '알리다'로 의미 발전했다.

●●●●● 報告(보고)/電報(전보)/報答(보답)/報復(보복)

훈음 잡을 집 부수 흙 土(토) ▶▶▶ 다행 幸(행) + 알 丸(환) ➡ 차꼬에 갇힌 모습

붙잡힌 죄수(丸)가 차꼬(幸)에 갇힌 모습으로 죄인을 '체포하다'가 원뜻으로 훗날 '잡다, 차지하다'의 뜻으로 파생되어 사용된 글자다. 丸(환)은 꿇어앉은 죄수의 모습이 잘못 변한 것이다.

●●●●● 執行(집행)/執權(집권)/執念(집념)/執筆(집필)/固執(고집)

훈음 역참 역 부수 말 馬(마)

▶▶▶ 말 馬(마) + 엿볼 睪(역) ➡ 포로를 잡은 승전 소식을 빨리 알림

옛날의 통신기관인 驛站(역참)의 주요 수단인 말 馬(마)를 의미요소로 睪(역)을 발음기호로 하여 만든 글자다. 오늘날의 통신수단인 전화/전보/팩스 등의 前身(전신)으로 주요 공문서를 가장 빠른 수단인 말을 이용하여 전달하던 풍습에서 생긴 글자다.

●●●●● 驛站(역참)/驛長(역장)/驛前(역전)/終着驛(종착역)

훈음 통변할 역 부수 말씀 言(언) ▶▶▶ 말씀 言(언) + 엿볼 睪(역) – 타국 포로의 말을 옮김

'다른 나라 말로 옮기다'를 뜻하는 말이므로 말씀 言(언)이 의미요소고 睪(역)은 발음기호이다.

●●●●● 飜譯(번역)/通譯(통역)/譯書(역서)

훈음 풀 석 부수 분별할 釆(변) ▶▶▶ 분별할 釆(변) + 睪(역) ➡ 억울한 죄인을 풀어줌

분별하여 풀이하다. 즉 짐승의 발자국(釆)을 보고 여러 상황들을 유추하는 것을 말하므로 동물의 발자국을 의미하는 釆(변)이 의미요소고 睪(역)이 발음기호이다.

●●●●● 釋放(석방)/解釋(해석)/保釋(보석)

훈음 못 택 부수 물 氵(수) ▶▶▶ 물 氵(수) + 엿볼 睪(역) ➡ 포로의 눈에 고인 눈물

작은 연못이나 물이 고여 있는 늪을 의미하므로 물 氵(수)가 의미요소고 睪(역)이 발음기호이다.

●●●●● 沼澤地(소택지)/潤澤(윤택)/光澤(광택)

훈음 가릴 택 부수 손 扌(수) ▶▶▶ 손 扌(수) + 睪(역) ➡ 포로 중에서 종을 가려냄

손으로 고르다가 원뜻이므로 손 扌(수)를 의미요소로 睪(역)을 발음기호로 해서 만든 글자다.

●●●●● 兩者擇一(양자택일)/取捨選擇(취사선택)/揀擇(간택)

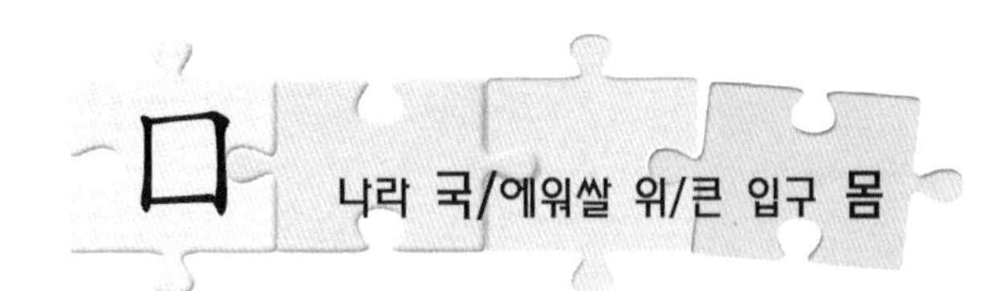

✍ 경계/틀/일정 범위

口(위) 國(국) 圍(위) 園(원) 邑(읍)

口

훈음 나라 국/에울 위 **부수** 제 부수
입 口(구)보다 크다 하여 '큰 입구'라는 명칭으로 불리는 이 글자는 사방을 한 바퀴 에워싼 모양에서 '에우다'라는 의미를 갖게 된 글자로 부수자로만 사용된다.

國

훈음 나라 국 **부수** 나라 口(국) ▶▶▶ 혹 或(혹) + 나라 口(국) ➡ 나라의 경계를 나타냄
국가의 영토를 둘러싸고 있는 국경을 큰 담으로 에워싸서(口-에워쌀 위의 古字(고자)) 나라를 상징했던 혹 或(혹)자의 원래 의미를 분명히 한 글자다.
●●●●● 國家(국가)/韓國(한국)/國際社會(국제사회)/大國(대국)

圍

훈음 둘레 위 **부수** 에울 위(口) ▶▶▶ 에울 위(口) + 韋(위) ➡ 성 주위를 에워싸는 것을 의미
城(성) 주위를 두르고 있는 성벽 및 담장이 원뜻이므로 口(위)가 의미요소이고 韋(위)가 발음기호다. 보초(韋)가 경계 근무를 설 때는 성 주위를 철저히 도는 것도 포함된다. 따라서 城(성) 주위를 둘러싼 담장(口)을 더하여 '둘레를 빙 에워싸다'라는 의미를 갖게 된 글자다.
●●●●● 範圍(범위)/周圍(주위)/包圍(포위)/胸圍(흉위)

園

훈음 동산 원 **부수** 에울 위(口) ▶▶▶ 에울 위(口) + 옷길 袁(원) ➡ 동산의 경계
공원이나 아름다운 정원을 나타내는 글자로 그 테두리 즉 경계에 해당하는 에울 위(口)가 의미요소고 袁(원)이 발음기호이다.
●●●●● 公園(공원)/樂園(낙원)/田園(전원)/園頭幕(원두막)/庭園(정원)/幼稚園(유치원)/動物園(동물원)

邑

훈음 고을 읍 **부수** 제 부수 ▶▶▶ 에울 위(口) + 큰 뱀 巴(파) ➡ 사람들의 거주 지역
여기서 구(口='입 구'가 아님)는 사람들(巴-방울뱀 상형이 아님)이 모여 사는 거주 지역(口)을 말하고 그 아래 巴(파)는 병부 㔾(절)의 변형으로 꿇어앉은 사람 즉 거주민 혹은 백성을 말하므로 "사람이 거주하는 지역 즉 마을, 고을"을 의미하는 글자이다.
●●●●● 邑內(읍내)/邑長(읍장)/城邑(성읍)/都邑(도읍)=都城(도성)

囚(수) 溫(온) 因(인) 姻(인) 咽(인) 恩(은) 困(곤) 固(고)

囚

훈음 가둘 수 **부수** 에울 위(口) ▶▶▶ 에울 위(口) + 사람 人(인) ➡ 사람을 울타리 안에 감금
죄인(人)을 울타리(口) 즉 감옥에 가두어 둔 모습에서 '죄수, 가두다'의 뜻이 파생된 글자로 두 글자 모두가 의미요소이다.
●●●●● 罪囚(죄수)/囚人(수인)/囚衣(수의)/脫獄囚(탈옥수)

溫

훈음 따뜻할 온 **부수** 물 氵(수) ▶▶▶ 물 氵(수) + 가둘 囚(수) + 그릇 皿(명) ➡ 욕탕에서 목욕하기

글자의 오른편(囚+皿)의 갑골문을 보면 탕(그릇) 속에서 목욕하는 사람을 그려 놓은 글자였으나, 훗날 목욕하는 사람(人) 주위에 튀기는 물방울을 에울 囗(위)로 바꾼 글자다. 따뜻한 물에 목욕을 하다가 원뜻이므로 물 氵(수)와 그 옆의 글자(囚+皿) 모두가 의미요소로 쓰인 글자다.

●●●●● 溫水(온수)/溫氣(온기)/體溫(체온)/溫室(온실)

因

훈음 인할 인 **부수** 에울 위(囗) ▶▶▶ 에울 위(囗) + 큰 大(대) ➡ 돗자리에 누워 있는 사람

사람(大)이 왕골 풀로 짠 돗자리 (囗-에울 위나 국이 아님) 같은 곳에 누워 있는 모습으로 본뜻은 돗자리이나, '의지하다, 근거하다'의 뜻으로 가차되자 '까닭, 때문' 등의 뜻으로 의미 확대되어 사용됐다.

●●●●● 原因(원인)/因緣(인연)/因果應報(인과응보)/敗因(패인)

姻

훈음 혼인 인 **부수** 계집 女(여) ▶▶▶ 계집 女(여) + 인할 因(인) ➡ 여자와 혼인

여자가 남과 인연을 맺는다는 것은 혼인하는 것을 말하므로 계집 女(여)를 의미요소로 因(인)을 발음기호로 하여 만든 글자다.

●●●●● 婚姻(혼인)/姻戚(인척)

咽

훈음 목구멍 인 **부수** 입 口(구) ▶▶▶ 입 口(구) + 因(인) ➡ 목구멍도 입으로부터

목구멍을 나타내는 글자로 입 口(구)를 의미요소로 因(인)을 발음기호로 했다.

●●●●● 耳鼻咽喉科(이비인후과)/咽喉炎(인후염)

恩

훈음 은혜 은 **부수** 마음 心(심) ▶▶▶ 인할 因(인) + 마음 心(심) ➡ 마음이 감동받는 것

누군가/무엇인가로 인해 도움을 받는 것을 '은혜를 입었다'고 하는 것에서 볼 수 있듯이, 누군가에 '사랑을 베풀다'가 원뜻이므로 마음 心(심)이 의미요소고 因(인)은 발음기호이다.

●●●●● 恩惠(은혜)/報恩(보은)/謝恩品(사은품)

困

훈음 괴로울 곤 **부수** 에울 위(囗) ▶▶▶ 에울 위(囗) + 나무 木(목) ➡ 틀에 가둬 둠

나무를 틀 속에 가두어 두어 꼼짝달싹할 수 없게 만드니 얼마나 괴롭고 힘들겠는가?
두 글자 모두 의미요소이다.

●●●●● 困難(곤난)/疲困(피곤)/困境(곤경)/貧困(빈곤)

固

훈음 굳을 고 **부수** 에울 위(囗) ▶▶▶ 에울 위(囗) + 옛/오랠 古(고) ➡ 갇혀서 오래됨

갇혀서(囗) 오래 되면(古) "모든 게 굳어지다/오래(古) 가둬(囗) 두면 굳어지다"라는 뜻에서 생긴 글자다.

●●●●● 固着(고착)/確固(확고)/堅固(견고)/固有(고유)

回(회) 徊(회) 廻(회) 歿(몰) 沒(몰) 圓(원) 團(단) 圖(도)

훈음 돌 회 **부수** 에울 위(囗)

물이 소용돌이치는 모습 즉 도는 모습을 그린 그림글자로 '돌다, 돌아오다, 돌이키다, 횟수' 등의 의미로 파생되어 사용됐다.

●●●●● 回轉(회전)/回歸(회귀)/回甲(회갑)/回避(회피)

훈음 노닐/어정거릴 회 **부수** 걸을 彳(척) ▶▶▶ 조금 걸을 彳(척) + 돌 回(회) ➡ 떠돌아다니다

특별한 목적지 없이 떠돌아다니는 사람을 묘사한 글자로 걸을 彳(척)을 의미요소로 回(회)를 발음기호로 했다.

●●●●● 徘徊(배회)

廻

훈음 돌 회 **부수** 廴(인) ▶▶▶ 걸을 廴(인) + 돌 回(회) ➡ 돌아가다/오다
'도는 길, 이어져 결국은 연결된 순환길'을 나타낸 글자로, 길의 상형인 걸을 廴(인)과 '돌다'의 상형인 回(회)의 합체자로 '돌아가다, 돌다, 순환하다'의 뜻으로 사용됐다.
●●●●● 巡廻(순회)/廻廊(회랑)/上廻(상회)

歿

훈음 죽을 몰 **부수** 부서진 뼈 歹(알)
▶▶▶ 歹(알) + 돌 回(회) + 又(우) ➡ '소(沼)'에 빠져 허우적대다 죽은 사람
물에 빠져(回) 허우적대다(又) 결국은 죽는(歹) 사람을 사실적으로 묘사한 글자다.
●●●●● 戰歿(전몰)/戰歿將兵(전몰장병)

沒

훈음 가라앉을 몰 **부수** 물 氵(수)
▶▶▶ 물 氵(수) + 人(回(회) + 손 又(우) ➡ '소'에 빠져 살려 달라고 허우적대는 사람
사람이 빙빙(回) 도는 물(氵)에 빠져 살려 달라고 손(又)을 흔들며 허우적대는 모습을 실감나게 그린 글자로, 물이 도는 모습의 回(회)가 불편한 사람 人(인)의 모습으로 바뀌었다.
●●●●● 沈沒(침몰)/沒殺(몰살)/沒收(몰수)

훈음 둥글 원 **부수** 에울 위(囗) ▶▶▶ 에울 위(囗) + 수효 員(원) ➡ 사물을 둥글게 감싼 모습
'둥글고 모나지 않다'의 뜻을 위해 에울 위(囗)는 의미요소로 수효 員(원)은 발음기호로 쓰였다.
●●●●● 圓形(원형)/圓周(원주)/圓熟(원숙)/圓滿(원만)

훈음 둥글 단 **부수** 囗(국, 구) ▶▶▶ 에울 囗(위) + 專(전) ➡ 한 덩어리로 포장된 단위
둥글다는 뜻을 적기 위하여 고안된 것이나 漢字(한자)에는 圓形(원형) 문자가 없으므로 둥그렇게 에워 싸다는 뜻을 가진 에워쌀 위(囗)가 의미요소로 專(전)은 발음기호로 하여 만든 글자다. 專(전)자는 실감개를 가리키는 말이므로 '구르다, 둥글다'라는 뜻에 기여했다.
●●●●● 團體(단체)/一致團結(일치단결)/集團(집단)

훈음 그림 도 **부수** 에울 위(囗) ▶▶▶ 에울 위(囗) + 인색할 啚(비) ➡ 주위를 두르다
啚(비)자가 곡식 창고라는 설이 있다. 따라서 큰 창고를 짓기 위해 경계를 두르는(囗) 장면에서 만들어진 글자로 두 글자 모두 의미요소에 기여했다.
●●●●● 圖面(도면)/企圖(기도)/圖案(도안)/圖表(도표)/地圖(지도)

囟(신) 腦(뇌) 惱(뇌) 思(사) 慮(려) 廬(려)
囱(창) 悤(총) 聰(총) 總(총) 四(사)

훈음 정수리/숫구멍 신 **부수** 에울 위(囗)
아직 단단히 굳지 않은 머리통을 상형하였다가 일반적인 머리 또는 정수리의 의미로 쓰이는 글자로, 단독 사용은 없고 의미요소에만 기여한다.

훈음 뇌 뇌 **부수** 고기 肉(육)
▶▶▶ 肉(육)달 月(월) + 내 巛(천) + 정수리 囟(신) ➡ 혈관의 흐름을 쉽게 느낄 수 있는 곳
물 흐르는 내(巛)처럼 혈관과 신경망이 복잡하게 얽힌 정수리(囟)를 그려 넣어 신체기관을 상징하는 육달 月(월)과 어우러져 '머리와 뇌'를 상징하는 글자가 만들어졌다.
●●●●● 腦神經(뇌신경)/頭腦(두뇌)/腦卒中(뇌졸중)/腦波(뇌파)

惱

훈음 괴로워할 뇌 부수 마음 忄(심)

▶▶▶ 마음 忄(심) + 내 巛(천) + 정수리 囟(신) ➡ 괴로움은 머리와 마음의 괴로움

머리가 빠개질 정도로 복잡하고 아파서 괴로운 것도 따지고 보면 마음(心)의 문제이므로 괴로워하는 기관인 마음 忄(심)을 의미요소로 나머지는 발음기호 겸 의미보조로 쓰였다.

●●●●● 煩惱(번뇌)/苦惱(고뇌)/惱殺的(뇌쇄적)/百八煩惱(백팔번뇌)

훈음 생각할 사 부수 마음 心(심) ▶▶▶ 정수리 囟(신)의 변형인 田(전) + 마음 心(심) ➡ 정신과 마음

생각은 마음과 정신의 협동으로 마음 心(심)과 머리 囟(신) 모두를 의미요소로 한 글자다.

●●●●● 思考(사고)/思想(사상)/思慕(사모)/思母曲(사모곡)

훈음 생각할 려 부수 마음 心(심)

▶▶▶ 범 虍(호) + 생각할 思(사) ➡ 호랑이 생각까지 할 정도로 사려 깊다

남을 고려하다가 본뜻이므로 생각할 思(사)가 의미요소고 범 虍(호)는 어떠한 관련을 갖는지 추측키 어려우나 발음요소인 것 같으며 려(慮)를 발음으로 집 엄(广)을 의미요소로 삼고초려(三顧草廬)의 오두막집 려(廬)

●●●●● 思慮(사려)/考慮(고려)/心慮(심려)/憂慮(우려)

※ 虜(로) - 포로 로

훈음 창 창/굴뚝 총 부수 에울 위(囗) ➡ 단어 없음

창문의 모양을 본떠 만든 글자로 단독 사용은 없고 주로 발음요소에만 영향을 준다.

훈음 바쁠 총 부수 마음 心(심) ▶▶▶ 굴뚝 囪(총) + 마음 心(심) = 굴뚝 같은 마음이지만 바빠서

굴뚝 囪(창)과 마음 心(심)의 합자로 굴뚝 같은 마음을 나타내어 '무엇엔가 집착하고 있어' 도저히 시간이 없어 그 일을 하고 싶지만 할 수 없을 때 "마음은 굴뚝같지만"이라고 한다.

怱(총)은 悤(총)의 俗字(속자)로 자주 쓰인다.

●●●●● 悤悤(총총)걸음

훈음 귀 밝을 총 부수 귀 耳(이) ▶▶▶ 귀 耳(이) + 바쁠 悤(총) ➡ 귀가 바쁘다

귀가 밝다는 것을 나타내기 위함이니 귀 耳(이)가 의미요소고 바쁠 悤(총)이 발음기호임이 쉽게 추측이 된다. 그러나 귀(耳)가 바쁘다(悤)로도 풀이가 가능하여 귀가 밝으니 '자주 많이 듣게' 되고, 잘 들으니 聰明(총명)해진다고 연상해 볼 수 있다.

●●●●● 聰明(총명)/聰氣(총기)/聰敏(총민)

훈음 거느릴/모두 총 부수 실 糸(사) ▶▶▶ 실 糸(사) + 바쁠 悤(총) ➡ 마음과 정신을 하나로 묶다

모두 한 휘하에 두기 위해 한 곳으로 묶는다는 사상을 가진 글자로, 묶는 재료인 밧줄/실 糸(사)를 의미요소로 悤(총)은 발음기호이다. 한 곳으로 모으니 '모두'이고, '전부'를 한 손에 주무르니 '거느리고, 다스리다'의 뜻이 저절로 파생된 글자다.

●●●●● 總統(총통)/總長(총장)/總角(총각)/總力(총력)

훈음 넉 사 부수 에울 위(囗) ▶▶▶ 에울 위(囗) + 여덟 八(팔)

숫자 4를 의미하는 글자로 그냥 외우자.

●●●●● 四方八方(사방팔방)/四通八達(사통팔달)/四寸(사촌)

확인학습문제

1강 – 활 궁(弓)

◘ 다음 글자의 훈과 음을 쓰시오.

( )弓( ) – ( )弦( ) – ( )弧( ) – ( )發( ) – ( )引( ) – ( )張( ) – ( )彈( ) – ( )弘( ) – ( )弛( )

◘ 다음 글자를 분해하시오.

1. 發 = ＿ + ＿ + ＿
2. 引 = ＿ + ＿
3. 弘 = ＿ + ＿
4. 張 = ＿ + ＿
5. 彈 = ＿ + ＿
6. 弛 = ＿ + ＿

◘ 다음 글자를 소리 부분(聲符)과 뜻 부분(意符)으로 분해하시오.

7. 弦 = 소리 부분(聲符) ＿ + 뜻 부분(意符) ＿
8. 發 = 소리 부분(聲符) ＿ + 뜻 부분(意符) ＿
9. 張 = 소리 부분(聲符) ＿ + 뜻 부분(意符) ＿
10. 彈 = 소리 부분(聲符) ＿ + 뜻 부분(意符) ＿

11. 다음 중 "弓"이 의미하는 바는?
① 칼 ② 창 ③ 방패 ④ 활

12. "發"자와 비슷한 뜻을 가진 글자는?
① 的 ② 洛 ③ 射 ④ 占

13. "弘"자와 반대의 뜻을 가진 글자는?
① 洪 ② 中 ③ 公 ④ 狹

◘ 다음 중 주어진 글자로 이루어지는 단어를 2개 이상 한자 또는 한글로 쓰시오.

14. 弓 – ＿

15. 弦 – ＿

16. 弧 -

17. 發 -

18. 引 -

19. 張 -

20. 彈 -

21. 弘 -

22. 弛 -

◘ 다음 글자의 훈과 음을 쓰시오.

( )躬( ) - ( )窮( ) - ( )强( ) - ( )弱( ) - ( )弟( ) -
( )第( ) - ( )夷( ) - ( )弔( ) - ( )彎( )

◘ 다음 글자를 분해하시오.

1. 彎 = + +

2. 强 = +

3. 躬 = +

4. 弱 = +

5. 弔 = +

6. 夷 = +

◘ 다음 글자를 소리 부분(聲符)과 뜻 부분(意符)으로 분해하시오.

7. 躬 = 소리 부분(聲符) + 뜻 부분(意符)

8. 窮 = 소리 부분(聲符) + 뜻 부분(意符)

9. 第 = 소리 부분(聲符) + 뜻 부분(意符)

10. 彎 = 소리 부분(聲符) + 뜻 부분(意符)

11. 다음 중 "음"이 서로 다른 글자는?
① 躬 ② 窮 ③ 弟 ④ 弓

12. 다음 중 성격이 나머지 셋과 다른 것은?
① 强弱 ② 兄弟 ③ 主從 ④ 東夷

13. "躬"자와 비슷한 뜻을 가진 글자는?
① 首 ② 少 ③ 體 ④ 祭

◘ 다음 중 주어진 글자로 이루어지는 단어를 2개 이상 한자 또는 한글로 쓰시오.

14. 躬 -
15. 窮 -
16. 强 -
17. 弱 -
18. 弟 -
19. 第 -
20. 夷 -
21. 弔 -
22. 彎 -

◘ 다음 글자의 훈과 음을 쓰시오.

( )弗( ) - ( )佛( ) - ( )拂( ) - ( )費( ) - ( )沸( )

◘ 다음 글자를 소리 부분(聲符)과 뜻 부분(意符)으로 분해하시오.

1. 佛 = 소리 부분(聲符) + 뜻 부분(意符)
2. 拂 = 소리 부분(聲符) + 뜻 부분(意符)
3. 費 = 소리 부분(聲符) + 뜻 부분(意符)
4. 沸 = 소리 부분(聲符) + 뜻 부분(意符)

5. 다음 중 "음"이 서로 다른 글자는?
① 弗 ② 佛 ③ 拂 ④ 費

6. "弗"자와 비슷한 뜻이 아닌 글자는?
① 不 ② 非 ③ 味 ④ 否

◘ 다음 중 주어진 글자로 이루어지는 단어를 2개 이상 한자 또는 한글로 쓰시오.

7. 佛 -
8. 拂 -
9. 費 -
10. 沸 -

확인학습문제

2강 - 화살 시(矢)

◆ 다음 글자의 훈과 음을 쓰시오.

(　　)矢(　) - (　　)失(　) - (　　)至(　) - (　　)疾(　) - (　　)嫉(　) - (　　)秩(　)

◆ 다음 글자를 분해하시오.

1. 嫉 = [　　] + [　　] + [　　]
2. 疾 = [　　] + [　　]
3. 失 = [　　] + [　　]
4. 秩 = [　　] + [　　]
5. 至 = [　　] + [　　]
6. 矢 = [　　] + [　　]

◆ 다음 글자를 소리 부분(聲符)과 뜻 부분(意符)으로 분해하시오.

7. 嫉 = 소리 부분(聲符) [　　] + 뜻 부분(意符) [　　]
8. 秩 = 소리 부분(聲符) [　　] + 뜻 부분(意符) [　　]

9. "短"자와 반대의 뜻을 가진 글자는?
① 泳　② 長　③ 非　④ 示

10. 다음 중 "음"이 서로 다른 글자는?
① 疑　② 尹　③ 衣　④ 義

11. "疑"자와 반대의 뜻을 가진 글자는?
① 信　② 意　③ 命　④ 其

◆ 다음 중 주어진 글자로 이루어지는 단어를 2개 이상 한자 또는 한글로 쓰시오.

12. 矢 - [　　]
13. 失 - [　　]
14. 至 - [　　]
15. 疾 - [　　]
16. 嫉 - [　　]
17. 秩 - [　　]

◇ 다음 글자의 훈과 음을 쓰시오.

(　)矢(　) – (　)族(　) – (　)短(　) – (　)醫(　) – (　)疑(　) – (　)矯(　) – (　)矮(　)

◇ 다음 글자를 분해하시오.

1. 醫 = 　 + 　 + 　　2. 短 = 　 + 　

3. 矯 = 　 + 　　4. 矮 = 　 + 　

5. 疑 = 　 + 　 + 　　6. 失 = 　 + 　

◇ 다음 글자를 소리 부분(聲符)과 뜻 부분(意符)으로 분해하시오.

7. 矯 = 소리 부분(聲符) 　 + 뜻 부분(意符) 　

8. 矮 = 소리 부분(聲符) 　 + 뜻 부분(意符) 　

◇ 다음 중 주어진 글자로 이루어지는 단어를 2개 이상 한자 또는 한글로 쓰시오.

9. 矢 –　　10. 族 –

11. 短 –　　12. 醫 –

13. 疑 –　　14. 矯 –

15. 矮 –

◇ 다음 글자의 훈과 음을 쓰시오.

(　)矢(　) – (　)知(　) – (　)智(　) – (　)痴(　)

◇ 다음 글자를 분해하시오.

1. 智 = 　 + 　 + 　　2. 知 = 　 + 　

3. 痴 = 　 + 　　4. 矢 = 　 + 　

◆ 다음 글자를 소리 부분(聲符)과 뜻 부분(意符)으로 분해하시오.

5. 智 = 소리 부분(聲符) [ ] + 뜻 부분(意符) [ ]

6. 痴 = 소리 부분(聲符) [ ] + 뜻 부분(意符) [ ]

7. 다음 중 "음"이 서로 다른 글자는?

① 智 ② 知 ③ 矢 ④ 支

8. "矢"자와 관계 깊은 것은?

① 刂 ② 單 ③ 弓 ④ 斤

◆ 다음 중 주어진 글자로 이루어지는 단어를 2개 이상 한자 또는 한글로 쓰시오.

9. 矢 - [ ] 10. 知 - [ ]

11. 智 - [ ] 12. 痴 - [ ]

확인학습문제

3강 – 이를 지(至)

◆ 다음 글자의 훈과 음을 쓰시오.

( )至( ) – ( )去( ) – ( )到( ) – ( )倒( ) – ( )致( ) – ( )室( ) – ( )屋( ) – ( )姪( )

◆ 다음 글자를 분해하시오.

1. 倒 = ☐ + ☐ + ☐
2. 到 = ☐ + ☐
3. 致 = ☐ + ☐
4. 至 = ☐ + ☐
5. 室 = ☐ + ☐
6. 屋 = ☐ + ☐
7. 姪 = ☐ + ☐
8. 至 = ☐ + ☐

◆ 다음 글자를 소리 부분(聲符)과 뜻 부분(意符)으로 분해하시오.

9. 到 = 소리 부분(聲符) ☐ + 뜻 부분(意符) ☐
10. 倒 = 소리 부분(聲符) ☐ + 뜻 부분(意符) ☐
11. 致 = 소리 부분(聲符) ☐ + 뜻 부분(意符) ☐
12. 姪 = 소리 부분(聲符) ☐ + 뜻 부분(意符) ☐

13. 다음 중 "음"이 서로 다른 글자는?
① 刀 ② 到 ③ 倒 ④ 致

14. 다음 중 서로 관계 없는 것은?
① 宀 ② 屋 ③ 罒 ④ 广

15. 다음 중 성격이 다른 하나는?
① 之 ② 行 ③ 至 ④ 步

16. "到"자와 비슷한 뜻의 글자는?

① 卜 ② 至 ③ 无 ④ 主

17. "室"자와 비슷한 뜻을 가진 글자는?

① 屋 ② 身 ③ 去 ④ 志

◘ 다음 중 주어진 글자로 이루어지는 단어를 2개 이상 한자 또는 한글로 쓰시오.

18. 至 -

19. 去 -

20. 到 -

21. 倒 -

22. 致 -

23. 室 -

24. 屋 -

25. 姪 -

◘ 다음 글자의 훈과 음을 쓰시오.

( )弋( ) - ( )代( ) - ( )式( ) - ( )拭( ) - ( )試( ) - ( )弑( ) - ( )武( )

◘ 다음 글자를 분해하시오.

1. 弑 = + +

2. 試 = +

3. 拭 = +

4. 式 = +

5. 代 = +

6. 武 = +

◘ 다음 글자를 소리 부분(聲符)과 뜻 부분(意符)으로 분해하시오.

7. 拭 = 소리 부분(聲符) + 뜻 부분(意符)

8. 試 = 소리 부분(聲符) ______ + 뜻 부분(意符) ______

9. 弑 = 소리 부분(聲符) ______ + 뜻 부분(意符) ______

10. 다음 중 "음"이 서로 다른 글자는?
① 式 ② 拭 ③ 食 ④ 直

11. "弋"자와 관계 깊은 것은?
① 辰 ② 匕 ③ 矢 ④ 古

12. 다음 중 "음"이 서로 다른 글자는?
① 試 ② 弑 ③ ネ ④ 提

13. "武"자와 관계 없는 것은?
① 무기 ② 전쟁 ③ 군인 ④ 숟가락

◆ 다음 중 주어진 글자로 이루어지는 단어를 2개 이상 한자 또는 한글로 쓰시오.

14. 代 - ______

15. 式 - ______

16. 拭 - ______

17. 試 - ______

18. 弑 - ______

19. 武 - ______

확인학습문제

4강 – 창 과(戈)

◆ 다음 글자의 훈과 음을 쓰시오.

(　　)戈(　) – (　　)戊(　) – (　　)戌(　) – (　　)戍(　) – (　　)戉(　) – (　　)戎(　) –
(　　)戒(　)

◆ 다음 글자를 분해하시오.

1. 戍 = ＿＿ + ＿＿　　2. 戎 = ＿＿ + ＿＿

3. 戒 = ＿＿ + ＿＿　　4. 戌 = ＿＿ + ＿＿

5. 戉 = ＿＿ + ＿＿　　6. 戊 = ＿＿ + ＿＿

7. "戈"자와 관계 깊은 것은?
① 도끼　② 칼　③ 활　④ 창

8. 다음 중 "戊"자와 음이 같은 글자는?
① 順　② 无　③ 乎　④ 正

9. "戉"자와 비슷한 뜻을 가진 글자는?
① 弋　② 广　③ 斤　④ 刂

10. 다음 "戎"자에 대한 설명 중 맞지 않는 것은?
① 융　② 오랑캐　③ 전쟁 무기　④ 노인

11. "戒"자와 비슷한 뜻을 가진 글자는?
① 目　② 警　③ 昇　④ 江

◆ 다음 중 주어진 글자로 이루어지는 단어를 2개 이상 한자 또는 한글로 쓰시오.

12. 戎 – ＿＿　　13. 戒 – ＿＿

◘ 다음 글자의 훈과 음을 쓰시오.

( )戊( ) – ( )茂( ) – ( )戚( ) – ( )歲( )

◘ 다음 글자를 분해하시오.

1. 歲 = [ ] + [ ] + [ ]   2. 戚 = [ ] + [ ]

3. 茂 = [ ] + [ ]   4. 戊 = [ ] + [ ]

◘ 다음 글자를 소리 부분(聲符)과 뜻 부분(意符)으로 분해하시오.

5. 茂 = 소리 부분(聲符) [ ] + 뜻 부분(意符) [ ]

6. 戚 = 소리 부분(聲符) [ ] + 뜻 부분(意符) [ ]

7. "戚"자와 비슷한 뜻을 가진 글자는?

① 人   ② 族   ③ 安   ④ 定

8. "歲"자와 비슷한 뜻을 가진 글자는?

① 日   ② 週   ③ 年   ④ 止

9. 다음 중 "음"이 서로 다른 글자는?

① 武   ② 戊   ③ 茂   ④ 成

◘ 다음 중 주어진 글자로 이루어지는 단어를 2개 이상 한자 또는 한글로 쓰시오.

10. 茂 – [ ]   11. 戚 – [ ]

12. 勢 – [ ]

◘ 다음 글자의 훈과 음을 쓰시오.

( )戊( ) – ( )成( ) – ( )城( ) – ( )盛( ) – ( )誠( )

◘ 다음 글자를 분해하시오.

1. 戊 = [ ] + [ ] + [ ]   2. 成 = [ ] + [ ]

3. 城 = [ ] + [ ]   4. 誠 = [ ] + [ ]

◘ 다음 글자를 소리 부분(聲符)과 뜻 부분(意符)으로 분해하시오.

5. 城 = 소리 부분(聲符) ______ + 뜻 부분(意符) ______

6. 盛 = 소리 부분(聲符) ______ + 뜻 부분(意符) ______

7. 誠 = 소리 부분(聲符) ______ + 뜻 부분(意符) ______

8. 다음 중 "음"이 서로 다른 글자는?
① 成 ② 盛 ③ 戌 ④ 誠

9. "成"자와 반대의 뜻을 가진 글자는?
① 敗 ② 平 ③ 努 ④ 何

◘ 다음 중 주어진 글자로 이루어지는 단어를 2개 이상 한자 또는 한글로 쓰시오.

10. 戌 - ______
11. 成 - ______
12. 城 - ______
13. 盛 - ______
14. 誠 - ______

◘ 다음 글자의 훈과 음을 쓰시오.

( )戌( ) - ( )咸( ) - ( )喊( ) - ( )緘( ) - ( )感( ) - ( )減( )
( )憾( ) - ( )箴( )

◘ 다음 글자를 분해하시오.

1. 咸 = ______ + ______ + ______
2. 感 = ______ + ______
3. 減 = ______ + ______
4. 憾 = ______ + ______
5. 箴 = ______ + ______
6. 喊 = ______ + ______
7. 緘 = ______ + ______
8. 戌 = ______ + ______

◘ 다음 글자를 소리 부분(聲符)과 뜻 부분(意符)으로 분해하시오.

9. 喊 = 소리 부분(聲符) ______ + 뜻 부분(意符) ______

10. 緘 = 소리 부분(聲符) ______ + 뜻 부분(意符) ______

11. 感 = 소리 부분(聲符) ______ + 뜻 부분(意符) ______

12. 減 = 소리 부분(聲符) ______ + 뜻 부분(意符) ______

13. 箴 = 소리 부분(聲符) ______ + 뜻 부분(意符) ______

14. 다음 중 "음"이 서로 다른 글자는?
① 咸 ② 成 ③ 緘 ④ 喊

15. "喊"자와 비슷한 뜻을 가진 글자는?
① 礻 ② 聲 ③ 帝 ④ 色

16. "減"자와 반대의 뜻을 가진 글자는?
① 加 ② 分 ③ 手 ④ 投

17. 다음 중 "음"이 서로 다른 글자는?
① 感 ② 減 ③ 凵 ④ 箴

◘ 다음 중 주어진 글자로 이루어지는 단어를 2개 이상 한자 또는 한글로 쓰시오.

18. 咸 - ______ 19. 喊 - ______

20. 緘 - ______ 21. 感 - ______

22. 減 - ______ 23. 憾 - ______

24. 箴 - ______

◘ 다음 글자의 훈과 음을 쓰시오.

( )戌( ) - ( )威( ) - ( )滅( ) - ( )戉( ) - ( )越( )

◘ 다음 글자를 분해하시오.

1. 滅 = ______ + ______ + ______ 2. 威 = ______ + ______

3. 戉 = ______ + ______ 4. 戌 = ______ + ______

◆ 다음 글자를 소리 부분(聲符)과 뜻 부분(意符)으로 분해하시오.

5. 越 = 소리 부분(聲符) ______ + 뜻 부분(意符) ______

6. 다음 중 "음"이 서로 다른 글자는?

① 起 ② 戉 ③ 月 ④ 越

7. "滅"자와 비슷한 뜻을 가진 글자는?

① 全 ② 亡 ③ 勝 ④ 在

◆ 다음 중 주어진 글자로 이루어지는 단어를 2개 이상 한자 또는 한글로 쓰시오.

8. 威 – ______ 9. 滅 – ______

10. 越 – ______

◆ 다음 글자의 훈과 음을 쓰시오.

( )戍( ) – ( )幾( ) – ( )機( ) – ( )饑( ) – ( )畿( ) – ( )蔑( )

◆ 다음 글자를 분해하시오.

1. 幾 = ______ + ______ + ______ 2. 機 = ______ + ______

3. 蔑 = ______ + ______ 4. 戍 = ______ + ______

◆ 다음 글자를 소리 부분(聲符)과 뜻 부분(意符)으로 분해하시오.

5. 機 = 소리 부분(聲符) ______ + 뜻 부분(意符) ______

6. 饑 = 소리 부분(聲符) ______ + 뜻 부분(意符) ______

7. 畿 = 소리 부분(聲符) ______ + 뜻 부분(意符) ______

8. 다음 중 "음"이 서로 다른 글자는?

① 幾 ② 機 ③ 巾 ④ 其

9. "饑"자와 반대의 뜻을 가진 글자는?

① 飮 ② 補 ③ 飽 ④ 宀

10. "蔑"자와 반대의 뜻을 가진 글자는?

① 丁 ② 廾 ③ 方 ④ 舌

◘ 다음 중 주어진 글자로 이루어지는 단어를 2개 이상 한자 또는 한글로 쓰시오.

11. 幾 -

12. 機 -

13. 饑 -

14. 畿 -

15. 蔑 -

◘ 다음 글자의 훈과 음을 쓰시오.

(　)戎(　) - (　)絨(　) - (　)賊(　) - (　)戒(　) - (　) 誡(　) - (　)械(　)

◘ 다음 글자를 분해하시오.

1. 誡 = + +

2. 戒 = +

3. 戎 = +

4. 賊 = +

5. 械 = +

6. 絨 = +

◘ 다음 글자를 소리 부분(聲符)과 뜻 부분(意符)으로 분해하시오.

7. 絨 = 소리 부분(聲符) + 뜻 부분(意符)

8. 誡 = 소리 부분(聲符) + 뜻 부분(意符)

9. 械 = 소리 부분(聲符) + 뜻 부분(意符)

10. 다음 중 "음"이 서로 다른 글자는?

① 戒 ② 誡 ③ 成 ④ 械

11. 다음 "絨"자에 대한 설명 중 적당한 것은?

① 그릇 ② 붓 ③ 옷감 ④ 신발

12. "賊"자와 관계 깊은 것은?

① 受 ② 盜 ③ 方 ④ 尙

◆ 다음 중 주어진 글자로 이루어지는 단어를 2개 이상 한자 또는 한글로 쓰시오.

13. 戎 -

14. 絨 -

15. 賊 -

16. 戒 -

17. 誡 -

18. 械 -

◆ 다음 글자의 훈과 음을 쓰시오.

(　)或(　) − (　)惑(　) − (　)域(　) − (　)國(　)

◆ 다음 글자를 분해하시오.

1. 或 = ＋ ＋

2. 惑 = ＋

3. 域 = ＋

4. 國 = ＋

◆ 다음 글자를 소리 부분(聲符)과 뜻 부분(意符)으로 분해하시오.

5. 惑 = 소리 부분(聲符) ＋ 뜻 부분(意符)

6. 域 = 소리 부분(聲符) ＋ 뜻 부분(意符)

7. 다음 중 "음"이 서로 다른 글자는?

① 酷 ② 或 ③ 惑 ④ 域

8. "域"자와 비슷한 뜻을 가진 글자는?

① 討 ② 境 ③ 比 ④ 氏

◆ 다음 중 주어진 글자로 이루어지는 단어를 2개 이상 한자 또는 한글로 쓰시오.

9. 或 -

10. 惑 -

11. 域 -

12. 國 -

◆ 다음 글자의 훈과 음을 쓰시오.

(　)載(　) − (　)裁(　) − (　)栽(　) − (　)哉(　) − (　)鐵(　)

◘ 다음 글자를 분해하시오.

1. 𢦏 = [ ] + [ ] + [ ]　　2. 裁 = [ ] + [ ]

3. 載 = [ ] + [ ]　　4. 栽 = [ ] + [ ]

◘ 다음 글자를 소리 부분(聲符)과 뜻 부분(意符)으로 분해하시오.

5. 哉 = 소리 부분(聲符) [ ] + 뜻 부분(意符) [ ]

6. 裁 = 소리 부분(聲符) [ ] + 뜻 부분(意符) [ ]

7. 栽 = 소리 부분(聲符) [ ] + 뜻 부분(意符) [ ]

8. 載 = 소리 부분(聲符) [ ] + 뜻 부분(意符) [ ]

9. 鐵 = 소리 부분(聲符) [ ] + 뜻 부분(意符) [ ]

10. 다음 중 "음"이 서로 다른 글자는?
① 載　② 栽　③ 哉　④ 戠

11. 다음 "裁"자와 관계 없는 것은?
① 옷감　② 재단하다　③ 가위　④ 물감

12. "栽"자와 비슷한 뜻을 가진 글자는?
① 云　② 物　③ 植　④ 艸

◘ 다음 중 주어진 글자로 이루어지는 단어를 2개 이상 한자 또는 한글로 쓰시오.

13. 哉 - [ ]　　14. 裁 - [ ]

15. 栽 - [ ]　　16. 載 - [ ]

17. 鐵 - [ ]

◘ 다음 글자의 훈과 음을 쓰시오.

(　)戠(　) - (　)職(　) - (　)識(　) - (　)織(　)

◘ 다음 글자를 소리 부분(聲符)과 뜻 부분(意符)으로 분해하시오.

1. 職 = 소리 부분(聲符) ＋ 뜻 부분(意符)

2. 識 = 소리 부분(聲符) ＋ 뜻 부분(意符)

3. 織 = 소리 부분(聲符) ＋ 뜻 부분(意符)

4. 다음 중 "음"이 서로 다른 글자는?
① 職 ② 織 ③ 眞 ④ 直

5. 다음 중 서로 관계 없는 것은?
① 官 ② 職 ③ 先 ④ 吏

6. "識"자와 비슷한 뜻을 가진 글자는?
① 討 ② 知 ③ 午 ④ 同

◘ 다음 중 주어진 글자로 이루어지는 단어를 2개 이상 한자 또는 한글로 쓰시오.

7. 職 –

8. 識 –

9. 織 –

◘ 다음 글자의 훈과 음을 쓰시오.

( )我( ) – ( )義( ) – ( )議( ) – ( )儀( ) – ( )餓( )

◘ 다음 글자를 분해하시오.

1. 義 = ＋ ＋

2. 儀 = ＋

3. 議 = ＋

4. 我 = ＋

◘ 다음 글자를 소리 부분(聲符)과 뜻 부분(意符)으로 분해하시오.

5. 議 = 소리 부분(聲符) ＋ 뜻 부분(意符)

6. 儀 = 소리 부분(聲符) ＋ 뜻 부분(意符)

7. 餓 = 소리 부분(聲符) ＋ 뜻 부분(意符)

8. "義"자와 비슷한 뜻을 가진 글자는?

① 干 ② 洞 ③ 是 ④ 亠

9. 다음 중 "음"이 서로 다른 글자는?

① 意 ② 義 ③ 儀 ④ 億

10. "義"자와 반대의 뜻을 가진 글자는?

① 僞 ② 因 ③ 崇 ④ 眞

11. "餓"자와 반대의 뜻을 가진 글자는?

① 半 ② 飽 ③ 呂 ④ 器

◆ 다음 중 주어진 글자로 이루어지는 단어를 2개 이상 한자 또는 한글로 쓰시오.

12. 我 – 13. 餓 –

14. 義 – 15. 議 –

16. 儀 –

◆ 다음 글자의 훈과 음을 쓰시오.

( )踐( ) – ( )賤( ) – ( )淺( ) – ( )殘( ) – ( )盞( ) – ( )錢( ) – ( )餞( )

◆ 다음 글자를 분해하시오.

1. 錢 = + + 2. 踐 = +

3. 殘 = + 4. 餞 = +

◆ 다음 글자를 소리 부분(聲符)과 뜻 부분(意符)으로 분해하시오.

5. 踐 = 소리 부분(聲符) + 뜻 부분(意符)

6. 賤 = 소리 부분(聲符) + 뜻 부분(意符)

7. 淺 = 소리 부분(聲符) + 뜻 부분(意符)

8. 殘 = 소리 부분(聲符) + 뜻 부분(意符)

9. 盞 = 소리 부분(聲符) + 뜻 부분(意符)

10. 錢 = 소리 부분(聲符) + 뜻 부분(意符)

11. 餞 = 소리 부분(聲符) + 뜻 부분(意符)

12. 다음 중 "음"이 서로 다른 글자는?
① 踐 ② 賤 ③ 淺 ④ 盞

13. "殘"자와 비슷한 뜻을 가진 글자는?
① 保 ② 害 ③ 足 ④ 功

14. "淺"자와 반대의 뜻을 가진 글자는?
① 洋 ② 深 ③ 川 ④ 州

15. 다음 중 "음"이 서로 다른 글자는?
① 殘 ② 盞 ③ 錢 ④ 棧

16. "賤"자와 반대의 뜻을 가진 글자는?
① 多 ② 産 ③ 貴 ④ 歺

◘ 다음 중 주어진 글자로 이루어지는 단어를 2개 이상 한자 또는 한글로 쓰시오.

17. 踐 -
18. 賤 -
19. 淺 -
20. 殘 -
21. 盞 -
22. 錢 -
23. 餞 -

확인학습문제

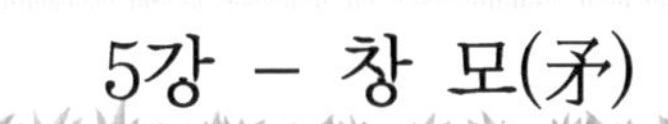

5강 – 창 모(矛)

◘ 다음 글자의 훈과 음을 쓰시오.

(　　)矛(　) – (　　)矜(　) – (　　)柔(　) – (　　)務(　) – (　　)霧(　)

◘ 다음 글자를 분해하시오.

1. 務 = [　　] + [　　] + [　　]　　2. 霧 = [　　] + [　　]

3. 柔 = [　　] + [　　]　　4. 矜 = [　　] + [　　]

5. 矛 = [　　] + [　　] + [　　] + [　　]

◘ 다음 글자를 소리 부분(聲符)과 뜻 부분(意符)으로 분해하시오.

6. 矜 = 소리 부분(聲符) [　　] + 뜻 부분(意符) [　　]

7. 務 = 소리 부분(聲符) [　　] + 뜻 부분(意符) [　　]

8. 霧 = 소리 부분(聲符) [　　] + 뜻 부분(意符) [　　]

9. 다음 중 “음”이 서로 다른 글자는?

① 務　　② 霧　　③ 麻　　④ 巫

10. “矛”자와 비슷한 뜻을 가진 글자는?

① 古　　② 戈　　③ 刀　　④ 尙

11. “務”자와 비슷한 뜻을 가진 글자는?

① 史　　② 以　　③ 勉　　④ 木

◘ 다음 중 주어진 글자로 이루어지는 단어를 2개 이상 한자 또는 한글로 쓰시오.

12. 矛 – [　　]　　13. 矜 – [　　]

14. 柔 – [　　]　　15. 務 – [　　]

16. 霧 – [　　]

확인학습문제

6강 – 창 수(殳)

◆ 다음 글자의 훈과 음을 쓰시오.

( )殳( ) – ( )投( ) – ( )發( ) – ( )醫( ) – ( )般( ) – ( )般( ) –
( )盤( ) – ( )搬( ) – ( )役( ) – ( )疫( ) – ( )殼( ) – ( )穀( ) –
( )設( )

◆ 다음 글자를 분해하시오.

1. 般 = ☐ + ☐ + ☐
2. 盤 = ☐ + ☐
3. 設 = ☐ + ☐
4. 殳 = ☐ + ☐
5. 投 = ☐ + ☐
6. 搬 = ☐ + ☐
7. 役 = ☐ + ☐
8. 疫 = ☐ + ☐
9. 殼 = ☐ + ☐ + ☐ + ☐ + ☐
10. 穀 = ☐ + ☐ + ☐ + ☐ + ☐

◆ 다음 글자를 소리 부분(聲符)과 뜻 부분(意符)으로 분해하시오.

11. 發 = 소리 부분(聲符) ☐ + 뜻 부분(意符) ☐
12. 盤 = 소리 부분(聲符) ☐ + 뜻 부분(意符) ☐
13. 搬 = 소리 부분(聲符) ☐ + 뜻 부분(意符) ☐

14. 다음 중 "음"이 서로 다른 글자는?
① 般 ② 盤 ③ 半 ④ 船

15. 다음 중 성격이 나머지 셋과 다른 것은?
① 投 ② 發 ③ 射 ④ 伏

16. "役"자와 비슷한 뜻을 가진 글자는?

① 弱　　② 亻　　③ 使　　④ 重

17. 다음 "疫"자에 대한 문장 중 적당한 것은?
① 수학과 영어 시험을 망쳤다.
② 소대장을 따라서 모두 뛰어갔다.
③ 홍수 이후에 그 나라 전역에 전염병이 퍼졌다.
④ 이틀이나 사냥했으나 토끼 한 마리도 못 잡았다.

18. 다음 중 "음"이 서로 다른 글자는?
① 役　　② 疫　　③ 巡　　④ 逆

◘ 다음 중 주어진 글자로 이루어지는 단어를 2개 이상 한자 또는 한글로 쓰시오.

19. 設 -　　20. 投 -

21. 發 -　　22. 醫 -

23. 船 -　　24. 盤 -

25. 搬 -　　26. 役 -

27. 疫 -　　28. 穀 -

◘ 다음 글자의 훈과 음을 쓰시오.

(　)段(　) - (　/　)殺(　/　) - (　)刹(　) - (　)弑(　) - (　)毁(　) -
(　)擊(　) - (　)毆(　)

◘ 다음 글자를 분해하시오.

1. 毁 = ＋ ＋　　2. 殺 = ＋

3. 刹 = ＋ ＋　　4. 弑 = ＋

5. 擊 = ＋ ＋　　6. 毆 = ＋

7. 段 = ＋　　8. 穀 = ＋

◘ 다음 글자를 소리 부분(聲符)과 뜻 부분(意符)으로 분해하시오.

9. 弑 = 소리 부분(聲符) ＋ 뜻 부분(意符)

10. 擊 = 소리 부분(聲符) ______ + 뜻 부분(意符) ______

11. 毆 = 소리 부분(聲符) ______ + 뜻 부분(意符) ______

12. 穀 = 소리 부분(聲符) ______ + 뜻 부분(意符) ______

13. 다음 중 성격이 나머지 셋과 다른 것은?

① 害　　② 殺　　③ 死　　④ 安

14. "刹"자와 비슷한 뜻을 가진 글자는?

① 定　　② 寺　　③ 方　　④ 新

15. "弑"자와 반대의 뜻을 가진 글자는?

① 走　　② 生　　③ 尸　　④ 死

16. "毁"자와 반대의 뜻을 가진 글자는?

① 建　　② 老　　③ 孫　　④ 而

17. "擊"자와 비슷한 뜻을 가진 글자는?

① 彳　　② 宀　　③ 殳　　④ 阝

18. "穀"에 속하지 않는 것은?

① 米　　② 豆　　③ 肉　　④ 禾

◘ 다음 중 주어진 글자로 이루어지는 단어를 2개 이상 한자 또는 한글로 쓰시오.

19. 段 - ______　　20. 殺 - ______

21. 刹 - ______　　22. 弑 - ______

23. 毁 - ______　　24. 擊 - ______

25. 毆 - ______　　26. 穀 - ______

확인학습문제

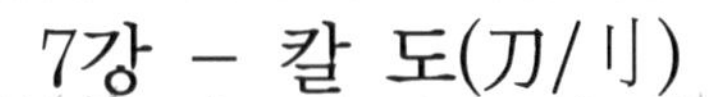

7강 – 칼 도(刀/刂)

◘ 다음 글자의 훈과 음을 쓰시오.

(　)刀(　) – (　)分(　) – (　)切(　) – (　)初(　) – (　)召(　) – (　)契(　) – (　)潔(　)

◘ 다음 글자를 분해하시오.

1. 契 = 　　 + 　　 + 　　
2. 初 = 　　 + 　　
3. 切 = 　　 + 　　
4. 分 = 　　 + 　　
5. 潔 = 　　 + 　　 + 　　
6. 召 = 　　 + 　　

◘ 다음 글자를 소리 부분(聲符)과 뜻 부분(意符)으로 분해하시오.

7. 切 = 소리 부분(聲符) 　　 + 뜻 부분(意符) 　　
8. 潔 = 소리 부분(聲符) 　　 + 뜻 부분(意符) 　　

9. 다음 중 성격이 나머지 셋과 다른 것은?
① 殳　　② 刀　　③ 戈　　④ 虫

10. "分"자와 반대의 뜻을 가진 글자는?
① 先　　② 合　　③ 減　　④ 瓦

11. 다음 중 나머지 셋과 뜻이 다른 것은?
① 絕　　② 斷　　③ 幸　　④ 切

12. "初"자와 반대의 뜻을 가진 글자가 아닌 것은?
① 末　　② 終　　③ 尾　　④ 始

13. 다음 중 성격이 나머지 셋과 다른 것은?
① 淨　　② 潔　　③ 淸　　④ 武

◆ 다음 중 주어진 글자로 이루어지는 단어를 2개 이상 한자 또는 한글로 쓰시오.

14. 刀 -

15. 分 -

16. 切 -

17. 初 -

18. 召 -

19. 契 -

20. 潔 -

◆ 다음 글자의 훈과 음을 쓰시오.

(　)刀(　) - (　)刃(　) - (　)忍(　) - (　)認(　)

◆ 다음 글자를 분해하시오.

1. 忍 = ＿ + ＿ + ＿

2. 認 = ＿ + ＿

3. 刃 = ＿ + ＿

◆ 다음 글자를 소리 부분(聲符)과 뜻 부분(意符)으로 분해하시오.

4. 忍 = 소리 부분(聲符) ＿ + 뜻 부분(意符) ＿

5. 認 = 소리 부분(聲符) ＿ + 뜻 부분(意符) ＿

6. 다음 중 "음"이 서로 다른 글자는?

① 刃　② 忍　③ 刀　④ 儿

7. "忍"자와 비슷한 뜻을 가진 글자는?

① 進　② 名　③ 丸　④ 耐

◆ 다음 중 주어진 글자로 이루어지는 단어를 2개 이상 한자 또는 한글로 쓰시오.

8. 刀 -

9. 刃 -

10. 忍 -

11. 認 -

◆ 다음 글자의 훈과 음을 쓰시오.

(　)券(　) - (　)卷(　) - (　)拳(　) - (　)圈(　)

◘ 다음 글자를 분해하시오.

1. 拳 = ☐ + ☐ + ☐　　2. 卷 = ☐ + ☐

3. 券 = ☐ + ☐　　4. 圈 = ☐ + ☐

◘ 다음 글자를 소리 부분(聲符)과 뜻 부분(意符)으로 분해하시오.

5. 圈 = 소리 부분(聲符) ☐ + 뜻 부분(意符) ☐

6. 다음 중 "음"이 서로 다른 글자는?
① 券　② 觀　③ 卷　④ 勸

7. "拳"자와 관계 깊은 것은?
① 손　② 발　③ 가슴　④ 허리

◘ 다음 중 주어진 글자로 이루어지는 단어를 2개 이상 한자 또는 한글로 쓰시오.

8. 券 -　　9. 卷 -

10. 拳 -　　11. 圈 -

◘ 다음 글자의 훈과 음을 쓰시오.

( )刺( ) - ( )班( ) - ( )割( ) - ( )剖( ) - ( )判( ) - ( )削( ) -
( )刮( ) - ( )刷( ) - ( )剛( ) - ( )副( ) - ( )劇( ) -

◘ 다음 글자를 분해하시오.

1. 削 = ☐ + ☐ + ☐　　2. 班 = ☐ + ☐

3. 刮 = ☐ + ☐　　4. 判 = ☐ + ☐

5. 刷 = ☐ + ☐ + ☐　　6. 剖 = ☐ + ☐

7. 則 = ☐ + ☐　　8. 割 = ☐ + ☐

◘ 다음 글자를 소리 부분(聲符)과 뜻 부분(意符)으로 분해하시오.

9. 刺 = 소리 부분(聲符) ☐ + 뜻 부분(意符) ☐

10. 剖 = 소리 부분(聲符) + 뜻 부분(意符)

11. 判 = 소리 부분(聲符) + 뜻 부분(意符)

12. 刮 = 소리 부분(聲符) + 뜻 부분(意符)

13. 剛 = 소리 부분(聲符) + 뜻 부분(意符)

14. 副 = 소리 부분(聲符) + 뜻 부분(意符)

15. 다음 중 "음"이 서로 다른 글자는?
① 副 ② 剖 ③ 則 ④ 不

16. "刺"자와 관계 없는 것은?
① 戟 ② 刀 ③ 戈 ④ 禾

17. "剛"자와 비슷한 뜻을 가진 글자는?
① 玄 ② 東 ③ 約 ④ 强

18. "副"자와 비슷한 뜻을 가진 글자는?
① 卓 ② 安 ③ 次 ④ 罒

◆ 다음 글자로 이루어지는 단어를 2개 이상 한자 또는 한글로 쓰시오.

19. 刺 –
20. 班 –
21. 剖 –
22. 判 –
23. 削 –
24. 刮 –
25. 刷 –
26. 剛 –
27. 副 –
28. 劇 –

◆ 다음 글자의 훈과 음을 쓰시오.

( )刻( ) – ( )刊( ) – ( )劃( ) – ( )則( ) – ( )剝( )

◆ 다음 글자를 분해하시오.

1. 劃 = + +
2. 刻 = +

3. 刊 = + 4. 則 = +

◆ 다음 글자를 소리 부분(聲符)과 뜻 부분(意符)으로 분해하시오.

5. 刑 = 소리 부분(聲符) + 뜻 부분(意符)

6. 刹 = 소리 부분(聲符) + 뜻 부분(意符)

7. "刑"자와 관계 깊은 것은?

① 土 ② 卌 ③ 厂 ④ 癶

8. 다음 "則"자에 대한 것 중 맞는 것은?

① 법, 규정 ② 밥, 반찬 ③ 창, 칼 ④ 여자, 질투

◆ 다음 글자로 이루어지는 단어를 2개 이상 한자 또는 한글로 쓰시오.

9. 刻 – 10. 刊 –

11. 劃 – 12. 則 –

13. 刹 –

◆ 다음 글자의 훈과 음을 쓰시오.

( )利( ) – ( )梨( ) – ( )列( ) – ( )裂( ) – ( )別( )

◆ 다음 글자를 분해하시오.

1. 裂 = + + 2. 列 = +

3. 梨 = + + 4. 利 = +

5. 別 = +

◆ 다음 글자를 소리 부분(聲符)과 뜻 부분(意符)으로 분해하시오.

6. 梨 = 소리 부분(聲符) + 뜻 부분(意符)

7. 裂 = 소리 부분(聲符)  + 뜻 부분(意符) 

8. 다음 중 "음"이 서로 다른 글자는?

① 利 ② 梨 ③ 吏 ④ 例

9. 다음 "利"자에 대한 설명 중 적당한 것은?

① 죽이다, 해치다 ② 많이 먹다 ③ 날카롭다, 이롭다 ④ 술, 안주

10. 다음 중 "음"이 서로 다른 글자는?

① 列 ② 裂 ③ 別 ④ 烈

◘ 다음 중 주어진 글자로 이루어지는 단어를 2개 이상 한자 또는 한글로 쓰시오.

11. 利 -

12. 梨 -

13. 列 -

14. 裂 -

15. 別 -

◘ 다음 글자의 훈과 음을 쓰시오.

(　)刑(　) – (　)形(　) – (　)型(　)

◘ 다음 글자를 분해하시오.

1. 型 = + +
2. 形 = +
3. 刑 = +

◘ 다음 글자를 소리 부분(聲符)과 뜻 부분(意符)으로 분해하시오.

4. 形 = 소리 부분(聲符) + 뜻 부분(意符)
5. 刑 = 소리 부분(聲符) + 뜻 부분(意符)
6. 型 = 소리 부분(聲符) + 뜻 부분(意符)

7. 다음 중 "음"이 서로 다른 글자는?

① 形 ② 刑 ③ 硏 ④ 型

8. "刑"자와 관계 없는 것은?

① 刀 ② 辛 ③ 和 ④ 死

◘ 다음 중 주어진 글자로 이루어지는 단어를 2개 이상 한자 또는 한글로 쓰시오.

9. 形 -

10. 刑 -

11. 型 -

확인학습문제

8강 - 도끼 근(斤)

◆ 다음 글자의 훈과 음을 쓰시오.

( )斤( ) - ( )斥( ) - ( )訴( ) - ( )析( ) - ( )折( ) - ( )斬( ) -
( )新( ) - ( )斷( ) - ( )兵( )

◆ 다음 글자를 분해하시오.

1. 訴 = ☐ + ☐ + ☐
2. 斥 = ☐ + ☐
3. 兵 = ☐ + ☐
4. 折 = ☐ + ☐
5. 新 = ☐ + ☐ + ☐
6. 析 = ☐ + ☐
7. 斬 = ☐ + ☐
8. 斷 = ☐ + ☐

9. 다음 중 서로 관계 없는 것은?
① 斬 ② 死 ③ 刑 ④ 美

10. 다음 "折"자에 대한 묘사 중 맞는 것은?
① 창과 방패 ② 닭과 소 ③ 손과 도끼 ④ 물과 술

11. 다음 "兵"자에 대한 설명으로 맞는 것은?
① 사냥한 짐승을 들고 있는 모습 ② 식사하고 있는 사람
③ 도끼를 든 두 손 ④ 집 뒤로 펼쳐진 논과 밭

12. "斷"자와 반대의 뜻을 가진 글자는?
① 連 ② 折 ③ 缶 ④ 印

13. 다음 "析"자에 대한 설명으로 맞는 것은?
① 도끼로 나무 패는 모습 ② 나무를 불태우는 모습
③ 나무와 사람 ④ 나무를 묶고 있는 모습

◘ 다음 중 주어진 글자로 이루어지는 단어를 2개 이상 한자 또는 한글로 쓰시오.

14. 斤 -
15. 斥 -
16. 訴 -
17. 析 -
18. 折 -
19. 斬 -
20. 新 -
21. 斷 -
22. 兵 -

◘ 다음 글자의 훈과 음을 쓰시오.

(　)折(　) - (　)哲(　) - (　)誓(　) - (　)逝(　)

◘ 다음 글자를 분해하시오.

1. 逝 = 　 + 　 + 　
2. 誓 = 　 + 　
3. 哲 = 　 + 　
4. 折 = 　 + 　

◘ 다음 글자를 소리 부분(聲符)과 뜻 부분(意符)으로 분해하시오.

5. 哲 = 소리 부분(聲符) 　 + 뜻 부분(意符)
6. 誓 = 소리 부분(聲符) 　 + 뜻 부분(意符)
7. 逝 = 소리 부분(聲符) 　 + 뜻 부분(意符)

8. 다음 중 "음"이 서로 다른 글자는?
① 書 ② 逝 ③ 誓 ④ 斥

9. 다음 중 서로 관계 없는 글자는?
① 誓 ② 約 ③ 車 ④ 盟

◘ 다음 중 주어진 글자로 이루어지는 단어를 2개 이상 한자 또는 한글로 쓰시오.

10. 折 -
11. 哲 -
12. 誓 -
13. 逝 -

◆ 다음 글자의 훈과 음을 쓰시오.

(　)近(　) – (　)欣(　) – (　)匠(　) – (　)所(　) – (　)斧(　) – (　)質(　) – (　)祈(　)

◆ 다음 글자를 분해하시오.

1. 近 = ＿ + ＿　　2. 欣 = ＿ + ＿

3. 匠 = ＿ + ＿　　4. 所 = ＿ + ＿

5. 斧 = ＿ + ＿　　6. 祈 = ＿ + ＿

◆ 다음 글자를 소리 부분(聲符)과 뜻 부분(意符)으로 분해하시오.

7. 近 = 소리 부분(聲符) ＿ + 뜻 부분(意符) ＿

8. 欣 = 소리 부분(聲符) ＿ + 뜻 부분(意符) ＿

9. 斧 = 소리 부분(聲符) ＿ + 뜻 부분(意符) ＿

10. "近"자와 반대의 뜻을 가진 글자는?
① 彳　② 遠　③ 弋　④ 弱

11. "匠"자와 비슷한 뜻을 가진 글자는?
① 廾　② 扌　③ 工　④ 后

12. 다음 중 서로 관계 없는 것은?
① 快　② 欣　③ 喜　④ 哀

◆ 다음 중 주어진 글자로 이루어지는 단어를 2개 이상 한자 또는 한글로 쓰시오.

13. 斤 – ＿　　14. 匠 – ＿

15. 所 – ＿　　16. 質 – ＿

17. 祈 – ＿

확인학습문제

9강 – 수레 거(車)

◘ 다음 글자의 훈과 음을 쓰시오.

(　)車(　/　) – (　)軍(　) – (　)運(　) – (　)揮(　) – (　)輝(　) – (　)陣(　)

◘ 다음 글자를 분해하시오.

1. 運 = 　 + 　 + 　
2. 軍 = 　 + 　
3. 揮 = 　 + 　
4. 陣 = 　 + 　
5. 輝 = 　 + 　

◘ 다음 글자를 소리 부분(聲符)과 뜻 부분(意符)으로 분해하시오.

6. 運 = 소리 부분(聲符) 　 + 뜻 부분(意符) 　

7. 다음 중 서로 관계 없는 것은?
① 軍　② 兵　③ 食　④ 卒

◘ 다음 중 주어진 글자로 이루어지는 단어를 2개 이상 한자 또는 한글로 쓰시오.

8. 車 –
9. 軍 –
10. 運 –
11. 揮 –
12. 輝 –
13. 陣 –

◘ 다음 글자의 훈과 음을 쓰시오.

(　)連(　) – (　)蓮(　) – (　)輿(　) – (　)軟(　) – (　)範(　) – (　)輕(　) –
(　)輯(　) – (　)輩(　) – (　)較(　) – (　)轂(　) – (　)擊(　) – (　)繫(　)

◘ 다음 글자를 분해하시오.

1. 範 = ＿＿ + ＿＿ + ＿＿　　2. 連 = ＿＿ + ＿＿

3. 輿 = ＿＿ + ＿＿ + ＿＿　　4. 蓮 = ＿＿ + ＿＿

5. 轂 = ＿＿ + ＿＿ + ＿＿　　6. 班 = ＿＿ + ＿＿

7. 刮 = ＿＿ + ＿＿　　8. 擊 = ＿＿ + ＿＿

◘ 다음 글자를 소리 부분(聲符)과 뜻 부분(意符)으로 분해하시오.

9. 輕 = 소리 부분(聲符) ＿＿ + 뜻 부분(意符) ＿＿

10. 輯 = 소리 부분(聲符) ＿＿ + 뜻 부분(意符) ＿＿

11. 輩 = 소리 부분(聲符) ＿＿ + 뜻 부분(意符) ＿＿

12. 較 = 소리 부분(聲符) ＿＿ + 뜻 부분(意符) ＿＿

13. 擊 = 소리 부분(聲符) ＿＿ + 뜻 부분(意符) ＿＿

14. 繫 = 소리 부분(聲符) ＿＿ + 뜻 부분(意符) ＿＿

15. 다음 중 "음"이 서로 다른 글자는?
① 軟　② 連　③ 蓮　④ 運

16. "輕"자와 반대의 뜻을 가진 글자는?
① 車　② 東　③ 年　④ 重

17. 다음 중 서로 관계 없는 것은?
① 則　② 範　③ 模　④ 銀

18. "較"자와 비슷한 뜻을 가진 글자는?
① 如　② 爻　③ 比　④ 尿

19. 다음 중 "음"이 서로 다른 글자는?
① 擊　② 鬲　③ 格　④ 各

◘ 다음 중 주어진 글자로 이루어지는 단어를 2개 이상 한자 또는 한글로 쓰시오.

20. 連 -

21. 蓮 -

22. 輿 -

23. 軟 -

24. 範 -

25. 輕 -

26. 輯 -

27. 輩 -

28. 較 -

29. 擊 -

30. 繫 -

◘ 다음 글자의 훈과 음을 쓰시오.

( )庫( ) – ( )運( ) – ( )轉( ) – ( )輪( ) – ( )軸( ) – ( )載( ) –
( )輸( ) – ( )軌( )

◘ 다음 글자를 소리 부분(聲符)과 뜻 부분(意符)으로 분해하시오.

1. 庫 = 소리 부분(聲符) + 뜻 부분(意符)
2. 運 = 소리 부분(聲符) + 뜻 부분(意符)
3. 轉 = 소리 부분(聲符) + 뜻 부분(意符)
4. 輪 = 소리 부분(聲符) + 뜻 부분(意符)
5. 軸 = 소리 부분(聲符) + 뜻 부분(意符)
6. 載 = 소리 부분(聲符) + 뜻 부분(意符)
7. 輸 = 소리 부분(聲符) + 뜻 부분(意符)
8. 軌 = 소리 부분(聲符) + 뜻 부분(意符)

9. "庫"자와 비슷한 뜻을 가진 글자는?
① 广 ② 允 ③ 含 ④ 倉

10. 다음 중 서로 관계 없는 것은?
① 輪 ② 軸 ③ 輕 ④ 軌

◆ 다음 중 주어진 글자로 이루어지는 단어를 2개 이상 한자 또는 한글로 쓰시오.

11. 庫 -

12. 轉 -

13. 輪 -

14. 軸 -

15. 載 -

16. 輸 -

17. 軌 -

◆ 다음 글자의 훈과 음을 쓰시오.

( )斬( ) - ( )塹( ) - ( )慙( ) - ( )暫( ) - ( )漸( )

◆ 다음 글자를 분해하시오.

1. 塹 = + +

2. 慙 = +

3. 漸 = +

4. 斬 = +

5. 暫 = + +

◆ 다음 글자를 소리 부분(聲符)과 뜻 부분(意符)으로 분해하시오.

6. 塹 = 소리 부분(聲符) + 뜻 부분(意符)

7. 慙 = 소리 부분(聲符) + 뜻 부분(意符)

8. 暫 = 소리 부분(聲符) + 뜻 부분(意符)

9. 漸 = 소리 부분(聲符) + 뜻 부분(意符)

10. 다음 중 "음"이 서로 다른 글자는?

① 慙 ② 斬 ③ 漸 ④ 塹

11. "慙"자와 비슷한 뜻을 가진 글자는?

① 瓜 ② 斤 ③ 長 ④ 恥

12. "暫"자와 관계 깊은 것은?

① 시간 ② 땅 ③ 형벌 ④ 늦잠

◘ 다음 중 주어진 글자로 이루어지는 단어를 2개 이상 한자 또는 한글로 쓰시오.

13. 斬 -

14. 塹 -

15. 慙 -

16. 暫 -

17. 漸 -

확인학습문제

10강 – 배 주(舟)

◆ 다음 글자의 훈과 음을 쓰시오.

(　)舟(　) – (　)船(　) – (　)般(　) – (　)盤(　) – (　)搬(　) – (　)磐(　) –
(　)舶(　) – (　)艦(　) – (　)艇(　)

◆ 다음 글자를 두 부분으로 분해하시오.

1. 船 = ▢ + ▢ + ▢　　2. 盤 = ▢ + ▢

3. 般 = ▢ + ▢　　4. 搬 = ▢ + ▢

5. 艦 = ▢ + ▢　　6. 艇 = ▢ + ▢

◆ 다음 글자를 소리 부분(聲符)과 뜻 부분(意符)으로 분해하시오.

7. 船 = 소리 부분(聲符) ▢ + 뜻 부분(意符) ▢

8. 盤 = 소리 부분(聲符) ▢ + 뜻 부분(意符) ▢

9. 搬 = 소리 부분(聲符) ▢ + 뜻 부분(意符) ▢

10. 磐 = 소리 부분(聲符) ▢ + 뜻 부분(意符) ▢

11. 舶 = 소리 부분(聲符) ▢ + 뜻 부분(意符) ▢

12. 艦 = 소리 부분(聲符) ▢ + 뜻 부분(意符) ▢

13. 艇 = 소리 부분(聲符) ▢ + 뜻 부분(意符) ▢

14. 다음 중 “음”이 서로 다른 글자는?

① 般　　② 搬　　③ 舶　　④ 反

15. 다음 중 “배(舟)”와 관계 없는 것은?

① 船　　② 舶　　③ 磐　　④ 艇

16. “搬”자와 비슷한 뜻을 가진 글자는?

① 正 ② 宇 ③ 移 ④ 夫

◘ 다음 중 주어진 글자로 이루어지는 단어를 2개 이상 한자 또는 한글로 쓰시오.

17. 舟 -
18. 船 -
19. 般 -
20. 盤 -
21. 搬 -
22. 磐 -
23. 舶 -
24. 艦 -
25. 艇 -

◘ 다음 글자의 훈과 음을 쓰시오.

( )沿( ) - ( )鉛( ) - ( )船( )

◘ 다음 글자를 소리 부분(聲符)과 뜻 부분(意符)으로 분해하시오.

1. 沿 = 소리 부분(聲符) + 뜻 부분(意符)
2. 鉛 = 소리 부분(聲符) + 뜻 부분(意符)
3. 船 = 소리 부분(聲符) + 뜻 부분(意符)

4. 다음 중 “음”이 서로 다른 글자는?

① 沿 ② 連 ③ 船 ④ 鉛

5. “船”자와 비슷한 뜻을 가진 글자는?

① 舟 ② 搬 ③ 盤 ④ 丹

◘ 다음 중 주어진 글자로 이루어지는 단어를 2개 이상 한자 또는 한글로 쓰시오.

6. 沿 -
7. 鉛 -
8. 船 -

확인학습문제

11강 – 모 방(方)

◆ 다음 글자의 훈과 음을 쓰시오.

( )方( ) – ( )彷( ) – ( )放( ) – ( )防( ) – ( )訪( ) – ( )妨( ) –
( )紡( ) – ( )芳( ) – ( )旁( ) – ( )傍( ) – ( )謗( )

◆ 다음 글자를 소리 부분(聲符)과 뜻 부분(意符)으로 분해하시오.

1. 彷 = 소리 부분(聲符) ＋ 뜻 부분(意符)
2. 放 = 소리 부분(聲符) ＋ 뜻 부분(意符)
3. 倣 = 소리 부분(聲符) ＋ 뜻 부분(意符)
4. 防 = 소리 부분(聲符) ＋ 뜻 부분(意符)
5. 訪 = 소리 부분(聲符) ＋ 뜻 부분(意符)
6. 妨 = 소리 부분(聲符) ＋ 뜻 부분(意符)
7. 紡 = 소리 부분(聲符) ＋ 뜻 부분(意符)
8. 芳 = 소리 부분(聲符) ＋ 뜻 부분(意符)
9. 旁 = 소리 부분(聲符) ＋ 뜻 부분(意符)
10. 傍 = 소리 부분(聲符) ＋ 뜻 부분(意符)
11. 謗 = 소리 부분(聲符) ＋ 뜻 부분(意符)

12. 다음 중 "음"이 서로 다른 글자는?
① 防 ② 肪 ③ 旅 ④ 謗

13. "彷"자와 비슷한 뜻을 가진 글자는?
① 行 ② 妨 ③ 貞 ④ 放

14. "芳"자와 관계 없는 것은?

① 꽃　　② 아름답다　　③ 세월　　④ 향기

15. "訪"자와 비슷한 뜻을 가진 글자는?
① 臣　　② 討　　③ 探　　④ 巾

16. "謗"자와 비슷한 뜻을 가진 글자는?
① 悲　　② 誹　　③ 邦　　④ 尙

◘ 다음 중 주어진 글자로 이루어지는 단어를 2개 이상 한자 또는 한글로 쓰시오.

17. 方 -　　18. 彷 -

19. 放 -　　20. 倣 -

21. 防 -　　22. 訪 -

23. 妨 -　　24. 紡 -

25. 芳 -　　26. 傍 -

27. 謗 -

◘ 다음 글자의 훈과 음을 쓰시오.

( )方( ) – ( )旗( ) – ( )族( ) – ( )旅( ) – ( )旋( ) – ( )遊( ) –
( )施( ) – ( )激( ) – ( )傲( )

◘ 다음 글자를 분해하시오.

1. 遊 = + +　　2. 旗 = +

3. 族 = +　　4. 旅 = +

5. 激 = + +　　6. 傲 = +

7. 施 = +　　8. 旋 = +

◘ 다음 글자를 소리 부분(聲符)과 뜻 부분(意符)으로 분해하시오.

9. 旗 = 소리 부분(聲符) + 뜻 부분(意符)

10. 遊 = 소리 부분(聲符) [ ] + 뜻 부분(意符) [ ]

11. 激 = 소리 부분(聲符) [ ] + 뜻 부분(意符) [ ]

12. 傲 = 소리 부분(聲符) [ ] + 뜻 부분(意符) [ ]

13. "旗"자의 쓰임으로 옳은 것은?
① 비행기 ② 선풍기 ③ 제초기 ④ 태극기

14. 다음 중 "사람"과 관계 없는 것은?
① 旅 ② 族 ③ 激 ④ 傲

15. "施"자와 비슷한 뜻을 가진 글자는?
① 設 ② 糸 ③ 取 ④ 呪

16. "傲"자와 반대의 뜻을 가진 글자는?
① 遜 ② 倨 ③ 半 ④ 共

17. "激"자와 반대의 뜻을 가진 글자는?
① 單 ② 順 ③ 矛 ④ 洛

◘ 다음 중 주어진 글자로 이루어지는 단어를 2개 이상 한자 또는 한글로 쓰시오.

18. 旗 - [ ] 19. 族 - [ ]

20. 旅 - [ ] 21. 旋 - [ ]

22. 遊 - [ ] 23. 施 - [ ]

24. 激 - [ ] 25. 傲 - [ ]

◘ 다음 글자의 훈과 음을 쓰시오.

( )齊( ) - ( )濟( ) - ( )劑( )

◘ 다음 글자를 분해하시오.

1. 齊 = [ ] + [ ] + [ ] + [ ] + [ ]

2. 劑 = [ ] + [ ]　　3. 濟 = [ ] + [ ]

◘ 다음 글자를 소리부분(聲符)과 뜻 부분(意符)으로 분해하시오.

4. 濟 = 소리 부분(聲符) [ ] + 뜻 부분(意符) [ ]

5. 劑 = 소리 부분(聲符) [ ] + 뜻 부분(意符) [ ]

6. 다음 중 "음"이 서로 다른 글자는?

① 齊　② 濟　③ 祭　④ 察

7. "濟"자와 비슷한 뜻을 가진 글자는?

① 永　② 央　③ 渡　④ 斗

◘ 다음 중 주어진 글자로 이루어지는 단어를 2개 이상 한자 또는 한글로 쓰시오.

8. 齊 - [ ]　　9. 濟 - [ ]

10. 劑 - [ ]

확인학습문제

12강 - 보일 시(示/礻)

◇ 다음 글자의 훈과 음을 쓰시오.

( )示( ) - ( )祭( ) - ( )祀( ) - ( )祖( ) - ( )神( ) - ( )禮( ) -
( )祈( ) - ( )禱( ) - ( )祝( ) - ( )福( ) - ( )禍( )

◇ 다음 글자를 분해하시오.

1. 祭 = [ ] + [ ] + [ ]
2. 祀 = [ ] + [ ]
3. 神 = [ ] + [ ]
4. 福 = [ ] + [ ]
5. 禮 = [ ] + [ ] + [ ]
6. 祈 = [ ] + [ ]
7. 禱 = [ ] + [ ]
8. 祖 = [ ] + [ ]

◇ 다음 글자를 소리 부분(聲符)과 뜻 부분(意符)으로 분해하시오.

9. 神 = 소리 부분(聲符) [ ] + 뜻 부분(意符) [ ]

10. 禍 = 소리 부분(聲符) [ ] + 뜻 부분(意符) [ ]

11. 다음 중 성격이 나머지 셋과 다른 것은?
① 祀 ② 祭 ③ 神 ④ 加

12. "祖"자와 반대의 뜻을 가진 글자는?
① 父 ② 姑 ③ 孫 ④ 古

13. 다음 중 뜻이 나머지 셋과 다른 것은?
① 禱 ② 祝 ③ 牙 ④ 祈

14. "福"자와 반대의 뜻을 가진 글자는?
① 禍 ② 祝 ③ 器 ④ 周

15. 다음 중 뜻이 나머지 셋과 다른 것은?

① 殃　　② 禍　　③ 吉　　④ 災

◆ 다음 중 주어진 글자로 이루어지는 단어를 2개 이상 한자 또는 한글로 쓰시오.

16. 示 -

17. 祭 -

18. 祀 -

19. 祖 -

20. 神 -

21. 禮 -

22. 祈 -

23. 禱 -

24. 祝 -

25. 福 -

26. 禍 -

◆ 다음 글자의 훈과 음을 쓰시오.

(　)有(　) - (　)祭(　) - (　)際(　) - (　)察(　) - (　)擦(　)

◆ 다음 글자를 두 부분으로 분해하시오.

1. 祭 = ＋ ＋

2. 察 = ＋

3. 際 = ＋

4. 擦 = ＋

5. 有 = ＋

◆ 다음 글자를 소리 부분(聲符)과 뜻 부분(意符)으로 분해하시오.

6. 際 = 소리 부분(聲符) ＋ 뜻 부분(意符)

7. 擦 = 소리 부분(聲符) ＋ 뜻 부분(意符)

8. "有"자는 어떤 해석이 널리 퍼져 있는가?

① 고기를 든 손　　② 고기를 먹고 있는 짐승

③ 달을 바라보는 사람　　④ 하늘과 달

9. "祭"자에서 아래의 "示"는 무엇을 나타내는가?

① 사람의 눈　　② 제단, 제사상
③ 제물로 바치는 고기　　④ 식사하기 위한 평상

10. "有"와 "祭"에 공통적으로 들어가는 두 가지는?
① 손, 달　　② 구름, 달　　③ 손, 고기　　④ 집, 고기

11. 다음 중 "음"이 서로 다른 글자는?
① 祭　　② 際　　③ 除　　④ 察

12. "祭"자와 비슷한 뜻을 가진 글자는?
① 先　　② 祀　　③ 溫　　④ 巨

13. 다음 중 "음"이 서로 다른 글자는?
① 察　　② 刹　　③ 擦　　④ 祭

14. "察"자와 비슷한 뜻을 가진 글자는?
① 仔　　② 實　　③ 審　　④ 番

◘ 다음 중 주어진 글자로 이루어지는 단어를 2개 이상 한자 또는 한글로 쓰시오.

15. 祭 -　　16. 際 -

17. 察 -　　18. 擦 -

◘ 다음 글자의 훈과 음을 쓰시오.

(　)社(　) - (　)禁(　) - (　)祥(　) - (　)禪(　) - (　)宗(　) -
(　)祠(　) - (　)祿(　)

◘ 다음 글자를 분해하시오.

1. 禁 = ＋ ＋　　2. 祥 = ＋

3. 宗 = ＋　　4. 禪 = ＋

5. 祿 = ＋　　6. 祠 = ＋

◘ 다음 글자를 소리 부분(聲符)과 뜻 부분(意符)으로 분해하시오.

7. 祥 = 소리 부분(聲符)　＋　뜻 부분(意符)

8. 禪 = 소리 부분(聲符) ☐ + 뜻 부분(意符) ☐

9. 祿 = 소리 부분(聲符) ☐ + 뜻 부분(意符) ☐

10. 다음 중 "음"이 서로 다른 글자는?

① 社 ② 祠 ③ 詞 ④ 祈

11. 다음 "禁"자에 대한 문장 중 적당한 것은?

① 체육 시간이다 모두 나가자! ② 이 건물에서는 담배를 피우지 못 합니다
③ 곧 출발하니 속히 승차해 주십시오 ④ 물이 깊으니 조심 하십시오

12. 다음 중 서로 관계 없는 글자는?

① 吉 ② 祥 ③ 瑞 ④ 亞

13. "宗"자와 비슷한 뜻을 가진 글자는?

① 川 ② 山 ③ 元 ④ 支

◘ 다음 중 주어진 글자로 이루어지는 단어를 2개 이상 한자 또는 한글로 쓰시오.

14. 社 - ☐ 15. 禁 - ☐

16. 祥 - ☐ 17. 禪 - ☐

18. 宗 - ☐ 19. 祠 - ☐

20. 祿 - ☐

◘ 다음 글자의 훈과 음을 쓰시오.

( )示( ) - ( )票( ) - ( )標( ) - ( )漂( ) - ( )栗( ) - ( )粟( )

◘ 다음 글자를 두 부분으로 분해하시오.

1. 漂 = ☐ + ☐ + ☐ 2. 票 = ☐ + ☐

3. 標 = ☐ + ☐ 4. 栗 = ☐ + ☐

◘ 다음 글자를 소리 부분(聲符)과 뜻 부분(意符)으로 분해하시오.

5. 標 = 소리 부분(聲符) ☐ + 뜻 부분(意符) ☐

6. 漂 = 소리 부분(聲符) ______ + 뜻 부분(意符) ______

7. 다음 중 "음"이 서로 다른 글자는?
① 票　② 表　③ 標　④ 展

8. 다음 중 사람이 먹을 수 없는 것은?
① 栗　② 粟　③ 票　④ 米

◆ 다음 중 주어진 글자로 이루어지는 단어를 2개 이상 한자 또는 한글로 쓰시오.

9. 票 - ______
10. 標 - ______
11. 漂 - ______
12. 栗 - ______
13. 粟 - ______

확인학습문제

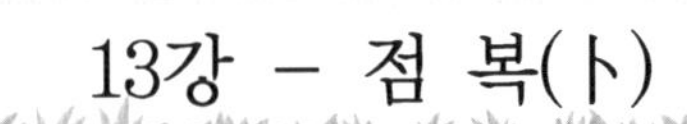

13강 - 점 복(卜)

◘ 다음 글자의 훈과 음을 쓰시오.

( )卜( ) - ( )占( ) - ( )点( ) - ( )店( ) - ( )點( ) - ( )粘( )

◘ 다음 글자를 두 부분으로 분해하시오.

1. 店 = ＿ + ＿ + ＿
2. 占 = ＿ + ＿
3. 粘 = ＿ + ＿
4. 點 = ＿ + ＿
5. 占 = ＿ + ＿

◘ 다음 글자를 소리 부분(聲符)과 뜻 부분(意符)으로 분해하시오.

6. 店 = 소리 부분(聲符) ＿ + 뜻 부분(意符) ＿
7. 點 = 소리 부분(聲符) ＿ + 뜻 부분(意符) ＿
8. 粘 = 소리 부분(聲符) ＿ + 뜻 부분(意符) ＿

9. 다음 중 "음"이 서로 다른 글자는?

① 占 ② 店 ③ 古 ④ 點

10. "占"자와 관계 깊은 것은?

① 由 ② 卜 ③ 自 ④ 奴

◘ 다음 중 주어진 글자로 이루어지는 단어를 2개 이상 한자 또는 한글로 쓰시오.

11. 卜 - ＿
12. 占 - ＿
13. 店 - ＿
14. 點 - ＿
15. 粘 - ＿

◘ 다음 글자의 훈과 음을 쓰시오.

( )外( ) – ( )貞( ) – ( )偵( ) – ( )朴( ) – ( )赴( ) – ( )訃( ) –
( )卓( ) – ( )卄( ) – ( )卦( ) – ( )掛( )

◘ 다음 글자를 분해하시오.

1. 偵 = ＿＿ + ＿＿ + ＿＿
2. 卓 = ＿＿ + ＿＿
3. 貞 = ＿＿ + ＿＿
4. 訃 = ＿＿ + ＿＿
5. 掛 = ＿＿ + ＿＿ + ＿＿
6. 卦 = ＿＿ + ＿＿
7. 訃 = ＿＿ + ＿＿
8. 判 = ＿＿ + ＿＿
9. 刷 = ＿＿ + ＿＿ + ＿＿
10. 赴 = ＿＿ + ＿＿

◘ 다음 글자를 소리 부분(聲符)과 뜻 부분(意符)으로 분해하시오.

11. 偵 = 소리 부분(聲符) ＿＿ + 뜻 부분(意符) ＿＿
12. 朴 = 소리 부분(聲符) ＿＿ + 뜻 부분(意符) ＿＿
13. 赴 = 소리 부분(聲符) ＿＿ + 뜻 부분(意符) ＿＿
14. 卦 = 소리 부분(聲符) ＿＿ + 뜻 부분(意符) ＿＿
15. 掛 = 소리 부분(聲符) ＿＿ + 뜻 부분(意符) ＿＿

16. 다음 중 "음"이 서로 다른 글자는?
① 貞 ② 偵 ③ 政 ④ 夏

17. 다음 중 관계가 나머지 셋과 다른 것은?
① 禍 – 福 ② 輕 – 重 ③ 內 – 外 ④ 祭 – 祀

18. "卓"자와 비슷한 뜻을 가진 글자는?
① 午 ② 高 ③ 阜 ④ 狀

19. 다음 "掛"자에 대한 문장중 맞는 것은?
① 울화가 치밀 때는 어떻게 해야죠?

② 돈을 받을 만큼 받았으니 이제 그만 가 볼까?
③ 이 그림은 창문 옆에 거는 것이 좋을텐데...
④ 일을 너무 지나치게 해서 병이 날 지경이다!

◘ 다음 중 주어진 글자로 이루어지는 단어를 2개 이상 한자 또는 한글로 쓰시오.

20. 外 -

21. 貞 -

22. 偵 -

23. 朴 -

24. 赴 -

25. 訃 -

26. 卓 -

27. 卦 -

28. 掛 -

확인학습문제

14강 – 방패 간(刊)

◆ 다음 글자의 훈과 음을 쓰시오.

(　)干(　) – (　)刊(　) – (　)肝(　) – (　)奸(　) – (　)幹(　) – (　)旱(　) –
(　)汗(　) – (　)岸(　) – (　)平(　) – (　)評(　) – (　)坪(　)

◆ 다음 글자를 두 부분으로 분해하시오.

1. 岸 = ＿ + ＿ + ＿　　2. 刊 = ＿ + ＿

3. 奸 = ＿ + ＿　　4. 汗 = ＿ + ＿

◆ 다음 글자를 소리 부분(聲符)과 뜻 부분(意符)으로 분해하시오.

5. 刊 = 소리 부분(聲符) ＿ + 뜻 부분(意符) ＿

6. 肝 = 소리 부분(聲符) ＿ + 뜻 부분(意符) ＿

7. 奸 = 소리 부분(聲符) ＿ + 뜻 부분(意符) ＿

8. 幹 = 소리 부분(聲符) ＿ + 뜻 부분(意符) ＿

9. 旱 = 소리 부분(聲符) ＿ + 뜻 부분(意符) ＿

10. 汗 = 소리 부분(聲符) ＿ + 뜻 부분(意符) ＿

11. 岸 = 소리 부분(聲符) ＿ + 뜻 부분(意符) ＿

12. 評 = 소리 부분(聲符) ＿ + 뜻 부분(意符) ＿

13. 坪 = 소리 부분(聲符) ＿ + 뜻 부분(意符) ＿

14. 다음 중 "음"이 서로 다른 글자는?

① 刊　② 肝　③ 汗　④ 奸

15. "干"자와 관계 없는 것은?

① 矛 ② 刂 ③ 食 ④ 矢

16. 다음 중 "사람"과 관계 없는 것은?
① 汗 ② 肝 ③ 平 ④ 奸

17. "旱"자와 반대의 뜻을 가진 글자는?
① 洪 ② 日 ③ 之 ④ 晟

18. 다음 중 "음"이 서로 다른 글자는?
① 評 ② 坪 ③ 來 ④ 平

◆ 다음 중 주어진 글자로 이루어지는 단어를 2개 이상 한자 또는 한글로 쓰시오.

19. 刊 -

20. 肝 -

21. 奸 -

22. 幹 -

23. 旱 -

24. 汗 -

25. 岸 -

26. 平 -

27. 評 -

28. 坪 -

확인학습문제

15강 - 매울 신(辛)

◘ 다음 글자의 훈과 음을 쓰시오.

( )幸( ) - ( )達( ) - ( )報( ) - ( )執( ) - ( )睪( ) - ( )驛( ) - ( )譯( ) - ( )釋( ) - ( )澤( ) - ( )擇( )

◘ 다음 글자를 분해하시오.

1. 譯 = ＿ + ＿ + ＿　　2. 譯 = ＿ + ＿

3. 睪 = ＿ + ＿　　4. 報 = ＿ + ＿

◘ 다음 글자를 소리 부분(聲符)과 뜻 부분(意符)으로 분해하시오.

5. 驛 = 소리 부분(聲符) ＿ + 뜻 부분(意符) ＿

6. 譯 = 소리 부분(聲符) ＿ + 뜻 부분(意符) ＿

7. 釋 = 소리 부분(聲符) ＿ + 뜻 부분(意符) ＿

8. 澤 = 소리 부분(聲符) ＿ + 뜻 부분(意符) ＿

9. 擇 = 소리 부분(聲符) ＿ + 뜻 부분(意符) ＿

10. 다음 중 "음"이 서로 다른 글자는?
① 睪　② 譯　③ 建　④ 逆

11. "報"자와 비슷한 뜻을 가진 글자는?
① 告　② 旨　③ 幸　④ 去

12. "執"자와 반대의 뜻을 가진 글자는?
① 放　② 集　③ 肉　④ 右

13. "譯"자를 맞게 설명한 것은?
① 말로 성가시게 하다　② 다른 나라 말로 옮기다

③ 말을 못 하게 막다 ④ 크게 말하다

14. "澤"자와 비슷한 뜻을 가진 글자는?
① 湖 ② 全 ③ 川 ④ 海

◘ 다음 중 주어진 글자로 이루어지는 단어를 2개 이상 한자 또는 한글로 쓰시오.

15. 幸 -

16. 達 -

17. 報 -

18. 執 -

19. 驛 -

20. 譯 -

21. 釋 -

22. 澤 -

23. 擇 -

확인학습문제

16강 - 에울 위/나라 국(囗)

◆ 다음 글자의 훈과 음을 쓰시오.

( )囗(/) - ( )國( ) - ( )圍( ) - ( )園( ) - ( )邑( )

◆ 다음 글자를 분해하시오.

1. 國 = ___ + ___ + ___
2. 圍 = ___ + ___
3. 園 = ___ + ___
4. 邑 = ___ + ___

◆ 다음 글자를 소리 부분(聲符)과 뜻 부분(意符)으로 분해하시오.

5. 圍 = 소리 부분(聲符) ___ + 뜻 부분(意符) ___
6. 園 = 소리 부분(聲符) ___ + 뜻 부분(意符) ___

7. "지역, 장소"를 의미하지 않는 글자는?
① 邑　② 園　③ 里　④ 尸

8. "邑"자와 비슷한 뜻을 가진 글자는?
① 國　② 校　③ 村　④ 山

◆ 다음 중 주어진 글자로 이루어지는 단어를 2개 이상 한자 또는 한글로 쓰시오.

9. 國 - ___
10. 圍 - ___
11. 園 - ___
12. 邑 - ___

◆ 다음 글자의 훈과 음을 쓰시오.

( )囚( ) - ( )溫( ) - ( )因( ) - ( )姻( ) - ( )咽( ) - ( )困( ) -
( )固( )

◘ 다음 글자를 분해하시오.

1. 溫 = ☐ + ☐ + ☐ 2. 囚 = ☐ + ☐

3. 因 = ☐ + ☐ 4. 姻 = ☐ + ☐

5. 困 = ☐ + ☐ 6. 固 = ☐ + ☐

◘ 다음 글자를 소리 부분(聲符)과 뜻 부분(意符)으로 분해하시오.

7. 姻 = 소리 부분(聲符) ☐ + 뜻 부분(意符) ☐

8. 咽 = 소리 부분(聲符) ☐ + 뜻 부분(意符) ☐

9. 固 = 소리 부분(聲符) ☐ + 뜻 부분(意符) ☐

10. "囚"자와 반대의 뜻을 가진 글자는?
① 放 ② 求 ③ 先 ④ 玄

11. 다음 중 "사람"과 관계 없는 글자는?
① 囚 ② 姻 ③ 因 ④ 固

12. "姻"자와 관계 깊은 것은?
① 昌 ② 婚 ③ 爭 ④ 殳

13. "困"자와 반대의 뜻을 가진 글자는?
① 日 ② 衣 ③ 快 ④ 位

◘ 다음 중 주어진 글자로 이루어지는 단어를 2개 이상 한자 또는 한글로 쓰시오.

14. 囚 - 15. 溫 -

16. 因 - 17. 姻 -

18. 咽 - 19. 困 -

20. 固 -

◘ 다음 글자의 훈과 음을 쓰시오.

( )回( ) - ( )廻( ) - ( )徊( ) - ( )圓( ) - ( )團( ) - ( )圖( )

◆ 다음 글자를 분해하시오.

1. 廻 = ＿ + ＿ + ＿　　2. 徊 = ＿ + ＿

3. 回 = ＿ + ＿　　4. 圓 = ＿ + ＿

5. 團 = ＿ + ＿　　6. 圖 = ＿ + ＿

◆ 다음 글자를 소리 부분(聲符)과 뜻 부분(意符)으로 분해하시오.

7. 廻 = 소리 부분(聲符) ＿ + 뜻 부분(意符) ＿

8. 徊 = 소리 부분(聲符) ＿ + 뜻 부분(意符) ＿

9. 圓 = 소리 부분(聲符) ＿ + 뜻 부분(意符) ＿

10. 團 = 소리 부분(聲符) ＿ + 뜻 부분(意符) ＿

11. 다음 중 "음"이 서로 다른 글자는?
① 徊　② 圖　③ 回　④ 廻

12. "圖"자와 비슷한 뜻을 가진 글자는?
① 直　② 良　③ 畵　④ 士

13. 다음 중 서로 관계 없는 것은?
① 圓　② 團　③ 直　④ 球

◆ 다음 중 주어진 글자로 이루어지는 단어를 2개 이상 한자 또는 한글로 쓰시오.

14. 回 -　　15. 廻 -

16. 徊 -　　17. 圓 -

18. 團 -　　19. 圖 -

◆ 다음 글자의 훈과 음을 쓰시오.

( )囟( ) - ( )腦( ) - ( )惱( ) - ( )思( ) -( ) 慮( ) - ( )囪( ) -
( )悤( ) - ( )總( ) - ( )聰( ) - ( )四( )

다음 글자를 분해하시오.

1. 腦 = + +

2. 惱 = +

3. 思 = +

4. 慮 = +

5. 囟 = + +

6. 悤 = + +

7. 總 = +

8. 聰 = 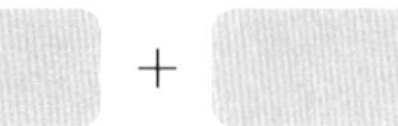 +

9. 囪 = +

다음 글자를 소리 부분(聲符)과 뜻 부분(意符)으로 분해하시오.

10. 總 = 소리 부분(聲符) + 뜻 부분(意符)

11. 聰 = 소리 부분(聲符) + 뜻 부분(意符)

12. 다음 중 서로 관계 <u>없는</u> 것은?

① 思 ② 腦 ③ 行 ④ 慮

13. "囟"자와 관계 깊은 것은?

① 다리 ② 팔, 손 ③ 입, 코 ④ 머리

14. "悤"자와 비슷한 뜻을 가진 글자는?

① 里 ② 忙 ③ 全 ④ 示

15. 다음 중 관계가 나머지 셋과 <u>다른</u> 것은?

① 思 – 慮 ② 聰 – 明 ③ 婚 – 姻 ④ 冷 – 溫

다음 중 주어진 글자로 이루어지는 단어를 2개 이상 한자 또는 한글로 쓰시오.

16. 腦 –

17. 惱 –

18. 思 –

19. 慮 –

20. 總 –

21. 聰 –

22. 四 –

의식주

衣(의)	依(의)	哀(애)	衰(쇠)	喪(상)	表(표)
袁(원)	遠(원)	園(원)	猿(원)	裳(상)	

衣

훈음 옷 의 부수 제 부수

위에 입는 짧은 저고리 上衣(상의)를 펼쳐 놓은 모습을 그대로 옮겨 놓은 글자 '옷, 옷을 입다, 감싸다'의 뜻으로 사용되고 있으며 많은 글자의 의미요소에 기여하고 있다.

●●●●● 衣裳(의상)/上衣(상의)/衣服(의복)

依

훈음 의지할 의 부수 사람 亻(인) ▶▶▶ 사람 亻(인) + 옷 衣(의) ➡ 옷에 의지하는 사람

사람에게 의지함으로 사람 亻(인)이 의미요소고 옷 衣(의)는 발음기호이다.

●●●●● 依支(의지)/依存(의존)/依賴(의뢰)/舊態依然(구태의연)

哀

훈음 슬플 애 부수 입 口(구) ▶▶▶ 옷 衣(의) + 입 口(구) ➡ 상복을 입고 곡하는 모습

옷(衣)에다 입 口(구)자가 더해진 글자로 상복(衣)입고 곡(口)하는 모습에서 생긴 글자다.

●●●●● 哀愁(애수)/悲哀(비애)/哀乞伏乞(애걸복걸)/哀悼(애도)/喜怒哀樂(희노애락)/哀歌(애가)/哀惜(애석)/哀願(애원)/哀痛(애통)

衰

훈음 쇠할 쇠 부수 옷 衣(의) ▶▶▶ 옷 衣(의) + 소 丑(축) ➡ 너풀거리는 옷/삼베옷 – 도롱이

옷 衣(의) 사이에 있는 글자는 천 끝이 풀리는 모습, 혹은 굵은 새끼줄 모양으로 부모가 돌아가시자 굵은 삼베로 만든 옷을 입고 허리춤과 머리에 새끼줄을 두르고 슬퍼하는 모습에서 '쇠하다'의 뜻이 파생됐다. 풀로 엮어 만든 도롱이를 말한다.

●●●●● 衰退(쇠퇴)/老衰(노쇠)/衰盡(쇠진)/衰弱(쇠약)/興亡盛衰(흥망성쇠)

喪

훈음 죽을 상 부수 입 口(구) ▶▶▶ 옷 衣(의) ➡ 울 哭(곡)의 생략형 – 초상난 집의 풍경

초상이 나서 상복을 입고 통곡하는 모습을 그린 글자로 '사람이 죽었음'을 나타내 준다.

●●●●● 喪服(상복)/問喪(문상)/喪中(상중)/初喪(초상)/喪主(상주)

表

훈음 겉 표 부수 옷 衣(의) ▶▶▶ 옷 衣(의) + 丰(봉) ➡ 털이 강조된 옷의 겉 부분

털(丰-毛)이 강조된 털 옷(衣)으로서 동물의 가죽으로 옷을 만들어 입으면 겉 부분은 당연히 털이 드러나므로 바깥이라는 뜻으로 발전되었다.

●●●●● 表紙(표지)/表裏不同(표리부동)/表皮(표피)/表面(표면)

袁

훈음 옷 길 원 부수 옷 衣(의) – 단독 사용 없고 발음기호 및 의미보조로 쓰임

▶▶▶ 옷 衣(의) + 구슬 玉(口) ➡ 치렁치렁 장식달린 옷

옷깃에 장식을 달아 치렁치렁한 모습에서 '옷이 길다'로 또한 구슬 玉(옥)을 달아 '둥글다, 돌다'라는 의미도 가지고 있다.

遠

훈음 멀 원 부수 갈 辶(착)

▶▶▶ 갈 辶(착) + 옷 길袁(원) ➡ 먼 길(곳)/낙원에서 추방됨 – 돌아올 수 없을 정도로 먼 길

'길이 멀다, 먼 길'을 나타내기 위한 것이므로 갈 辶(착)이 의미요소로 옷 길 袁(원)은 발음 겸 의미요소로도 일부 영향을 미쳤다.

●●●●● 遠距離(원거리)/遠征(원정)/遠近(원근)/永遠(영원)

園

훈음 동산 원 부수 에울 위(囗) ▶▶▶ 에울 위(囗) + 옷 길 袁(원) ➡ 울타리로 둘러싸인 정원

공원이나 아름다운 정원을 나타내는 글자로 그 테두리 즉 경계에 해당하는 에울 위(囗)가 의미요소고 袁(원)이 발음기호이다.

●●●●● 公園(공원)/樂園(낙원)/園頭幕(원두막)/植物園(식물원)

猿

훈음 원숭이 원 부수 개 犬(견) ▶▶▶ 개 犭(견) + 옷 길 袁(원) ➡ 꼬랑지가 긴 사람과 비슷한 동물

사람과 비슷한 동물인 원숭이를 나타내기 위해 사람과 가장 가까운 동물인 개 犭(견)을 의미요소로 袁(원)은 발음기호로 쓰였다.

●●●●● 猿人(원인)/類人猿(유인원)/犬猿之間(견원지간)

裳

훈음 치마 상 부수 옷 衣(의) ▶▶▶ 尙(상) + 옷 衣(의) ➡ 아래가 넓어지는 옷인 치마의 모습

치마 常(상)이 '항상, 늘'로 쓰이자 옷 衣(의)를 추가하여 '치마'라는 원뜻을 살린 글자로 옷 衣(의)가 의미요소고 常(상)이 발음기호이다.

●●●●● 衣裳(의상)/同價紅裳(동가홍상)

初(초)	裁(재)	袖(수)	裕(유)	被(피)	裸(나)
裏(리)	褢(회)	懷(회)	壞(괴)	褸(루)	補(보)

初

훈음 처음 초 부수 칼 刀(도) ▶▶▶ 옷 衤(의) + 칼 刀(도) ➡ 옷을 만들려면 우선 천을 마름질해야 함

옷(衣)을 만들기 위해 처음으로 하는 일은 천을 자르고(刀) 마름질하는 일로부터다. 아담이 에덴동산에서 추방되기 전에 선악과를 따먹고 가장 먼저 한 것으로 옷(衣)을 만들(刀)어 주요 부위를 가렸다고 성서는 알려 주는데 흥미롭기까지 하며 이 글자가 처음 초(初)로 사용되자 재단(裁斷)의 마를 재(裁)자가 나중에 또 만들어 진 것으로 보인다.

●●●●● 初等(초등)/初步(초보)/初期(초기)/今時初聞(금시초문)/裁縫(재봉)

袖

훈음 소매 수 부수 옷 衤(의) ▶▶▶ 옷 衤(의) + 由(유) ➡ 옷소매

옷소매를 나타내는 말로 옷 衤(의)가 의미요소고 由(유)는 발음기호다. '옷소매'의 앞부분이 넓고 비어 있으므로 '손이나 무엇을 넣다/숨기다'의 뜻도 파생됐으며 아래로 갈수록 넓어지는 치마(衣)와 계곡(谷)을 합하여 여유(餘裕)의 넉넉할 유(裕)자이다.

●●●●● 領袖會談(영수회담)/袖手傍觀(수수방관)

被

훈음 입을 피 부수 옷 衤(의) ▶▶▶ 옷 衤(의) + 가죽 皮(피) ➡ 옷을 가죽 즉 피부에 걸침

옷을 입지 않고 상체에 걸친 모양으로 '옷 걸칠 피'라고도 하며, 따라서 옷 衣(의)가 의미요소이고 皮(피)는 발음기호이다. 被服(피복)이라는 글자에서 '이불'임을 알 수 있고 거의 다 피해나 부상을 '당하다'로 많이 사용된다. 재미있는 사실은 '피해를 입었다'라고 하는 사실이다.

●●●●● 被害(피해)/被擊(피격)/被殺(피살)/被選(피선)/被襲(피습)

裸

훈음 벌거벗을 라 **부수** 옷 衣(의) ▶▶▶ 옷 衤(의) + 실과 果(과) ➡ 나무에서 껍질을 벗김

마치 사람이 입는 옷이 나무로 치면 나무껍질에 해당됨으로 '나무에서 껍질을 벗겨 내면 벌거숭이가 된다 하여 만들어진 글자로 두 글자 모두 의미요소이다. 에덴동산에서 선악과를 따먹자 자신들의 벌거벗음을 알게 된 아담과 이브의 이야기에서 만들었을 가능성도 있으며 사람의 이목(監)을 끄는 너덜너덜한 옷(衤)이 남루(襤褸)의 누더기 남(襤) 헤진(婁) 옷(衤)을 루(婁)를 발음으로 남루(襤褸)할 루(褸)자이며 뚫어진 구멍보다 큰(甫-클 보)천으로 옷(衣)을 수리하는 장면에서 보강(補强)의 기울 보(補)자가 만들어졌다.

●●●●● 裸體(나체)/赤裸裸(적나라)/裸身(나신)/裸木(나목)/補闕(보궐)/候補(후보)

裏

훈음 속 리 **부수** 옷 衣(의) ▶▶▶ 옷 衣(의) + 마을 里(리) ➡ 옷의 안쪽

옷의 안쪽을 나타내는 말이므로 옷 衣(의)가 의미요소고 里(리)는 단순 발음기호에 불과하다.

●●●●● 表裏不同(표리부동)/裏面(이면)/裏書(이서)/裏面契約(계약)

褱

훈음 품을/따를/생각할/그리워할 회 **부수** 옷 衣(의)

▶▶▶ 衣(의) + 目(목) + 氺(수) ➡ 옷깃으로 눈물을 훔침

흐르는 눈물을 옷으로 가리는 모습을 그린 글자로, '고향에 두고 온 부모 형제가 그리워 눈물을 흘리는' 장면으로 모든 글자가 다 의미요소이나 단독 사용은 거의 없으며 주로 발음기호로 사용되어 흙 土(토)를 추가하면 붕괴(崩壞)의 무너질 괴(壞)자이다.

懷

훈음 품을/그리워할 회 **부수** 마음 忄(심) ▶▶▶ 마음 忄(심) + 품을 褱(회) ➡ 마음으로 눈물을 흘림

'고향에 두고 온 부모 형제가 그리워 눈물을 흘리는' 장면에서 '그리워하다, 품다, 생각하다'는 뜻이 파생된 글자다. 마음 忄(심)을 추가하여 뜻을 더욱 분명히 한 글자로 글자 모두가 의미요소이며 품을 褱(회)가 발음을 겸하고 있다.

●●●●● 懷妊(회임)/懷疑(회의)/懷古談(회고담)/虛心坦懷(허심탄회)/懷抱(회포)

襄(양) 壤(양) 讓(양) 孃(양) 釀(양)

襄

훈음 도울 양 **부수** 옷 衣(의)

▶▶▶ 슬플 哀(애) + 슬플 哀(애) ➡ 슬퍼하는 사람을 주위에서 도와줌

초상당하여 슬퍼하는 사람을 주위에서 도와주는 모습인 것 같으나 확실하지 않다.

壤

훈음 흙 양 **부수** 흙 土(토) ▶▶▶ 흙 土(토) + 도울 襄(양) ➡ 비옥한 흙

비옥한 흙이나 땅을 가리키는 말이었으므로 흙 土(토)가 의미요소고 襄(양)은 발음기호이다.

●●●●● 土壤(토양)/天壤之差(천양지차)/擊壤歌(격양가)

讓

훈음 사양할 양 **부수** 말씀 言(언) ▶▶▶ 말씀 言(언) + 도울 襄(양) ➡ 말로 사양함

사양하는 일은 말로 하므로 말씀 言(언)이 의미요소고 도울 襄(양)은 발음기호이다.

●●●●● 辭讓(사양)/讓步(양보)/讓渡(양도)/謙讓之德(겸양지덕)

釀

훈음 술 빚을 양 **부수** 술병 酉(유) ▶▶▶ 술병 酉(유) + 도울 襄(양) ➡ 술을 빚음

술병(酉)을 넣어서 술을 만든다는 뜻을 나타낸 글자로 도울 襄(양)이 발음기호이며 여기에 또 여자 女(여)를 더하면 여자애 孃(양)이 된다.

●●●●● 釀造(양조)/釀酒(양주)/釀造場(양조장)

袋(대) 衾(금) 襁(강) 褓(보) 褒(포) 褻(설) 袈(가) 裟(사)

袋

훈음 자루 대 부수 옷 衣(의) ▶▶▶ 옷 衣(의) + 대신할 代(대) ➡ 옷 대신 자루
옷(衣)은 옷인데 사물이 입는 옷을 布袋(포대)의 자루 袋(대)라고 한다.
●●●●● 布袋(포대)/夾袋(협대)/慰問袋(위문대)

衾

훈음 이불 금 부수 옷 衣(의) ▶▶▶ 옷 衣(의) + 이제 今(금) ➡ 덮는 옷은 이불이다
이불도 덮는 옷(衣)이므로 금(今)을 발음으로 금침(衾枕)의 이불 금(衾)
●●●●● 孤枕單衾(고침단금)/鴛鴦衾(원앙금)

襁

훈음 포대기 강 부수 옷 衣(의) ▶▶▶ 옷 衤(의) + 굳셀 强(강) ➡ 세게 묶어 입는 옷
강(强)을 발음으로 어린아이에게 어머니처럼 안락한(衣) 곳이 강보(襁褓)의 포대기 강(襁)
●●●●● 襁褓(강보)

褓

훈음 포대기 보 부수 옷 衣(의) ▶▶▶ 옷 衤(의) + 지킬 保(보) ➡ 아이를 지켜주는 포대기
어린아이를 지켜주는(保) 옷(衣)이 포대기 보(褓)
●●●●● 襁褓(강보)/褓負商(보부상)

褒

훈음 기릴 포 부수 옷 衣(의) ▶▶▶ 옷 衣(의) + 지킬 保(보) ➡ 꽁꽁 숨겨준 공신에 대한 상
옷(衣)으로 가려 왕자를 숨겨서 지켜준(保) 공신에게 내리는 상이 褒賞(포상)의 기릴 褒(포)
●●●●● 褒賞(포상)/褒賞休暇(포상휴가)

褻

훈음 더러울 설 부수 옷 衣(의) ▶▶▶ 옷 衣(의) + 심을 예(埶) ➡ 옷 속에서 몰래 자위행위를 함
심을 예(埶)자가 식물을 심기 위해 묘목이나 채소 등을 잡고 있는 모습으로 옷(衣) 속에서 성기를 잡고 자위행위를 하는 모습에서 猥褻(외설)의 더러울 褻(설)자가 만들어졌다.
●●●●● 猥褻(외설)

袈

훈음 가사 가 부수 옷 衣(의) ▶▶▶ 옷 衣(의) + 더할 加(가) – 발음기호
가사(袈裟)란 승려의 옷(衣)으로 더할 가(加)를 발음으로 가사 가(袈), 모래 沙(사)를 더하여 가사 裟(사)
●●●●● 袈裟(가사)

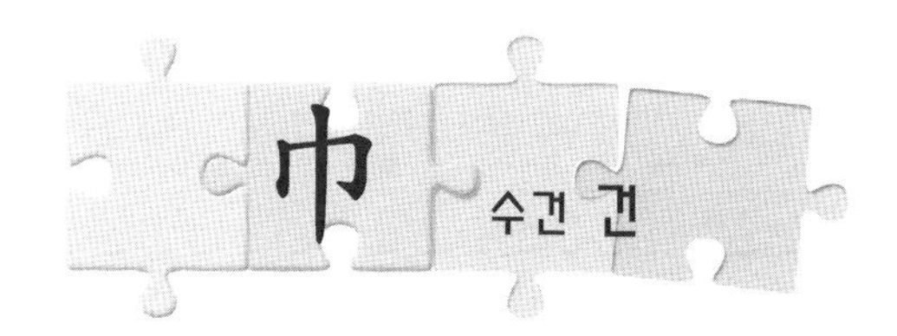

巾(건) 市(시) 布(포) 怖(포) 巿(불) 肺(폐) 佩(패) 幣(폐) 希(희) 稀(희)

巾

훈음 수건 건 부수 제 부수

옛날 사람들은 사각형의 천을 옷고름이나 허리춤에 차고 물건을 닦거나 땀을 닦는 일 등에 사용하였다. 그 축 늘어진 모습에서 파생된 글자로 '수건, 헝겊'의 뜻으로 쓰인다.

●●●●● 手巾(수건)/頭巾(두건)

市

훈음 저자 시 부수 수건 巾(건)

▶▶▶ 十(십) + 冂(경) = 一(일) + 수건 巾(건) ➡ 편의상 수건 巾(건) 부수에

봇짐을 진(十) 사람들이 드나드는 곳(冂)이, 곧 시장이며 장이 설 정도로 큰 시장이 있는 곳은 꽤 큰 도시일 것이다.

●●●●● 市長(시장)/市場(시장)/市民(시민)/市政(시정)/市街(시가)

布

훈음 베 포 부수 수건 巾(건) ▶▶▶ 비낀 十(십) + 수건 巾(건) ➡ 굵은 베옷을 만듦

비낀 十(십)은 올이 굵은 실의 교차한 모습으로 실을 엮어 천 즉 굵은 베를 만들었음을 알려주는 글자이며 농작물이 이와 같이 될까 두려워하는 마음(忄)에서 恐怖(공포)의 두려워할 怖(포)자가 만들어졌다.

●●●●● 配布(배포)/布袋(포대)/布木(포목)/布敎(포교)/毛布(모포)/塗布(도포)/宣布(선포)/瀑布(폭포)/流布(유포)

佩

훈음 찰 패 부수 사람 人(인) ▶▶▶ 사람 亻(인) + 장신구(几) + 두를 帀(잡) ➡ 허리춤에 찬 장식

장신구(几)를 허리춤에 주렁주렁 달아맨(帀) 사람의 모습이 패옥(佩玉)의 노리개/찰 패(佩)

●●●●● 佩玉(패옥)/佩劍(패검)/佩物(패물)

巿

훈음 슬갑 불 부수 수건 巾(건) ▶▶▶ 수건 巾(건) + 한 一(일) ➡ 긴 앞치마

가슴이나 무릎을 보호하려고 입거나 걸치고 있는 긴 앞치마의 모습이 슬갑 불(巿)자이며 장신구(几)를 허리춤에 주렁주렁 달아맨(帀-두를 잡) 사람의 모습이 패옥(佩玉)의 노리개/찰 패(佩)

●●●●● 膝甲(슬갑)/佩玉(패옥)

肺

훈음 허파 폐 부수 고기 肉(육)

▶▶▶ 肉(육)달 月(월) + 슬갑 巿(불) ➡ 양쪽으로 갈라진 허파의 모습

신체기관 중 호흡을 담당하는 장기인 허파를 뜻하는 글자이므로 肉(육)달 月(월)이 의미요소고 이 슬갑 巿(불)자가 양쪽으로 갈라진 모습을 하고 있어 허파가 두 개인 것을 상징하는 것 같다.

※ 膝甲(슬갑) - 추위를 막기 위해 무릎까지 덮는 혹은 바지 위에 껴입는 옷.

●●●●● 心肺(심폐)/肺結核(폐결핵)/肺病(폐병)/肺腑(폐부)/肺活量(폐활량)/肺炎(폐렴)

幣

훈음 비단 폐 부수 수건 巾(건) ▶▶▶ 해질 敝(폐) + 수건 巾(건) ➡ 천의 일종인 비단

비단이란 천의 일종이므로 수건 巾(건)이 의미요소로 敝(폐)는 발음기호로 사용됐다.

●●●●● 幣物(폐물)/貨幣(화폐)/幣帛(폐백)

希 **훈음** 바랄/드문드문 성길 희 **부수** 수건 巾(건) ▶▶▶ 효 爻(爻) + 수건 巾(건) ➡ 성긴 천
성긴(爻) 천(巾)으로 천의 실이 드문드문하여 앞이 다 보인다 하여 '바라보다/바라다'라는 뜻으로 발전했다는 설이 있다.
●●●●● 希望(희망)/希求(희구)

稀 **훈음** 드물 희 **부수** 벼 禾(화) ▶▶▶ 벼 禾(화) + 바랄 希(희) ➡ 흉년든 논
벼의 싹이 드문드문한 상황을 묘사한 글자이므로 벼 禾(화)가 의미요소고, 希(희)는 발음 겸 드물다/성기다의 뜻을 가지고 있으므로 의미요소에도 기여하고 있다.
●●●●● 稀少價値(희소가치)/稀貴本(희귀본)/稀薄(희박)

席(석) 帳(장) 幕(막) 帶(대) 滯(체) 常(상) 裳(상) 制(제) 製(제)

席 **훈음** 자리 석 **부수** 수건 巾(건) ▶▶▶ 큰 집 广(엄) + 廿(입) + 수건 巾(건) ➡ 고급 명주 방석
대궐(广)에는 고급 명주로 만든 자리(巾) 즉 높은 사람이 앉을 자리나 방석이 있었으며, 계급 여하에 따라 앉는 자리가 달랐다. 寶座(보좌)나 玉座(옥좌)라고도 한다.
●●●●● 座席(좌석)/首席(수석)/坐不安席(좌불안석)/席次(석차)

帳 **훈음** 휘장 장 **부수** 수건 巾(건) ▶▶▶ 수건 巾(건) + 길 長(장) ➡ 둘러싼 천/내려서 안을 가리는 천
휘장이란 위에서 아래로 길게 늘여 내린 천을 말하므로 천의 상형인 수건 巾(건)이 의미요소고, 길 長(장)은 발음기호 겸 의미요소이다.
●●●●● 帳幕(장막)/通帳(통장)/帳簿(장부)/揮帳(휘장)

幕 **훈음** 장막 막 **부수** 수건 巾(건) ▶▶▶ 없을 莫(막) + 수건 巾(건) ➡ 안을 보지 못하도록 칸을 막는 천
우거진 수풀(茻(망)이 해(日)를 가려 없어지게 하듯(莫) 帳幕(장막)을 쳐 주위를 둘러싸 감추어 버릴 수 있으므로, 천을 가리키는 수건 巾(건)이 의미요소고 없을 莫(막)은 발음기호 겸 의미요소이다.
●●●●● 帳幕(장막)/幕間(막간)/幕後(막후)/幕府(막부)/幕舍(막사)

帶 **훈음** 띠 대 **부수** 수건 巾(건) ▶▶▶ 수건 巾(건) + 띠 – 허리에 띠를 두름
윗부분은 장식 달린 허리띠로써 천을 두껍게 하여 허리띠를 하던 모습에서 만들어진 글자로 두 글자 모두 의미요소이다.
●●●●● 革帶(혁대)/帶同(대동)/携帶(휴대)/帶妻僧(대처승)/布帶(포대)/無風地帶(무풍지대)/聲帶(성대)/腹帶(복대)

滯 **훈음** 막힐 체 **부수** 물 氵(수) ▶▶▶ 물 氵(수) + 띠 帶(대) ➡ 물길이 막히다
허리띠로 가슴을 너무 졸라매면 숨쉬기 힘들 듯 어딘가 막혀서 물 흐름이 끊긴 상황을 묘사한 글자로, 두 글자 모두 의미요소이며 띠 帶(대)가 발음기호이다.
●●●●● 滯症(체증)/遲滯(지체)/滯拂(체불)/沈滯(침체)/滯留(체류)

常 **훈음** 항상 상 **부수** 수건 巾(건) ▶▶▶ 숭상할 尙(상) + 수건 巾(건) ➡ 천으로 만든 치마의 모습
치마가 본뜻이어서 수건 巾(건)을 의미요소로 尙(상)을 발음기호로 썼으나 '항상, 늘' 등으로 가차되자 본뜻을 살린 글자가 옷 衣(의)를 첨가한 치마 裳(상)자이다.
●●●●● 常時(상시)/常綠樹(상록수)/人之常情(인지상정)/無常(무상)

制 **훈음** 마를 제 **부수** 칼 刀(도) ▶▶▶ 나무 木(목) + 수건 巾(건) + 칼 刂(도) ➡ 마름질 하는 장면
나무(木)나 천(巾)을 마름질(刂) 하는 장면에서 제도(制度)의 마를 제(制)자가 만들어 졌다.
●●●●● 제도(制度)/제약(制約)/제복(制服)/제어(制御)

製 훈음 지을 제 부수 옷 衣(의) ▶▶▶ 마를 制(제) + 옷 衣(의) ➡ 마름질 하여 만드는 것은 옷
마를 제(制)자에 옷 衣(의)을 추가하여 옷을 포함 무엇인가를 만드는 의미의 지을 제(製)자도 만들어졌다.
●●●●● 창제(創製)/제작(製作)/제련소(製鍊所)/제염(製鹽)/製品(제품)/製紙(제지)/打製石器(타제석기)

帛(백) 棉(면) 綿(면) 錦(금)

帛 훈음 비단 백 부수 수건 巾(건) ▶▶▶ 흰 白(백) + 수건 巾(건) ➡ 흰 비단 천
흰 비단을 나타내는 글자로 두 글자 모두 의미요소이며 흰 白(백)이 발음을 겸하고 있다.
●●●●● 幣帛(폐백)/帛書(백서)

棉 훈음 목화 면 부수 나무 木(목) ▶▶▶ 나무 木(목) + 비단 帛(백) ➡ 나무에 달리는 솜(목화)
나무꽃 즉 솜털 같은 것을 거둬들여 실을 만들기도 하고 솜이나 충전재 등을 만들기도 하므로, 두 글자 모두 의미요소이고 비단 帛(백)이 발음을 겸한다.
●●●●● 棉花(면화)/棉作(면작)

綿 훈음 솜 면 부수 실 糸(사) ▶▶▶ 실 糸(사) + 비단 帛(백) ➡ 실이나 무명의 재료인 솜
실이나 무명의 원료인 '햇솜'이 본래 의미이고 '이어지다, 빈틈없다'는 파생된 뜻이다. 따라서 두 글자 모두 의미요소이며 비단 帛(백)이 발음에 영향을 주었다.
●●●●● 純綿(순면)/綿製品(면제품)/綿綿(면면)/石綿(석면)/綿絲(면사)/周到綿密(주도면밀)/海綿(해면)
※ 棉(면) - 목화 면/錦(금) - 비단 금

錦 훈음 비단 금 부수 쇠 金(금) ▶▶▶ 쇠 金(금) + 비단 帛(백) ➡ 황금빛 비단(옷)
형형색색의 무늬를 넣어 짠 비단 즉 실크를 뜻하기 위한 글자이므로 비단 帛(백)이 의미요소고 쇠 金(금)은 발음기호이다. 그러나 쇠 金(금)은 누런 금속으로 여겨지던 것이었으므로 황금빛의 비단옷을 상징하는데 적합한 글자로 의미요소에도 기여하고 있음을 알 수 있다.
●●●●● 錦繡江山(금수강산)/錦上添花(금상첨화)/錦衣還鄕(금의환향)

色(색) 白(백) 青(청) 赤(적) 黑(흑) 黄(황) 艶(염) 絶(절)

色

훈음 빛 색 부수 제 부수 ▶▶▶ 人(인) + 큰 뱀 巴(파) ➡ 부부 관계를 묘사

사람(人)이 사람(巴) 위에 올라탄 모습 - 부부 관계를 묘사한 글자로 두(人) 사람(巴)이 바싹 붙어 있는 모습에서 흥분되어 얼굴빛이 변하는 모양에서 '색깔'의 의미를 가지게도 되었다.

●●●●● 原色(원색)/色感(색감)/彩色(채색)/色骨(색골)/色狂(색광)

白

훈음 흰 백 부수 제 부수 ▶▶▶ 점 丶(주) + 해 日(일) ➡ 햇빛을 받아 반짝이는 물방울

햇살(日)에 물방울들(丶)이 마치 구슬처럼 반짝반짝 빛난다. 참으로 깨끗하고 투명한 모습에서 또는 곡식 알갱이의 모습에서 만들어 낸 글자로 보이나 정설은 없으며 '흰색, 아무것도 없다, 깨끗하고 밝다, 말하다, 여쭈다'의 뜻을 갖게 됐다.

●●●●● 白沙場(백사장)/白衣民族(백의민족)/白痴(백치)/潔白(결백)/自白(자백)/告白(고백)/白手(백수)

青

훈음 푸를 청 부수 제 부수 ▶▶▶ 날 生(생) + 붉을 丹(단) ➡ 우물 속에 낀 푸른 이끼

풀처럼 푸른색의 광석을 靑(청)이라 했는데 丹(단)은 鑛口(광구)의 상형에다 광석을 의미하는 點(점)을 더한 글자다. '색깔 있는 돌' 즉 광석의 총칭이며 광석은 대개 붉은빛을 띠고 있으므로 '붉다'라는 이름을 갖게 된 것이며 따라서 '푸른(生) 광석(丹(단)'이 원뜻이다. 일설에는 丹(단)을 우물 井(정)으로 봐 우물(冂=井) 속에 늘 끼어 있는 푸른 이끼(主=生)의 모습에서 '푸르다'가 나왔다고도 한다.

●●●●● 青少年(청소년)/青山(청산)/青天霹靂(청천벽력)/青軍(청군)

赤

훈음 붉을 적 부수 제 부수 ▶▶▶ 흙 土(토) + 불 火(화) ➡ 사람을 화형 시키는 모습

제물로 사람(土-人)을 바쳐 태우는(火) 火刑(화형)시키는 모습을 그린 글자다. 불꽃의 색깔이 붉고 빨간 모습에서 '붉다'로, 다 타고 없어지다 에서 '없다'로 의미 파생됐다.

●●●●● 赤裸裸(적나라)/赤信號(적신호)/赤字(적자)/赤化(적화)

黑

훈음 검을 흑 부수 제 부수

▶▶▶ 口(구) + 丶(주) + 土(토) + 불 灬(화) ➡ 굴뚝으로 빠져나가는 검은 연기

불꽃(炎)이 굴뚝이나 창문(罒의 변형)으로 빠져나가며 온통 주위가 검은 연기에 휩싸이는 모습에서 '검다'로, 묵형을 당해 여기저기 먹물이 들어간 사람의 모습에서 '검다'로 의미 파생된 글자로 보기도 한다.

●●●●● 黑心(흑심)/暗黑(암흑)/近墨者黑(근묵자흑)/黑字(흑자)

黄

훈음 누를 황 부수 제 부수 ▶▶▶ 廿(입) + 寅(인) ➡ 화살에 달린 누런 장식물

고대 귀족들이 허리에 차고 있던 누런 玉(옥)에서 창안된 글자라고 하는 설도 꽤 유력하다. 그러나 문자 학자들은 화살 矢(시)와 화살에 달린 장식물의 상징인 밭 田(전)으로 보는 견해가 우세하다. 황토처럼 '누런 색깔'을 나타내는 글자로 그냥 외우자.

●●●●● 黃土(황토)/黃金(황금)/黃色(황색)/黃人種(황인종)

艶

훈음 고울 염 **부수** 빛 色(색) ▶▶▶ 풍성할 豊(풍) + 빛 色(색) ➡ 성적 매력을 풍기는 풍만한 여체

처음엔 차고도 남을 정도의 풍부함을 나타내는 글자였으나, 훗날 豊(풍) + 色(색)으로 바뀌어 풍만한 女體(여체)를 상징하여 '성적 매력'을 풍기는 뜻의 단어로 사용되고 있다.

●●●●● 妖艶(요염)/艶聞(염문)을 뿌리다/濃艶(농염)한 연기

絶

훈음 끊을 절 **부수** 실 糸(사) ▶▶▶ 실 糸(사) + 빛 色(색) ➡ 좋았던 관계가 끊어짐

'밧줄 혹은 실을 끊다'가 본뜻으로 실 사(糸)가 의미요소고 빛 色(색)의 윗부분은 칼(刀)의 변형으로 '밧줄이나 실을' 자르는 도구를 넣어 역시 의미요소로 사용했다. 色(색)의 아랫부분인 巴(파)는 卩(절)의 변형으로 발음기호로 사용된 글자로 빛 色(색)과는 전혀 무관하다.

●●●●● 絶交(절교)/斷絶(단절)

皃(모) 貌(모) 的(적) 皆(개) 皇(황)

皃

훈음 얼굴 모 부수 흰 白(백) ▶▶▶ 흰 白(백) + 사람 儿(인) ➡ 얼굴이 빛나는 사람

사람(儿)위에 빛나는 얼굴(白)만 강조하여 얼굴 모(皃)자이나 단독 사용이 없자 발 없는 벌레 豸(치)를 더하여 만든 글자가 外貌(외모)의 얼굴 貌(모)

●●●●● 容貌(용모)/美貌(미모)/面貌(면모)

的

훈음 과녁 적 부수 흰 白(백) ▶▶▶ 흰 白(백) + 구기 勺(작) ➡ 한 국자 퍼낸 자리

술 단지에서 한 국자(勺-구기 작) 떠낸 자국(白)이 표적(標的)의 과녁 적(的)

●●●●● 的中(적중)/標的(표적)/目的(목적)/私的(사적)/物的證據(물적증거)

皆

훈음 모두/다 개 부수 흰 白(백) ▶▶▶ 비교할 比(비) + 흰 白(백) ➡ 태양은 모든 사람에게 빛을 비춘다.

모든 사람(比)을 고루 비추는 태양(白)의 모습에서 개근(皆勤)의 다/모두 개(皆)자이며 비슷한 글자로 벌레의 많은 다리가 강조된 昆蟲(곤충)의 형/만 곤(昆)자가 있다.

●●●●● 皆勤賞(개근상)/皆旣日蝕(개기일식)/皆旣月蝕(개기월식)

皇

훈음 임금 황 부수 흰 白(백) ▶▶▶ 흰 白(백) + 임금 王(왕) ➡ 화려한 왕관의 모습

화려한 왕관(白)을 쓴 왕(王)의 모습에서 황제(皇帝)의 임금 황(皇)

●●●●● 황제(皇帝)/황궁(皇宮)/태황(太皇)

青(청) 淸(청) 情(청) 晴(청) 請(청) 精(정) 靜(정) 靖(정) 猜(시)

青

훈음 푸를 청 부수 제 부수 ▶▶▶ 날 生(생) + 붉을 丹(단) ➡ 우물 속에 늘 끼어 있는 푸른 이끼

풀처럼 푸른색의 광석을 靑(청)이라 했는데 丹(단)은 鑛口(광구)의 상형에다 광석을 의미하는 點(점)을 더한 글자다. '색깔 있는 돌' 즉 광석의 총칭이며 광석은 대개 붉은빛을 띠고 있으므로 '붉다'라는 이름을 갖게 된 것이며 따라서 '푸른(生) 광석(丹(단)'이 원뜻이다. 일설에는 丹(단)을 우물 井(정)으로 봐 우물(円=井) 속에 늘 끼어 있는 푸른 이끼(主=生)의 모습에서 '푸르다'가 나왔다고도 한다.

●●●●● 靑少年(청소년)/靑山(청산)/靑天霹靂(청천벽력)/靑軍(청군)

淸

훈음 맑을/깨끗할 청 부수 물 氵(수) ▶▶▶ 물 氵(수) + 푸를 靑(청) ➡ 푸른 물

물(氵)이 파랗다(靑)는 것은 '깨끗하고 맑다'를 의미한다.

●●●●● 淸明(청명)/淸淨(청정)/淸廉(청렴)/淸白吏(청백리)/淸貧(청빈)/淸掃(청소)/百年河淸(백년하청)/淸濁(청탁)

情

훈음 뜻 정 부수 마음 忄(심)

▶▶▶ 마음 忄(심) + 푸를 靑(청) ➡ 사람의 깨끗한 마음씨가 곧 그 사람의 뜻

푸른(靑) 마음(忄) 즉 더없이 깨끗한 마음이 사람 본연의 뜻이다. 서로를 향한 푸릇푸릇(靑)한 애틋한 마음(忄)을 담아 情談(정담)을 나누다라는 뜻이다.

●●●●● 情感(정감)/情談(정담)/情緖(정서)/情欲(정욕)/多情多感(다정다감)/骨肉之情(골육지정)/人情事情(인정사정)/人之常情(인지상정)/情勢(정세)/情熱(정열)

晴

훈음 갤 청 부수 해 日(일) ▶▶▶ 해 日(일) + 푸를 靑(청) ➡ 하늘이 푸르다/말이 퍼렇다

하늘(日)이 푸르다(靑)는 것은 비갠 후의 너무나 맑은 하늘을 묘사하는 말이고 말(言)이 퍼렇다(靑)는 것은 무엇인가를 요청하는 것으로 청구(請求)의 구할/청할 청(請)

●●●●● 快晴(쾌청)/靑天霹靂(청천벽력)

精

훈음 쓿은쌀 정 부수 쌀 米(미) ▶▶▶ 쌀 米(미) + 푸를 靑(청) ➡ 쌀이 푸르다, 씻어서 깨끗해졌다

푸른(靑) 쌀(米)이란 푸른빛(靑)이 감돌 정도로 깨끗이 쓿은쌀(米)로써 쌀을 精米(정미)하면 겨가 벗겨져 나가며 쌀(米)이 푸른(靑)빛을 띄게 되는데 바로 그 깨끗한 상태를 말한다.

●●●●● 精誠(정성)/精米所(정미소)/精力(정력)/精潔(정결)

靜

훈음 고요할 정 부수 푸를 靑(청) ▶▶▶ 푸를 靑(청) + 다툴 爭(쟁) ➡ 다툼을 멈추고 나라를 바로 세움

다툼(爭)이 그치니 마치 날이 갠(靑) 것처럼 고요하고 조용하다 하여 고요할 정(靜)이고 나라를 편안하게(靑) 세운(立) 것이 정국(靖國)의 편안할 정(靖)자이다.

●●●●● 靜寂(정적)/靜肅(정숙)/靜坐(정좌)/靜物(정물)

猜

훈음 시기할 시 부수 개 犭(견) ▶▶▶ 개 犭(견) + 푸를 靑(청) ➡ 서슬이 시퍼런 개

"날이 시퍼렇다"는, 칼이 잘 든다는 얘기다. "파랗게 질렸다"는 겁을 잔뜩 먹었다는 말이다. 또한 개(犭)가 파랗다(靑)는 것은 주인이 다른 개를 예뻐하자 으르렁대며 당장이라도 물어뜯으려고 달려들 태세를 말한다. 왜? 샘나니까.

※ 서슬-칼날 따위의 날카로운 부분.

●●●●● 猜忌(시기)

赤(적) 赫(혁) 赦(사) 亦(역)

赤

훈음 붉을 적 **부수** 제 부수 ▶▶▶ 흙 土(토) + 불 火(화) ➡ 사람을 화형 시키는 장면

제물로 사람(土-大)을 바쳐 태우는(火) 火刑(화형)시키는 모습을 그린 글자다. 불꽃의 색깔이 붉고 빨간 모습에서 '붉다'로, 다 타고 없어지다 에서 '없다'로 의미 파생됐으며 비슷한 글자로 겨드랑이(大+丶)의 모습에서 가차된 역시(亦是)의 또 역(亦)자가 있다.

●●●●● 赤裸裸(적나라)/赤信號(적신호)/赤字(적자)/赤化(적화)

赫

훈음 붉을 혁 **부수** 붉을 赤(적) ▶▶▶ 붉을 赤(적) + 붉을 赤(적) ➡ 모조리 태워 버림

몹시 붉은 모습을 나타내기 위해 붉을 赤(적)을 겹쳐 써서 강조한 글자다.

●●●●● 赫赫(혁혁)

赦

훈음 용서할 사 **부수** 붉을 赤(적) ▶▶▶ 붉을 赤(적) + 칠 攵(복) ➡ 마음을 쳐서라도 죽여야 용서가 가능

용서한다는 것은 부글부글 끓어(赤)오르는 마음이나 감정을 쳐서(攵) 가라앉히는 것에서 시작되므로 두 글자 모두 의미요소이다.

●●●●● 赦免(사면)/特赦(특사)

黃(황) 廣(광) 鑛(광) 擴(확) 橫(횡) 寅(인) 演(연)

黃

훈음 누를 황 부수 제 부수 ▶▶▶ 화살 矢(시) + 밭 田(전) ➡ 누런 장식달린 화살

황토처럼 '누런 색깔'을 나타내는 글자로 그냥 외우자.

※ 문자 학자들은 이(矢(시)/寅(인)/黃(황)) 세 글자가 모두 '화살'의 상형에서 생긴 글자라고 단정하고 있다. 현재의 글꼴로는 알 수 없으나 화살 矢(시)와 밭 田(전)자로 田(전)자는 화살에 달아 놓은 장식으로 여겨진다.

••••• 黃土(황토)/黃金(황금)/黃泉(황천)/黃昏(황혼)/卵黃(난황)

廣

훈음 넓을 광 부수 집 广(엄) ▶▶▶ 집 广(엄) + 누를 黃(황) ➡ 큰 집 안의 누런 황토 흙마당

큰 집(广) 혹은 대궐에 있는 누런(黃) 흙먼지 날리는 넓은 마당을 나타내는 글자이므로 두 글자 모두 의미요소이고, 黃(황)은 발음을 겸했다.

••••• 廣場(광장)/廣野(광야)/廣範圍(광범위)/廣角(광각)

鑛

훈음 쇳돌 광 부수 쇠 金(금) ▶▶▶ 쇠 金(금) + 넓을 廣(광) ➡ 쇳돌이란 철과 금속을 말함

각종 금속 성분을 포함하고 있는 돌, 즉 鑛石(광석)이나 鑛物(광물)을 나타내는 글자이므로 쇠 金(금)이 의미요소고 廣(광)은 발음기호이다.

••••• 鑛山(광산)/鑛夫(광부)/鐵鑛石(철광석)/炭鑛(탄광)

擴

훈음 넓힐 확 부수 손 扌(수) ▶▶▶ 손 扌(수) + 넓을 廣(광) ➡ 마당을/가죽을 넓히다

손으로 잡아끌어 넓히다가 본뜻이므로 손 扌(수)와 넓을 廣(광) 모두가 의미요소이며, 손 扌(수)가 들어가 '넓히다'라는 행위가 강조된 글자다.

••••• 擴張(확장)/擴大(확대)/擴散(확산)/擴聲器(확성기)/擴充(확충)

橫

훈음 가로/방자할 횡 부수 나무 木(목) ▶▶▶ 나무 木(목) + 누를 黃(황) – 발음기호 ➡ 나무 문빗장

횡의 본뜻은 문의 빗장이다. 빗장은 가로지르게 마련이므로 '가로'라는 뜻이, 빗장이 출입을 통제하는 수단이므로 정상적으로 나아가지 못하게 한다 하여 '방자하다'는 뜻이 파생됐다.

••••• 橫斷(횡단)/橫領(횡령)/橫死(횡사)/橫行(횡행)/橫暴(횡포)/橫列(횡렬)/專橫(전횡)

寅

훈음 셋째 지지 인 부수 집 宀(면) ▶▶▶ 화살 矢(시) + 두 손 국(臼)

처음엔 화살의 모양에서 장식달린 화살로 예서에 와서 두 손으로 화살을 잡고 있는 모습이라고 하지만, 지금은 오로지 셋째 地支(지지)로만 거의 사용되어 방위로는 '동북'을 시간으로는 새벽 3시~5시를 가리킨다.

••••• 寅方(인방)/寅時(인시)

演

훈음 멀리 흐를 연 부수 물 氵(수)

▶▶▶ 물 氵(수) + 셋째 지지 寅(인) ➡ 멀리 가는 화살처럼 길게 흐르는 물

흐름이 긴 물 즉 長江(장강)이 본뜻이므로 물 水(수)가 의미요소고 寅(인)은 발음요소이다.

길게 흐르면서 앞으로 나아가게 됨으로 '발전, 진화, 늘어놓다'의 뜻이 생겼으며, '늘어놓다'에서 '공연하다, 연기하다'의 뜻이 파생됐다.

••••• 演技(연기)/演說(연설)/演藝人(연예인)/講演(강연)

黑(흑)　墨(묵)　默(묵)　熏(훈)　燻(훈)　薰(훈)　勳(훈)

黑

훈음 검을 흑 부수 제 부수 ▶▶▶ 口(구) + 丶(주) + 土(토) + 불 灬(화) ➡ 굴뚝의 검은연기

불꽃(炎)이 굴뚝이나 창문(罒의 변형)으로 빠져나가며 온통 주위가 검은연기에 휩싸이는 모습에서 '검다'로, 묵형을 당해 여기저기 먹물이 들어간 사람의 모습에서 '검다'로 의미 파생된 글자로 보기도 한다.

●●●●● 黑心(흑심)/暗黑(암흑)/近墨者黑(근묵자흑)/黑字(흑자)

훈음 먹 묵 부수 흙 土(토) ▶▶▶ 검을 黑(흑) + 흙 土(토) ➡ 검은흙

붓글씨 쓸 때 사용하던 검은먹을 나타내기 위한 글자로 두 글자 모두 의미요소고, 검을 黑(흑)은 발음을 겸한다. 간단하게 표현하면 검은(黑)흙(土)이 곧 먹 墨(묵)인 것이다.

●●●●● 墨刑(묵형)/水墨畵(수묵화)/近墨者黑(근묵자흑)

훈음 묵묵할 묵 부수 검을 黑(흑) ▶▶▶ 검을 黑(흑) + 개 犬(견) ➡ 흑심품은 개는 조심해야 함

'개가 짖지 않고 사람을 물기 위해 뒤를 살금살금 따라가다'가 본뜻이었으니, 개 犬(견)이 의미요소고 검을 黑(흑)은 발음기호이다.

●●●●● 默想(묵상)/默默不答(묵묵부답)/沈默(침묵)/默念(묵념)

훈음 연기 낄 훈 부수 불 灬(화) ▶▶▶ 千(천) + 검을 黑(흑) ➡ 검은 연기가 나가는 모습

'연기 자욱하다'의 黑(흑)이 '검다'로 가차되자 연기가 나가는 모습을(屮-千)을 첨가하여 '연기에 그을리다, 연기가 끼다'의 본래의 의미를 더 분명히 한 글자이나 단독 사용이 많지 않자 불 화(火)를 첨가하여 그 의미를 더욱 살린 글자가 그을릴/연기 낄 훈(燻)자이다.

●●●●● 熏劑(훈제)/熏香(훈향)/훈제(燻製)/훈육(燻肉)

훈음 향 풀 훈 부수 풀 艹(초) ▶▶▶ 풀 艹(초) + 연기 낄 熏(훈) ➡ 향기 나는 풀

연기처럼 향기가 피어오르는 풀을 가리키는 글자이므로 풀 艹(초)가 의미요소이고, 熏(훈)은 발음기호 겸 의미보조이다.

●●●●● 薰風(훈풍)/薰氣(훈기)/薰藥(훈약)

훈음 공 훈 부수 힘 力(력) ▶▶▶ 연기 낄 熏(훈) + 힘 力(력) ➡ 연기 피어오르듯 이름을 드날림

전쟁터에서 남다른 힘을 과시하여 공을 세웠다는 것을 나타내는 글자이므로, 힘 力(력)이 의미요소고 熏(훈)은 발음기호이다.

●●●●● 勳章(훈장)/功勳(공훈)/殊勳(수훈)/武功勳章(무공훈장)

文(문) 紋(문) 紊(문) 閔(민) 憫(민) 虔(건) 吝(인)

文

훈음 글월 문 부수 제 부수

가슴에 문신한 모양을 단순 간결하게 나타낸 글자로 그림은 의사 표현 방법이었으므로, 오늘날 사용하는 문자의 전신으로 봐 '글, 글월'의 뜻도 가지게 된 글자로 쓰이게 되었다. 가슴의 화려한 문신은 오늘날로 말하면 예술 특히 미술/디자인 등에 해당하므로 그러한 의미로도 많이 사용되고 있다.

사람의 몸을 문신으로 장식한 글자인 무늬 문(文)에 입 구(口)가 첨가되어 말(口)로만 생색(文)을 낸다하여 인색(吝嗇)의 아낄 인(吝)자가 만들어졌다.

●●●●● 文學(문학)/文身(문신)/文筆家(문필가)/文法(문법)/文武(문무)

紋

훈음 무늬 문 부수 실 糸(사)

▶▶▶ 실 糸(사) + 무늬 文(문) ➡ 무늬란 처음에 천이나 돌 등에 입힌 색깔이었을 것이다

천이나 벽돌 등에 입힌 색깔이나 그림을 나타낸 글자다. 색을 나타내기 위해 염색을 했던 천의 재료인 실 糸(사)를 의미요소로, 가슴에 문신을 한 모습인 무늬 文(문)을 의미 겸 발음으로 하여 만든 글자다.

●●●●● 紋様(문양)/指紋(지문)/波紋(파문)/紋彩(문채)

紊

훈음 어지러울 문 부수 실 糸(사) ▶▶▶ 무늬 文(문) + 실 糸(사) ➡ 천에서 실이 빠져 너덜대는 모습

실이 흐트러져 '어지러운' 모습을 나타내기 위함이니 실 糸(사)가 의미요소고 文(문)은 단순 발음기호이다. 실 糸(사)의 위치에 따라 무늬 紋(문)이 되기도 하고, 어지러울 紊(문)도 되니 주의해서 외우자.

●●●●● 紊亂(문란)

閔

훈음 위문할 민 부수 문 門(문) ▶▶▶ 문 門(문) + 무늬 文(문) ➡ 관가에서 처벌받는 사람

관가(門)에서 고문(文-묵형-문신)을 당한 사람을 불쌍히 여겨 치료해 주는 모습에서 '위문하다, 마음 아프게 여기다'의 뜻이 파생되었다. 단독으로 거의 쓰이지 않게 되자 '마음 아파하다'라는 뜻을 더 분명히 하기 위해 마음 忄(심)을 추가한 글자가 아래의 근심할 憫(민)자이다.

憫

훈음 근심할 민 부수 마음 忄(심) ▶▶▶ 마음 忄(심) + 위문할 閔(민) ➡ 처벌받는 사람에 대한 연민

관가(門)에서 墨刑(묵형) 즉 고문(文)을 받고 괴로워하는 사람에 대한 동정심과 불쌍히 여기는 심정을 나타내고자, 마음 忄(심)을 추가한 글자로 閔(민)이 발음기호이다.

●●●●● 憐憫(연민)/憫惘(민망)

虔

훈음 정성/삼갈 건 부수 호피 무늬 虍(호)

▶▶▶ 호피 무늬 虍(호) + 무늬 文(문) ➡ 누가 잠자는 호랑이 목에 방울을 달까

"누가 잠자는 호랑이 목에 방울을 달까"라는 말이 있듯이 가장 힘이 센 동물인 호랑이 가슴에 문신을 새기는 작업을 하고 있다면, 어떠한 자세와 태도가 필요하겠는가? 여기서 호랑이 虍(호)는 틀림없이 왕 같은 권력자를 말할 것이다.

●●●●● 敬虔(경건)

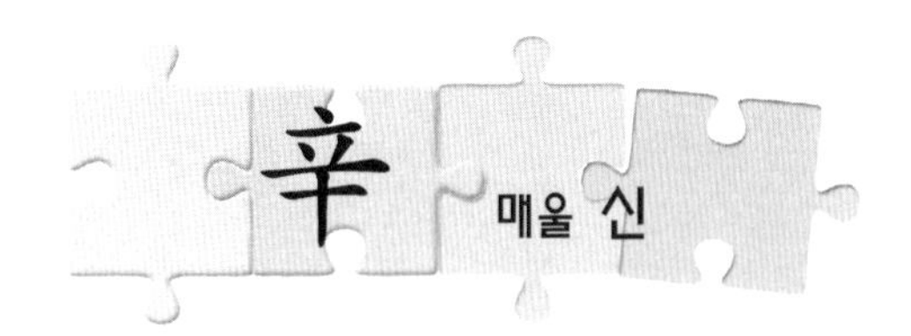

辛(신) 新(신) 親(친) 辭(사) 亂(난) 辯(변) 辨(변)

辛

훈음 매울 신 **부수** 제 부수 – 형구/송곳

말씀 言(언)이나 소리 音(음)과 비슷한 모양의 글자로 '언어폭력'에서 보듯이 함부로 찌르는 듯이 하는 말을 상징하기 위해서였다는 설과 문신을 새길 때의 '송곳 같은 날카로운 도구'로서 실제로 사람을 찌르는 고문이나 형벌의 도구라는 설이 있다.

●●●●● 辛勝(신승)/辛味(신미)/千辛萬苦(천신만고)/辛辣(신랄)

新

훈음 새 신 **부수** 도끼 斤(근)

▶▶▶ 매울 辛(신) + 木(목) + 도끼 斤(근) ➡ 나무가 잘 자라도록 가지치기를 함

나무를 베다가 원뜻이므로 나무 木(목)과 도끼 斤(근)이 의미요소고 辛(신)은 발음기호이나 단순히 나무를 베는 것이 아니라 필요 없는 가지들을 잘라주어 나무가 잘 자라게 한다는 뜻에서 '새롭다'는 뜻이 파생됐다.

●●●●● 新芽(신아)/刷新(쇄신)/新學期(신학기)/新年(신년)

親

훈음 친할 친 **부수** 볼 見(견)

▶▶▶ 설 立(립) + 나무 木(목) + 볼 見(견) ➡ 자녀가 잘 자라도록 곁에서 보살펴 줘야 함

나무(木)가 제대로 자라도록(立) 곁에서 보살펴(見) 주어야 하듯 부모는 자녀가 사회의 기둥이 될 수 있도록 곁에서 잘 보살펴 주어야 한다는 교훈을 담고 있다. 조금만 방심하면 나무가 뒤틀어지듯 우리의 자녀들도 비뚤어질 것이다.

●●●●● 兩親(양친)/父親(부친)/母親(모친)

辭

훈음 말 사 **부수** 매울 辛(신)

▶▶▶ 손 爪(조) + 실 糸(사) + 손 又(우) + 매울 辛(신) ➡ 헝클어진 것을 정리한 말

글자의 왼쪽은 헝클어진 실타래의 실을 두 손으로 정리하여 또는 실감개를 한 손으로 잡고 한 손은 코바늘로 옷이나 천을 짜는 모습에서 '고르다, 다스리다'의 뜻이 나온 글자다. 훗날 코바늘이 끌의 상형인 매울 辛(신)으로 바뀌면서 헝클어진 실타래처럼 꼬이고 꼬인 피고와 원고의 관계를 바로잡기 위해 형벌을 주고(辛), 잘잘못을 말(질문)로 따지는 과정에서 '말, 글'이라는 뜻으로 확대되었다.

●●●●● 辭表(사표)/辭典(사전)/斗酒不辭(두주불사)/送辭(송사)

亂

훈음 어지러울 란 **부수** 새 乙(을)

▶▶▶ 손 爪(조) + 실 糸(사) + 손 又(우) + 새 乙(을) ➡ 헝클어진 것을 바로잡는 여인

헝클어진 실패(糸)를 양손(爪 + 又)을 이용하여 바로잡는 모습에서 '어지럽다' 어지럽던 실패를 바로잡았다 하여 '다스리다'의 뜻이 파생됐다. 여기서 乙(을)은 그 행위를 하는 여인네나 사람의 변형으로 여겨진다.

●●●●● 亂世(난세)/患亂(환란)/淫亂(음란)

훈음 말 잘할 변 부수 매울 辛(신)

▶▶▶ 매울 辛(신) + 말씀 言(언) ➡ 피고와 원고가 말로 피 터지는 싸움을 하고 있다

'말을 잘하다'가 본뜻이어서 말씀 言(언)이 의미요소고, 그 나머지 매울 辛(신) 두 개가 발음요소라고 하는 설이 있다. 이 매울 辛(신)이 단순히 발음 역할만 한 것이 아니라 피고와 원고 두 사람을 상징하는 것으로 봐야 할 것이다. 어떻게 말하는가에 따라 처벌(辛)을 받을 수 있으므로 여간 말을 잘하지 않으면 안 됐을 것이다.

●●●●● 辯論(변론)/辯護士(변호사)/雄辯(웅변)/抗辯(항변)

훈음 분별할 변 부수 매울 辛(신)

▶▶▶ 매울 辛(신) + 칼 刂(도) ➡ 칼로 잘라 속을 들여다보아 옳고 그름을 판별

옳다고 언쟁을 하는 피고(辛)와 원고(辛)의 주장을 칼(刂)로 잘라 속을 들여다보듯이 올바로 볼 수 있는 능력을 나타낸 글자로 모든 글자가 다 의미요소이며 매울 辛(신) 두 개가 발음기호이다.

●●●●● 辨別(변별)/辨理士(변리사)/辨證法(변증법)/辨償(변상)

聿(율)	律(률)	筆(필)	書(서)	晝(주)	畵(화)	劃(획)
建(건)	健(건)	鍵(건)	津(진)	盡(진)	肅(숙)	繡(수)

聿

훈음 붓 율 **부수** 제 부수 – 붓을 잡고 있는 손

옛날에는 대나무로 붓(聿)의 몸통을 만들었는데 그 장식 있는 붓대를 한 손으로 잡고(⺕=又) 있는 모습을 단순 간결하게 묘사한 그림글자다. 단독 사용은 거의 없고 '붓을 사용하는 일과 관련된 다른 글자의 의미요소나 발음기호'로 주로 사용된다.

律

훈음 법/법칙 률 **부수** 길 갈彳(척) ▶▶▶ 길 갈 彳(척) + 붓 聿(율) ➡ 길가에 써 붙인 방이 곧 법

"붓(聿)으로 글을 써서 길(彳)에 방을 붙여 널리 알리다"에서 공식적으로 백성에게 공포된 법령으로 따라야 할 '규칙, 법, 법률' 등을 의미하게 되었다. 聿(율)은 발음기호로도 사용됐다. 사람의 걸음걸이 즉 행동(彳)을 규제하는 법을 적어 놓은(聿) 기록이 곧 법률이다.

●●●●● 律法(율법)/法律(법률)/音律(음률)

筆

훈음 붓 필 **부수** 대 竹(죽) ▶▶▶ 대 竹(죽) + 붓 聿(율) ➡ 붓대의 재료인 대 竹(죽)이 강조됨

붓대의 재료가 대나무였으므로 대 竹(죽)과 손으로 붓을 잡고 있는 모습인 붓 聿(율)을 합쳐 놓은 글자로, 두 글자 모두 의미요소이며 聿(율)이 발음에 영향을 미쳤을 것이다.

●●●●● 筆記具(필기구)/筆談(필담)/筆體(필체)/筆跡(필적)

書

훈음 쓸 서 **부수** 가로 曰(왈) ▶▶▶ 붓 聿(율) + 가로 曰(왈) ➡ 벼루에 붓을 적셔 글을 쓰다

여기서 가로 曰(왈)은 먹물이 담긴 벼루의 모양으로 그 벼루에 담긴 붓(聿(율))과 어우러져 "글을 쓰다". 쓰여진 것은 책이므로 '책'으로도 의미 확대됐다. 글 쓰는 도구가 거의 없던 시절에 붓(聿)과 벼루(曰)만 합쳐 놓아도 사람들은 이 글자가 무엇인지 쉽게 알아차렸을 것이다.

●●●●● 書類(서류)/書店(서점)/古書(고서)/良書(양서)/書類(서류)

晝

훈음 낮 주 **부수** 해 日(일)

▶▶▶ 붓 聿(율) + 아침 旦(단) ➡ 서당에서 한낮에 아이들의 글 읽는 소리가 들린다.

해가 중천에 떠오른(旦) 한낮에 서당에서 아이들이 글을 읽고 쓰는(聿) 소리가 들린다.

전기가 없던 시절에 밤낮을 구별하는 글자로 책을 읽고 글을 쓰는(聿) 시간 즉 일하는 시간을 선택했다는 것이 흥미롭다.

●●●●● 白晝(백주)/晝夜(주야)/晝間(주간)/晝耕夜讀(주경야독)

畵

훈음 그림 화 **부수** 밭 田(전)

▶▶▶ 붓 聿(율) + 밭 田(전) + 위 터진 그릇 凵(감) ➡ 도화지에 그림을 그림

그림을 그리는데 필요한 도구인 붓(聿)과 그려진 그림(田)을 합쳐서 만든 글자다. 붓(聿)으로 벼루(凵)에서 먹을 묻혀 종이 위에 그림(田)을 그리고 있는 모습으로 다 의미요소이다.

●●●●● 畵家(화가)/挿畵(삽화)/畵龍點睛(화룡점정)/畵廊(화랑)

劃

훈음 그을 획 **부수** 칼 刀(도)

▶▶▶ 붓 聿(율) + 밭 田(전) + 한 一(일) + 칼 刂(도) ➡ 본에 따라 칼질을 함

선을 그어 경계나 표시를 하는데 필요한 도구인 붓(聿)과 칼(刂)을 합쳐서 '긋다'라는 글자를 만들어 냈다고도 하며, 또한 붓으로(聿) 옷이나 천에 본(도형-디자인)(田)을 그어 칼(刂)로 잘라내는(一) 모습으로 보기도 한다.

●●●●● 劃期的(획기적)/分劃(분획)/企劃(기획)/劃一(획일)

建

훈음 세울 건 **부수** 길게 걸을 廴(인) ▶▶▶ 길게 걸을 廴(인) + 붓 聿(율) ➡ 도면에 길을 계획함

사람이 다니는 도로를 세우고 짓기 위해 사전에 도면을 그리는데 필요한 도구인 붓 聿(율)과 사람들이 걸어다니는 도로의 의미로 '길을 걸어가다'라는 의미의 인(廴)을 조합한 글자다. 후에 '세우다, 일으키다'로 의미 확대된 글자다.

●●●●● 建築(건축)/建設(건설)/再建(재건)

健

훈음 튼튼할 건 **부수** 사람 亻(인) ▶▶▶ 亻(인) + 세울 建(건) ➡ 사람을 세우다

튼튼하다는 것은 사람이 건강하다는 것이므로 사람(亻)을 의미요소로 建(건)을 발음기호로 하여 만든 글자다. 세울 建(건)이 사람(亻)을 세워(建) 튼튼하게 '만들다'로 쓰이면 의미요소로도 사용됨을 알 수 있다.

●●●●● 健康(건강)/健全(건전)

鍵

훈음 열쇠 건 **부수** 쇠 金(금) ▶▶▶ 쇠 金(금) + 세울 建(건) ➡ 열쇠란 철로 만들어졌다

열쇠를 뜻하는 글자이므로 열쇠와 자물통의 재료인 쇠 金(금)이 의미요소고 세울 建(건)은 발음요소로 사용됐다.

●●●●● 鍵盤(건반)/關鍵(관건)

津

훈음 나루 진 **부수** 물 氵(수) ▶▶▶ 물 氵(수) + 붓 聿(율) ➡ 배가 건너다니는 나루터 즉 물가

나루터란 배가 건너다니는 곳으로 물 氵(수)가 의미요소로, 음이 다르긴 하지만 聿(율)이 발음기호로 쓰였다.

●●●●● 노량진(津)/삼랑진(津)/津液(진액)/津口(진구)/津船(진선)

盡

훈음 다할/진력할 진 **부수** 그릇 皿(명)

▶▶▶ 붓 聿(율) + 불 灬(화) + 그릇 皿(명) ➡ 그릇을 깨끗이 닦다

붓(聿)처럼 생긴 수세미나 솔을 손에 잡고(彐) 솥(皿)을 깨끗이 닦는 모습을 그려 '남은 찌꺼기를 깨끗하게 씻어 내야 한다'는 뜻에서 '남김 없다, 다하다'의 뜻이 파생되었다.

●●●●● 消盡(소진)/賣盡(매진)/苦盡甘來(고진감래)

肅

훈음 엄숙할 숙 **부수** 붓 聿(율) ▶▶▶ 붓 聿(율) + 淵(연)의 오른편 – 자수를 놓을 밑그림을 그리다

'수놓다'는 뜻을 나타내는 글자로 자수를 놓기 전에 밑그림(도안)을 그리고 있는 모습을 위해 붓 聿(율)이 의미요소로 쓰였다. 자수를 놓을 때 바늘에 찔리지 않으려면 조심하고 주위가 엄숙해야 한다는 의미에서 '삼가다, 엄숙하다'로 의미가 확대됐다.

●●●●● 嚴肅(엄숙)/肅然(숙연)/肅淸(숙청)/自肅(자숙)/靜肅(정숙)

繡

훈음 수놓을 수 **부수** 실 糸(사) ▶▶▶ 실 糸(사) + 엄숙할 肅(숙) ➡ 실로 자수를 놓다

수놓다의 肅(숙)자가 '엄숙하다'로 뜻이 바뀌자, 본래의 '수놓다'는 뜻을 위해 의미요소로 실 糸(사)를 추가하여 肅(숙)을 발음기호로 하여 따로 繡(수놓을 수)자를 만들었다.

●●●●● 刺繡(자수)

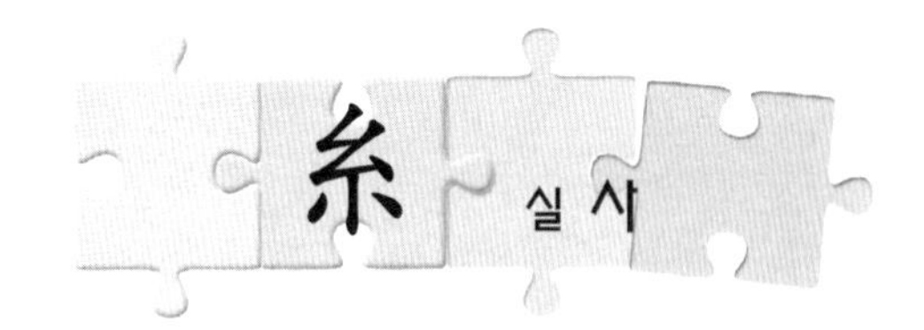

糸(사) 絲(사) 系(계) 係(계) 孫(손) 遜(손) 縣(현)

糸

훈음 실 사 부수 제 부수

실 絲(사)의 俗字(속자)로 옷이나 옷감의 바탕인 천을 만드는 데 필요한 실을 뜻하는 글자로 실이 한 타래 묶인 혹은 실이 나선형으로 서로 꼬인 모습을 단순 간결하게 정리한 글자다. '작다, 세밀하다'의 뜻도 가지고 있으며 '실'과 관련된 모든 글자에 들어가 의미형성에 기여한다.

※ 실 糸(사)는 원래 '가는 실 멱'이라는 뜻과 음을 지닌 글자였다.

●●●●● 一絲不亂(일사불란)/生絲(생사)/絹絲(견사)

絲

훈음 실 사 부수 실 糸(사)

실 糸(사)의 본글자로 실 糸(사)보다 복잡하여 점차 그 자리를 俗字(속자)인 실 糸(사)에게 물려주고 있는 상황으로 의미는 동일하다.

系

훈음 이을 계 부수 실 糸(사) ▶▶▶ 삐침 丿(별) + 실 糸(사) ➡ 두 개의 실이 묶여 있는 장면

옛 갑골문은 '두 개의 실과 한 손'을 그려서 끊어진 실(糸) 혹은 두 실(糸)을 묶어(丿) 연결하는 모습을 통해 '잇다, 연결하다, 줄, 혈연의 핏줄' 등으로 의미 확대된 글자이며 사람을 처형(縣=首)하여 나무에 목을 달아맨(系) 모습이 매달/고을 현(縣)자이다.

●●●●● 系譜(계보)/系統(계통)/家系(가계)/傍系(방계)/直系(직계)

係

훈음 걸/맬 계 부수 사람 亻(인) ▶▶▶ 사람 亻(인) + 이을 系(계) ➡ 양쪽을 연결해 주는 사람

양쪽을 연결해 주는 사람 혹은 묶어 주는 사람이라 하여 두 글자 모두 의미요소이며 이을 系(계)가 발음기호이다.

●●●●● 係長(계장)/關係(관계)/係累(계루)

孫

훈음 손자 손 부수 아들 子(자) ▶▶▶ 아들 子(자) + 이을 系(계) ➡ 대를 이어주는 아들

대가 끊어지지 않도록 이어주는(系) 아이(子)를 孫子(손자)라 한다. 따라서 윗세대와 아랫세대를 이어주는 아이라 하여 실 糸(사)가 사용되었다.

●●●●● 孫子(손자)/外孫(외손)/玄孫(현손)

遜

훈음 겸손할 손 부수 갈 辶(착) ▶▶▶ 갈 辶(착) + 손자 孫(손) ➡ 어린아이처럼 길을 가는 것이 겸손

앞서지 않고 조용히 뒤따라오는 사람이라는 뜻으로 갈 辶(착)이 의미요소고 손자 孫(손)은 발음 겸 자며, 미천하여 겸손의 특징을 나타내는 어린 손자를 더하여 의미에도 영향을 주었다.

●●●●● 謙遜(겸손)/恭遜(공손)

☞ 이어 주다/이어지는 것

溪(계) 線(선) 紹(소) 紀(기) 給(급) 絡(락) 繼(계) 繫(계) 續(속) 綴(철)

溪

훈음 시내 계 부수 물 수 ▶▶▶ 물 氵(수) + 종 奚(해) ➡ 묶인 종처럼 이어져 흐르는 물

시내란 작은 강을 말하는 것으로 물 氵(수)가 의미요소고 奚(해)가 발음기호이다. 이 종 奚(해)는 포승줄에 묶여 일렬로 끌려오는 종의 모습도 있으므로 물줄기가 끊어지지 않고 이어져 흐르는 시내라는 글자를 만드는 의미요소에도 참여하였다.

●●●●● 溪谷(계곡)/碧溪水(벽계수)

線

훈음 줄 선 부수 실 糸(사) ▶▶▶ 실 糸(사) + 샘 泉(천) ➡ 샘물처럼 계속 이어진 끈

샘물이 끊어지지 않고 이어져 나오듯 실로 꼬아 만든 밧줄이나 줄 역시 이어졌다 하여 두 글자를 합하여 '줄, 밧줄, 선, 길'의 의미의 글자를 창조했다. 두 글자 모두 의미요소고 泉(천)이 발음에 영향을 끼친 듯하다.

●●●●● 線路(선로)/直線(직선)/光線(광선)/脫線(탈선)/海岸線(해안선)

紹

훈음 이을 소 부수 실 糸(사) ▶▶▶ 실 糸(사) + 부를 召(소) ➡ 소개란 둘을 묶어주는 것

神(신)을 불러(召) 실로 묶어 이어 주듯이(糸) 사람과 신을 묶어 준다 하여 '잇다'의 뜻을 가진 글자가 된 것으로 두 글자 모두 의미요소이며 부를 召(소)가 발음기호이다.

●●●●● 紹介(소개)

紀

훈음 벼리 기 부수 실 糸(사) ▶▶▶ 실 糸(사) + 자기 己(기) ➡ 기원전과 기원후를 연결해 주는 밧줄

실 糸(사)가 들어갔다는 것은 연결해 준다는 의미로, 튼튼한 밧줄로 구성원을 연결하다는 뜻이다. 기원전과 기원을 연결해 준다는 의미다. 예수가 태어난 연도를 기점으로 하여 紀元前, 紀元(기원) 그렇게 나누는데 英語(영어)로는 BC=before christ(예수 탄생 전), AD=anno domini(주님의 해)로 표기.

●●●●● 紀元前(기원전)/西紀(서기)/紀行文(기행문)/紀綱(기강)

※ 벼리 - 그물에서 힘을 받는 굵고 강한 줄을 말함.

給

훈음 넉넉할/보탤 급 부수 실 糸(사) ▶▶▶ 실 糸(사) + 합할 合(합) ➡ 떨어지지 않도록 계속 이어 줌

合(합)을 발음기호로 이어 주는 역할을 하는 끈이나 실(糸(사)를 더하여 '보태다, 대다, 공급하다'를 의미하는 글자로 발전했다.

●●●●● 給油(급유)/給與(급여)/供給(공급)/補給品(보급품)

絡

훈음 맥락 락 부수 실 糸(사) ▶▶▶ 실 糸(사) + 각각 各(각) ➡ 떨어진 쌍방을 묶어 줌

쌍방을 이어 주는 끈 역할을 강조하는 실 糸(사)와 소리 부수인 各(각)을 이용, 양쪽을 연결해 주는 뜻을 갖는 '이을 락, 맥락 락'을 만들어 냈다.

●●●●● 連絡(연락)/脈絡(맥락)

繼

훈음 이을 계 부수 실 糸(사) ▶▶▶ 실 糸(사) + 이을 계(㡭) ➡ 둘을 이어 주는 실의 특징

끈이나 실의 주요 역할인 묶어서 잇는다는 뜻을 더 분명히 하기 위해 실 糸(사)를 추가하여 '잇다'의 뜻을 분명히 한 글자이며 실(糸)로 책을 엮는(叕-연할 철)모습을 더 분명히 한 글자가 보철(補綴)의 꿰맬 철(綴)자이다.

●●●●● 繼承(계승)/後繼者(후계자)/繼母(계모)/서류철(書類綴)/점철(點綴)/철자(綴字)

※ 실패의 상형인 북의 엉클어진 실을 잘라 바구니에 담는 모습이 끊을 斷(단)이고, 끊어진 실들을 잇는 것이 이을 繼(계)이다.

繫

훈음 맬 계 부수 실 糸(사)

▶▶▶ 부딪칠 毄(격) + 실 糸(사) ➡ 바퀴에서 떨어지지 않도록 단단히 묶어 둠

바퀴에 창살(殳)을 단단히 묶어 둔다는 뜻으로 실 糸(사)를 의미요소로 부딪칠 毄(격)을 발음기호로 했다.

●●●●● 繫留(계류)

續

훈음 이을 속 부수 실 糸(사) ▶▶▶ 실 糸(사) + 팔 賣(매) ➡ 사고팔고 하는 관계가 계속 이어짐

'실을 잇다'라는 뜻을 나타내기 위한 것이었으므로 실 糸(사)가 의미요소고 팔 賣(매)가 발음기호이다. 바칠 贖(속)자도 마찬가지이다.

●●●●● 連續(연속)/繼續(계속)/接續(접속)

☞ 묶다/짜다/꼬다

約(약) 締(체) 結(결) 累(누) 糾(규) 索(색/삭) 絞(교) 縫(봉)

約

훈음 묶을 약 **부수** 실 糸(사) ▶▶▶ 실 사 糸(사) + 구기 勺(작) ➡ 둘을 묶어 주는 混酒(혼주)

約婚(약혼)이란 남녀가 부부됨을 約束(약속)하는 것으로 흔히 混酒(혼주)라 하여 한 잔(勺) 술을 나눠 마심으로 부부로 엮어지게 된다 하여 묶는데 사용하는 실 糸(사)를 의미요소로 勺(작)을 발음기호로 했다.

●●●●● 約束(약속)/勤儉節約(근검절약)/約婚(약혼)/言約(언약)

結

훈음 맺을 결 **부수** 실 糸(사) ▶▶▶ 실 糸(사) + 길할 吉(길) ➡ 둘을 하나로 묶음

'두 개를 엮어(묶어) 하나로 만드는 것'을 나타내기 위한 글자로 실 糸(사)가 의미요소고 吉(길)은 발음기호이다.

●●●●● 結婚(결혼)/姊妹結緣(자매결연)/締結(체결)/結草報恩(결초보은)

累

훈음 묶을 누/루 **부수** 실 糸(사) ▶▶▶ 밭 田(전) + 실 糸(사) ➡ 엮어 놓은 먹 거리 – 먹 거리를 묶어 둠

옛글자는 밭 田(전)이 세 개 겹쳐 있어 실(끈)로 무엇인가를 함께 묶어 놓은 모습으로 '매달리다'가 본뜻이며, '포개다, 쌓이다, 여러 번' 등은 파생된 의미이다. 지금도 계란이나 곶감 우거지 등은 새끼줄로 엮거나 묶어 두는데 이것을 연상하기 바란다.

●●●●● 累卵(누란)/累計(누계)/累犯(누범)/累進(누진)/連累(연루)

糾

훈음 꼬다/모으다/얽히다 규 **부수** 실 糸(사) ▶▶▶ 실 糸(사) + 叫(규)의 오른편 – 새끼줄을 꼬고 있는 모습

실 糸(사)가 의미요소로 "실타래를 풀어야 한다/새끼줄을 꼬아야 한다"에서처럼 꼬아야 하는 대상(叫의 우편)을 넣어서 만든 글자로 새끼줄을 꼬고 있는 모습의 글자이다.

●●●●● 糾合(규합)/糾明(규명)/糾彈(규탄)

索

훈음 찾을 색/동아줄 삭 **부수** 실 糸(사) ▶▶▶ 열 十(십) + 덮을 冖(멱) + 실 糸(사) ➡ 굵을 끈을 꼬는 모습

갑골문에서는 새끼줄(동아줄)을 꼬고 있는 모습으로 '굵은 끈'이라는 본뜻이 생겼으며, 끄나풀을 좇아가면 근원이 드러남으로 '찾다'라는 뜻이 파생되었음을 쉽게 짐작해 볼 수 있다. 따라서 글자 모두가 의미요소이며 윗부분은 간결하게 정리된 모습이다.

●●●●● 搜索(수색)/索引(색인)/探索(탐색)

絞

훈음 목맬 교 **부수** 실 糸(사) ▶▶▶ 실 糸(사) + 사귈 交(교) ➡ 끈으로 목매달아 죽이다

예전엔 동물들을 거의 목매달아 죽인 경우가 많았다. 바로 그런 풍습에서 만들어진 글자로 목매는 수단인 끈/실 糸(사)가 의미요소고 사귈 交(교)는 발음기호이다.

●●●●● 絞殺(교살)/絞首刑(교수형)

締

훈음 맺을 체 **부수** 실 糸(사) ▶▶▶ 실 糸(사) + 임금 帝(제) ➡ 이웃 나라와 동맹을 체결함

동맹 관계를 맺는 일을 말하는 것으로 '양편을 묶어 주다'의 뜻으로 실 糸(사)가 의미요소고, 임금 帝(제)는 발음기호 겸 그러한 동맹을 맺는 주체인 높은 사람을 의미한다.

●●●●● 締結(체결)/締盟(체맹)

훈음 꿰맬 봉 **부수** 실 糸(사) ▶▶▶ 실 糸(사) + 만날 逢(봉) ➡ 짜깁기나 헤진 곳을 꿰매는 것

천을 덧대거나 잇기 위해 꿰매는 것을 의미하는 글자로 '두 개의 천이 만나서 하나가 됨으로' 실 糸(사)는 당연히 의미요소이며, 만날 逢(봉)도 발음기호 겸 의미요소에 기여했다.

●●●●● 縫製(봉제)/裁縫師(재봉사)/天衣無縫(천의무봉)/縫合(봉합)/彌縫策(미봉책)

☞ 바탕/원료

紙(지) 綠(록) 終(종) 絹(견) 級(급) 綿(면) 濕(습)

紙

훈음 종이 지 부수 실 糸(사) ▶▶▶ 실 糸(사) + 각시 氏(씨) ➡ 종이의 씨(뿌리)는 천(실)이다
종이를 뜻하기 위해 만들어진 글자로 종이가 발명되기 전에는 실로 짠 비단에 썼기에 '실 糸(사)'가 의미요소고 氏(씨)는 발음기호이다.
●●●●● 白紙(백지)/紙面(지면)/新聞紙上(신문지상)/紙幣(지폐)

終

훈음 끝날 종 부수 실 糸(사) ▶▶▶ 실 糸(사) + 겨울 冬(동) ➡ 실의 양 끝
실의 양쪽 끝을 매듭지어 놓은 모습에서 '실 끝 혹은 끝'이 본뜻인 겨울 冬(동)자가 '겨울'로 가차되자 의미요소인 실 糸(사)를 첨가하여 '끝'의 의미를 분명히 한 글자다. 모든 글자가 다 의미요소이며 겨울 冬(동)이 발음요소를 겸한다.
●●●●● 終末(종말)/始終一貫(시종일관)

絹

훈음 명주 견 부수 실 糸(사) ▶▶▶ 실 糸(사) + 장구벌레 肙(연) ➡ 누에고치가 명주실을 만들어 냄
명주실로 짠 비단을 뜻하기 위한 글자로 실 糸(사)가 의미요소고, 장구벌레 肙(연)은 발음기호로 사용됐다.
●●●●● 絹絲(견사)/生絹(생견)/絹織物(견직물)

級

훈음 등급 급 부수 실 糸(사) ▶▶▶ 실 糸(사) + 미칠 及(급) ➡ 실의 품질에 따라 등급을 결정
"품질의 등급을 매기다"에서 실이나 천의 질이 얼마나 좋은지 살펴보는 것을 말하므로, 실 糸(사)를 의미요소로 及(급)을 발음기호로 사용했다.
●●●●● 等級(등급)/階級(계급)/學級(학급)

綿

훈음 솜 면 부수 실 糸(사) ▶▶▶ 실 糸(사) + 비단 帛(백) ➡ 실이나 무명의 원료인 햇솜
실이나 무명의 원료인 '햇솜'이 본래 의미이고 '이어지다, 빈틈없다'는 파생된 뜻이다. 따라서 두 글자 모두 의미요소이며 비단 帛(백)이 발음에 영향을 주었다. 젖(氵)은 솜이나 실(絲)을 말리는(日) 장면에서 습기(濕氣)의 축축할 습(濕)
●●●●● 純綿(순면)/綿製品(면제품)/綿綿(면면)/石綿(석면)/綿絲(면사)
※ 棉(면) - 목화 면/錦(금) - 비단 금

☞ 색의 바탕

紫(자) 綠(녹) 素(소) 紅(홍) 紺(감)

紫

훈음 자줏빛 자 부수 실 糸(사)
▶▶▶ 이 此(차) + 실 糸(사) ➡ 자줏빛 색깔의 실이나 비단
자줏빛 색깔을 나타내는 글자로 실이나 천을 염색하여 색깔을 나타냈기에 실 糸(사)를 의미요소로, 이 此(차)는 발음기호로 하여 만든 글자다.
●●●●● 紫朱(자주)/紫水晶(자수정)/紫外線(자외선)/紫色(자색)

綠

훈음 초록빛 록 **부수** 실 糸(사) ▶▶▶ 실 糸(사) + 새길 彔(록) ➡ 나무 속살

옛날엔 도화지가 아닌 실이나 천에 물감을 들이는 염색을 통해 색깔을 나타냈으므로, 실 糸(사)가 의미요소고 彔(록)은 발음기호이다. 彔(록) 자체가 멧돼지들이 발톱이나 이빨로 나뭇줄기를 갉아 녹색의 속살이 드러나게 함으로 의미요소에도 기여했을 것이다.

●●●●● 綠色(녹색)/草綠(초록)/葉綠素(엽록소)

素

훈음 흴 소 **부수** 실 糸(사) ▶▶▶ 실 糸(사) + 두 손 廾(공) ➡ 염색하기 전의 흰 원단

지금의 글자는 丰(봉) + 糸(사)의 형태이나 옛글자는 실이나 천을 들고 있는 두 손을 그려서 염색을 하려고 하는 모습임을 나타낸다. 따라서 염색하기 전의 원단인 희고 '촘촘한 비단'에서 '희다, 흰색, 근본'이라는 의미가 파생되었다.

●●●●● 素朴(소박)/葉綠素(엽록소)/素描(소묘)/素服(소복)/素質(소질)/儉素(검소)/酸素(산소)/要素(요소)

紅

훈음 붉을 홍 **부수** 실 糸(사) ▶▶▶ 실 糸(사) + 장인 工(공) ➡ 붉은 천이나 실

실이나 천에 물감을 들여 색을 표현했던 옛사람들의 생활상을 알려 주는 글자로, 물감들일 천이나 실을 나타내는 실 糸(사)가 의미요소고 장인 工(공)은 발음기호이다.

●●●●● 滿山紅葉(만산홍엽)/紅柿(홍시)/紅燈街(홍등가)/眞紅色(진홍)

紺

훈음 감색 감 **부수** 실 糸(사) ▶▶▶ 糸(사) + 甘(감) ➡ 감청색 – 검은 청색

甘(감)을 발음기호로 물감을 들여야 할 대상인 천을 가리키는 실 糸(사)를 의미요소로 하여 만든 글자로, 色(색)을 나타내는 글자의 많은 부분은 실 糸(사)를 의미요소로 사용한다.

●●●●● 紺色(감색)/紺靑(감청)

☞ 실/끈의 특성

細(세) 絶(절) 統(통) 緊(긴) 縮(축) 緩(완) 維(유) 綱(강) 紳(신)

細

훈음 가늘 세 **부수** 실 糸(사) ▶▶▶ 실 糸(사) + 밭 전(田–정수리 囟 신) ➡ 가는 실

실 糸(사)와 어린아이의 숨구멍을 가리키는 정수리 囟(신)의 합자로 직역하면 '어린실' 즉 '가늘고 약한 실'의 뜻을 본뜻으로 가졌으나 '가늘다, 작다, 자세하다' 등으로 의미 확대됐다.

●●●●● 細胞(세포)/極細(극세)/細心(세심)/微細(미세)

絶

훈음 끊을 절 **부수** 실 糸(사) ▶▶▶ 실 糸(사) + 빛 色(색) ➡ 잘 끊어지는 실의 특질에서

"밧줄 혹은 실을 끊다"가 본뜻으로 실 사(糸)가 의미요소고 빛 色(색)의 윗부분은 칼(刀)의 변형으로 '밧줄이나 실'을 자르는 도구를 넣어 역시 의미요소로 사용했다. 色(색)의 아랫부분인 巴(파)는 卩(절)의 변형으로 발음기호로 사용된 글자로 빛 色(색)과는 전혀 무관하다.

●●●●● 絶交(절교)/斷絶(단절)

統

훈음 거느릴/큰 줄기 통 **부수** 실 糸(사) ▶▶▶ 실 糸(사) + 찰 充(충) ➡ 여러 사람을 하나로 묶는 행위

다양한 사람들을 하나로 묶어 거느리고 통솔하다는 뜻을 전달하는 글자이므로, 묶을 때 필요한 끈을 상징하는 실 糸(사)를 의미요소로 찰 充(충)은 발음기호 및 의미보조로 쓰였다. 다양한 사람들을 하나로 묶어 통솔하기 위해선 속이 꽉 찬(充) 사람이어야 한다. 대통령이나 인솔자는 아무나 하는 것이 아니다.

●●●●● 統率(통솔)/大統領(대통령)/統一(통일)

훈음 굳게 얽을 긴 **부수** 실 糸(사) ▶▶▶ 굳을 간(臣+又) + 실 糸(사) ➡ 팽팽히 당겨진 실
팽팽히 당겨지는 긴장감을 나타내는 글자로 실 糸(사)가 의미요소이며, 나머지가 발음기호이나 굳을 간(臣+又) 역시 몸이 움츠러드는 것이므로 의미요소에도 기여했으며 잠잘(宿) 때 사람의 몸이 오그라들므로(糸) 축소(縮小)의 줄일 축(縮)자가 만들어 졌다.
●●●●● 緊張(긴장)/緊迫(긴박)/縮圖(축도)/縮地法(축지법)/減縮(감축)/伸縮(신축)

훈음 느릴 완 **부수** 실 糸(사) ▶▶▶ 실 糸(사) + 이에 爰(원) ➡ 느슨하게 풀어 놓은 실
막대기는 늘였다 줄였다 할 수 없지만 실이나 끈(糸)은 서로 잡아당길 爰(원) 때 풀어 주었다 당겼다 할 수 있어서 느리다/느슨하다의 의미를 만들기 위해 실 糸(사)를 의미요소로, 구원하다의 뜻을 갖는 이에 爰(원)을 발음기호로 사용했다.
●●●●● 緩急(완급)/弛緩(이완)/緩慢(완만)

훈음 바/밧줄/매다/바치다 유 **부수** 실 糸(사) ▶▶▶ 실 糸(사) + 새 隹(추) ➡ 새 잡기 위한 그물의 재료
밧줄의 재료인 실 糸(사)를 의미요소로 隹(추)를 발음기호로 했다. 새(隹)를 잡기 위해 실(糸)로 밧줄과 그물을 만드는 과정을 유추하여도 좋다.
●●●●● 維新(유신)/維持(유지)/進退維谷(진퇴유곡)

綱

훈음 벼리 강 **부수** 실 糸(사) ▶▶▶ 실 糸(사) + 산등성이 岡(강) ➡ 그물의 테두리
그물의 뼈대 즉 주축을 이루는 줄은 테두리나 위쪽을 지탱하는 줄로서 '벼리'라고 한다. 모든 그물을 구성하는 실들은 바로 그 굵은 벼리줄에 연결되며 힘을 받고 균형을 잡게 된다. 여기서 '규율, 잡아 묶다, 다스리다' 등의 뜻이 파생되었으므로, 실 糸(사)가 의미요소이고 岡(강)은 발음기호이다.
●●●●● 紀綱(기강)/大綱(대강)/三綱五倫(삼강오륜)/要綱(요강)

훈음 큰 띠 신 **부수** 실 糸(사) ▶▶▶ 실 糸(사) + 펼칠 申(신) ➡ 천으로 된 넓적한 허리띠
실로 엮은 큰 띠를 뜻하기 위하여 고안되었으므로, 실 糸(사)가 의미요소고, 납 申(신)은 발음기호이다. 그런데 그 크고 넓은 띠는 보통 사람들이 차는 것이 아니었으므로 '고귀한 사람'을 지칭하게 되었다.
●●●●● 紳士(신사)/紳笏(신홀)

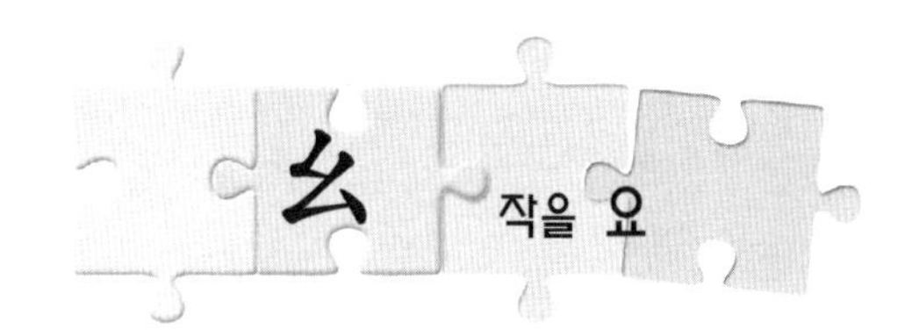

幺(요) 幻(환) 幼(유) 幽(유) 幾(기) 繼(계)

幺

훈음 (=么) – 작을 요 부수 제 부수 ▶▶▶ 사사 厶(사) + 厶(사) ➡ 가늘고 약한 실의 상형

사사 厶(사)와는 아무런 관련이 없는 글자로 한 가닥 실의 상형인 실 糸(사)의 밑 부위를 생략한 글자다. 실이 모여 된 '천'이야 강하지만 실 한 가닥 한 가닥은 보잘 것 없다 하여 '약하고, 미미하며, 취약하다'의 뜻으로 사용된다.

幻

훈음 변할 환 부수 작을 幺(요) ▶▶▶ 작을 幺(요) + 丁 – 요술지팡이

막대기에 무엇인가를 매달아 요술을 부리는 모습이 변한 것이라 여겨지므로 글자 모두가 의미요소이며 '요술부리다, 바뀌다' 등의 뜻을 갖게 되었다.

●●●●● 幻想(환상)/夢幻泡影(몽환포영)/幻滅(환멸)/幻覺劑(환각제)

幼

훈음 어릴 유 부수 작을 幺(요) ▶▶▶ 작을 幺(요) + 힘 力(력) ➡ 힘이 미약함/끊어지기 쉬움

힘이 미약함을 나타내는 글자로 모든 글자가 다 의미요소이며 작을 幺(요)가 발음기호이다.

●●●●● 幼稚園(유치원)/幼兒(유아)

幽

훈음 그윽할 유 부수 작을 幺(요) ▶▶▶ 뫼 山(산) + 실 絲(사) ➡ 희미한 등잔불

불 火(화)가 잘못 변하여 뫼 山(산)이 된 글자로 심지(糸)에 불이 붙어 있는 모양에서 '희미한 등불'이 본뜻이었으며, '어둡다, 검다, 그윽하다, 조용하다'로 의미 확대되었다.

●●●●● 幽靈(유령)/幽冥(유명)/幽閉(유폐)/深山幽谷(심산유곡)/幽明(유명)을 달리하다

幾

훈음 기미 기/몇 기 부수 작을 幺(요)

▶▶▶ 작을 幺(요) + 지킬 戍(수) ➡ 작은 소리에도 반응을 보이는 국경 수비대

幺(요) 두 개는 '두 가닥 실'을 상형한 글자로 '끊어지기 쉬운 실'을 나타내었다. 따라서 국경을 지키는 병사(戍)들이 가장 취약한 부분(幺)의 동태를 예의 주시하다에서 '기미, 낌새, 살핌' 등의 뜻이 파생됐다.

●●●●● 幾微(기미)/幾何級數(기하급수)/幾日(기일)

繼

훈음 이을 계 부수 실 糸(사)

▶▶▶ 실 糸(사) + 실 糸(사) ➡ 작을 幺(요)가 아니라 실 糸(사)의 간결 형 – 실의 대표적 특징

끈이나 실의 주요 역할인 묶어서 잇는다는 뜻을 더 분명히 하기 위해 실 糸(사)를 추가하여 '잇다'의 뜻을 분명히 한 글자로 두 글자 모두 의미요소이다.

●●●●● 繼承(계승)/後繼者(후계자)/繼母(계모)

※ 실패의 상형인 북의 엉클어진 실을 잘라 바구니에 담는 모습이 끊을 斷(단)이고, 끊어진 실들을 잇는 것이 이을 繼(계)자이다.

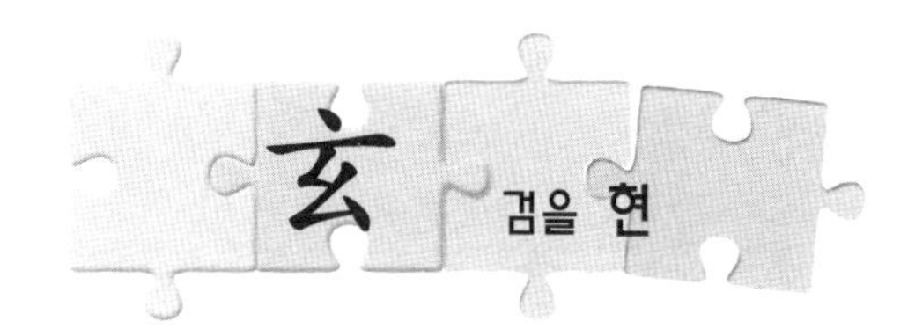

玄(현) 弦(현) 絃(현) 眩(현) 率(솔) 玆(자) 磁(자) 慈(자)

玄

훈음 검을 현 부수 제 부수 ▶▶▶ 머리 亠(두) + 작을 幺(요) ➡ 실이 아른대는 모습

한 타래의 실(幺)을 비틀어(꼬아) 물감에 물들인 모습 또는 한 가닥 실이 눈에 아른아른 거리는 모습에서 현손(玄孫)의 검을 현(玄)

●●●●● 玄關(현관)/玄米(현미)

弦

훈음 시위 현 부수 활 弓(궁) ▶▶▶ 활 弓(궁) + 검을 玄(현) ➡ 활 줄

활(弓)의 줄(玄)을 가리켜 하현(下弦)의 시위 현(弦)

●●●●● 上弦(상현)/下弦(하현)

絃

훈음 악기 줄 현 부수 실 糸(사) ▶▶▶ 실 糸(사) + 검을 玄(현) ➡ 튕기면 잘 보이지 않는 악기의 줄

거문고나 가야금 줄(糸)을 뜯으면 진동되면서 악기 줄이 눈에 어른거리는(玄) 모습에서 현악기(絃樂器)의 악기 줄 현(絃)

●●●●● 管絃樂(관현악)/伯牙絕絃(백아절현)

眩

훈음 아찔할 현 부수 눈 目(목) ▶▶▶ 눈 目(목) + 검을 玄(현) ➡ 눈이 아른거림

갑자기 일어날 때 머리가 핑 돌며 갑자기 사물이 여러 개로 어지럽게(玄) 보이는(目) 모습에서 현기증(眩氣症)의 아찔할 현(眩)

●●●●● 眩惑(현혹)/瞑眩(명현)

率

훈음 거느릴 솔 부수 검을 玄(현) ▶▶▶ 실 糸(사) + 물 氺(수) ➡ 실을 돌려 짜는 모습

여러 가닥의 실을 마치 빨래 짜듯(氺) 돌려서 하나의 튼튼한 밧줄을 만들고 있는 모습이 당기다의 뜻으로 발전하여 솔선(率先)/인솔(引率)의 거느릴 솔(率)/적당한 정도로 돌려 짜야 하므로 비율(比率)의 비율 율(率)

●●●●● 統率(통솔)/率直(솔직)/輕率(경솔)/比率(비율)

玆

훈음 이/검을 玆(자) 부수 검을 玄(현) ▶▶▶ 검을 玄(현) + 검을 玄(현)

가는 실(玄)을 두 개 그려 눈에 아른거림을 나타냈으나 점차 잘 보이지 않는다는 뜻에서 '검다'로 발전한 글자가 이/검을 자(玆)자이며 여기에 돌 石(석)을 더하여 검은 돌을 상징한 글자가 磁石(자석)의 자석 磁(자)자이며 너무 검어 그 속을 알 수 없다하여 마음 心(심)을 더해 만든 글자가 慈悲(자비)의 사랑할 慈(자)자이다.

●●●●● 磁石(자석)/磁氣(자기)/磁性(자성)/慈善(자선)/慈愛(자애)/慈惠(자혜)/大慈大悲(대자대비)

齊(제) 濟(제) 劑(제)

훈음 가지런할 제 **부수** 제 부수 – 가지런히 핀 농작물의 모습

보리나 벼 이삭이 가지런하게 피어난 모습에서 '가지런하고 정돈된 모습'이라는 뜻이 파생된 글자로, 전시에 전쟁 무기들 특히 앞이 날카로운 창 같은 것을 가지런히 정리해 놓은 모습이라는 설도 있다.

●●●●● 修身齊家治國平天下(수신제가치국평천하)/齊唱(제창)

훈음 건널 제 **부수** 물 氵(수) ▶▶▶ 물 氵(수) + 齊(제) ➡ 가뭄과 홍수를 살아남다

물길을 건너다를 표현하고자 하였으므로 물 氵(수)가 뜻이고 齊(제)가 발음요소임을 알 수 있으며, 물을 건넜다는 것은 장애물을 넘었다는 뜻도 되므로 '구제하다'의 뜻으로 파생됐다.

●●●●● 救濟(구제)/經濟(경제)/濟州道(제주도)/共濟會(공제회)

훈음 벨/약 지을 제 **부수** 칼 刂(도) ▶▶▶ 齊(제) + 칼 刂(도) ➡ 약제를 자르는 모습

약을 짓기 위해 약재가 되는 풀을 베어서 말려 써는 과정에서 생긴 글자로 약초를 베고 써는 도구인 칼 刂(도)를 의미요소로 齊(제)는 발음기호로 쓰였다.

●●●●● 藥劑(약제)/調劑(조제)/湯劑(탕제)

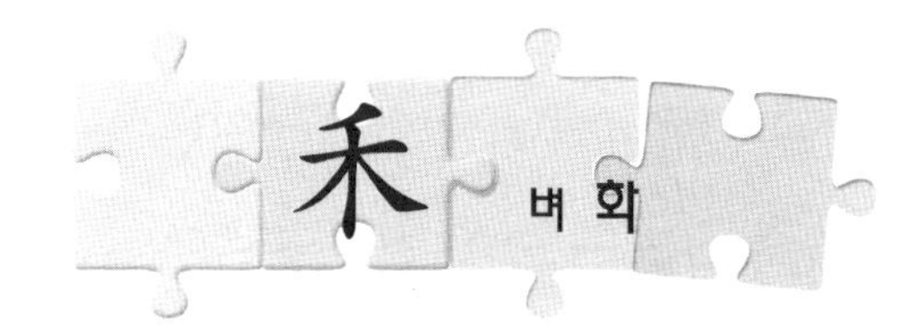

禾(화) 種(종) 黎(여) 香(향) 秋(추) 秉(병) 兼(겸) 利(리) 穫(확)
季(계) 年(년) 移(이) 穀(곡) 積(적) 租(조) 稅(세) 曆(역) 歷(역)

➧ 벼를 파종하여 새벽부터 노력하여 향기가 날 때쯤 추수하기 위해 볏단을 한 움큼 잡아 낫으로 베어내어 수확하여 마당으로 옮겨와 탈곡을 하여 가마니에 넣어 창고에 쌓아 두고 세금을 바치니, 계절이 끝남이 실감나며 새로운 역사 즉 한 해가 마무리되며 시작되려고 하는 순환 과정을 그려본 글자 - 글자로서 파악한 한 해의 주요행사이다.

禾

훈음 벼 화 **부수** 제 부수

벼는 익으면 고개를 '숙인다'는 속담처럼 고개 숙인 벼의 모습을 상형화한 글자다.

••••• 禾穀(화곡)

種

훈음 씨 종 **부수** 벼 禾(화) ➧➧➧ 벼 禾(화) + 무거울 重(중) ➡ 파종하는 장면

파종하기 위해 종자 즉 볍씨(禾)를 등에 지고(重) 씨 뿌리는 모습에서 만들어진 글자다.

••••• 種子(종자)/播種(파종)/種豆得豆(종두득두)/種類(종류)

黎

훈음 검을/많을 여 **부수** 기장 黍(서)

➧➧➧ 벼 禾(화) + 칼 도(刀) + 사람 人(인) + 물 水(수) ➡ 새벽 녘 들에서 일하는 농부

농사를 짓는 농부들은 언제나 동트기 전에 사물이 흐릿흐릿하게 보이는 여명부터 들에서 일을 하기 시작한다. 이 글자가 바로 그러한 모습을 보여 주는 글자로 농사를 상징하는 벼(禾)와 농기구(刀)로 물길을(水) 트고 있는 모습에서 검을 여(黎) 쌀 보다 많은 알곡으로 인해 많다는 뜻에서 많을 여(黎)

••••• 黎明(여명)/黎明期(여명기)

香

훈음 향기 향 **부수** 벼 禾(화) ➧➧➧ 벼 禾(화) + 해 日(일) ➡ 솥에서 밥이 끓을 때 나는 고소한 냄새

날이(日) 갈수록 벼가(禾) 익으며 고소한 특유의 냄새가 나기 시작한다.
솥(日)에서 밥(禾)이 끓을 때 그 고소한 냄새를 향기의 시초로 보았다.

••••• 香氣(향기)/焚香(분향)/香水(향수)/香辛料(향신료)

秋

훈음 가을 추 **부수** 벼 禾(화) ➧➧➧ 벼 禾(화) + 불 火(화) ➡ 메뚜기를 구워 먹는 장면

메뚜기와 불(火)로 구성되었던 것이 점차 메뚜기가 자라는 벼(禾)로 바뀌었는데, 아무튼 쌀 농사의 최대의 적은 메뚜기였으므로 가을의 풍성한 수확을 위해 메뚜기를 불로 태우는 장면을 그린 글자다.

••••• 秋夕(추석)/春秋(춘추)/晩秋(만추)/秋色(추색)/秋風落葉(추풍낙엽)

秉

훈음 잡을 병 **부수** 벼 禾(화)

➧➧➧ 벼 禾(화) + 손 계(ㅋ=又) ➡ 수확하려고 볏단을 손으로 움켜쥐고 있는 모습

볏단(禾)을 한 손(又)으로 움켜쥐고 있는 모습을 상형화한 글자다.

••••• 秉燭(병촉)/秉權(병권)

兼

훈음 겸할 겸 부수 여덟 八(팔)

▶▶▶ 벼 禾(화) + 벼 禾(화) + 튼 가로 왈 ⺕(계) ➡ 벼 두 포기를 잡고 있는 모습

벼(禾) 두 포기를 잡고(又) 있는 모습의 글자다.

●●●●● 兼備(겸비)/兼任(겸임)/兼事兼事(겸사겸사)

利

훈음 날카로울 이(리) 부수 칼 刂(도) ▶▶▶ 벼 禾(화) + 칼 刂(도) ➡ 낫으로 수확하는 장면

벼(禾)를 수확하기 위해서 칼(刂)이 날카로 와야 하며 수확 행위는 곧 이로움을 말하는 것이다.

●●●●● 利得(이득)/利害(이해)/權利(권리)

穫

훈음 벼 벨 확 부수 벼 禾(화)

▶▶▶ 벼 禾(화) + 풀 많을 萑(추) + 오른 손 又(우) ➡ 수확 때임을 새가 날아드는 것으로 알다

벼를 수확하는 모습을 나타낸 글자로 벼 禾(화)가 의미요소이고 나머지(萑+又)가 발음요소이다. 이 글자(萑+又)는 새를 손으로 잡는 모습이라는 설과 새의 무성한 깃털처럼 다 자란 벼를 손(又)으로 잡고 벼 베기를 하는 모습이라는 설 등이 있다.

●●●●● 收穫(수확)/收穫量(수확량)

季

훈음 끝 계 부수 벼 禾(화) ▶▶▶ 벼 禾(화) + 아들 子(자) ➡ 아이가 볏단을 지고 있는 모습

수확은 한 해의 마무리이며 끝을 의미한다. 수확철은 "고양이 손도 빌린다"는 속담처럼 눈코뜰새없이 바쁜 시기로 집안의 갓난아기(?)까지 즉 어린이(子)까지도 일을 하게 되는 때로서 한 해를 마무리하는 수확 때의 모습을 그린 글자다.

●●●●● 季節(계절)/四季(사계)/冬季(동계)/季刊誌(계간지)

年

훈음 해 년 부수 방패 干(간) ▶▶▶ 午(오) + 어그러질 舛(천)의 왼편 – 마지막 볏단을 지고

벼(禾)를 지고 있는(舛) 사람의 모습이라고 한다. 따라서 추수가 곧 한 해의 마감이었으므로 해를 의미하는 글자로 가차되어 사용됐다.

●●●●● 年度(연도)/新年(신년)/年輪(연륜)/年俸(연봉)/年代記(연대)

移

훈음 옮길 이 부수 벼 禾(화) ▶▶▶ 벼 火(화) + 많을 多(다) ➡ 추수한 볏단을 창고로 옮김

들에서 추수한 벼를 집 안 창고로 들이는 것을 말하므로 벼 禾(화)가 의미요소고 많을 多(다)는 발음기호라는 설도 있으며, 볏단을 여러 개씩 함께 옮기는 것을 나타냈다고도 한다.

●●●●● 推移(추이)/移徙(이사)/移轉(이전)/移民(이민)/移秧(이앙)

穀

훈음 곡식 곡 부수 벼 禾(화)

▶▶▶ 껍질 殼(각) + 벼 禾(화) ➡ 볏짚에서 먼저 알곡을 분리하여 탈곡을 함

껍질에 쌓여 있는 곡물을 나타내는 글자로, 곡물의 대표격인 벼 禾(화)와 껍질 殼(각) 모두가 의미요소이며 殼(각)은 발음기호이기도 하다.

●●●●● 穀食(곡식)/糧穀(양곡)/穀倉(곡창)/五穀(오곡)/禾穀(화곡)

積

훈음 쌓을 적 부수 벼 화

▶▶▶ 벼 禾(화) + 꾸짖을 責(책) ➡ 탈곡한 곡식을 저장

탈곡한 곡식을 가마니에 담아 창고에 차곡차곡 쌓아 두는 모습을 나타낸 글자로, 벼 禾(화)가 의미요소이고 責(책)은 발음기호이다.

●●●●● 積載(적재)/積金(적금)/積立(적립)/山積(산적)/蓄積(축적)

租

훈음 구실 조 부수 벼 禾(화) ▶▶▶ 벼 禾(화) + 또 且(차) ➡ 도지를 곡식으로 냄

수확한 작물에 부과하던 세금을 나타내므로 벼 禾(화)가 의미요소고 且(차)는 발음기호이다.

●●●●● 租稅(조세)/租借(조차)/租借地(조차지)

※ 組(조) – 끈 조/粗(조) – 거칠 조

稅 훈음 구실 세 부수 벼 禾(화) ▶▶▶ 벼 禾(화) + 기쁠 兌(태) ➡ 곡식으로 세금을 바침
농작물을 세금으로 바치던 풍습에서 나온 글자로, 벼 禾(화)가 의미요소고 兌(태)는 발음기호이다.
●●●●● 稅金(세금)/課稅(과세)/脫稅(탈세)
※ 說(세) - 달랠 세 - 遊說(유세)

歷 훈음 지낼 력(역) 부수 그칠 止(지)
▶▶▶ 다스릴 厤(력) + 그칠 止(지) ➡ 한 해를 정리하며 지난 발자취를 뒤돌아봄
벼(禾)를 창고(厂)에 거두어 들이는 것, 즉 "수확하였다/발자취(止)를 남겼다"라는 뜻으로 역사란 바로 사람들이 남긴 알맹이(禾) 있는 발자취(止)를 말한다.
●●●●● 歷史(역사)/經歷(경력)/歷代(역대)/來歷(내력)

曆 훈음 책력 력 부수 해 日(일) ▶▶▶ 다스릴 厤(력) + 해 日(일) – 발음기호
천체의 움직임을 살펴 歲時(세시)를 정하는 방법을 曆法(역법)이라 하는데, 이 역법을 통해 해와 달의 운행 절기 따위를 적어 놓은 책인 冊曆(책력)을 만든다. 따라서 한 해 단위로 모든 절기를 정하는 것이므로 해 日(일)이 의미요소고 厤(력)은 발음기호이다.
●●●●● 西曆(서력)/陽曆(양력)/陰曆(음력)/冊曆(책력)/曆法(역법)/西曆(서역)

和(화)	利(리)	梨(리)	痢(리)	秀(수)	誘(유)
透(투)	秋(추)	愁(수)	委(위)	倭(왜)	矮(왜)

和 훈음 화할 화 부수 입 口(구) ▶▶▶ 벼 禾(화) + 입 口(구) ➡ 피리 龠(약)의 생략형 – 악기 소리의 조화
벼 禾(화)는 소리부로 입 口(구)가 意味(의미)부로 사용됐다. 피리와 같은 구관악기는 입으로 소리를 내는데 입을(口) 잘 맞추어 피리를 불지 않으면 조화롭지 못하다는 데서 유래.
●●●●● 平和(평화)/和合(화합)/調和(조화)/不協和音(불협화음)

利 훈음 날카로울 이(리) 부수 칼 刂(도) ▶▶▶ 벼 禾(화) + 칼 刂(도) ➡ 벼를 수확함
벼(禾)를 수확하기 위해서 칼(刂)이 날카로워야 하며 수확 행위는 곧 이로움을 말하는 것이다.
●●●●● 利得(이득)/利害(이해)/權利(권리)

梨 훈음 배나무 리 부수 나무 木(목) ▶▶▶ 날카로울 利(리) + 나무 木(목)
배나무를 나타내는 글자이므로 나무 木(목)을 의미요소로 利(리)는 발음기호로 쓰였으며 병들어 기댈 疒(역)자를 추가하면 이질(痢疾)의 설사 리(痢)가 된다.
●●●●● 梨花(이화)

秀 훈음 빼어날 수 부수 벼 禾(화) ▶▶▶ 벼 禾(화) + 이에 乃(내) ➡ 볏 대에서 핀 벼의 이삭 모습
"벼의 이삭이 패다"가 본뜻으로 벼 禾(화)가 현재의 글자인 乃(내)의 위에 있는 것으로 보아, 내는 볏 잎이 늘어진 모습이나 볏 대로 보아져 두 글자 모두 의미요소이다. 핀 이삭의 모습에서 '빼어나다'의 뜻도 파생됐다.
●●●●● 秀才(수재)/優秀(우수)/秀麗(수려)

誘 훈음 꾈 유 부수 말씀 言(언) ▶▶▶ 말씀 言(언) + 빼어날 秀(수) ➡ 수려한 말로 사람을 유혹함
말로 사람을 유혹하고 꾀는 것을 말하므로 말씀 言(언)이 의미요소고 秀(수)는 발음기호이다. 그러나 여기서 빼어난(秀) 말(言)로 합쳐보면 회의문자가 될 수 있다.
●●●●● 誘惑(유혹)/勸誘(권유)/誘引(유인)/誘導彈(유도탄)

透

훈음 통할/비칠 투 **부수** 갈 辶(착) ▶▶▶ 갈 辶(착) + 빼어날 秀(수)

'통과하여 지나가다'의 뜻을 나타낸 글자로 갈 辶(착)이 의미요소고 秀(수)는 발음기호이다. 훗날 '꿰뚫다, 환히 비치다' 등의 뜻으로 의미 확대됐다.

●●●●● 透明(투명)/透視圖(투시도)/透徹(투철)/浸透(침투)

秋

훈음 가을 추 **부수** 벼 禾(화) ▶▶▶ 벼 禾(화) + 불 火(화) ➡ 메뚜기 구워 먹는 때

메뚜기와 불(火)로 구성되었던 것이 점차 메뚜기가 자라는 벼(禾)로 바뀌었는데, 아무튼 쌀 농사의 최대의 적은 메뚜기였으므로 가을의 풍성한 수확을 위해 메뚜기를 불로 태우는 장면을 그린 글자다.

●●●●● 秋夕(추석)/春秋(춘추)/仲秋節(중추절)/秋毫(추호)/秋波(추파)

愁

훈음 시름 수 **부수** 마음 心(심) ▶▶▶ 가을 秋(추) + 마음 心(심) ➡ 시름 깊어지는 가을 밤

깊은 시름이나 마음으로 깊이 근심하는 모습을 나타낸 글자로, 마음 心(심)이 의미요소고 秋(추)는 발음 및 의미 보조로 가을 추수를 망친 농부의 근심 걱정을 담아낸 글자다.

●●●●● 愁心(수심)/憂愁(우수)/哀愁(애수)

委

훈음 맡길 위 **부수** 계집 女(여) ▶▶▶ 계집 女(여) + 벼 禾(화) ➡ 힘든 일을 여자에게 맡김

볏단(禾)을 지고 가는 험한 일도 마다 않는 여자(女)의 모습에서 '순종하는 사람'의 뜻이 생겼으나 후에 '맡기다, 버리다' 등으로 확대 사용됐다.

●●●●● 委任(위임)/委託(위탁)/委囑(위촉)

倭

훈음 왜국 왜 **부수** 사람 亻(인) ▶▶▶ 사람 亻(인) + 맡길 委(위)

일본 사람이나 일본을 지칭하는 말로서 사람 亻(인)이 의미요소고 委(위)는 발음기호이다.

●●●●● 倭人(왜인)/壬辰倭亂(임진왜란)/倭寇(왜구)/倭政(왜정)

矮

훈음 키 작을 왜 **부수** 화살 矢(시)

▶▶▶ 화살 矢(시) + 맡길 委(위) ➡ 화살처럼 키 작은 사람

키 작은 사람을 나타내는 말로 '작음'의 상징인 화살 矢(시)를 의미요소로, 委(위)는 발음기호로 하여 만든 글자이다.

●●●●● 矮小(왜소)/矮軀(왜구)

秩(질) 稚(치) 稀(희) 稠(조) 秒(초) 舀(요) 稻(도) 滔(도) 蘇(소)
稱(칭) 科(과) 禿(독) 程(정) 稿(고) 黍(서) 稷(직) 私(사) 菌(균)

秩

훈음 차례 질 **부수** 벼 禾(화) 변

▶▶▶ 벼 禾(화) + 잃을 失(실) – 발음기호 ➡ 곡식을 차곡차곡 쌓다

"수확한 곡식을 차곡차곡 쌓아두다"라는 뜻을 나타내기 위한 것으로 곡식의 대표로 벼 禾(화)를 의미요소로 失(실)은 발음기호로 했다. 차곡차곡 쌓는 모습에서 '질서, 차례'가 파생됐다.

●●●●● 秩序(질서)/位階秩序(위계질서)

稚

훈음 어릴 치 **부수** 벼 禾(화) ▶▶▶ 벼 禾(화) + 새 隹(추) ➡ 피지 않은 이삭

아직 이삭이 피지 않은 어린 벼를 뜻하는 글자이므로 벼 禾(화)가 의미요소고 隹(추)는 발음기호이다. '어리다, 어린벼'의 뜻으로 쓰였다.

●●●●● 幼稚(유치)/稚魚(치어)/稚拙(치졸)/稚氣(치기)

稀

훈음 드물 희 부수 벼 禾(화) ▶▶▶ 벼 禾(화) + 바랄 希(희) ➡ 흉년 들어 휑하니 빈 들판

벼의 싹이 드문드문한 상황을 묘사한 글자이므로 벼 禾(화)가 의미요소고 希(희)는 발음 겸 드물다/성기다의 뜻을 가지고 있으므로 의미요소에도 기여했으며 반대로 벼(禾)가 촘촘히(周) 난 모습에서 오밀조밀(稠密)의 빽빽할 조(稠)자가 만들어졌다.

●●●●● 稀少價値(희소가치)/稀貴本(희귀본)/稀薄(희박)/奧密稠密(오밀조밀)

秒

훈음 분초 초 부수 벼 禾(화) ▶▶▶ 벼 禾(화) + 적을 少(소) ➡ 벼나 보리의 까끄라기

벼나 보리의 까끄라기를 뜻하는 글자이므로 벼(禾)의 앞부분(少)이라 하여 모두가 의미요소이며, 少(소)가 발음을 겸함을 볶을 炒(초) 등에서도 알 수 있다. 훗날 벼의 까끄라기가 너무 작아서 "시간의 가장 작은 단위인 초"로 의미 확대되었다.

●●●●● 分秒(분초)/秒速(초속)/秒針(초침)

稻

훈음 벼 도 부수 벼 禾(화) ▶▶▶ 벼 禾(화) + 퍼낼 舀(요) ➡ 절구에 넣고 빻는 벼

찧은 벼(禾)를 절구(臼)에서 손(爫)으로 퍼내는 모습이 퍼낼 요(舀)자이며 여기에 곡식을 대표하는 벼 禾(화)를 추가하여 벼를 절구에 넣고 찧고 있는 모습에서 벼 도(稻)자가 탄생되었으며 절구(臼)에 물(氵)을 부어 씻어(爫)내는 장면에서 도도(滔滔)의 물 넘칠 도(滔)자도 만들어냈다.

●●●●● 立稻先賣(입도선매)/稻熱病(도열병)

蘇

훈음 차조기/소생할 소 부수 풀 艹(초) ▶▶▶ 풀 艹(초) + 고기 魚(어) + 벼 禾(화) ➡ 잘 먹고 원기 회복

중병에 걸린 환자나 다친 사람이 원기를 회복하기 위해선 밥(禾)과 고기(魚)를 잘 먹어야 하고 더하여 약艹(초)을 달여 먹으면 병이 나아 원기를 회복한다는 의미의 글자다.

●●●●● 蘇生(소생)

稱

훈음 일컬을/저울질할 칭 부수 벼 禾(화)

▶▶▶ 벼 禾(화) + 손톱 爪(조) + 나아갈/침범할 冉(염) – 벼를 저울에 다는 모습

한 손에 물건을 들고서 무게를 달아 보는 모습을 그린 글자로 무게를 달아야 할 것 가운데 가장 중요한 것이 곡물이었기에 벼(禾)가 첨가되어 저울 칭이 되었다.

●●●●● 對稱(대칭)/稱讚(칭찬)/稱號(칭호)/假稱(가칭) ※ 稱(칭)의 속자 秤(칭)

科

훈음 과정 과 부수 벼 禾(화) ▶▶▶ 벼 禾(화) + 말 斗(두) ➡ 작물을 달아 분류함

작물(禾)과 곡물을 계량하는 되(斗)를 합쳐서 작물을 계량하고 분류하는 것을 묘사하는 글자다.

●●●●● 學科(학과)/科程(과정)/科目(과목)/金科玉條(금과옥조)

禿

훈음 대머리 독 부수 벼 禾(화) ▶▶▶ 벼 禾(화) + 사람 儿(인) ➡ 이삭을 털어 낸 후의 볏짚

사람(儿) 위에 벼(禾)만 달랑 얹어 놓은 글자로 참으로 흥미 있는 글자다. 사람의 머리카락이 마치 추수(禾)를 마친 다음의 볏단과 같이 아무것도 남는 게 없게 되었다 하여 '대머리'라는 뜻을 가지게 됐다.

●●●●● 禿山(독산)/禿翁(독옹)/禿頭(독두)

程

훈음 단위/한도/법 정 부수 벼 禾(화) ▶▶▶ 벼 禾(화) + 드릴 呈(정) ➡ 벼가 익어 가는 과정

벼의 등급을 나타내기 위한 글자이므로 벼 禾(화)가 의미요소고 呈(정)이 발음기호이다.

점차로 '한도, 길, 법' 등으로 의미 확대됐다.

●●●●● 過程(과정)/程度(정도)/里程標(이정표)/日程(일정)

稿

훈음 볏짚 고 부수 벼 禾(화) ▶▶▶ 벼 禾(화) + 높을 高(고) ➡ 탈곡한 후의 볏짚

벼의 낟알을 떨어낸 줄기 즉 볏짚을 뜻하는 글자로 벼 禾(화)가 의미요소고 높을 高(고)는 발음기호이다. 옛날엔 볏짚이 쓰임새가 많았기 때문에 글자가 만들어졌으며, 뒷날 '글을 써 정리한 원고'의 뜻을 가지게 되었다.

●●●●● 原稿(원고)/草稿(초고)/脫稿(탈고)/起稿(기고)/投稿(투고)

稷

훈음 기장 직 부수 벼 禾(화) ▶▶▶ 벼 禾(화) + 보습 畟(측) ➡ 곡식의 신인 기장

중국의 대표적 곡물인 기장이나 수수를 말하는 글자로 벼 禾(화)가 의미요소이고 畟(측)은 발음기호이다. 기장과 수수가 워낙 중국 사람들에게 익숙한 대표적 곡식이라 숭배의 대상으로까지 여겨져 기장 稷(직)이 마침내 곡식의 신으로 격상되었다.

●●●●● 社稷(사직)/宗廟社稷(종묘사직)/稷神(직신)

私

훈음 사사 사 부수 벼 禾(화) ▶▶▶ 벼 禾(화) + 사사 厶(사) ➡ 벼의 일종

벼(禾)의 일종을 이름 하기 위한 것이었으나 어찌된 연고인지 발음요소인 사사로울 厶(사)의 뜻으로 쓰이게 된 아주 특이한 경우의 글자이다.

●●●●● 公私(공사)/私見(사견)/私利私慾(사리사욕)

菌

훈음 버섯 균 부수 풀 艹(초) ▶▶▶ 풀 艹(초) + 곳집 囷(균) ➡ 볏단에서 피는 버섯

베어 놓은 나무나 땅, 곳간 등 축축한 곳이면 아무 곳에서나 올라오는 버섯 또는 곰팡이 등을 나타내기 위한 글자로, 풀 艹(초)가 의미요소이며 囷(균)은 발음기호이다.

●●●●● 乳酸菌(유산균)/細菌(세균)/病菌(병균)/滅菌(멸균)/殺菌(살균)

秉(병) 兼(겸) 謙(겸) 廉(염/렴) 嫌(혐)

秉

훈음 잡을/볏단 병 부수 벼 禾(화) ▶▶▶ 벼 禾(화) + 튼 가로 왈 彐(계) ➡ 벼 한 포기를 잡고 있는 모습

추수할 때 낫으로 벼(禾)를 베기 위해 한 손(彐)으로 벼를 잡고 있는 모습이다.

●●●●● 秉權(병권)

兼

훈음 겸할 겸 부수 여덟 八(팔) ▶▶▶ 벼 禾(화) + 튼 가로 왈 彐(계) – 벼 두 포기를 잡고 있는 모습

벼(禾) 두 포기를 잡고(又) 있는 모습이다.

●●●●● 兼備(겸비)/兼任(겸임)/兼事兼事(겸사겸사)

謙

훈음 겸손할 겸 부수 말씀 言(언) ▶▶▶ 말씀 言(언) + 겸할 兼(겸) – 발음기호

여러 가지 일을 겸하여(兼) 하면서 불평불만 없이 말(言)까지 공손하니 참으로 겸손하구나.

●●●●● 謙遜(겸손)/謙虛(겸허)/謙讓之德(겸양지덕)

廉

훈음 청렴할 렴(염) 부수 집 广(엄) ▶▶▶ 집 广(엄) + 겸할 兼(겸) ➡ 인품까지 겸비한 초라한 관리의 집

학식과 인품을 겸비(兼)한 학자나 관리들의 집(广)이 얼마나 초라한지 그들의 청렴, 결백한 기백과 정신을 엿볼 수 있다.

●●●●● 淸廉(청렴)/廉價(염가)/廉恥(염치)/廉探(염탐)/廉直(겸직)

嫌

훈음 싫어할/의심할 혐 부수 계집 女(여)

▶▶▶ 계집 女(여) +겸할 兼(겸) ➡ 여러 남자를 겸하여 섬기는 여자

남편 이외의 또 다른 여러(兼) 남정네에게 꼬리치는 여자(女)를 좋아할 사람 나와 봐(?).

●●●●● 嫌惡(혐오)/嫌疑(혐의)

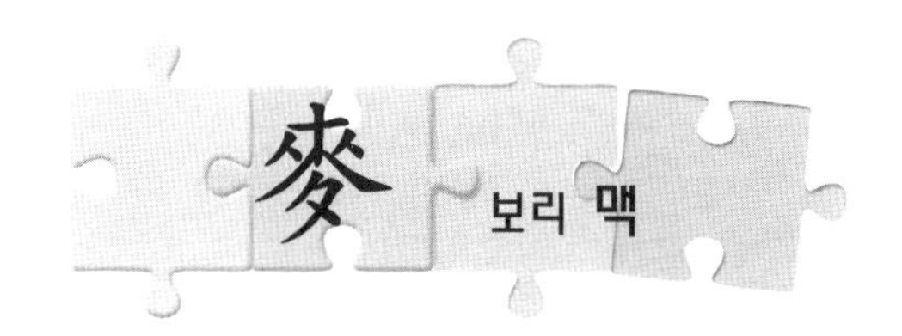

麥(맥) 麵(면) 黍(서) 黎(려) 麻(마) 摩(마) 磨(마) 魔(마)

훈음 보리 맥 **부수** 제 부수

▶▶▶ 올 來(래) + 뒤져서 올 夂(치) ➡ 낄 夾(협)과 다름

낄 夾(협)과 올 來(래)가 생김새가 비슷하나 뜻은 전혀 다르므로 주의를 요하는 글자로 익어도 머리를 숙이지 않는 보리의 특징을 보고 만든 글자가 來(래)였다. 그러나 '오다'로 가차되자 '보리'라는 글자를 다시 만들기 위해 긴 뿌리를 가진 특성을 첨가하였으나 그 뿌리 부분이 夕(석)및 夂(치)로 변형되었다. 여기에 발음기호로 가릴 면(丏)과 얼굴 면(面)을 더하여 만든 글자가 냉면(冷麪)/당면(唐麵)의 밀가루 면(麪)/면(麵)자이다.

●●●●● 麥酒(맥주)/菽麥(숙맥)/麥芽(맥아)/냉면(冷麪)/면류(麵類)

훈음 기장 서 **부수** 제 부수

▶▶▶ 벼 禾(화) + 氺(수) ➡ 쌀보다 적은 쌀 – 중국에 흔한 기장 쌀

물기가 많은 벼라 하여 물 氺(수)와 벼 禾(화)를 합하여 만든 글자로 중국의 대표 5穀(곡)의 하나로서 쌀보다 입자가 작으나 맛은 비슷한 곡식이다.

●●●●● 黍稷(서직)/黍酒(서주)

훈음 검을/많을 여 **부수** 기장 黍(서)

▶▶▶ 벼 禾(화) + 칼 도(刀) + 사람 人(인) + 물 氺(수) ➡ 새벽 녘 들에서 일하는 농부

농사를 짓는 농부들은 언제나 동트기 전에 사물이 흐릿흐릿하게 보이는 여명부터 들에서 일을 하기 시작한다. 이 글자가 바로 그러한 모습을 보여 주는 글자로 농사를 상징하는 벼(禾)와 농기구(刀)로 물길을(氺) 트고 있는 모습에서 검을 여(黎) 쌀 보다 많은 알곡으로 인해 많다는 뜻에서 많을 여(黎)

●●●●● 黎明(여명)/黎明期(여명기)

훈음 삼 마 **부수** 제 부수 **▶▶▶ 집 广(엄) + 수풀 林(림)**

올이 성긴 삼베옷의 재료인 삼을 나타낸 글자로 껍질을 벗겨낸 뒤 삶아야 되는 삼의 특징을 살려 집안에서 삼의 껍질을 벗기고 있는 모습을 그렸다는 설이 유력하다. 벗겨낸 삼 줄기는 물속에 오래 담가두거나 삶아 섬유를 분리해 내어 섬유원료로 삼베를 짜는데 쓰인다. 이 삼 마(麻)를 발음 기호로 손 수(手)를 넣으면 마찰(摩擦)의 닿을/갈 마(摩) 돌 석(石)을 넣으면 마모(磨耗)의 갈 마(磨) 귀신 귀(鬼)를 넣으면 마귀(魔鬼)의 마귀 마(魔)자가 된다.

●●●●● 大麻草(대마초)/麻衣太子(마의태자)/마천루(摩天樓)/연마(研磨)/악마(惡魔)

훈음 삼 마 **부수** 제 부수 **▶▶▶ 집 广(엄) + 수풀 林(림)**

올이 성긴 삼베옷의 재료인 삼을 나타낸 글자로 껍질을 벗겨낸 뒤 삶아야 되는 삼의 특징을 살려 집안에서 삼의 껍질을 벗기고 있는 모습을 그렸다는 설이 유력하다. 벗겨낸 삼 줄기는 물속에 오래 담가두거나 삶아 섬유를 분리해 내어 섬유원료로 삼베를 짜는데 쓰인다.

●●●●● 大麻草(대마초)/麻衣太子(마의태자)

훈음 건널 제 **부수** 물 氵(수) ▶▶▶ 물 氵(수) + 齊(제) ➡ 가뭄과 홍수를 살아남다

물길을 건너다를 표현하고자 하였으므로 물 氵(수)가 뜻이고 齊(제)가 발음요소임을 알 수 있으며, 물을 건넜다는 것은 장애물을 넘었다는 뜻도 되므로 '구제하다'의 뜻으로 파생됐다.

●●●●● 救濟(구제)/經濟(경제)/濟州道(제주도)/共濟會(공제회)

훈음 벨/약 지을 제 **부수** 칼 刂(도) ▶▶▶ 齊(제) + 칼 刂(도) ➡ 약제를 자르는 모습

약을 짓기 위해 약재가 되는 풀을 베어서 말려 써는 과정에서 생긴 글자로 약초를 베고 써는 도구인 칼 刂(도)를 의미요소로 齊(제)는 발음기호로 쓰였다.

●●●●● 藥劑(약제)/調劑(조제)/湯劑(탕제)

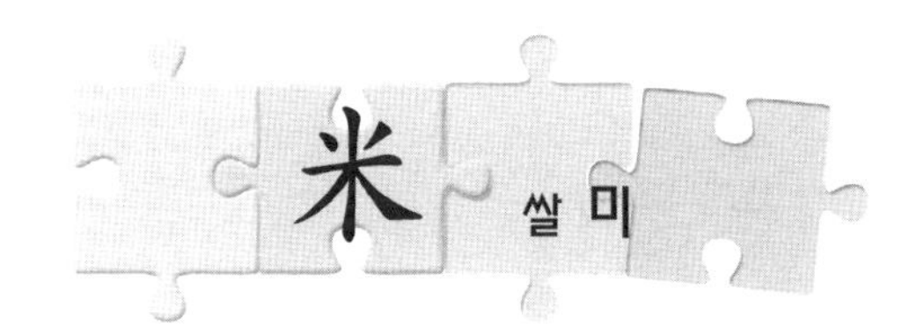

米(미) 粗(조) 粒(립) 精(정) 粹(수) 粉(분) 粘(점) 粧(장) 糞(분)

米

훈음 쌀 미 부수 제 부수
벼를 정미한 쌀 알갱이의 모습을 그대로 단순 간결하게 옮겨 놓은 모습의 글자다.
●●●●● 米穀(미곡)/精米所(정미소)/白米(백미)/玄米(현미)/政府米(정부미)

粗

훈음 거칠 조 부수 쌀 米(미) ▶▶▶ 쌀 米(미) + 또 且(차) ➡ 정제하지 않은 쌀
쓿지 않은 즉 정제하지 않은 쌀을 의미하므로 쌀 米(미)가 의미요소 且(차)는 발음기호이다.
●●●●● 粗雜(조잡)/粗惡(조악)/粗暴(조포) ※ 租(조) – 구실 조

粒

훈음 낟알/알 입(립) 부수 쌀 米(미) ▶▶▶ 쌀 米(미) + 설 立(립) ➡ 곡식 알갱이
곡식의 알갱이를 가리키는 말로 쌀 米(미)를 곡식의 대표로 立(립)은 발음기호로 쓰였다.
●●●●● 粒子(입자)/微粒子(미립자)

精

훈음 쓿은 쌀 정 부수 쌀 米(미) ▶▶▶ 쌀 米(미) + 푸를 靑(청) ➡ 곱게 잘 찧은 쌀
푸른(靑) 쌀(米)이란 푸른 빛(靑)이 감돌 정도로 깨끗이 쓿은 쌀(米)로서 쌀을 精米(정미)하면 겨가 벗겨져 나가, 쌀(米)이 푸른(靑)빛을 띄게 되는데 바로 그 깨끗한 상태를 말한다.
'자세하다, 정성을 들이다'로 의미 확대됐으며, 靑(청)이 발음기호이다. ※ 情(정) – 뜻 정
●●●●● 精誠(정성)/精米所(정미소)/精力(정력)/精潔(정결)

粹

훈음 순수할 수 부수 쌀 米(미) ▶▶▶ 쌀 米(미) + 군사 卒(졸) ➡ 순수한 햅쌀?
불순물이 섞이지 않은 혹은 아주 깨끗하게 정미한 쌀이라 하여 쌀 米(미)를 의미요소로 卒(졸)은 왜 쓰였을까?
●●●●● 純粹(순수)/粹美(수미)/國粹主義(국수주의)

粉

훈음 가루 분 부수 쌀 米(미) ▶▶▶ 쌀 米(미) + 나눌 分(분) ➡ 쌀을 갈아 가루로 만듦
곡식을 대표하는 쌀(米)을 쪼개고 나누면 가루가 됨을 의미하는 것으로 두 글자 모두 의미요소이며 나눌 分(분)이 발음기호이다.
●●●●● 粉乳(분유)/粉骨碎身(분골쇄신)/粉碎(분쇄)/粉食(분식)

粘

훈음 끈끈할 점 부수 쌀 米(미) ▶▶▶ 쌀 米(미) + 점 占(점) ➡ 죽을 써서 풀을 만듦
끈적끈적 들러붙는 것을 나타내는 글자로 끈끈함의 대명사인 풀의 재료인 쌀 米(미)를 의미요소로 占(점)을 발음기호로 만들어낸 글자다.
●●●●● 粘液(점액)/粘土(점토)/粘膜(점막)/粘着(점착)

粧

훈음 단장할 장 부수 쌀 米(미) ▶▶▶ 쌀 米(미) + 농막 庄(장) ➡ 분가루로 단장함
분가루로 얼굴을 화장하는 모습에서 분가루에 해당하는 쌀가루의 쌀 米(미)를 의미요소로 庄(장)을 발음기호로 쓰였다.
●●●●● 丹粧(단장)/化粧(화장)/銀粧刀(은장도)/粧飾(장식)

糞

훈음 똥 분 **부수** 쌀 米(미) ▶▶▶ 쌀 米(미) + 다를 異(이) ➡ 배출되는 쌀은 똥이다
먹을 때는 쌀(米)이었는데 뒤로 나올 때는 쌀과는 다른(異) 똥을 리얼하게 묘사한 글자로 두 글자 모두 의미요소이다. - 쓰레받기를 들고 쓰레기(똥)를 치는 모습에서 유래했다.
●●●●● 糞尿(분뇨)/糞土(분토)

釆(변) 番(번) 氣(기) 迷(미) – 쌀의 형태를 띤 글자

釆

훈음 분별할 변 **부수** 제 부수 – 단독 사용 없다 ▶▶▶ ノ(별) + 쌀 米(미) ➡ 짐승 발자국의 상형
땅에 찍힌 짐승 발자국의 상형으로 홀로 쓰이는 경우는 거의 없으며 타 글자의 구성에 의미요소로 많이 쓰였다. 현재의 글자꼴에서 마치 쌀(米)을 손바닥 위에 올려놓고 분별하는(ノ) 모습으로 보이기도 하나 관련성은 없으며 분별할 辨(변)의 원 글자로 여겨지기도 한다.

番

훈음 갈마들 번 **부수** 밭 田(전) ▶▶▶ 분별할 釆(변) + 밭 田(전) ➡ 밭에 차례대로 난 짐승 발자국
밭에 번갈아 나 있는 짐승 발자국의 모습에서 '갈마(번갈아)들다, 차례'의 뜻이 생겼으며 두 글자 모두 의미요소로 사용되었다. 일설에는 田(전)이 발바닥이 뭉툭한 짐승의 발자국이라는 설도 있다.
●●●●● 番號(번호)/順番(순번)/當番(당번)/番地(번지)

氣

훈음 기운 기 **부수** 기운 气(기) ▶▶▶ 기운 气(기) + 쌀 米(미) ➡ 밥할 때 나오는 김?
쌀 米(미)가 의미요소로 쓰인 것을 보면 음식과 관련된 글자임을 알 수 있지만, 그 뜻은 사라지고 하늘을 떠다니는 구름의 상형인 기운 气(기)의 본뜻인 '보이는 보이지 않는 모든 기운'을 가리키는 글자로 가차되어 사용되고 있다.
●●●●● 冷氣(냉기)/氣象(기상)/景氣(경기)/元氣(원기)/氣槪(기개)

迷

훈음 미혹할 미 **부수** 갈 辶(착) ▶▶▶ 쌀 米(미) + 갈 辶(착) ➡ 길을 잃고 헤매다
길을 잃고 헤매다가 본뜻이므로 길 갈 辶(착)이 의미요소고 쌀 米(미)는 발음기호이나, 남을 길 잃게 만드는 역할도 하므로 '미혹하다'의 의미로도 사용된다.
●●●●● 迷惑(미혹)/迷宮(미궁)/迷信(미신)/迷路(미로)/迷兒(미아)

料(료) 類(류) 糖(당) 糧(량) 粟(속) 糟(조) 糠(강) – 쌀 관련 글자

훈음 헤아릴 료 **부수** 말 斗(두) ▶▶▶ 쌀 米(미) + 말 斗(두) ➡ 곡식을 퍼 담다
쌀(米)과 됫박(국자-斗)의 합자로 됫박에 쌀을 퍼 자루에 담는 모습에서 헤아리다/세다/되다 등의 뜻이 생긴 글자로 모두 의미요소이다.
●●●●● 材料(재료)/食料品(식료품)/料金(요금)/無料(무료)

類

훈음 무리 류 **부수** 머리 頁(혈) ▶▶▶ 쌀 米(미) + 개 犬(견) + 머리 頁(혈) ➡ 그게 그놈인 것들
곡식 알갱이와(米) 개(犬)와 사람의 머리(頁) 등은 섞여 있으면 대충 비슷하다 하여 '닮은 무리, 종류별로 분류하다' 등으로 의미 확대됐다.
●●●●● 類人猿(유인원)/種類(종류)/類類相從(유유상종)/類似(유사)

糖

훈음 사탕 당 **부수** 쌀 米(미) ▶▶▶ 쌀 米(미) + 당나라 唐(당) ➡ 쌀로 만든 엿

곡식으로 만든 엿을 말하는 것이었으므로 곡식의 대표인 쌀 米(미)가 의미요소로 唐(당)은 발음기호로, 砂糖(사탕)/雪糖(설탕)에서는 탕으로 발음된다.

●●●●● 糖分(당분)/糖尿病(당뇨병)/葡萄糖(포도당)/果糖(과당)

糧

훈음 양식 량 **부수** 쌀 米(미) ▶▶▶ 쌀 米(미) + 헤아릴 量(량) ➡ 곡식의 양을 재다

곡물 즉 양식을 뜻하는 글자이므로 쌀 米(미)가 의미요소고 量(량)은 발음기호이다.

위의 量(량) 자체가 곡식을 퍼 담는 모습에서 곡식의 의미를 지녔으나 '헤아리다'의 뜻으로 더 많이 쓰이게 되자 곡식의 대표격인 쌀 米(미)를 첨가하여 본래의 뜻을 보존한 글자이다.

●●●●● 糧食(양식)/軍糧米(군량미)/食糧(식량)/糧穀(양곡)

粟

훈음 조 속 **부수** 쌀 米(미) ▶▶▶ 서녘 西(서) + 쌀 米(미) ➡ 작은 곡식 알갱이를 갖는 좁쌀

쌀보다 작은 좁쌀을 의미하는 글자로 쌀 米(미)가 의미요소고 윗부분도 의미요소에 기여했다.

윗글자는 서녘 西(서)처럼 생겼으나 西(서)가 아니라 곡식의 알갱이를 가리키는 글자이다. 따라서 쌀(米) 알갱이(西)로서 좁쌀을 의미한다.

●●●●● 粟米(속미)

糟

훈음 지게미 조 **부수** 쌀 米(미) ▶▶▶ 쌀 米(미) + 마을 曹(조) ➡ 쌀을 쪄서 술을 만들고 남은 찌꺼기

술을 거르고 남은 찌꺼기를 지게미라 하는 데 없던 시절엔 이 지게미를 식량 대신으로 먹었다. 그러한 술의 재료인 쌀 米(미)를 의미요소로 曹(조)는 발음기호로 쓰였다.

●●●●● 糟糠之妻(조강지처)/糟糠(조강)

糠

훈음 겨 강 **부수** 쌀 米(미) ▶▶▶ 쌀 米(미) + 편안할 康(강)

벼를 도정할 때 생기는 벼 껍질을 겨라고 한다. 따라서 쌀 米(미)를 의미요소로 康(강)을 발음기호로 하여 간단하게 단순 조합하여 만든 글자다.

●●●●● 糟糠之妻(조강지처)/糟糠(조강)

豆(두) 頭(두) 痘(두) 登(등) 燈(등) 鄧(등) 證(증)
澄(징) 短(단) 豊(풍) 體(체) 禮(례) 艶(염)

豆

훈음 콩 두 부수 제 부수

목 굽이 높은 그릇이나 술잔으로 '祭器(제기)로 사용된 그릇'의 상형 또는 祭壇(제단)으로 그 그릇의 목이 짧아서 그랬는지 줄기가 짧은 식물인 '콩'의 뜻으로도 사용되며 콩알(豆) 크기의 자국이 얼굴 등에 생기는 일명 곰보가 되는 질병(疒)으로 천연두(天然痘) 두(痘)자도 만들어졌다.

●●●●● 豆腐(두부)/大豆(대두)/綠豆(녹두)/種豆得豆(종두득두)

頭

훈음 머리 두 부수 머리 頁(혈) ▶▶▶ 콩/제기/제단 모양 豆(두) + 머리 頁(혈)

제단(豆)의 모습과 우뚝 솟은 머리(頁)의 모습이 비슷하여 豆(두)를 발음기호로 사용했다.

●●●●● 頭腦(두뇌)/頭痛(두통)/石頭(석두)/頭角(두각)/先頭(선두)

登

훈음 오를 등 부수 등질 癶(발) ▶▶▶ 등질 癶(발) + 제단 豆(두) ➡ 제단에 올라감

제단(豆) 즉 높은 곳에 올라가는(癶) 모습 또는 한발 한발 내딛으며 높은 곳을 오르는 모습에서 '오르다'가 탄생, 두 글자 모두 의미요소이다.

●●●●● 登山(등산)/登頂(등정)/登壇(등단)/登校(등교)/登錄(등록)

燈

훈음 등잔 등 부수 불 火(화)

▶▶▶ 불 火(화) + 오를 登(등) ➡ 멀리서도 보이게 불을 높이 올려 둘 수 있는 도구

등잔이란 높이 올려놓는 불을 가리키므로 불 火(화)를 의미요소로 登(등)은 발음 및 의미요소이며 같은 맥락에서 높이(登) 들려진 말(言)이란 증거(證據) 증(證)자이고 제단(豆)위에 올리는 맑고 깨끗한 정화수(井華水)물(氵)이 명징(明澄)의 맑을 징(澄)자이다.

●●●●● 燈臺(등대)/燈下不明(등하불명)/燈火可親(등화가친)/電燈(전등)/증언(證言)/증인(證人)

鄧

훈음 나라 이름 등 부수 고을 읍(阝=邑) ▶▶▶ 오를 登(등) + 고을 읍(阝=邑)

사람들이 모여 사는 마을이나 나라를 상징하므로 고을 읍(阝=邑)을 의미요소로 登(등)은 발음기호로 사용했다.

●●●●● 鄧小平(등소평)

短

훈음 짧을 단 부수 화살 矢(시) ▶▶▶ 화살 矢(시) + 콩 豆(두) ➡ 콩 그루터기와 제기의 크기가 비슷

화살(矢)만큼 짧은 제기(豆)나 콩 그루터기(豆)와 활대와 화살촉의 크기가 서로 비슷하다는 데서 '짧다, 작다, 뒤떨어지다'가 파생됐다.

●●●●● 長短(장단)/短點(단점)/短距離(단거리)/短命(단명)

鼓

훈음 북 고 부수 제 부수 ▶▶▶ 士(사) + 豆(두) + 가지 支(지) ➡ 디딤판 위의 북을 두드림

디딤판(豆) 위에 올려진 북(士)을 북채로(支) 두드리는(支) 모습에서 '북'이 탄생했다. 出戰(출전)하기 전 제단 위에 제물을 바쳐서 신에게 승전을 기원하는 제사의 모습을 연상하기 바란다.

●●●●● 鼓舞(고무)/鼓動(고동)/鼓膜(고막)/鼓吹(고취)

體

훈음 몸 체 부수 뼈 骨(골) ▶▶▶ 뼈 骨(골) + 풍성할 豊(풍) ➡ 살과 뼈

앙상한 뼈(骨)와 거기에 비해 풍성한 고깃살(豊)에서 즉 뼈와 살이 곧 몸 體(체)이다.

●●●●● 體力(체력)/身體(신체)/體罰(체벌)

豊

훈음 풍성할 풍 부수 콩/제기 豆(두) ▶▶▶ 굽을 曲(곡) +콩/제기 豆(두) ➡ 제단에 받쳐지는 풍성한 제물

제단(豆) 위 용기(凵)에 담겨 있는 많은 옥(玉)의 모습으로 예전에 제사드릴 때 옥이 자주 사용되는 모습을 반영한 글자이나, 옥이 가득 담긴 용기의 모습 또는 제단 위에 가득 바쳐진 음식의 모습에서 풍성하다로 확대됐다.

●●●●● 豊年(풍년) = 豐(풍)의 속자/豊滿(풍만)

禮

훈음 예도/예절 예(례) 부수 보일 示(시)

▶▶▶ 보일/귀신 示(시) + 풍성할 豊(풍) ➡ 조상과 신에게 풍부하게 바치는 것이 곧 예의

제단(示)이나 제사(示)를 상다리 부러지게 차리는(豊) 것이 곧 조상이나 신(示)에 대한 예를 다하는 것이라고 옛 사람들은 생각을 하였으며 풍만한(豊) 여자(色)를 미인으로 보던 옛날의 글자가 요염(妖艶)의 고울 염(艶)자이다.

●●●●● 禮節(예절)/婚禮(혼례)/洗禮(세례)/염문(艶聞)/염복(艶福)

壴(주)	尌(주)	廚(주)	鼓(고)	喜(희)	樹(수)
彭(팽)	澎(팽)	膨(팽)	對(대)	豈(개)	凱(개)

壴

훈음 악기 이름 주 부수 선비 士(사)

세워놓은 악기 모양을 그림으로 옮긴 그림글자로 단독 사용은 거의 없다.

●●●●●

尌

훈음 세울 주 부수 마디 寸(촌) ▶▶▶ 악기 이름 壴(주) + 마디 寸(촌) ➡ 손으로 악기를 세우다

악기를 세우다가 본뜻으로 세워 놓은 악기를 상징하는 壴(주)와 그 악기를 세우는 행위를 나타내는 마디 寸(촌) 두 글자 모두가 의미요소이며, 발음을 겸하는 주(壴)자에 집 엄(广)을 더하면 주방(廚房)의 부엌 주(廚)자가 된다.

●●●●●

鼓

훈음 북 고 부수 제 부수 ▶▶▶ 악기 이름 壴(주) + 가지 支(지) ➡ 디딤판 위의 북을 침

디딤판(豆) 위에 올려진 북(士)을 북채로(支) 두드리는(支) 모습에서 '북'이 탄생했다. 出戰(출전)하기 전 제단 위에 제물을 바쳐서 신에게 승전을 기원하는 제사의 모습을 연상하기 바란다.

●●●●● 鼓舞(고무)/鼓動(고동)/鼓膜(고막)/鼓吹(고취)

喜

훈음 기쁠 희 부수 입 口(구) ▶▶▶ 악기 이름 壴(주) + 입 口(구) ➡ 북치고 노래 부르는 모습

북을 치면서 흥을 돋우어 함께 노래하는 모습에서 '기쁘다'가 탄생한 글자로 두 글자 모두 의미요소이다.

●●●●● 歡喜(환희)/喜劇(희극)/喜怒哀樂(희노애락)/喜悲(희비)

樹

훈음 나무 수 부수 나무 木(목) ▶▶▶ 나무 木 + 세울 尌(주) ➡ 나무를 심다

나무(木)를 세우다(尌). 즉 나무를 심는 모습에서 만들어진 글자로 나무(木) 혹은 농작물을 세워(尌) 안정시키고 잘 자라도록 한다는 뜻을 가지게 됐고, 두 글자 모두 의미요소이다.

●●●●● 樹木園(수목원)/果樹園(과수원)/街路樹(가로수)/樹立(수립)

彭

훈음 북소리/성 팽 **부수** 터럭 彡(삼)

▶▶▶ 악기 이름 壴(주) + 터럭 彡(삼) ➡ 울려 퍼지는 북소리를 상형화

울려 퍼지는 북소리를 나타낸 글자로 무늬를 나타내는 터럭 彡(삼)을 소리의 울림을 상징적으로 나타내는 데 사용하여 만든 글자로 물결처럼 번져 나가는 북소리가 원뜻이므로 두 글자 모두 의미요소이다.

훈음 물결 부딪칠 기세 팽 **부수** 물 氵(수)

▶▶▶ 물 氵(수) + 북소리 彭(팽) ➡ 바위에 부딪치는 파도 소리

물결 부딪치는 거센 소리를 북소리 울려 퍼져나가는 것과 연관시켜 만들어낸 글자로, 두 글자 모두 의미요소이고 彭(팽)이 발음을 겸한다.

●●●●● 澎湃(팽배)

훈음 부풀 팽 **부수** 고기 肉(육) ▶▶▶ 肉(육)달月(월) + 성 彭(팽) ➡ 배가 부풀어 오르다

몸 특히 배가 부풀어 오르는 것을 나타내는 말로 肉(육)달 月(월)이 의미요소고 彭(팽)은 발음기호이다.

※ 彭(팽) - 북소리가 점점 울려 퍼지는 모습을 터럭 彡(삼)으로 묘사 - 세울尌(주).

위의 彭(팽)자의 설명에서 보면 두 글자 모두 의미요소임을 알 수 있다.

●●●●● 膨脹(팽창)/膨大(팽대)/膨滿(팽만)

훈음 대답할 대 **부수** 마디 寸(촌) ▶▶▶ 業과 유사한 모양 + 마디 촌(寸) ➡ 오른편이 壴(주)와 유사

왼쪽의 글자는 여러 개의 초를 꼽을 수 있는 '촛대'의 모양으로 손(寸)으로 그 촛대를 잡고 비추어 보는 모습에서 '마주하다, 상대방'의 뜻이 파생된 글자로 두 글자 모두 의미요소이다.

●●●●● 對答(대답)/相對(상대)/對質(대질)/敵對關係(적대관계)

훈음 즐길 개 **부수** 안석 几(궤) ▶▶▶ 어찌 豈(개) + 안석 几(궤) ➡ 축제 벌이는 장면

제단(豆)위에 북이나 장구(山)를 올려놓고(豈-어찌 개) 승리하고 돌아오는 군사들을 맞이하며 축제를 벌이는 장면에서 안석 궤(几)를 발음으로 개선(凱旋)/개가(凱歌)의 즐길 개(凱)

●●●●● 凱旋(개선)/凱歌(개가)/凱風(개풍)

皿(명) 盟(맹) 孟(맹) 猛(맹) 盍(합) 蓋(개) 盒(합) 盡(진)
盛(성) 盤(반) 溫(온) 盃(배) 杯(배) 盆(분) 盜(도)

皿

훈음 그릇 명 부수 제 부수
음식이나 곡물을 담기 위해 가운데 움푹 들어간 받침대가 있는 그릇의 모양을 그대로 단순 간결하게 묘사한 글자로, 단독 사용보다는 다른 글자와 함께 쓰이면서 '그릇이 하는 역할'의 차원에서 의미보조로 많이 사용된다.

●●●●● 器皿(기명)

盟

훈음 맹세할 맹 부수 그릇 皿(명) ▶▶▶ 밝을 明(명) + 그릇 皿(명) ➡ 피 담긴 그릇
동맹을 맺기 위해 처음엔 피를 나눠 마시던 풍습대로 피가 담긴 그릇의 모양을 했으나, 후일 발음기호인 明(명)으로 바뀐 글자이다.

●●●●● 盟誓(맹서)/血盟(혈맹)/同盟(동맹)/盟邦(맹방)

孟

훈음 맏 맹 부수 아들 子(자) ▶▶▶ 아들 子(자) + 그릇 皿(명) ➡ 맏아들을 신에게 바치던 풍습
맏아들을 잡아먹는 풍습에서 나온 글자로 두 글자 모두 의미요소에 기여하고 있는 글자로, 자신의 첫아들을 잡아 요리를 해서 그릇에 담아 낸 모습이라는 설이 유력하다. 皿(명)은 발음기호이다.

●●●●● 孟母三遷之敎(맹모삼천지교)/虛無孟浪(허무맹랑)

猛

훈음 사나울 맹 부수 개 犭(견)
▶▶▶ 개 犭(견) + 맏 孟(맹) ➡ 개를 잡아 제물로 바치려 하면 어떤 행동을 하겠는가?
동물의 포학성(미친개)을 나타내는 글자로 개 犭(견)이 의미요소고 孟(맹)은 발음기호이다.

●●●●● 猛獸(맹수)/猛烈(맹렬)/勇猛(용맹)

蓋

훈음 덮을 개 부수 풀 艸(초) ▶▶▶ 풀 艹(초) + 갈 去(거) + 그릇 皿(명) ➡ 볏짚으로 지붕을 만들어 덮다
그릇 뚜껑을 덮어 놓은 모습인 '덮을 盍(합)'에 풀 艸(초)를 더하여 볏짚이나 왕골 등으로 초가지붕을 잇는(지붕의 이엉을 엮는다고 표현함) 모습에서 만든 글자다. 집의 뚜껑인 지붕을 가리키는 글자에서 '덮다'라는 의미가 파생됐으며 밑이 우묵하고 가운데가 둥글 넙적한 뚜껑이 있는 그릇을 가리켜 합(合)을 발음으로 향합(香盒)의 합 합(盒)자도 있다.

●●●●● 覆蓋(복개)/無蓋車(무개차)/蓋瓦(개와)/饌盒(찬합)

盡

훈음 다할/진력할 진 부수 그릇 皿(명)
▶▶▶ 붓 聿(율) + 불 灬(화) + 그릇 皿(명) ➡ 수세미로 솥을 깨끗하게 닦다
붓(聿)처럼 생긴 수세미나 솔을 손에 잡고(彐) 솥(皿)을 깨끗이 닦는 모습을 그려 "남은 찌꺼기를 깨끗하게 씻어 내야한다"는 뜻에서 '남김 없다, 다하다'의 뜻이 파생되었다.

●●●●● 消盡(소진)/賣盡(매진)/苦盡甘來(고진감래)/盡人事待天命(진인사대천명)

盛

훈음 담을 성 부수 그릇 皿(명) ▶▶▶ 이룰 成(성) + 그릇 皿(명) ➡ 그릇에 가득 음식을 담은 모습
잔치 음식이나 높은 사람에게 바치는 귀한 음식을 담는 그릇을 뜻하기 위한 것이므로
그릇 皿(명)이 의미요소로 成(성)은 발음기호이다. 후에 '담다, 가득 차다, 성하다'라는 뜻으로 발전했다.
●●●●● 茂盛(무성)/繁盛(번성)/珍羞盛饌(진수성찬)

盤

훈음 소반 반 부수 그릇 皿(명) ▶▶▶ 돌 般(반) + 그릇 皿(명) ➡ 음식을 나르는 쟁반
얇고 넓적한 음식을 나르는 접시를 나타내는 글자이므로 그릇 皿(명)이 의미요소고 돌 般(반)이 발음기호이다. 그러나 쟁반에 음식을 담아 나르는 모습이 여기저기 옮겨 다니는 배의 모습과 유사함으로 의미에도 돌 般(반)자가 기여하고 있음을 알 수 있다.
●●●●● 小盤(소반)/錚盤(쟁반)/盤石(반석)/音盤(음반)/骨盤(골반)

溫

훈음 따뜻할 온 부수 물 氵(수)
▶▶▶ 물 氵(수) + 가둘 囚(수) + 그릇 皿(명) ➡ 탕 속에서 목욕하는 장면
글자의 오른편(囚+皿)의 갑골문을 보면 탕(그릇) 속에서 목욕하는 사람을 그려 놓은 글자다. 그러나 훗날 목욕하는 사람(人) 주위에 튀기는 물방울을 에울 囗(위)로 바꾼 글자로, 따뜻한 물에 목욕을 하다가 원뜻이므로 물 氵(수)와 그 옆의 글자(囚+皿) 모두가 의미요소로 쓰인 글자다.
●●●●● 溫水(온수)/溫氣(온기)/體溫(체온)/溫室(온실)

杯

훈음 잔 배 부수 나무 木(목) ▶▶▶ 나무 木(목) + 그릇 皿(명)/아니 不(불) ➡ 나무나 금속으로 만든 술잔
나무로 만든 술잔을 뜻하기 위한 것이었으므로 나무 木(목)이 의미요소고, 아니 不(불)이 발음기호였다. 그러나 훗날 유리잔이나 금속 잔들이 만들어지자 그릇 皿(명)을 의미요소로 잔 盃(배)가 만들어졌으나, 여전히 잔 杯(배)가 쓰이고 있다.
●●●●● 大統領杯(대통령배)/乾杯(건배)
※ 盃(배) - 잔 杯(배)의 俗字(속자)

盆

훈음 (물/술)동이 분 부수 그릇 皿(명) ▶▶▶ 나눌 分(분) + 그릇 皿(명) ➡ 밑둥지가 우묵한 담는 용기
무엇을 담는 밑이 우묵한 그릇을 뜻하므로 그릇 皿(명)이 의미요소고 나눌 分(분)이 발음기호이다.
●●●●● 盆栽(분재)/盆地(분지)/叩盆之痛(고분지통)

盜

훈음 훔칠 도 부수 그릇 皿(명) ▶▶▶ 침 次(연) + 그릇 皿(명) ➡ 청동 그릇에 군침을 흘리는 모습
버금 次(차)에는 입 벌리고 '침 흘리다'는 원뜻이 있는데 그릇(皿)에 담긴 음식을 보고 '군침을 삼키다' 에서 '훔치다'로 발전된 글자다. 그러나 그릇(皿)이라 하면 靑銅(청동)제품이었으므로 오늘날의 고급 도자기에 맞먹는 귀한 것이었으므로 그릇을 보고 군침을 삼켜 집어 간다 하여 '훔치다'라는 의미로 발전했다.
●●●●● 盜賊(도적)/盜掘(도굴)/竊盜(절도)

監(감) 鑑(감) 覽(람) 濫(람) 藍(람) 艦(함) 鹽(염) 益(익) 溢(일)

監

훈음 볼 감 부수 그릇 皿(명)
▶▶▶ 臣(신) + 人(인) + 丶(주) + 그릇 皿(명) ➡ 몸을 앞으로 굽혀(臥) 대야 속의 얼굴을 바라봄
옛 글자는 눈을 크게 뜨고(臣) 물 담긴 대야(皿)에 자기 얼굴(丶)을 뚫어지게 내려다보는 사람(人)을 그린 글자로 '자세히 보다, 살펴보다'는 뜻으로 발전됐다.
●●●●● 監視(감시)/監督(감독)

鑑

훈음 거울 감 부수 쇠 金(금) ▶▶▶ 쇠 金(금) + 볼 監(감) ➡ 청동으로 만든 거울

대야의 재질이 청동임을 밝히는 쇠 金(금)을 더하여 이 글자가 사물을 비춰 보는(監) 청동 거울임을 알 수 있다. 반짝반짝하게 윤이 나게 닦아서 오늘날의 거울 대용으로 사용된다.

●●●●● 龜鑑(귀감)/鑑別師(감별)/鑑定(감정)/鑑識(감식)/鑑賞(감상)

훈음 볼 람 부수 볼 見(견) ▶▶▶ 볼 監(감) + 볼 見(견) ➡ 대야에 비친 자신의 모습을 자세히 살펴봄

보고(見) 살펴보고(監(감) 참으로 철저히 보는 것을 말하는 것으로 모든 글자가 다 의미요소이며 볼 監(감)이 발음기호이다.

●●●●● 觀覽(관람)/閱覽室(열람실)/展覽(전람)/回覽(회람)

훈음 퍼질/넘칠 람 부수 물 氵(수) ▶▶▶ 물 氵(수) + 볼 監(감) ➡ 대야에 물이 넘치다

볼 監(감)을 발음기호로 하였으나 대야(皿)에 물이 넘치면 거울의 역할도 할 수 없음을 나타내기 위해 물 氵(수)를 첨가하여 '강물이 넘치다'라는 뜻을 담아냈다.

●●●●● 氾濫(범람)/濫用(남용)

훈음 쪽 람 부수 풀 艹(초) ▶▶▶ 풀 艹(초) + 볼 監(감) ➡ 식물을 이용하여 물감을 만들어 냄

볼 監(감)을 발음기호로 풀 艹(초)를 의미요소로 하여 푸른 물감 채취용으로 쓰이는 풀 즉 쪽빛을 나타낸 글자이다.

●●●●● 靑出於藍(청출어람)/搖籃(요람)/藍色(남색)

※ 쪽빛 - 푸른빛과 자줏빛의 사이의 빛으로 하늘빛보다 진한 빛깔을 말한다.

※ 靑出於藍(청출어람) - 쪽에서 나온 푸른 물감(빛)이 쪽빛보다 더 푸르다 하여 '제자나 후배가 스승이나 선배보다 나음'을 이름.

훈음 싸움배 함 부수 배 舟(주) ▶▶▶ 배 舟(주) + 볼 監(감) ➡ 볼만한 배

대포를 쏘아 대는 전투함을 가리키기 위한 글자로 배 舟(주)가 의미요소이고, 監(감)은 발음기호이다.

●●●●● 艦船(함선)/艦艇(함정)/潛水艦(잠수함)

훈음 소금 염 부수 소금 鹵(로) ▶▶▶ 볼 監(감) + 소금 鹵(로) ➡ 소금의 결정체

소금을 뜻하는 글자이므로 소금의 결정체들이 모이는 소금밭의 상형인 소금 鹵(로)가 의미요소이며 監(감)은 발음기호이다.

●●●●● 鹽田(염전)/鹽分(염분)

훈음 더할 익 부수 그릇 皿(명) ▶▶▶ 물 水(수) + 그릇 皿(명) ➡ 그릇에 물을 계속 더하는 모습

그릇(皿)에 물(水)을 계속 붓자 물이 철철 넘치는 모습을 그렸으나, 훗날 '더하다, 도움이 되다, 보탬, 이익' 등의 뜻으로 널리 쓰이게 되었다.

●●●●● 多多益善(다다익선)/利益(이익)/公益事業(공익사업)/損益(손익)

훈음 넘칠 일 부수 물 氵(수) ▶▶▶ 물 氵(수) + 더할 益(익) ➡ 물 넘침을 더 분명히 한 글자

더할 益(익) 자체가 그릇 皿(명)의 물 水(수)로 물이 넘치는 모습을 그렸으나 '더하다'의 뜻으로 쓰이자 물 氵(수)를 첨가하여 물이 넘치는 모습을 분명히 한 글자로, 모든 글자가 다 의미요소이며 益(익)이 발음기호이다.

●●●●● 漲溢(창일)/海溢(해일)

酉(유) 酋(추) 尊(존) 遵(준) 奠(전) 鄭(정) 醜(추)

酉

훈음 닭 유 부수 제 부수
인류 역사 시초부터 등장하는 음료인 술을 담는 용기인 술병의 모양에서 만들어진 글자로 '닭 유'로 불리우나, 실제 닭과 관련된 글자는 거의 없고 주로 '술이나 술병 또는 술의 역할인 발효'의 뜻으로 타 글자와 어우러져 많이 사용된다.

●●●●● 酉時(유시) – 오후 5시~7시 사이

酋

훈음 두목 추 부수 술 酉(유) ▶▶▶ 여덟 八(팔) + 술 酉(유) ➡ 제사를 주관하던 사람/술 담당
처음엔 술독 위에 세 점이 찍혀 있어 술 익는 모습을 그렸으나 점차로 신에게 제사를 지낼 때 술을 바치는 일이 중요시되었으므로 '술 따르는 관원장'이 생겼고, 당연히 그 사람이 제사를 주관하게 되자 그 마을의 장이 된 것으로 추정된다.

●●●●● 酋長(추장)

훈음 높을 존 부수 마디 寸(촌) ▶▶▶ 두목 酋(추) + 마디 寸(촌) ➡ 두 손으로 술병을 들고 있는 모습
신에게 제사를 지내며 술을 높이 받들어 신에게 바치는 모습에서 '높다'는 뜻이 파생됐다.

●●●●● 唯我獨尊(유아독존)/尊敬(존경)/尊嚴(존엄)/尊貴(존귀)/尊銜(존함)/男尊女卑(남존여비)/尊稱(존칭)

훈음 좇을/순종할 준 부수 갈 辶(착) ▶▶▶ 갈 辶(착) + 높을 尊(존) ➡ 신의 계시대로 행함
신의 계시에 따라 행함이 원뜻으로 두 글자 모두 의미요소이며 높을 尊(존)이 발음을 겸한다.

●●●●● 遵守(준수)/遵行(준행)/遵法(준법)

훈음 제사 지낼/둘 전 부수 큰 大(대) ▶▶▶ 두목 酋(추) + 큰 大(대) ➡ 술독을 제단에 올려둠
술독을 탁자나 받침대(丌-大로 바뀜) 위에 올려둔 모습에서 '제사를 지내다'의 뜻이 파생되었다.

●●●●● 祭奠(제전)

鄭

훈음 나라 이름 정 부수 고을 읍(阝=邑)
▶▶▶ 제사 지낼 奠(전) + 고을 읍(阝=邑) ➡ 제사를 담당한 마을/제사장이 살던 마을
제사를 담당했던 고을이 원 의미였으므로 두 글자 모두 의미요소이며, 제사에서 빠지지 않던 것이 단(丌-大로 바뀜)에 술(酋)을 바치던 것이고 경건한 자세로 조상에게 술을 바쳐야 하였으므로 이 글자에 정중하다는 의미도 생겼음을 또한 알 수 있다.

●●●●● 鄭重(정중)

醜

훈음 더러울 추 부수 술/닭 酉(유) ▶▶▶ 술 酉(유) + 귀신 鬼(귀) ➡ 술 취한 귀신의 더러운 모습
술(酉) 취하여 개처럼 행동하는 사람 혹은 아주 이상한 사람(鬼)을 우리는 '귀신' 같다고 하는데 바로 그것을 나타내고자 한 글자로 두 글자 모두 의미요소에 기여했다.

●●●●● 醜女(추녀)/醜雜(추잡)/醜態(추태)

酒(주)	酌(작)	酬(수)	酊(정)	酷(혹)	醉(취)	醒(성)
猶(유)	釀(양)	醬(장)	酵(효)	酸(산)	醋(초)	醫(의)

酒

훈음 술 주 부수 술 酉(유) ▶▶▶ 물 氵(수) + 술 酉(유) ➡ 술독에 담긴 술
술병(酉)과 술(氵)을 그려 놓은 글자이며 술병(酉)과 손(寸)을 그려 만든 글자가 진한 술 주(酎)
●●●●● 酒酊(주정)/燒酒(소주)/斗酒不辭(두주불사)/酒量(주량)

酌

훈음 따를 작 부수 술 酉(유) ▶▶▶ 술 酉(유) + 구기 勺(작) ➡ 술단지에서 술을 퍼내는 모습
술단지(酉)에서 술 따르는 모습을 상형화한 글자이므로, 술단지(酉)와 구기 勺(작)이 다 의미요소에 관여했으나 勺(작)은 발음기호로도 사용됐다.
●●●●● 酬酌(수작)/對酌(대작)/酌婦(작부)

酬

훈음 갚을 수 부수 술 酉(유) ▶▶▶ 술 酉(유) + 고을 州(주)
"술 한 잔 얻어먹다" "오늘은 내가 살게" 이 모든 표현에서 옛날부터 얻어먹은 술은 반드시 되갚아야 되는 모양이었다. 고을 州(주)가 발음기호이다.
●●●●● 報酬(보수)/應酬(응수)/酬酌(수작)

酊

훈음 술 취할 정 부수 술 酉(유) ▶▶▶ 술 酉(유) + 넷째 천간 丁(정)
술 취함을 나타내고자 하였으므로 술 酉(유)가 의미요소고 넷째 천간 丁(정)은 발음기호이다.
●●●●● 酒酊(주정)/酩酊(명정)

酷

훈음 독할/심할 혹 부수 술 酉(유)
▶▶▶ 닭/술 酉(유) + 고할 告(고) ➡ 술 취한 주정 소리는 듣기 괴롭다
도수가 아주 강한 술을 나타낸 글자로 술 酉(유)가 의미요소고 告(고)는 발음요소이다. 후에 독하다/심하다로 뜻이 확대됐다. 술(酉) 마신 사람의 주정 소리(告)는 정말 참고 견디기 힘들다.
●●●●● 酷毒(혹독)/苛酷(가혹)/酷使(혹사)

醉

훈음 취할 취 부수 술 酉(유) ▶▶▶ 술 酉(유) + 군사 卒(졸) ➡ 술 취한 승리한 병사들
전쟁에 승리한 군사들이 마음껏 먹고 마시며 만취한 홍겨운 상황에서 만들어진 글자로 보인다. 따라서 술 酉(유)가 의미요소고 군사 卒(졸)은 의미 겸 발음기호이다.
●●●●● 醉客(취객)/滿醉(만취)/陶醉(도취)/痲醉(마취)/宿醉(숙취)

醒

훈음 깰 성 부수 술 酉(유)
▶▶▶ 술 酉(유) + 별 星(성) ➡ 술이 깨니 별이 보인다
술이 깨다가 본뜻으로 술독 酉(유)가 의미요소고 별 星(성)은 발음기호이다.
●●●●● 覺醒(각성)/大悟覺醒(대오각성)

猶

훈음 오히려 유 부수 개 犭(견) ▶▶▶ 개 犭(견) + 두목 酋(추) ➡ 오히려 개가 낫다
개보다 못한 사람을 말한 것인가? 아니면 개와 유사한 어떤 짐승을 나타내려 한 글자였을까? 아무튼 개와 비슷비슷한 어떤 사물을 비교하려 한 글자로서 '같다'의 의미가, 후에 두 개체가 너무 비슷하여 양쪽에서 갈팡질팡하는 모습에서 '머뭇거리다'로 의미 확대됐다. 酋(추)가 발음 기호이다.
●●●●● 執行猶豫(집행유예)/過猶不及(과유불급)
※ 猷(유) - 꾀할 유/楢(유) - 졸참나무 유

훈음 술 빚을 양 **부수** 술병 酉(유) ▶▶▶ 술병 酉(유) + 도울 襄(양) ➡ 술을 빚음
술병(酉)을 넣어서 술을 만든다는 뜻을 나타낸 글자로 도울 襄(양)이 발음기호이다.
●●●●● 釀造(양조)/釀酒(양주)/釀造場(양조장)

醬

훈음 젓갈 장 **부수** 닭 酉(유) ▶▶▶ 장수 將(장) + 술 酉(유) ➡ 젓갈도 발효식품이다
발효식품의 하나인 '된장, 고추장, 젓갈' 등을 나타내기 위한 글자로 발효의 특성이 있는 술과 술병이나 항아리에 담가 숙성시키는 특징을 나타내기 위해 술/술병 酉(유)를 의미요소로 장수 將(장)은 발음기호로 했다.
●●●●● 醬油(장유)

훈음 술밑 효 **부수** 술 酉(유) ▶▶▶ 술 酉(유) + 효도 孝(효) ➡ 효모는 술 만드는데 있어 효자임
술이 발효되는 것을 뜻하는 글자로 술 酉(유)가 의미요소고 효도 孝(효)는 발음기호이다.
●●●●● 酵母(효모)/醱酵(발효)/酵素(효소)

훈음 초 산 **부수** 술 酉(유)
▶▶▶ 술/닭 酉(유) + 진실로 允(윤) + 천천히 걸을 夊(쇠) ➡ 산성으로 발효 즉 변하다
식초란 신맛이 나는 조미료의 일종으로 발효식품이다. 예전엔 술을 특히 포도주를 발효시켜 식초를 만들었으므로 술 酉(유)가 의미요소로, 서서히 변한다는 뜻의 오른편 글자들도 의미요소에 영향을 미쳤다.
●●●●● 酸性(산성)/乳酸菌(유산균)/酸化(산화)

훈음 (식)초 초 **부수** 술 酉(유) ▶▶▶ 술 酉(유) + 빌릴 借(차)의 생략형 – 식초도 발효식품임
식초도 발효가 되어 만들어지는 식품이므로 발효의 대명사인 술 酉(유)가 의미요소이다.
●●●●● 食醋(식초)/醋酸(초산)

醫

훈음 의원 의 **부수** 술 酉(유)
▶▶▶ 상자 匸(방) + 화살 矢(시) + 창 殳(수) + 술 酉(유) ➡ 전쟁터에서 생긴 글자
화살(矢)과 창(殳)이 등장한다는 것은 戰時(전시)라는 것이고 전쟁터에서 날아온 화살(矢)을 맞아 생긴 상처 구멍(匸)에 술(酉)을 부어 소독하는 장면에서 '치료하다, 치료하는 사람'의 뜻이 생겨났다.
●●●●● 醫院(의원)/醫師(의사)/醫術(의술)/醫療(의료)

畐(복)	福(복)	幅(폭)	副(부)	富(부)

畐

훈음 가득할/가득찰 복 부수 밭 田(전) ➡ 술이 가득 들어있는 술병

술이 가득 들어있는 술병(酉) 모습이 술 가득 찰/가득할 복(畐)

●●●●● 단독사용은 없다

福

훈음 복 복 부수 보일 示(시) ▶▶▶ 제단/보일 시(示) + 가득 찰 복(畐) ➡ 제단에 술을 따름

술(畐-가득 찰 복)을 제단(礻)에 바치며 신에게 요구하는 것이 축복(祝福)의 복 복(福)

●●●●● 冥福(명복)/福祉(복지)/福利(복리)/福音(복음)/吉凶禍福(길흉화복)

幅

훈음 폭 폭 부수 수건 巾(건) ▶▶▶ 수건 巾(건) + 가득 찰 복(畐)

천(巾)을 재는 단위가 복(畐)을 발음으로 광폭(廣幅)의 폭 폭(幅)

●●●●● 振幅(진폭)/全幅(전폭)

副

훈음 버금 부 부수 칼 刀(도) ▶▶▶ 칼 刂(도) + 가득 찰 복(畐) ➡ 술병을 둘로 나눔

술병(畐)을 반으로 갈라(刂) 하나 더 마련해 두는 것이 부업(副業)의 버금 부(副)

●●●●● 副社長(부사장)/正副(정부)/副食(부식)/副業(부업)/副産物(부산물)/副葬(부장)/副賞(부상)

富

훈음 가멸/부자 부 부수 집 宀(면) ▶▶▶ 집 宀(면) + 가득 찰 복(畐) ➡ 집안에 술이 가득

술이 가득 차있는 술 단지(畐)를 많이 가지고 있는 집(宀)이 부자(富者)의 가멸 부(富)

●●●●● 貧富(빈부)/富裕層(부유층)/猝富(졸부)/甲富(갑부)/富村(부촌)/富農(부농)/富益富(부익부)
富國强兵(부국강병)/富貴榮華(부귀영화)

✍ 용량의 단위 부 = 16斗(두)

缶(부)	匋(도)	陶(도)	淘(도)	寶(보)	䍃(요)
遙(요)	謠(요)	搖(요)	缸(항)	缺(결)	

缶

훈음 장군 부 **부수** 제 부수 ▶▶▶ 배가 불룩한 질그릇

술이나 간장 따위의 액체를 담아 옮길 때 쓰는 그릇으로 가운데가 볼록하여 배가 불룩한 질그릇이라 하여 '장군 부'로 불리게 되었으며, 두드리면 淸雅(청아)한 소리가 남으로 잔치할 때 장구 대신으로 두들겼다 하여 노래 謠(요)자에서 보듯 '질그릇 장구'의 뜻도 가진다.

陶

훈음 질그릇 도 **부수** 언덕 阝(부) ▶▶▶ 언덕 阝(부) + 질그릇 匋(도) ➡ 가마터에서 구워 내는 그릇

질그릇 匋(도)자가 단독으로 쓰이지 않게 되자 가마터의 모습을 상형화한 언덕 阝(부)를 추가하여 원래의 의미를 살린 글자가 청도(靑陶)의 질그릇 도(陶)자이며, 도자기(匋) 재료인 흙을 물(氵)에 일어 모래나 불순물을 골라내는 모습이 자연도태(自然淘汰)의 (물에) 일 도(淘)자이다.

●●●●● 陶瓷器(도자기)/陶藝(도예)/陶醉(도취)

寶

훈음 보배 보 **부수** 집 宀(면)

▶▶▶ 집 宀(면) + 구슬 玉(옥) + 그릇 缶(부) + 조개 貝(패) ➡ 많은 보물을 가지고 있는 집

집안에 금은보화가 가득 쌓여 있는 모습에서 '보화, 보배'의 뜻을 갖게 된 글자로 장군 缶(부)는 발음을 위해 훗날 추가된 글자이나 재물을 담는 그릇 용기라는 뜻에서는 의미에도 기여하고 있음을 알 수 있다.

●●●●● 寶物(보물)/家寶(가보)/多寶塔(다보탑)

遙

훈음 멀 요 **부수** 갈 辶(착)

▶▶▶ 갈 辶(착) + 고기 肉(육) + 장군 缶(부) ➡ 먼 길을 떠나면서 고기를 챙겨감

육포(月)를 넣어둔 용기(缶)가 질그릇 요(䍃)자이며 오랫동안 먹기 위해 그릇에 고기를 담아 어디론가 가(辶)는 모습에서 '상당히 먼 길을 가야 하므로 저장 식품이 필요하다'는 뜻에서 '멀다'의 뜻이 파생된 글자가 요원(遙遠)의 멀 요(遙)자이다.

●●●●● 遙遠(요원)/逍遙(소요)

謠

훈음 노래 요 **부수** 말씀 言(언)

▶▶▶ 말씀 言(언) + 肉(육)달 月(월) + 장군 缶(부) ➡ 노래를 부르며 먼길을 떠나다

고기도 충분히 있으니 먼 길을 가면서 절로 콧노래가 나오지 않았겠는가? 두 글자 모두 의미요소다.

●●●●● 歌謠(가요)/童謠(동요)/民謠(민요)

搖

훈음 흔들릴 요 **부수** 손 扌(수)

▶▶▶ 손 扌(수) + 肉(육)달 月(월) + 장군 缶(부) ➡ 고기가 담긴 보자기를 흔들다

고기가 든 그릇을 싼 자루를 흔들면서 가는 모습에서 생긴 글자다.

●●●●● 搖籃(요람)/搖動(요동)/動搖(동요)/搖之不動(요지부동)

훈음 이지러질 결 부수 장군 缶(부) ▶▶▶ 그릇 缶(부) + 터놓을 夬(결) ➡ 그릇이 깨짐(산산조각이 나다)
그릇(缶)을 의미요소로 공(工)을 발음기호로 하여 만들어진 글자가 어항(魚缸)의 항아리 항(缸)자이며 터놓을 결(夬)자를 추가하여 깨진 그릇의 뜻을 갖는 글자로 만든 것이 결손(缺損)의 이지러질 결(缺)자이다.
●●●●● 缺格事由(결격사유)/完全無缺(완전무결)/缺勤(결근)

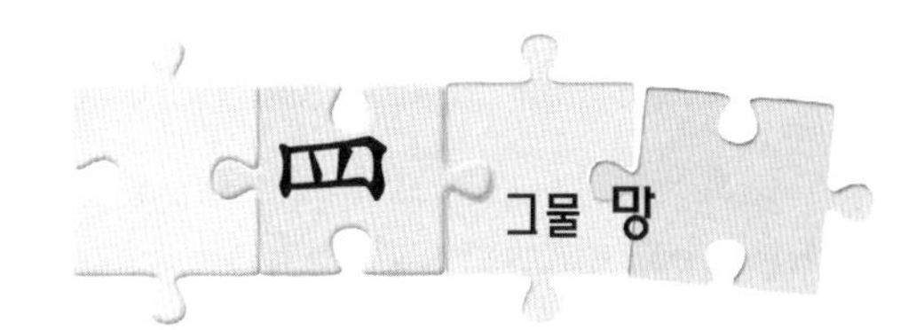

网(망) 罔(망) 網(망) 岡(강) 剛(강) 綱(강) 鋼(강)

网

훈음 그물 망 부수 제 부수
새나 고기를 잡는 그물 모양임을 쉽게 알 수 있는 글자이나 편방으로 쓰일 때는 罒(망)자의 모습을 하며 드물게 冗(망)자의 모습을 한 글자도 있다.

罔

훈음 없을 망 부수 그물 网(망) ▶▶▶ 망할 망(亡) + 그물 망(网) ➡ 그물에 걸린 게 없다
새나 물고기를 잡는 그물을 의미하였으나 훗날 발음요소인 망(亡)의 뜻을 하게 되자 그 의미를 분명히 하기 위해 아래에 나오는 글자인 그물 망(網)을 만들었다.
●●●●● 罔極(망극)/奇怪罔測(기괴망측)

網

훈음 그물 망 부수 실 糸(사) ▶▶▶ 그물 망(罔) + 실 사(糸) ➡ 밧줄로 만든 그물
그물의 재료인 끈이나 밧줄을 의미하는 실 사(糸)를 첨가하여 이 網(망)자가 그물임을 분명히 한 글자로 두 글자 모두 의미요소이며 罔(망)이 발음기호이다.
●●●●● 網絲(망사)/搜査網(수사망)/法網(법망)/投網(투망)/法網(법망)

岡

훈음 산등성이 강 부수 뫼 山(산)
▶▶▶ 그물 网(망) + 뫼 山(산) ➡ 구렁처럼 생긴 산등허리/그물처럼 얽힌 산
얽히고설킨 산등성을 나타내는 말로 뫼 山(산)이 의미요소고, 그물 网(망)이 발음 겸 의미요소이나 단독사용은 드물고 발음기호 역할로 많이 쓰인다.
●●●●● 岡陵(강릉)

剛

훈음 굳셀 강 부수 칼 刂(도) ▶▶▶ 산등성이 岡(강) + 칼 刂(도) ➡ 칼로도 베어지지 않는 단단한 밧줄
굳셀 剛(강)의 원글자는 그물 网(망)이었다. 따라서 칼로도 끊어지지 않는 단단하고 굳센 밧줄로 된 그물을 나타내고자 하였으며 후에 网(망)이 岡(강)으로 바뀌며 발음기호 역할을 했다.
●●●●● 剛健(강건)/剛直(강직)/金剛石(금강석)/外柔內剛(외유내강)

綱

훈음 벼리 강 부수 실 糸(사)
▶▶▶ 실 糸(사) + 산등성이 岡(강) ➡ 그물의 뼈대를 이루는 굵고 단단한 밧줄
그물의 뼈대 즉 주축을 이루는 줄은 테두리나 위쪽을 지탱하는 줄로서 '벼리'라고 한다. 모든 그물을 구성하는 실들은 바로 그 굵은 벼리 줄에 연결되며 힘을 받고 균형을 잡게 된다. 여기서 '규율, 잡아 묶다, 다스리다' 등의 뜻이 파생되었으므로 실 糸(사)가 의미요소이고 岡(강)은 발음기호이다.
●●●●● 紀綱(기강)/大綱(대강)/三綱五倫(삼강오륜)/要綱(요강)

鋼

훈음 강철 강 부수 쇠 金(금) ▶▶▶ 쇠 金(금) + 산등성이 岡(강) ➡ 가장 강력한 물체인 강철
굳고 질기게 만든 쇠 즉 鐵鋼(철강)을 뜻하기 위한 것이었으니, 쇠 金(금)이 의미요소로 쓰였고 岡(강)이 발음기호이다.
●●●●● 鋼鐵(강철)/鐵鋼(철강)/鋼板(강판)/製鋼(제강)/鍊鋼(연강)

買(매)　罪(죄)　置(치)　罰(벌)　署(서)　罷(파)　羅(라)　罵(매)

買

훈음 살 매 부수 조개 貝(패) ▶▶▶ 그물 罒(망) + 조개 貝(패) ➡ 돈을 주고 물건을 사 망태기에 담다

돈(貝)을 주고 물건을 사서 망(罒)태기에 담는다 하여 살 買(매)라는 글자가 만들어졌다.

●●●●● 買入(매입)/購買(구매)/賣買(매매)/買收(매수)/强買(강매)

罪

훈음 허물 죄 부수 그물 网(망)

▶▶▶ 그물 망 罒(망) + 아닐 非(비) ➡ 정상적이지 않은 일을 하면 철창 안에 갇혀 지내야 함

새장(罒) 안에 갇혀 날개를 잃어버린 모습 즉 활동에 제약을 받게 되었다. 죄를 지면 철창신세는 당연하다. 두 글자 모두 의미요소로 쓰였다.

●●●●● 罪囚(죄수)/犯罪(범죄)/謝罪(사죄)/免罪符(면죄부)

置

훈음 둘 치 부수 그물 罒(망) ▶▶▶ 그물 罒(망) + 곧을 直(직) ➡ 정직한 사람에게 물건을 맡겨 둠

곧은(直) 사람에게 가치 있는 것을 맡겨둔다(罒). 망태기(罒)에 참으로 귀중한 것이 들어 있다면 당신은 누구에게 그 귀한 것을 맡길 것인가? 당연히 올곧은(直) 사람이 아니겠는가? 따라서 두 글자 모두 의미요소이다.

●●●●● 置重(치중)/放置(방치)/拘置所(구치소)/倒置(도치)

罰

훈음 죄 벌 부수 그물 网(망) ▶▶▶ 꾸짖을 詈(리) + 칼 刂(도) ➡ 훈시와 체벌로 죄를 묻다

죄(罒)를 지은 사람에게 말(言)로 훈계하고 매(刂)로 다스린다는 뜻을 담고 있는 글자이다.

●●●●● 處罰(처벌)/罰金(벌금)/體罰(체벌)/一罰百戒(일벌백계)

署

훈음 관청 서 부수 그물 㓁(망) ▶▶▶ 그물 罒(망) + 놈 者(자) ➡ 관청이란 범인을 가둬 두는 곳

잘못한 놈(者)을 잡아 가두는(罒)는 즉 권위를 가진 곳을 가리키는 말로 그물 罒(망)이 의미요소이며 者(자)는 발음기호다. 후에 '쓰다'는 뜻도 가지게 됐다.

●●●●● 警察署(경찰서)/部署(부서)/署名(서명)

罷

훈음 방면할 파 부수 그물 网(망) ▶▶▶ 그물 罒(망) + 능할 能(능) ➡ 그물에 걸린 곰을 풀어줌

그물(网)에 걸린 곰(能)의 모습에서 '죄인을 놓아주다, 쉬다, 그치다, 그만두다' 등의 뜻이 파생되었다. 원래는 '피곤하다'가 본뜻이라고 한다.

●●●●● 罷免(파면)/罷業(파업)/罷職(파직)

羅

훈음 새그물 라 부수 그물 罒(망)

▶▶▶ 그물 网(罒 망) + 밧줄/바 維(유) ▶▶▶ 새 잡는 올가미/밧줄로 만든 새 잡는 그물

새(隹) 잡는(糸) 그물(罒)의 모습에서 망라(網羅)의 새그물 라(羅)자를 만들었고 말을 재갈 물리지 않고 그물(罒)로 제어했다하여 말과 주인이 불평하는 장면에서 매도(罵倒)의 욕할 매(罵)자가 만들어졌다.

●●●●● 網羅(망라)/羅列(나열)/羅針盤(나침반)/森羅萬象(삼라만상)/阿修羅(아수라)장

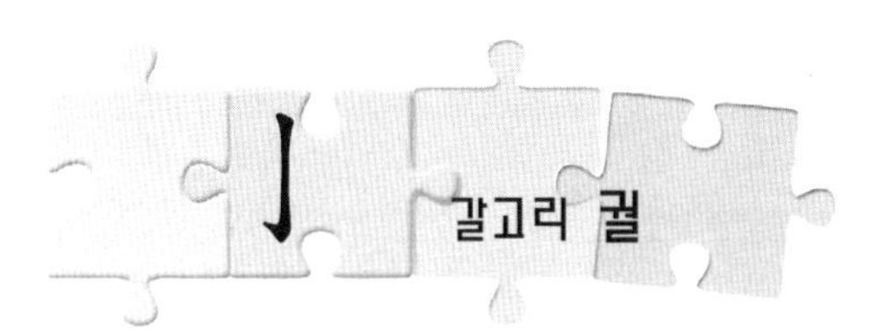

✍ 그물을 만들 때 사용하는 바늘

亅(궐)	予(여)	預(예)	豫(예)	野(야)	序(서)

亅

훈음 갈고리 궐 **부수** 제 부수
끝이 휘어진 구부러진 갈고리 모양을 하고 있어 '갈고리 궐'이라는 명칭을 가지게 된 글자로 단독 사용은 없으며, 타 글자의 구성에 도움을 주는 筆劃(필획)의 역할 정도에 지나지 않는다. 이 글자는 1. 목숨 壽(수)의 네번째 획에서는 평 갈고리로, 2. 작을 小(소)에서는 왼 갈고리로, 3. 어긋날 艮(간)자의 네번째 획에서는 오른 갈고리로 쓰이고 있다.

予

훈음 나/줄 여 **부수** 갈고리 亅(궐) – 발음요소로 주로 쓰임
툭 삐져나온 부분이라는 설도 있으며, 독자적으로 사용되는 경우는 드물다.

預

훈음 미리 예/맡길 예 **부수** 머리 頁(혈)
▶▶▶ 나/줄 여(予) + 머리 頁(혈) ➡ 머리는 미리 앞날을 생각해야 함
머리(頁)를 준다(予)는 것은 중요한 것을 맡긴다는 의미이다. 줄 予(여)가 발음기호이고, 미리 혹은 '맡기다'의 뜻으로 발전했다.
●●●●● 預金(예금)/預託(예탁)

훈음 미리 예 **부수** 돼지 豕(시)
▶▶▶ 나 予(여) + 코끼리 象(상) ➡ 동물들은 천재지변을 미리 감지하고 대피한다 함
'미리'라는 시간 부사를 그림 글자로 나타낼 수는 없었으므로 발음요소가 비슷했는지 그 연유는 확실치 않으나 나 予(여)를 발음기호로 하여 만든 글자로, 분명 코끼리가 의미요소에 기여했을 터이나 아직 밝혀내지 못하고 있다.
●●●●● 豫言(예언)/豫報(예보)/豫感(예감)/豫防(예방)

훈음 들 야 **부수** 마을 里(리) **▶▶▶ 마을 里(리) + 나 予(여) ➡ 마을에 인접한 들판**
숲과 숲 사이에 공터나 마을과 인접한 수풀이나 들판을 가리키는 말로 마을 里(리)가 의미요소고 나 予(여)는 발음기호이다. 고을이나 마을의 바깥 지역을 성 밖郊(교)라 하고 郊(교)의 바깥 지역을 들 野(야)라 했다.
●●●●● 廣野(광야)/野人(야인)/野黨(야당)/野球(야구)/視野(시야)

훈음 차례 서 **부수** 집 广(엄) **▶▶▶ 집 广(엄) + 나 予(여) ➡ 집과 관련 없음**
베틀에서 왔다 갔다 하며 가로 실을 엮는 베틀 북의 모양을 본떠 만든 글자가 予(여)자이다. 천을 짜는 공장(广)이나 집(广)을 함께 그려서 순서와 질서가 필요한 천 짜는 일을 통해 '차례, 순서, 처음'이라는 뜻이 파생됐다.
●●●●● 序論(서론)/順序(순서)/秩序(질서)/序文(서문)

了(료) 亨(형) 享(향) 烹(팽) 孰(숙) 熟(숙) 淳(순)

了

훈음 마칠 료 부수 갈고리 亅(궐)
아이 子(자)에서 一(일)이 없는 모양으로, 여러 說(설)이 있으나 '깨닫다, 똑똑하다, 마치다' 등의 뜻만 외워 두자.
●●●●● 終了(종료)/完了(완료)/修了證(수료증)/魅了(매료)

亨

훈음 형통할 형 부수 돼지해머리 亠(두) ▶▶▶ 높을 高(고) + 마칠 了(료) ➡ 사당 짓기를 마쳤다
자원이 없는 글자로 추상적인 의미를 갖고 있다. 굳이 현재의 꼴을 가지고 해석하자면 높은 건물의 상형인 高(고)가 암시하듯 제단이나 사당 짓기를 마쳐(了) 모든 것이 앞으로 '형통할 것이다'는 뜻으로 파생되어졌을 것으로 추측한다.
●●●●● 亨通(형통)/萬事亨通(만사형통)
※ 참고 亭(정) - 정자 정 - 돼지해머리 亠(두) ➔ 亭子(정자)
停(정) - 머무를 정 - 사람 亻(인)변 ➔ 停留場(정류장)

享

훈음 누릴 향 부수 머리 亠(두)
▶▶▶ 높을 高(고) + 아들 子(자) ➡ 후손들이 조상들에게 많은 제물을 바치는 모습
현재의 글꼴은 잊고 높은 건축물 즉 高(고)의 생략형으로 생각하여, 후손이 조상들에게 많은 제물을 바치는 모양을 본뜬 것이고 이 글자와 거꾸로 된 모양이 위의 두터울 厚(후)자로 반대로 조상이 후손들에게 많은 복을 준다는 의미를 담고 있다고 하는 설도 유력하다.
●●●●● 享受(향수)/享年(향년)/享樂(향락)/享有(향유)

烹

훈음 삶을 팽 부수 불 火(화) ▶▶▶ 형통할 亨(형) + 불 灬(화) ➡ 음식물을 삶고 있는 모습
음식을 익히고 삶는 모습에서 '삶다'의 뜻을 가진 글자로 불 灬(화)가 의미요소이고, 亨(형)은 솥단지나 냄비를 상징했을 것이나 여기서는 발음기호 역할을 한다.
●●●●● 兎死狗烹(토사구팽)

孰

훈음 누구 숙 부수 아들 子(자)
▶▶▶ 누릴 享(향) + 알 丸(환) ➡ 사당에 제물을 바치는 저 사람이 누구냐
누릴 享(향)은 높은 건물 모양을 하고 있으나 그보다는 작은 사당을 상징하는데 바로 그 사당(享)에 제물을 받치는 사람(丮(극)-丸(환)으로 바뀜)의 모양을 한 글자로 음식을 익혀서 제물을 '바치다'에서 '누구'를 뜻하는 글자로 차용되자 본뜻을 살린 글자가 熟(숙)자이다.

熟

훈음 익을 숙 부수 불 灬(화)발 ▶▶▶ 누구 孰(숙) + 불 灬(화) ➡ 음식을 익혀(요리하여) 제단에 바침
음식을 끓이다. 불로 삶거나 '끓이다'를 나타내기 위해 불 灬(화)를 첨가하여 본뜻을 살린 글자로 불 灬(화) 및 孰(숙) 모두 의미요소이며 孰(숙)이 발음기호이다.
●●●●● 熟練(숙련)/完熟(완숙)/熟考(숙고)/未熟(미숙)/熟達(숙달)

淳

훈음 순박할 순 부수 물 氵(수)변 ▶▶▶ 물 氵(수) + 누릴 享(향)
태어난 아들(子(자))이 물(氵(수))처럼 순수해야 자식을 낳은 부모들이 노후를 편히 누릴(享(향)) 수 있다는 뜻에서 만들어진 글자다.
●●●●● 淳朴(순박)

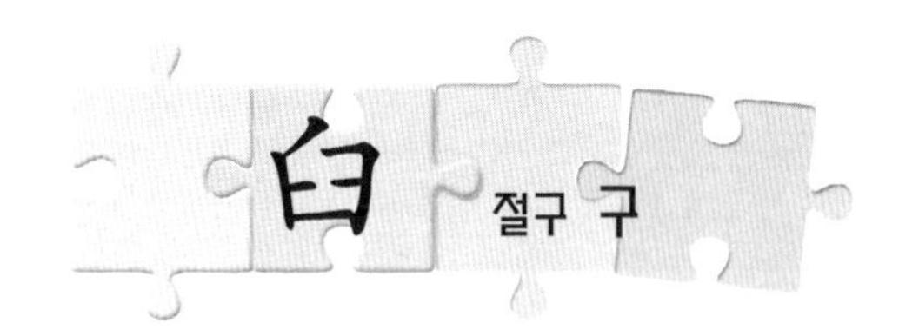

臼(구) 臿(삽) 插(삽) 舁(여) 與(여) 興(흥) 舃(석) 舊(구)

臼

훈음 절구 구 부수 제 부수

곡식을 넣고 빻거나 찧는 절구의 모습을 그린 글자이나 속이 텅 비어 있어 아직 다 여물지 않은 즉 속이 조금은 비어 있는 어린아이의 두뇌를 상징하기도 하고 글자의 모양이 닮아 깍지 낄 국(臼 - 맨 아래의 선(一)이 갈라진 글자가 두 손 국)자와 혼용되기도 하여 절구 臼(구)자의 부수에 속하긴 하나 '손 특히 양손'과 관련된 글자임을 유의하자.

插

훈음 꽂을 삽 부수 손 扌(수) ▶▶▶ 손 扌(수) + 가래 臿(삽) ➡ 손으로 삽질하는 모습

삽(千)으로 땅을 파 구덩이(臼)를 만드는 농기구가 가래 삽(臿)이며 삽(臿)으로 땅을 파서 구덩이를 만들고 있는 모습에서 구덩이를 파기 위해 손(扌)으로 삽(臿)을 구덩이에 꽂는다 하여 '꽂다, 삽입하다'가 파생된 글자로 모두 의미요소이다.

●●●●● 挿畵(삽화)/插入(삽입)

舁

훈음 마주들 여 부수 절구 臼(구)

▶▶▶ 두 손 국(臼-구의 변형) + 두 손 廾(공) ➡ 두 사람이 내민 네 손의 모양

모양새가 절구 臼(구)이나 실은 두 손 국(臼)의 변형으로 양쪽에서 두 사람이 서로 두 손을 내밀어 무엇을 마주 든다거나 함께 새끼줄을 엮는다거나 하는 모습을 그린 글자이다.

與

훈음 줄 여 부수 절구 臼(구) ▶▶▶ 마주들 舁(여) + 어조사 与(여) ➡ 새끼 꼬는 모습

与(여)의 모양은 꼬인 새끼줄 모습으로 네 손 즉 양 손으로 양쪽에서 새끼줄을 서로 마주 들고(舁) 있는 모습을 그려서 주다/더불어/무리 등으로 의미 발전했다.

●●●●● 授與(수여)/贈與(증여)/與件(여건)/與黨(여당)/與否(여부)/關與(관여)/給與(급여)/賞與金(상여금)

興

훈음 일어날 흥 부수 절구 臼(구)

▶▶▶ 마주들 舁(여) + 한가지 同(동) ➡ 가마를 여러 사람이 들고 힘차게 일어나는 모습

가마(同)를 네 사람이서(舁-네 손) 들어올려 들쳐 메고 가는 모습에서 '일으키다/일어나다'의 뜻이 생겼다.

●●●●● 興奮(흥분)/餘興(여흥)/興味(흥미)

舃

훈음 까치 석/작 부수 절구 臼(구)

▶▶▶ 절구 臼(구) + 새 鳥(조)의 생략형 – 마른 나뭇가지로 얽어서 만든 까치집

까치의 모양을 그렸다고 하나 까치집을 강조한 글자로 높은 나뭇가지 사이로 마른 나무줄기나 가지를 이용하여 마치 대바구니처럼 집을 짓는 까치집의 특징을 살린 글자로 모든 글자가 다 의미요소이다.

舊

훈음 옛/오랠 구 부수 절구 臼(구) ▶▶▶ 풀 艹(초) + 새 隹(추) + 절구 臼(구) ➡ 오래된 새집

萑(추) - 풀 무성할 추 - 위의 풀 艹(초) 대신에 쌍상투 丱(관)이 들어가면 '부엉이 화'자이다.

절구 臼(구)를 聲部(성부)로 하여 오랠 구/옛 구(舊)자가 만들어졌다.

부엉이는 오래 사는 새이므로 오래란 뜻으로 확대 '헌것, 옛' 등의 뜻으로 가차되자 부엉이 소리라는 본뜻을 기리기 위해 수리부엉이 鵂(휴)자가 만들어졌다.

●●●●● 親舊(친구)/新舊(신구)/舊式(구식)

舀(요)　稻(도)　滔(도)　臽(함)　陷(함)　諂(첨)　毁(훼)

舀

훈음 퍼낼 요 부수 절구 臼(구)

▶▶▶ 손톱 爫(조) + 절구 臼(구) ➡ 절구에서 곡식을 꺼냄

손(爪)으로 절구(臼)에서 절구로 빻은 곡식을 퍼내는 모습을 단순 간결하게 처리한 글자이다.

稻

훈음 벼 도 부수 벼 禾(화) ▶▶▶ 벼 禾(화) + 손 爪(조) + 절구 臼(구) ➡ 절구에 빻던 대표적 곡식 벼

곡식을 대표하는 벼를 나타내기 위한 글자이므로 벼 禾(화)를 의미부로 나머지는 발음기호이다.

●●●●● 立稻先賣(입도선매)

滔

훈음 물 넘칠 도 부수 물 氵(수)

▶▶▶ 물 氵(수) + 손 爪(조) + 절구 臼(구) ➡ 절구 안의 곡식이 물 넘치듯 넘쳐나다

물이 넘치는 모습을 절구에서 곡식이 넘치는 모습을 연상시킨 글자로 물 氵(수)가 의미요소이고 나머지는 발음요소이나 의미에도 조금 관여한 듯하다.

●●●●● 滔滔(도도)히 흐르는 강물

陷

훈음 빠질 함 부수 언덕 阝(부)

▶▶▶ 언덕 阝(부) + 함정 함(臽) ➡ 언덕에 파 놓은 함정에 빠진 사람

사람(⺈→人)이 구덩이(臼)에 빠진 모습에서 함정 함(臽)자이며 그 함정을 사람들이 자주 다니는 언덕(阝(부))에 몰래 파 놓고 사람이나(人) 동물을 빠지게 한다는 뜻에서 만들어진 글자가 빠질 陷(함)자이다.

●●●●● 陷穽(함정)/謀陷(모함)/陷沒(함몰)/缺陷(결함)

諂

훈음 아첨할 첨 부수 말씀 言(언)

▶▶▶ 말씀 言(언) + 함정 함(臽) ➡ 사람을 말로 함정에 빠지게 하는 것

아첨은 말(言)로 사람(人)을 함정(臼)에 빠뜨리게 하는 것이므로 조심해야 한다.

●●●●● 阿諂(아첨)

毁

훈음 헐 훼 부수 창/몽둥이 殳(수)

▶▶▶ 절구 臼(구) + 흙 土(토) + 창/몽둥이 殳(수) ➡ 몽둥이로 처마에 달린 새집을 부수는 모습

사람이 까치발(工-壬)을 하고 처마 밑에 달린 벌집(臼)이나 새집(臼) 등을 몽둥이(殳)로 때려부수는 모습을 그린 글자이다.

●●●●● 毁損(훼손)/毁謗(훼방)

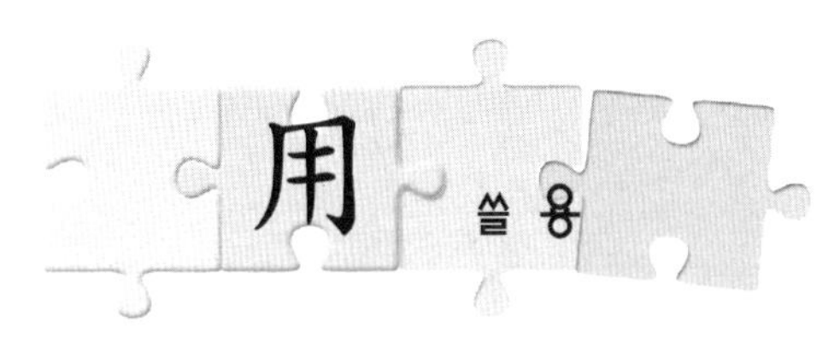

✍ 광주리

用(용) 甬(용) 勇(용) 涌(용) 踊(용) 誦(송) 通(통) 痛(통) 備(비)

用

훈음 쓸 용 **부수** 제 부수

설이 많은 글자로 물건을 담기 위한 竹細工品(죽세공품)인 대바구니의 모습 혹은 대를 엮어 바구니를 짜고 있는 모습에서 '쓰다, 쓰이다'가 파생된 글자로 여겨지며, 사람(亻)이 화살(矢)이 들어있는 전통(用)을 멘 모습에서 준비(準備)의 갖출 비(備)자가 탄생하였다.

●●●●● 利用(이용)/登用(등용)/無用之物(무용지물)/用務(용무)/兼備(겸비)/有備無患(유비무환)

甬

훈음 길 용 **부수** 쓸 用(용)

나무통의 상형이었던 用(용)이 '쓰다'로 가차되자 양쪽에 손잡이를 넣어 통(用)이라는 뜻을 살린 글자였으나 단독 사용은 없고 발음요소로 사용된다, 따라서 바구니(甬) 사이로 바람이 지나다니므로(辶) 통과(通過)의 통할 통(通)자가 만들어졌으며 사람의 몸에 바람이 드나든다는(甬) 것은 아프다는(疒) 것으로 통한(痛恨)의 아플 통(痛)자가 생겨났다.

●●●●● 貫通(관통)/通達(통달)/通信(통신)/通讀(통독)/萬事亨通(만사형통)/痛症(통증)/痛快(통쾌)

勇

훈음 날쌜 용 **부수** 힘 力(력)

▶▶▶ 길 甬(용) + 힘 力(력) ➡ 짐이 들은 통을 번쩍 들어 올리는 장정의 모습에서

날쌔고 용맹하다는 뜻이므로 힘 力(력)을 의미요소로 길 甬(용)을 발음기호로, 양쪽에 손잡이가 달린 통(甬)과 힘(力)을 합하여 사냥감이나 땔감을 가득 채운 통(甬)을 번쩍 들어 올리는 남정네의 힘(力)쓰는 모습에서 생긴 글자다.

●●●●● 勇敢(용감)/勇氣(용기)/勇猛(용맹)

湧

훈음 샘솟을 용 **부수** 물 氵(수)

▶▶▶ 물 氵(수) + 날쌜 勇(용) ➡ 땅에서 힘차게 솟아오르는 물줄기

힘차게 솟아나는 물줄기를 묘사한 글자로 물 氵(수)와 勇(용) 모두가 의미요소로 사용되었고 勇(용)은 발음에도 영향을 주었다.

●●●●● 湧出(용출)/湧水(용수)

踊

훈음 뛸 용 **부수** 발 足(족) ▶▶▶ 발 足(족) + 날랠 勇(용) ➡ 높이 뛰어오르는 모습

'높이 뛰어오르다'를 나타내기 위한 글자로 발 足(족)이 주 의미요소로 勇(용)이 발음 및 의미를 더욱 강조하는 데 기여했다.

●●●●● 舞踊(무용)

훈음 욀 송 **부수** 말씀 言(언) ▶▶▶ 말씀 言(언) + 길 甬(용) ➡ 반복하여 말하면서 외우다

반복하여 외움을 나타내기 위해 말씀 言(언)을 의미요소로 길 甬(용)은 발음기호로 쓰였다.

●●●●● 暗誦(암송)/誦讀(송독)

甫(보) 圃(포) 浦(포) 捕(포) 鋪(포) 敷(부) 補(보) 輔(보)

甫

훈음 클 보 부수 쓸 用(용) ▶▶▶ 밭 田(전) + 싹 날 철(屮)

밭의 상형과 풀 한 포기의 상형이 합쳐져 너른 밭을 나타내는 의미였으나 '사나이, 크다'의 의미로 가차되자 밭의 경계를 더하여 '밭'의 의미를 살린 글자가 밭 圃(포)이다.

●●●●● 甫田(보전)

圃

훈음 밭 포 부수 에울 위(口) ▶▶▶ 에울 위(口) + 클 甫(보) ➡ 경계가 있는 너른 밭

위의 보(甫)가 '크다, 사나이'라는 뜻으로 전용되자 에울 위(口)를 더하여 본뜻을 살려 둔 글자로 모든 글자가 다 의미요소이다.

●●●●● 蔘圃(삼포)

浦

훈음 개 포 부수 물 氵(수)변

▶▶▶ 물 氵(수) + 클 甫(보) ➡ 바다로 흘러드는 곳의 강이나 내의 넓은 어귀

강물이나 냇물이 바다로 들어가는 어귀를 '개어귀' 또는 '포구'라고 하는데, 대개 강이나 냇가들이 바다로 오면서 그 입구가 넓어지는데 바로 그 모습을 의미하는 글자로 두 글자 모두 의미요소이며 클 甫(보)가 발음기호이다.

※ 捕(포) - 사로잡을 포/鋪(포) - 펼/점포 포

●●●●● 浦口(포구)/浦村(포촌)/三浦(삼포)

捕

훈음 사로잡을 포 부수 손 扌(수) ▶▶▶ 손 扌(수) + 클 甫(보) ➡ 손을 크게 벌려 잡음

손(扌(수)을 크게 벌려야(甫(보)) 걸려들지 않겠는가? 무엇인가를 잡으려면 그물 같은 것을 넓고 크게 하여 잡는다는 이치에서 생긴 글자다.

●●●●● 捕獲(포획)/生捕(생포)/拿捕(나포)/捕捉(포착)/捕鯨(포경)

鋪

훈음 펼 포 부수 쇠 金(금) ▶▶▶ 쇠 金(금) + 클 甫(보) ➡ 농기구 등을 펼쳐 놓음

옛날엔 농사가 주산업이었기에 농기구를 만드는 대장간이 가장 큰 사업체이자 대표적 점포였다. 따라서 대장간에서 만들던 농기구의 주요 재료인 쇠 金(금)이 의미요소고 클 甫(보)가 발음기호 겸 의미보조였다. 시골 장터에 장이 서면 대장간 앞에 많은 농기구 등을 펼쳐 놓고 장사하던 모습들을 연세든 분들은 쉽게 떠올릴 수 있을 것이다. 거기에서 店鋪(점포)가 유래한 것이다.

●●●●● 店鋪(점포)/道路鋪裝(도로포장)/非鋪裝(비포장)

敷

훈음 펼 부 부수 칠 攵(복) ▶▶▶ 클 甫(보) + 모 方(방) + 칠 攵(복) ➡ 쳐서 사방팔방으로 크게 넓힘

가죽이나, 밀가루 반죽 같은 것을 몽둥이(攵(복)) 등으로 고르고 넓게(甫(보)) 사방(方(방))으로 쳐서(攵(복)) 펼치(甫(보))는 모습에서 만들어진 글자다.

●●●●● 敷地(부지)/敷設(부설)/敷衍(부연)

補

훈음 기울 보 부수 옷 衤(의)

▶▶▶ 옷 衤(의) + 클 甫(보) ➡ 옷에 난 구멍이나, 닳은 곳을 천을 덧대어 수선함

옛날엔 어머니들의 주요 일과 중 하나가 등잔불 아래서 떨어진 식구들의 옷(衤)을 깁는 즉 구멍 난 양말을 깁는다(甫)거나, 떨어진 무릎을 다른 헝겊으로 덧대곤 하는 모습에서 만들어진 글자이고 수레(車)의 양쪽 가장자리에 덧대(甫)는 나무가 보좌관(輔佐官)의 덧방나무 보(輔)자이다.

●●●●● 補修(보수)/補充(보충)/補强(보강)/補聽器(보청기)/補助(보조)/補身(보신)/補補闕選擧(보궐선거)

尃(부)　賻(부)　傅(부)　博(박)　簿(부)　薄(박)　縛(박)

尃

훈음 펼 부 부수 마디 촌 ▶▶▶ 클 甫(보) + 마디 寸(촌) ➡ 손으로 밭에 씨를 뿌리다

'펼치다'는 뜻을 나타내기 위한 것으로 손으로 넓은 밭에 씨를 뿌린다 하여 손 寸(촌)이 의미요소로 클 甫(보)는 발음기호로 쓰였다.

※ 오로지 專(전)자와는 완전히 다른 글자이므로 注意(주의)하자.

賻

훈음 부의 부 부수 조개 貝(패) ▶▶▶ 조개 貝(패) + 클 甫(보) + 마디 寸(촌) ➡ 십시일반

적은(寸) 돈(貝)이라도 모이면 크게(甫(보)) 도움이 된다. 초상을 치루기 위해 목돈이 필요한 喪主(상주)를 돕기 위해 제공하는 금전이나 물질을 의미하는 말로써 조개 貝(패)가 의미요소이며 펼 尃(부)가 발음기호이다.

●●●●● 賻儀金(부의금)/賻助(부조)

훈음 스승 부 부수 사람 亻(인)변 ▶▶▶ 사람 亻(인) + 펼 尃(부) ➡ 세상을 넓고 크게 이롭게 하는 사람

스승이란 사회를 넓고(尃) 크게 이롭게 하는 사람(亻), 혹은 도량이나 지혜가 한없이 넓은(尃) 사람(亻)을 가리킨다.

●●●●● 師傅(사부)

훈음 넓을 박 부수 열 十(십) ▶▶▶ 열 十(십) + 펼 尃(부) ➡ 넓게 많이 아는 사람

博士(박사)는 태어나는 게 아니고 적은(寸(촌)) 노력들을 거듭하여 지식을 크고(甫(보)) 많이(十(십)) 쌓아 사회에 도움이 되도록 노력한 사람을 말한다.

●●●●● 博士(박사)/博學多識(박학다식)/博愛(박애)/博覽會(박람회)

훈음 장부 부 부수 대 竹(죽)

▶▶▶ 대 竹(죽) + 넓을 溥(부, 보) ➡ 대나무를 얇고 넓게 하여 만든 기록용지

종이가 없던 시절 종이 대신 사용되던 대나무를 얇고 넓게 만들어 그 위에 중요한 것들을 기록하던 풍습에서 만들어진 글자다.

●●●●● 帳簿(장부)/家計簿(가계부)/簿記(부기)/原簿(원부)

※ 참고　簡(간) – 편지/대쪽 간 ➜ 書簡文(서간문)

　　　　籍(적) – 서적 적 ➜ 書籍(서적)

훈음 엷을 박 부수 풀 艹(초) ▶▶▶ 풀 艹(초) + 물 氵(수) + 펼 尃(부) ➡ 물 위를 넓게 덮고 있는 수초

물가에 가면 풀들이 자라는 것을 볼 수 있는데 물에 떠 있기 위해서는 풀들이 아주 얇고 가벼워야 한다. 따라서 물가에 핀 풀(艹(초))을 더해서 '엷을 박'자가 생겼다. 연꽃처럼 물 위를 덮고 있는 수초들도 가볍고 얇아야 물에 뜬다.

●●●●● 淺薄(천박)/薄膜(박막)/薄待(박대)함

훈음 묶을 박 부수 실 糸(사)

▶▶▶ 실 糸(사) + 클 甫(보) + 마디 寸(촌) ➡ 실을 마디마디 크게 꼬아 포승줄을 만들어 묶음

실로 마디마디를 묶어 크게 하여 포승줄이나 그물을 만들어 사람이나 동물을 묶어 잡았다.

●●●●● 捕縛(포박)/束縛(속박)/結縛(결박)/自繩自縛(자승자박)

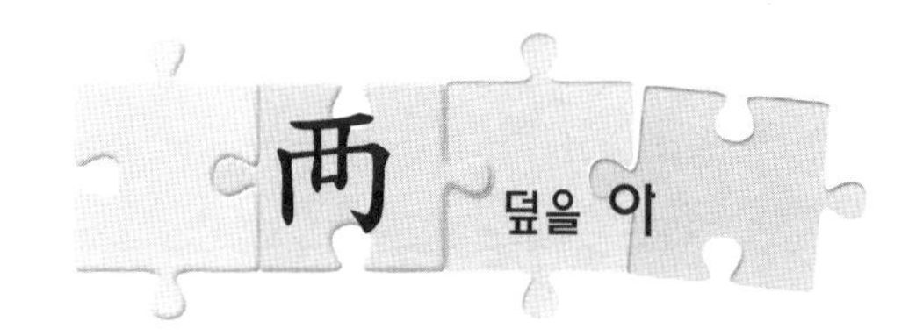

襾(아) 賈(고) 西(서) 要(요) 腰(요) 覆(복) 覇(패)

襾

훈음 덮을 아 **부수** 제 부수

'무엇인가 덮고 있는 형태'라는 설과 코르크마개로 포도주 병을 덮어 두는 것처럼 암수가 서로 맞물려 있는 모습이라는 설에서 아무튼 두 설 다 '덮다'의 뜻을 가지고 있다. 뜻과는 무관하나 편의상 글자꼴이 비슷하여 사용되어지는 경우도 있다.

賈

훈음 장사 고/값 가 **부수** 조개 貝(패) ▶▶▶ 덮을 襾(아) + 조개 貝(패) ➡ 원가가 얼마인지는 가려져 있다

돈(貝)을 덮는다(襾)는 것은 장사치들의 원칙 같은 것으로 원가(貝)가 얼마인지 얼마나 남기는지 모두 덮어져(襾) 있어 아무도 모른다. 따라서 두 글자 모두 의미요소에 기여하고 있으며, '덮다'에 초점을 맞추면 값 賈(가)로 읽히고, 장사치에 초점을 맞추면 賈(고)로 읽힌다.

西

훈음 서녘 서 **부수** 덮을 襾(아) ▶▶▶ 덮을 襾(아) + 한 一(일) ➡ 그냥 외우자

물건을 담는 소쿠리의 모습에서 방위를 나타내는 서쪽으로 발전했다. 고기잡이 나갔던 아버지가 저녁 해질 무렵 즉 서쪽에서 소쿠리에 고기를 가득 잡아 집으로 오는 모습에서 서쪽이라는 뜻이 발전했다는 설도 있다.

●●●●● 東西(동서)/西海岸(서해안)/西歐(서구)/東家食西家宿(동가식서가숙)

要

훈음 구할 요 **부수** 덮을 襾(아)

▶▶▶ 덮을 襾(아) + 계집 女(여) ➡ 여자의 허리를 두 손으로 우악스럽게 들어 올리다

뒤에서 여자(女)의 허리를 남자가 우악스럽게 두 손으로(襾-양 손의 변형) 들어 올리는 모양으로 '허리'가 본뜻이었으나, '요구하다, 요망하다'의 뜻으로 더 쓰이게 되자 본뜻을 보존하기 위한 글자가 아래의 허리 腰(요)이다.

●●●●● 要求(요구)/重要(중요)/要衝地(요충지)/要點(요점)

腰

훈음 허리 요 **부수** 肉(육)달 月(월)

▶▶▶ 肉(육)달 月(월) + 구할 要(요) ➡ 허리는 중요한 신체기관 중 하나이다

신체 부위인 허리를 분명히 하기 위해 신체를 상징하는 육(肉) 달 月(월)을 추가하여 만든 글자로 둘 다 의미요소이긴 하나 要(요)는 발음을 겸하기도 한다.

●●●●● 腰痛(요통)/腰折腹痛(요절복통)/腰帶(요대)

覆

훈음 뒤집힐 복 **부수** 덮을 襾(아) ▶▶▶ 덮을 襾(아) + 돌아올 復(복) ➡ 구르면서 앞뒤가 바뀌는 장면

'뒤집다, 덮다'가 본뜻이므로 '뒤집히다'의 뜻일 경우는 돌아올 復(복)이 주 의미요소이고, '덮다'의 경우는 덮을 襾(아)가 의미요소로 復(복)은 발음기호로 쓰였다.

●●●●● 顚覆(전복)/飜覆(번복)/覆蓋(복개)/覆面(복면)

覇

훈음 으뜸 패 **부수** 덮을 襾(아) ▶▶▶ 덮을 襾(아) + 가죽 革(혁) + 달 月(월) ➡ 으뜸으로 뜨는 달

덮을 아(襾)는 비 우(雨)가 변한 글자로 우(雨)와 월(月)에 빛바랜 혁(革)에서 모질고 오랜 세월 갑옷(革)이 색이 바라도록 싸워 마침내 승리를 거두는 용맹스런 군사와 장군의 모습에서 패자(覇者)의 으뜸 패(覇)가 만들어졌다.

●●●●● 覇權(패권)/制覇(제패)/覇氣(패기)

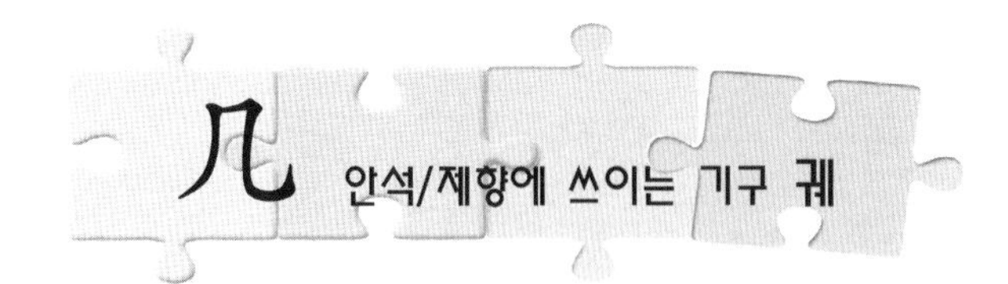

几(궤)	机(궤)	飢(기)	凡(범)	帆(범)	汎(범)	恐(공)	風(풍)
亢(항)	抗(항)	航(항)	坑(갱)	筑(축)	築(축)	鳳(봉)	凰(황)

几

훈음 안석 궤 **부수** 제 부수

案席(안석)은 사람들이 자리를 잡고 앉을 때 몸을 기대는 도구로 자동차 뒷좌석의 팔걸이를 생각하면 된다. 또는 마치 나무 쟁반에 발이 달린 형태의 나지막한 의자를 말하기도 한다. 따라서 이 글자는 '책상, 기구' 등의 의미 역할을 한다, 그러나 단독 사용이 없자 나무 木(목)을 추가하여 만든 글자가 机上(궤상)의 책상 궤(机)자이며, 밥 식(食)을 추가하면 기아(飢餓)의 주릴 기(飢)자가 된다.

凡

훈음 무릇 범 **부수** 안석 几(궤) ▶▶▶ 안석 几(궤) + 점 丶(주) ➡ 쪽배에 매단 돛의 모양

바람으로 움직이는 쪽배에 달아놓은 돛이라는 의미였으나, '무릇, 평범하다'로 차용되자 본뜻을 살리기 위해 돛의 재료인 천을 더하여 만든 글자가 아래의 돛 帆(범)자이다.

●●●●● 凡例(범례)/禮儀凡節(예의범절)/凡事(범사)/凡夫(범부)

帆

훈음 돛 범 **부수** 수건 巾(건) ▶▶▶ 수건 巾(건) + 무릇 凡(범) ➡ 돛은 헝겊이다

돛단배에 매단 돛의 재료가 천(巾)이므로 천을 넓게 수건 모양으로 하여 원래의 의미를 살려 놓은 글자가 돛 帆(범)자라면 물(氵) 위에 뜨는(凡) 성질을 이용하여 만든 글자는 범국민적(汎國民的)의 뜨다/넓다 범(汎)자이다.

●●●●● 帆船(범선)/出帆(출범)/大汎(대범)

恐

훈음 두려울 공 **부수** 마음 心(심)

▶▶▶ 공 工(공) + 무릇 凡(범) + 마음 心(심) ➡ 무엇인가의 위협 때문에 마음에 두려움을 느낌

두렵고 겁나는 마음을 뜻하는 글자이므로 마음 心(심)이 의미요소고 나머지가 발음기호이다.

이 글자를 직역하면 '공구를 잡고 있는 손'이 된다. 무릇 凡(범)자의 소전체를 보면 구부리고 앉은 사람이 두 손을 내민 모습으로 잡을 執(집)의 丸(환)과 같은 꼴이다.

●●●●● 恐怖(공포)/恐慌(공황)/惶恐無地(황공무지)/恐妻家(공처)

風

훈음 바람 풍 **부수** 제 부수

▶▶▶ 무릇 凡(범) + 벌레 虫(충) ➡ '속에 바람 들었다'는 벌레가 먹었다는 의미

벌레 먹었다(虫)를 흔히 바람 들었다고 한다. 특히 무가 바람이 들면 속이 듬성듬성해지고 육질이 탄력이 없어지고 맛도 사라진다. 찬바람이 사람의 몸에 들어오는 게 感氣(감기)다.

●●●●● 颱風(태풍)/虛風(허풍)/暴風雨(폭풍우)/風車(풍차)/風扇(풍선)

築

훈음 쌓을 축 **부수** 대 竹(죽) ▶▶▶ 악기이름 筑(축) + 나무 木(목)

두려움(凡+工)을 막아줄 담장을 만들기 위해 땅에 말뚝(木+竹)박는 모습이 건축(建築)의 쌓을 축(築)

●●●●● 築城(축성)/築臺(축대)/改築(개축)/新築(신축)/增築(증축)/構築(구축)

鳳

훈음 봉새 봉/봉황새 황 부수 새 조(鳥)/안석 几(궤) ▶▶▶ 안석 几(궤) + 새 鳥(조)/임금 皇(황)

바람(凡)을 일으키며 나타나는 신성시 되는 새(鳥)가 봉황(鳳凰)의 봉새 봉(鳳)

바람(凡)을 일으키며 나타나는 새(鳥)가 임금 황(皇)을 발음기호로 봉황새 황(凰)

●●●●● 鳳凰(봉황)

亢

훈음 목 항 부수 돼지해머리 亠(두) ▶▶▶ 머리 亠(두) + 안석 几(궤) ➡ 머리와 목의 모습

머리(亠)와 목(几)의 모습을 단순 간결하게 만든 글자로 '목'을 의미하게 됐으며, 땅(土)을 깊이 파면 마치 그 모습이 목(亢)구멍 같다하여 갱도(坑道)의 구덩이 갱(坑)자가 만들어졌다.

●●●●● 坑口(갱구)/坑木(갱목)/坑儒(갱유)/焚書坑儒(분서갱유)

抗

훈음 막을 항 부수 손 手(수) ▶▶▶ 손 扌(수) + 목 亢(항) ➡ 손으로 저항함

목이 달아나려는 찰나에 자동적으로 손을 내 젓던가 발악을 하며 저항하려는 모습의 글자다.

●●●●● 抵抗(저항)/對抗(대항)/抗拒(항거)/抗訴(항소)

航

훈음 배 항 부수 배 舟(주) ▶▶▶ 배 舟(주) + 목 亢(항) ➡ 육지가 아닌 곳을 움직이는 배

수레에 대항하는 글자로 하늘과 바다를 넘나다니는 도구를 의미하므로, 옛날엔 비행기가 없어서 '배 항'이라는 명칭을 갖는 글자로 배 舟(주)가 의미요소이고 목 亢(항)이 발음기호이다.

●●●●● 航海(항해)/運航(운항)/航空(항공)/航路(항로)/順航(순항)

鼎(정) 則(칙) 敗(패) 員(원) 圓(원) 具(구) 俱(구) 質(질)

鼎

훈음 솥 정 부수 제 부수

솥을 뜻하는 글자로 손잡이가 있고 발이 달린 시골의 가마솥을 연상하면 된다. 글자가 복잡하여 후대로 내려오면서 갑골문의 글자꼴이 비슷한 조개 貝(패)로 변하여 사용되는 경우가 흔한데 곧을 貞(정)/곧 則(즉)/수효 員(원)자는 실은 솥 鼎(정)자의 생략형이다.

●●●●● 鼎立(정립)/鼎談(정담)

則

훈음 법칙 칙 부수 칼 刂(도) ▶▶▶ 조개 貝(패) + 칼 刂(도) ➡ 청동 그릇에 칼로 글자를 새김

칼(刂)로 솥(貝-鼎)에 글을 새기는 것을 의미하는 것으로 오늘날의 단순한 솥을 생각하면 안 된다. 공을 세워 하사품으로 받은 고가의 청동기제품인 솥 등에 신하가 지켜야 할 왕의 명령이나 당부 등을 새겨 넣었으므로 '법칙'이란 뜻이 생겨났다. 또한 칼(刂)로 솥(貝-鼎)에 눌러 붙은 음식을 빨리 떼어냄에서 혹은 下賜(하사)를 한 왕의 이름을 어떠한 이유에서든 빨리 제거해 버려야 하였으므로 "곧"이라는 뜻도 생겼다.

●●●●● 法則(법칙)/規則(규칙)/原則(원칙)/民心則天心(민심즉천심)

敗

훈음 깨뜨릴 패 부수 칠 攵(복) ▶▶▶ 조개 貝(패) + 칠 攵(복) ➡ 쳐서 깨뜨리다

솥(貝=鼎)을 몽둥이나 돌로 쳐서(攵) 깨뜨리는 모습에서 파생된 글자로 두 글자 모두 의미요소이며 조개 貝(패)가 발음기호이다.

●●●●● 敗北(패배)/勝敗(승패)/失敗(실패)/敗家亡身(패가망신)

員

훈음 수효/사람 원 부수 입 口(구)

▶▶▶ 입 口(구) + 솥 鼎(貝(패의 원 글자로 추정)) ➡ 솥의 둥근 윗부분

둥근 세발솥의 모양을 본뜬 것으로 '둥근 솥, 혹은 둥글다'가 원래의 의미이나 '수효, 사람'의 뜻으로 더 많이 사용되자 에울 위(囗)를 더하여 '둥글다'의 의미를 살린 글자가 아래 글자인 둥글 圓(원)자이며, 중요한 계약 내용을 도끼(斤)로 솥(貝=鼎)에 새기는 모습에서 본질(本質)의 바탕 질(質)자이다

●●●●● 人員(인원)/公務員(공무원)/充員(충원)/圓筒(원통)/圓周(원주)/質問(질문)

具

훈음 갖출 구 부수 여덟 八(팔) ▶▶▶ 솥 且(정) + 두 손 받들 廾(공) ➡ 솥을 두 손으로 받쳐 들다

또 且(차)자가 아닌 솥 鼎(정)자의 약자로 두 손(廾)으로 솥을 들고 있는 모습에서 잔치할 혹은 손님을 대접할 '준비가 되었다/갖추었다'라는 의미로 발전됐으며, 함께 잔치(具)를 즐기는 사람(亻)이 구락부(俱樂部)의 함께 구(俱)

●●●●● 具備(구비)/文房具(문방구)/具色(구색)/不俱戴天(불구대천)

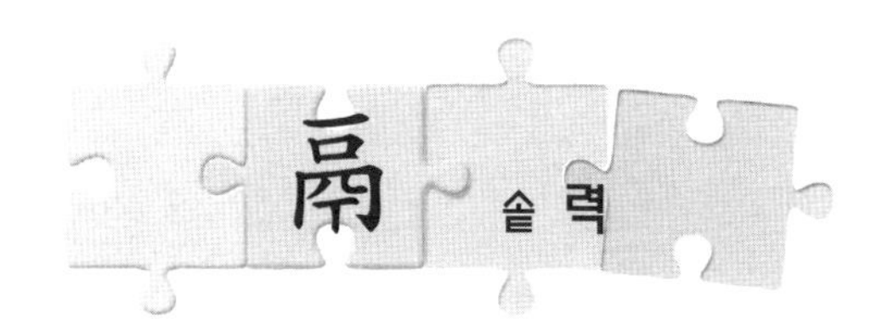

鬲(격/력) 隔(격) 獻(헌) 融(융)

鬲

훈음 솥 력/막을 격 **부수** 제 부수
솥 정(鼎)자와 비슷한 모습으로 막을 격(鬲)/솥 력(鬲)이라는 음가를 가지고 있다.
※ 단독사용 없다고 봐도 된다.

隔

훈음 사이 뜰 격 **부수** 언덕 阝(부) ▶▶▶ 솥 력/막을 鬲(격) + 언덕 阝(부)
언덕(阝)에 의해 두 진영이 분리(鬲-막을 격)되니 간격(間隔)의 사이 뜰 격(隔)
●●●●● 隔離(격리)/隔意(격의)/隔日(격일)/遠隔(원격)隔世之感(격세지감)/隔靴搔癢(격화소양)

獻

훈음 바칠 헌 **부수** 개 犬(견) ▶▶▶ 범 虍(호) + 솥 력/막을 鬲(격) + 개 犬(견)
호랑이(虍)와 개(犬)를 희생 제물로 바치기 위해 요리(鬲-솥 력)하는 모습이 헌납(獻納)의 바칠 헌(獻)
●●●●● 獻金(헌금)/獻身(헌신)/獻呈(헌정)/貢獻(공헌)

融

훈음 화할 융 **부수** 벌레 虫(충) ▶▶▶ 솥 력/막을 鬲(격) ➡ 솥에 넣고 함께 다 삶음
솥(鬲)에다 벌레(虫)를 삶으면 모두 풀어져 하나로 섞이므로 융화(融和)의 화할 융(融)
●●●●● 融資(융자)/融通(융통)/融合(융합)/融解(융해)/金融(금융)

斗(두) 科(과) 料(료) 斜(사) 魁(괴)

斗

훈음 말 두 부수 제 부수 – 자루가 있는 국자의 모습

곡식이나 액체 따위의 용량을 재는 데 쓰이는 단위로 '되'의 열 갑절에 해당하는 양인 '말'을 가리키는 글자이나 원모습은 술과 같은 액체를 떠내기 위해 자루가 달린 국자 모습이었다. 여기에서 '용량을 재는 度量衡器具(도량형 기구)로 쓰이게 되었다.

科

훈음 과정 과 부수 벼 禾(화) ▶▶▶ 벼 禾(화) + 말 斗(두) ➡ 벼(농작물)를 계량하여 분류하다

작물(禾)과 곡물을 계량하는 되(斗)를 합쳐서 작물을 계량하고 분류하는 것을 묘사하였다.

●●●●● 學科(학과)/科程(과정)/科目(과목)/金科玉條(금과옥조)

料

훈음 헤아릴 료 부수 말 斗(두) ▶▶▶ 쌀 米(미) + 말 斗(두) ➡ 됫박으로 쌀을 퍼 담다

쌀(米)과 됫박(국자–斗)의 합자로 됫박에 쌀을 퍼 자루에 담는 모습에서 헤아리다/세다/되다 등의 뜻이 생긴 글자로 모두 의미요소이다.

●●●●● 材料(재료)/食料品(식료품)/料金(요금)/無料(무료)

斜

훈음 비낄 사 부수 말 斗(두) ▶▶▶ 나 余(여) + 말 斗(두) ➡ 됫박으로 쌀을 퍼 담을 때 남긴 여운

옛날 됫박(斗)으로 곡식을 사고 팔 때는 평평하게 싹 됫박을 밀어 내는 것이 아니라 사는 사람도 파는 사람도 조금씩 경사지게 즉 남도록(余) 하여 팔고 산다는 의미다. 余(여)는 발음기호다.

●●●●● 傾斜(경사)/斜視(사시)

魁

훈음 으뜸 괴 부수 귀신 鬼(귀) ▶▶▶ 귀신 鬼(귀) + 말 斗(두) ➡ 귀신의 우두머리

국자를 본뜬 말 斗(두)는 별들의 우두머리인 북두칠성을 의미하기도 하므로 귀신 鬼(귀)를 더하여 귀신의 우두머리라는 의미의 새로운 글자가 만들어졌다.

●●●●● 魁首(괴수)

匚(방) 醫(의) 區(구) 匠(장) 匹(필) 甚(심) 勘(감) 堪(감)

匚

훈음 상자 방/감출 혜 부수 제 부수

두 글자 모두 비슷한 꼴을 하고 있어 혼동하기 쉽다. 굳이 구분하자면 '감추다'의 뜻을 갖는 匸(혜)자의 첫 획이 왼쪽으로 조금 더 삐쳐 나가 있음을 알 수 있다.

匚(방)의 대표 글자는 장인 匠(장)이고, 匸(혜)의 대표 글자는 區(구)자이나 비슷한 뜻과 모양을 하고 있으므로 그렇게 철저하게 구별할 필요는 없고 대충 비슷하거나 같은 글자로 보자.

醫

훈음 의원 의 부수 술 酉(유)

▶▶▶ 상자 匚(방) + 화살 矢(시) + 창 殳(수) + 술 酉(유) ➡ 전쟁터에서 생긴 글자

화살(矢)과 창(殳)이 등장한다는 것은 戰時(전시)라는 것이고 전쟁터에서 날아온 화살(矢)을 맞아 생긴 상처 구멍(匚)에 술(酉)을 부어 소독하는 장면에서 '치료하다, 치료하는 사람'의 뜻이 생겨났다.

●●●●● 醫院(의원)/醫師(의사)/醫術(의술)/醫療(의료)

區

훈음 지경 구 부수 감출 匸(혜) ▶▶▶ 감출 匸(혜) + 品(품) ➡ 여러 사람을 한 단위로 묶다

그릇을 보관해 두었다는 설과 일정 지역의 사람들을 구분하는 구획이라는 설 등이 있으나 후자의 說(설)인 여러 사람을 한 단위로 묶어 행정구역을 구별한다는 뜻이 설득력 있다.

●●●●● 區域(구역)/區廳(구청)/分區(분구)

匠

훈음 장인 장 부수 상자 匚(방) ▶▶▶ 상자 匚(방) + 도끼 斤(근) ➡ 도구로 나무를 파서 용기를 만드는 사람

나무를 정교하게 깎고(斤) 속을 파내고(匚(방)) 하여 유용한 용기나 예술품을 만들 수 있는 사람을 우리는 흔히 匠人(장인)이라고 한다. 따라서 두 글자 모두 의미요소이다.

●●●●● 匠人(장인)/巨匠(거장)/明匠(명장)/匠色(장색)

匹

훈음 필/짝 필 부수 상사 匚(방) ▶▶▶ 상자 匚(방) + 사람 儿(인) ➡ 홀로 있는 한 사람

옷감을 여러 겹으로 겹쳐 놓은 모습에서 옷감의 길이 단위를 나타내는 글자였다고 하나, 설득력이 약하고 '단수인 하나, 짝' 등의 의미로 외워두자.

●●●●● 配匹(배필)/匹夫匹婦(필부필부)/匹馬(필마)

甚

훈음 심할 심 부수 달 甘(감) ▶▶▶ 달 감(甘–용기) + 필 필(匹–아궁이) ➡ 아궁이의 센 불

음식을 조리할 때 느껴지는 화덕의 엄청난 열기의 모습에서 '심하다'의 뜻이 생긴 글자.

●●●●● 極甚(극심)/甚至於(심지어)/後悔莫甚(후회막심)/甚難(심난)

勘

훈음 살필/헤아릴 감 부수 힘 力(력) ▶▶▶ 심할 甚(심) + 힘 力(력) ➡ 불의 세기를 조절함

적당한 열기유지를 위해 삽이나 쟁기(力)등으로 연료를 아궁이에 넣는 모습에서 불의 세기를 살피다 '헤아리다'의 뜻으로 발전한 글자임.

●●●●● 勘査(감사)/勘案(감안)/勘定(감정)

堪

훈음 견딜 감 부수 흙 土(토) ▶▶▶ 흙 土(토) + 심할 甚(심) ➡ 뜨거운 불에 견디는 가마

흙 가마가 센 불에도 타서 없어지거나 찌그러들지 않고 잘 버티는 모습에서 만들어 진 글자임

●●●●● 堪耐(감내)/堪當(감당)

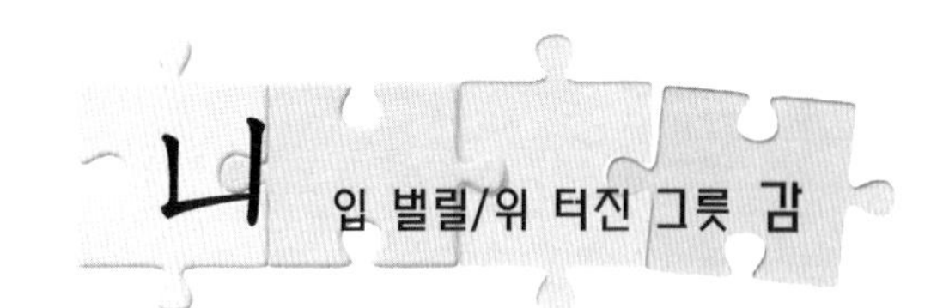

凵(감) 凶(흉) 匈(흉) 胸(흉) 兇(흉) 洶(흉) 函(함) 凹(요)

凵

훈음 입 벌릴 감 부수 제 부수

상황에 따라 입 벌린 모습으로 물건을 담는 광주리의 일종인 그릇으로 보기도 한다.

단독 사용은 없고 부수자로 쓰이며 대표적 글자로 凹凸(요철)이 있으며 凶(흉)자와 出(출)자가 여러 글자와 어우러져 音(음)으로 사용되고 있으며 울퉁불퉁 들어가고 튀어나온 길에서 들어간 부분을 요철(凹凸)의 오목할 요(凹)라고 한다.

凶

훈음 흉할 흉 부수 입 벌릴 凵(감) ▶▶▶ 입 벌릴 凵(감) + – 함정에 빠짐

적의 공격을 차단하기 위해 또는 동물을 잡기 위해 파 놓은 함정(凵)에 재수 없게 걸려든 사람이나 동물의 모습에서 '최악의 재수 없는 상황'을 묘사한 글자로 강한 부정적 이미지가 됐다.

●●●●● 凶惡(흉악)/凶年(흉년)/凶家(흉가)

匈

훈음 오랑캐 흉 부수 쌀 勹(포) ▶▶▶ 쌀 勹(포) + 흉할 凶(흉) ➡ 오랑캐는 귀신으로 보다

가슴(勹)에 이리(凶-흉칙한 것)가 들어 있는 무서운 부족이라 하여 오랑케 凶(흉)이 됐다.

●●●●● 匈奴(흉노)

胸

훈음 가슴 흉 부수 고기 肉(육) ▶▶▶ 고기 月(육) + 오랑캐 匈(흉) ➡ 가슴도 신체의 일부

흉할 匈(흉)자는 가슴에 문신을 새긴 모습으로 몸(月) 가운데 문신을 새기는 곳이 가슴이다. 따라서 두 글자 모두 의미요소이며 匈(흉)이 발음기호이다.

●●●●● 胸像(흉상)/胸中(흉중)/胸襟(흉금)

兇

훈음 흉악할 흉 부수 어진사람 儿(인) 발 ▶▶▶ 흉할 凶(흉) + 어진사람 儿(인) ➡ 흉한 사람

흉한 사람

●●●●● 兇漢(흉한)/元兇(원흉)

洶

훈음 물결 세찰 흉 부수 물 氵(수)

▶▶▶ 물 氵(수) + 오랑캐 匈(흉) ➡ 밀려드는 오랑캐의 위세로 세찬 물결

거센 물결의 모습이 밀려드는 오랑캐의 모습과 비슷하다 하여 만든 글자다.

●●●●● 洶洶(흉흉)/洶湧(흉용)

函

훈음 함 함 부수 입 벌릴 凵(감) ▶▶▶ 위튼 입 凵(감) + 화살 矢(시)

갑골문을 보면 화살 통에 화살이 들어 있는 모양을 하고 있는데 여기서 '함, 상자'의 뜻이 만들어진 글자로 모두가 의미요소이다.

●●●●● 募金函(모금함)/投票函(투표함)/郵便函(우편함)

出(출) 拙(졸) 屈(굴) 窟(굴) 掘(굴)

出

훈음 날 출 부수 위 터진 그릇 凵(감) ▶▶▶ 발 止(지) + 凵(감) ➡ 움막에서 밖으로 나가는 모습

여기서 입 벌릴 凵(감)은 움막 터를 의미하며 움막에서 나가는 모습을 그렸다.

●●●●● 出國(출국)/出口(출구)/出發(출발)

拙

훈음 졸할 졸 부수 손 扌(수) ▶▶▶ 손 扌(수) + 날 出(출) ➡ 손 사례 치며 뒤꽁무니 빼는 모습

솜씨가 서투르다 또는 자신의 것을 낮추어 말하는 겸칭의 표현으로 손 扌(수)가 의미요소이다.

●●●●● 稚拙(치졸)/拙速(졸속)/拙劣(졸렬)/拙作(졸작)

屈

훈음 굽을 굴 부수 주검 尸(시) ▶▶▶ 주검 尸(尾-원래의 글자) + 나갈 出(출) ➡ 도망가는 사람

뒷걸음치며(꼬리(尾)를 감추고) 빠져나가는(줄행랑치는) 모습에서 '굽다, 굽히다, 물러나다'의 뜻이 파생되었으며, 웅크리고 있는 주검 尸(시)와 밖으로 나가는 날 출(出) 모두가 의미요소이나 出(출)은 발음기호로도 사용됐다.

●●●●● 屈曲(굴곡)/屈伏(굴복)/屈辱(굴욕)/卑屈(비굴)

※ 朏(굴) - 볼기 굴/詘(굴) - 굽힐 詘(굴)

窟

훈음 굴/움막 굴 부수 구멍 穴(혈) ▶▶▶ 구멍 穴(혈) + 굽을 屈(굴) ➡ 굽은 동물의 움막

동굴이나 굴 같은 움막을 가리키는 말로 속이 비어 있는 구멍 穴(혈)이 의미요소고 屈(굴)은 발음기호이다.

●●●●● 洞窟(동굴)/兎營三窟(토영삼굴)

掘

훈음 팔 굴 부수 손 扌(수) ▶▶▶ 손 扌(수) + 굽을 屈(굴) ➡ 손으로 굴을 파다

'땅을 파내다'를 뜻하는 글자이므로 그 행위를 하는 손 扌(수)를 의미부로 屈(굴)은 발음기호이다.

●●●●● 掘鑿機(굴착기)/盜掘(도굴)

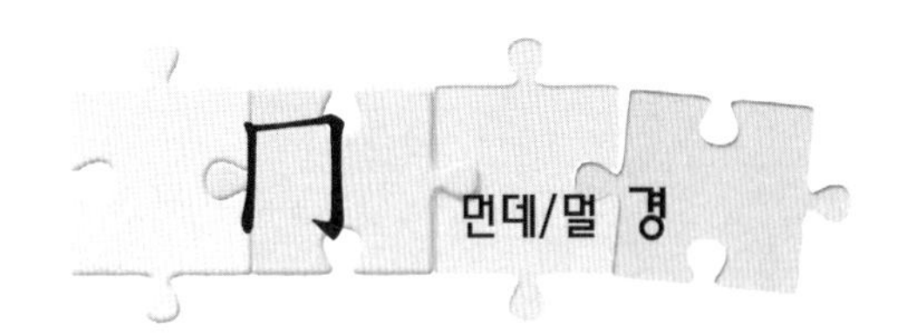

冂(경) 向(향) 同(동) 內(내) 再(재) 冏(경) 商(상)

冂

훈음 멀 경 **부수** 제 부수

'멀다'의 뜻을 지닌 부수자로 가장 큰 출입구로 멀리서도 눈에 띄는 성문같이 큰 출입구를 본뜬 글자로 그 성문 밖 먼 곳을 나타나게 되어 '멀다'의 뜻을 가지게 되었다.

옛 사람들은 고을 邑(읍)의 바깥 지역을 성 밖 郊(교)라고 했으며, 郊(교)의 바깥 지역을 들 野(야)이라 했고 들의 바깥 지역을 수풀 林(림)이라 했으며 수풀 너머를 경(冂)이라 했다 하여 이 글자가 먼데/멀 冂(경)이 된 것이다. 책 冊(책)/두 再(재)/범할 冒(모)/투구 冑(주)/면류관 冕(면)등이 이 부수에 속하나 의미와 전혀 관련이 없어 각각 의미와 관련이 있는 곳에 이 글자들을 배치하였다.

向

훈음 향할 향 **부수** 입 口(구) ▶▶▶ 집 宀(면) + 입 口(구) ➡ 출입구를 가리키는 글자

丶(주)+冂(경)이 아니라 집 宀(면)자의 확대 글자로 집(宀)과 출입구(口)를 단순 간결하게 처리하여 사람이 드나드는 출입구, 방향을 묘사한 글자다.

●●●●● 方向(방향)/向學(향학)/傾向(경향)/上向(상향)

同

훈음 한가지 동 **부수** 입 口(구) ▶▶▶ 입 口(구) + 한 一(일) + 멀 冂(경) ➡ 같은 곳에 거하는 사람들

문자적으로 같은(一) 곳 혹은 뜻을 함께(一)하는 사람(口)들의 집단(冂)을 가리킨다.

●●●●● 同一(동일)/同鄕(동향)/草綠同色(초록동색)/同門(동문)

內

훈음 안 내 **부수** 들 入(입) ▶▶▶ 멀 冂(경) + 들 入(입) ➡ 안으로 들어가는 모습

집 宀(면)의 변형인 冂(경)과 안으로 들어가는 들 入(입)의 조화로 '안으로 들어가다'가 본뜻이고 '바깥과 대비되는 안'이 파생된 의미이다.

●●●●● 案內(안내)/內國人(내국인)/內部(내부)/內密(내밀)

再

훈음 두 재 **부수** 멀 冂(경) 몸 ▶▶▶ 한 一(일) + 수염 冉(염) ➡ 양쪽으로 늘어진 수염의 모습

두 再(재)를 한 一(일)과 수염 冉(염)으로 인수 분해 하였으나, 수염 冉(염)과는 현재의 글자꼴이 같아서 편의상 분해한 것이고 의미와는 전혀 관계없다. 한 손에 두 마리의 생선을 든 모습이라는 설과 한 손으로 중앙을 들어 올리니 묶어 놓은 생선 등이 양쪽으로 늘어진다 하여 '둘, 재차'의 의미를 갖게 된 글자다.

●●●●● 再次(재차)/再建(재건)/再發(재발)/再選(재선)

冏

훈음 빛날 경 **부수** 멀 冂(경)

창문(冂)이나 출입구(八)로 빛(口)이 들어오는 모습이 빛날 경(冏)

商

훈음 헤아릴 상 **부수** 입 口(구) ▶▶▶ 辛(신) + 빛날 冏(경)

정설이 없는 글자로 상나라 사람 혹은 商族(상족)을 상징하는 '건축물'의 상형이라는 설도 있으며, 오히려/숭상할 尙(상)의 본자로 보는 설도 있다. 아무튼 지금은 '헤아리다, 장사하다, 상나라'의 뜻으로 쓰인다.

●●●●● 商人(상인)/商業(상업)/商街(상가)/貿易商(무역상)

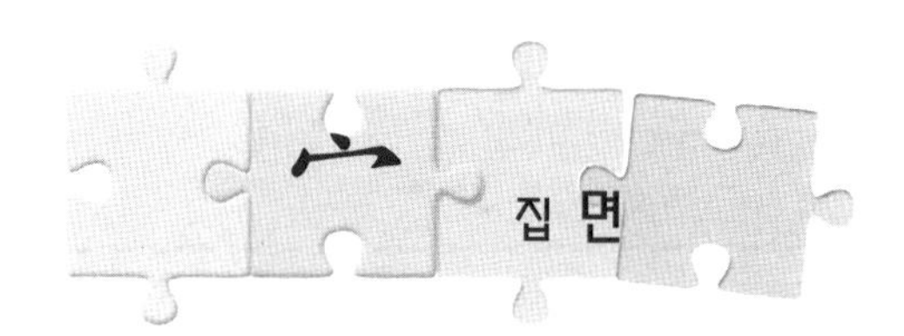

宀(면)	家(가)	嫁(가)	稼(가)	定(정)	宿(숙)
室(실)	宮(궁)	宅(댁)	官(관)	宇(우)	宙(주)

宀

훈음 집 면 부수 제 부수

지붕과 두 기둥을 통해 주거지인 집을 간결하게 표현한 글자로 '집'과 관련되어 사용된다.

●●●●●

家

훈음 집 가 부수 집 宀(면) ▶▶▶ 집 宀(면) + 돼지 豕(시) ➡ 돼지우리

돼지(豕)우리(宀)가 곧 집이다. 옛날엔 한 집(宀)에 애들이 너무 많아 돼지우리를 연상할 정도였다. "이게 돼지(豕)우리지 집(宀)이냐"는 말을 흔히들 듣곤 하곤 하였다. 여자(女)가 다른 사람의 집(家)에 가는 것이 출가외인(出嫁外人)의 시집갈 가(嫁), 모내기(禾)를 하는 것이 집 가(家)를 발음으로 가동(稼動)의 심을 가(稼)자이다.

●●●●● 家庭(가정)/家長(가장)/家口(가구)/家族(가족)/政治家(정치가)

定

훈음 정할 정 부수 집 宀(면) ▶▶▶ 집 宀(면) + 발 필(疋-正(정)의 변형) ➡ 마침내 집으로

전쟁(正)에 나갔던 남편이 집(宀)으로 돌아온 모습과 관련이 있어서 '편안히 쉬다'가 본뜻이며 훗날 집은 최종 정착지이므로 '정하다'는 뜻으로도 사용됐다.

●●●●● 安定(안정)/定價(정가)/決定(결정)/定刻(정각)/定石(정석)

宿

훈음 묵을 숙 부수 쉴 宀(면)

▶▶▶ 집 면(宀) + 사람 인(亻) + 흰 백(百) ➡ 집 안에서 자리 펴고 누운 사람

집 안(宀)에서 자리(百) 펴고 누워 잠을 자는 사람(亻)에서 잘 宿(숙) 따라서 모든 글자가 다 의미요소에 관여하며 집(宀)이 쉬고 잠자는 곳임을 알 수 있다.

●●●●● 宿泊(숙박)/宿食(숙식)/宿題(숙제)/宿命(숙명)/下宿(하숙)

室

훈음 집 실 부수 집 宀(면) ▶▶▶ 집 宀(면) + 이를 至(지) ➡ 적군이 안방까지

집(宀) 안으로 날아와 꽂힌 화살(至)을 가리키는 것으로 적의 안방까지 쳐들어가 완전한 승리를 거둔 것을 말하는 것임. '집, 방' 등 아무튼 안쪽의 실내를 가리키게 된다. 여기서도 宀(면)은 집과 관련 있음을 알 수 있다.

●●●●● 內室(내실)/室內(실내)/應接室(응접실)/密室(밀실)/病室(병실)

宮

훈음 집 궁 부수 집 宀(면) ▶▶▶ 집 宀(면) + 음률 呂(려) ➡ 큰 방을 가진 궁

음률 呂(려)를 편의상 쓰고 있으나 갑골문은 입 口(구)가 두 개로 집 안에 있는 방(房)을 여러 개 그려놓은 것으로, 집 안에 있는 방을 강조한 글자로 벼슬아치들의 집을 가리키는 글자였으나 秦始皇(진시황)이후 제왕의 집에만 한정되어 사용되었다.

●●●●● 皇宮(황궁)/子宮(자궁)/宮殿(궁전)/別宮(별궁)/九重宮闕(구중궁궐)

宅 훈음 집 택/댁 부수 집 宀(면) ▶▶▶ 집 宀(면) + 일천 千(천) ➡ 많은 사람이 머물 수 있는 집
천(千) 명이나 되는 즉 아주 많은 사람이 머무를 수 있는 집(宀)이라면 당연히 저택이어야 할 것이다.
●●●●● 邸宅(저택)/家宅搜査(가택수사)/宅内(댁내)/住宅(주택)

宇 훈음 집 우 부수 집 宀(면) ▶▶▶ 집 宀(면) + 어조사 于(우) ➡ 하늘을 지붕으로
집의 처마를 가리키는 말로서 집 宀(면)이 의미요소고, 于(우)는 단순히 발음기호이다. 훗날 '집, 하늘'을 가리키는 것으로 의미 확대되었다.
●●●●● 宇宙(우주)/宇下(우하)/宇宙旅行(우주여행)

宙 훈음 집 주 부수 집 宀(면) ▶▶▶ 집 宀(면) + 말미암을 由(유) ➡ 하늘을 지붕으로
집의 마룻대와 들보를 지칭하던 말이었으므로 집 宀(면)이 의미요소로 由(유)는 발음기호일 뿐이다. 훗날 '집, 하늘'을 지칭하는 것으로 의미 확대되었다.
●●●●● 宇宙(우주)/宇宙旅行(우주여행)

官(관) 管(관) 館(관) 棺(관) 遣(견) 追(추) 歸(귀)

官 훈음 집 관 부수 집 宀(면) ▶▶▶ 집 宀(면) + 언덕 阜(부)의 생략형 – 언덕 위의 초가집
언덕 위에 지은 집을 말하는 것이므로 집 宀(면)이 의미요소고, 그 아랫부분도 언덕 阜(부)나 언덕 丘(구)와 비슷한 글자로 언덕을 상징하므로 역시 의미요소임을 알 수 있다.
●●●●● 官吏(관리)/官運(관운)/官家(관가)/長官(장관)/官舍(관사)

管 훈음 대롱/피리 관 부수 대 竹(죽) ▶▶▶ 대 竹(죽) + 官(관) ➡ 피리를 대나무로 만듦
쪼개지 않은 가늘고 긴 '대나무 토막'을 가리키는 말이며 속이 비어 있는 '대롱'을 가지고 피리와 같은 악기를 만들어 불게 되다 보니 '피리'를 가리키는 말이 된 글자로, 대 竹(죽)이 의미요소고 官(관)이 발음기호이다. 훗날 '主管(주관)'에서 보듯 '맡다'의 뜻도 갖게 된다.
●●●●● 管樂器(관악기)/管絃樂(관현악)/管轄(관할)

館 훈음 객사 관 부수 밥 食(식)
▶▶▶ 밥 食(식) + 벼슬 官(관) ➡ 여행자 숙소이므로 먹고 자고 하는 곳
官(관)을 발음기호로 나그네들이 '밤을 지새우기'도 하며 '식사'도 하던 곳을 의미요소인 밥 食(식)을 더하여 만들어 낸 글자로, 이 글자를 통하여 옛 풍습을 엿볼 수 있다.
●●●●● 旅館(여관)/館員(관원)/公館(공관)/大使館(대사관)

棺 훈음 널 관 부수 나무 木(목) ▶▶▶ 나무 木(목) + 官(관) ➡ 관을 나무로 만듦
사람의 시체를 넣는 관을 말하는 것으로 나무 木(목)이 의미요소고 官(관)은 발음기호이다.
●●●●● 入棺(입관)/開棺(개관)/剖棺斬屍(부관참시)

遣 훈음 보낼 견 부수 갈 辶(착) ▶▶▶ 갈 辶(착) + 잠깐 臾(유) + 언덕 阜(부) ➡ 물자를 공급하다
양 손에 물자를 가득 들고(臾) 필요한 곳에 보내다는 뜻을 담은 글자로, 갈 辶(착)과 두 손에 가득 들고 있는 모습(臾)과 군수 물자를 기다리는 부대가 주둔하고 있는 곳을 의미하는 언덕 부(阜)의 생략형도 의미요소로 사용됐다.
●●●●● 派遣(파견)
※ 臾(유) – 잠깐 유 – 절구 臼(구) + 사람 人(인)/궤(臾) – 삼태기 궤 – 양손 국(臼) + 人

追 훈음 쫓을 추 부수 갈 辶(착) ➤➤➤ 갈 辶(착) + 언덕 𠂤(부) ➡ 적지를 향해 가다
제물(𠂤)을 가진 장군을 따라가는(辶) 모습에서 추종(追從)의 쫓을 추(追)자가 만들어지며 제단(𠂤)을 청소하러(帚) 매일 들르는(止) 모습이 귀향(歸鄕)의 돌아갈/돌아올 귀(歸)자이다.
●●●●● 追跡(추적)/追從(추종)/追究(추구)/追加(추가)/追後(추후)/追伸(추신)/追放(추방)/追慕(추모)

宁(저) 貯(저) 實(실) 寶(보) 富(부) 密(밀) 害(해) 割(할) 轄(할) 憲(헌) 守(수)

宁 훈음 쌓을 저 부수 집 宀(면) – 단독 사용없고 발음기호로 ➤➤➤ 집 宀(면) + 못 丁(정) ➡ 집안에 못박아 둠
많이 벌어야 부자가 되지만 한번 집안(宀)에 들어온 것은 마치 정(丁)으로 박듯이 단단히 박아 놓아야 즉 저축(貯蓄)을 잘 해야 부자가 된다 하여 생긴 글자다.

貯 훈음 쌓을 저 부수 조개 貝(패) ➤➤➤ 조개 貝(패) + 쌓을 宁(저) ➡ 보물을 쌓아 놓은 집
주로 돈(貝)을 쌓고 모으는 것(宁)을 가리키는 '저축'의 개념을 갖는 글자로, 조개 貝(패)와 쌓을 宁(저) 모두가 의미요소이며 宁(저)는 발음을 겸한다.
●●●●● 貯蓄(저축)/貯金(저금)/貯水池(저수지)/貯藏(저장)

實 훈음 열매 실 부수 집 宀(면) ➤➤➤ 집 宀(면) + 꿸 貫(관) ➡ 많은 보물을 소유한 집
재물의 뜻을 나타내기 위해 엽전(貝) 꾸러미(毌) 즉 돈다발이 집안(宀)에 가득하다는 글자들을 모아놓았다. 여기서 '가득, 알맹이, 과실' 등의 뜻이 파생되었다.
●●●●● 結實(결실)/實積(실적)/實業界(실업계)/充實(충실)

寶 훈음 보배 보 부수 집 宀(면)
➤➤➤ 집 宀(면) + 구슬 玉(옥) + 그릇 缶(부) + 조개 貝(패) ➡ 많은 보물을 가지고 있는 집
집안에 금은보화가 가득 쌓여 있는 모습에서 '보화, 보배'의 뜻을 갖게 된 글자로, 장군 缶(부)는 발음을 위해 훗날 추가된 글자이나 재물을 담는 그릇 용기라는 뜻에서는 의미에도 기여하고 있음을 알 수 있다.
●●●●● 寶物(보물)/家寶(가보)/多寶塔(다보탑)/寶石(보석)/寶庫(보고)

富 훈음 가멸 부 부수 집 宀(면) ➤➤➤ 집 宀(면) + 술병 – 중요한 술 단지가 가득 있는 집
술이 가득 들어 있는 술병과 집(宀)을 조합하여 부자라는 것을 나타낸 글자로, 두 글자 모두 의미요소로 사용되었고 술병 모습의 글자가 발음에 영향을 주었을 것이다.
●●●●● 富者(부자)/富裕(부유)/富國(부국)/貧富(빈부)/富農(부농)

密 훈음 빽빽할 밀/고요할 밀 부수 집 宀(면)
➤➤➤ 집 宀(면) + 必(필) + 山(산) ➡ 곡식이 빽빽이 들어차 있는 집
창고(宀) 안에 산(山)처럼 쌓여 있는 곡식(必)에서 빽빽하다, 고요하다로 의미 확대됐다. 必(필)이 발음요소로 사용됐다.
●●●●● 秘密(비밀)/密林(밀림)/密談(밀담)/密告(밀고)

害 훈음 해칠 해 부수 집 宀(면)
➤➤➤ 집 宀(면) + 풀 무성할 丰(봉) +口(구) ➡ 싹이 웃자란 종자를 넣어 두는 창고
집 안(宀)에 저장해 둔(口) 종자에서 싹이 웃자란(丰) 모습으로, 음식으로 쓰기에도 해롭고 종자로 쓰기에도 어려워진 모습에서 '해롭다, 해치다'의 뜻이 파생되었으며, 해로운(害) 곳이 없는지 돌아다녀야(車)할 지역이 관할(管轄)의 관장할 할(轄)자 이다.
●●●●● 害蟲(해충)/害惡(해악)/損害(손해)/無害(무해)/被害(피해)

훈음 나눌 할 부수 칼 刂(도) ▶▶▶ 해칠 害(해) + 칼 刂(도) ➡ 웃자란 싹을 베어 버림
그런 웃자란 싹(丯)은 베어 내버리는 모습에서 벨/나눌 割(할)자가 탄생했으며 해로운(害) 곳이 없는지 돌아다녀야(車)할 지역이 관할(管轄)의 관장할 할(轄)자이다.
●●●●● 割腹(할복)/割賦(할부)/割禮(할례)/割當(할당)/分割(분할)/直轄(직할)

憲

훈음 법 헌 부수 마음 心(심)
▶▶▶ 해칠 害(해) + 눈 目(목) + 마음 心(심) ➡ 모든 사람이 보기에 해로운 것은 없애야 함
사람들의 눈(目)과 마음(心)으로 보기에 해(害)로운 것에서 파생된 글자다. '모두가 공통적으로 나쁘다고 생각하는 것'은 처벌의 대상이고, '규정'으로 삼아 처벌의 본보기로 해야 한다 하여 '법, 본보기'의 뜻으로 의미 확대됐다.
●●●●● 憲法(헌법)/立憲(입헌)/憲兵(헌병)/改憲(개헌)

훈음 지킬 수 부수 집 宀(면) ▶▶▶ 宀(면) + 寸(촌) ➡ 집을 지킴
집을 지키다가 본뜻이므로 집 宀(면)과 행위의 주체인 손 寸(촌)이 합해져 만들어진 글자다.
●●●●● 死守(사수)/守舊(수구)/守衛(수위)/守成(수성)/守節(수절)

☞ 크고 화려한 고관 저택

宣(선) 宜(의) 宰(재) 宦(환) 宏(굉) 容(용) 宗(종) 寧(영)

훈음 베풀 선 부수 집 宀(면) ▶▶▶ 집 宀(면) + 뻗칠/펼칠 亘(긍) ➡ 장식 있는 화려한 집
나선형(亘)의 무늬로 장식한 궁궐의 벽 혹은 왕궁의 방을 나타내는 글자로 두 글자 모두 의미요소로 쓰였으며, 벽과 기둥에 새겨진 빙빙 돌아가는 둥근 무늬 모양에서 나선형처럼 '펼쳐지다, 베풀다, 퍼뜨리다' 등의 의미가 탄생했다.
●●●●● 宣揚(선양)/宣傳(선전)/宣告(선고)/宣敎(선교)/宣言(선언)
※ 뻗칠 亘(긍)의 日(일)은 돌 回(회)의 변형으로 볼 수 있다.

훈음 마땅할 의 부수 집 宀(면) ▶▶▶ 집 宀(면) + 또 且(차) ➡ 공정해야 할 큰집인 관청
마땅할 宜(의)에 쓰인 且(차)는 또 且(차)와 현재의 글자는 같지만 다른 글자로 고기를 둘로 나누어 놓은 모습이다. 사냥해 온 고기인지 집에서 잡은 고기인지는 모르겠으나, 관련된 사람들이 균등하게 나누어 갖는 모습을 그려서 '마땅하고 당연하며 옳다'의 의미가 파생됐다.
훗날 집 宀(면)이 첨가되어 양쪽을 똑같이 균등하게 대해야 하는 관청을 나타냈다.
●●●●● 宜當(의당)/便宜(편의)/時宜適切(시의적절)

훈음 재상 재 부수 집 宀(면) ▶▶▶ 집 宀(면) + 매울 辛(신) ➡ 처벌의 권한이 있는 집(세도가의 집)
형벌(처벌)을 가할 수 있는 높은 벼슬아치 즉 권력가의 집을 말하는 것으로, 형구인 辛(신)을 더하여 의미를 더 확실히 한 글자로 훗날 그러한 권력자라는 뜻에서 '재상'으로 발전했다.
●●●●● 宰相(재상)

훈음 벼슬 환 부수 집 宀(면) ▶▶▶ 집 宀(면) + 신하 臣(신)
궁중에서 일하는 去勢(거세)를 당하고 일하던 벼슬아치인 內侍(내시)의 또 다른 칭호였다. 신하 臣(신)이 의미요소다.
●●●●● 宦官(환관)

宏 훈음 클 굉 부수 집 宀(면)
넓고 큰 집을 가리키는 글자로 팔꿈치 굉(厷)에서 집 宀((면)빼면 됨)을 발음기호로 했다.
●●●●● 宏壯(굉장)하다

容 훈음 얼굴 용 부수 갓머리 宀(면) ▶▶▶ 집/갓머리 宀(면) + 계곡 谷(곡) ➡ 모든 것을 수용하는 집
모든 것을 다 수용하는 넉넉한 大地(대지)와 같은, 어머니의 품과 같은 '사람을 포함 온갖 잡동사니가 다 들어찬 집(宀)'이라는 의미에서 '받아들이다'는 뜻이 생겼으며 훗날 글자의 모양이 사람의 얼굴과 비슷하다 하여 '얼굴'로도 널리 사용됐다.
●●●●● 容顔(용안)/容貌端正(용모단정)/容態(용태)/容恕(용서)

宗 훈음 마루/으뜸 종 부수 집 宀(면) ▶▶▶ 집 宀(면) + 제단 示(시) ➡ 제단을 모셔 놓은 집
집(宀)안에 조상의 제단(示)이 모셔져 있는 모습으로 죽은 조상들의 英靈(영령)이 모셔진 장소로 가장 중요하고 높이 받들어졌던 조상님에서 '마루/으뜸'이라는 뜻이 파생됐다.
●●●●● 宗教(종교)/宗孫(종손)/改宗(개종)/宗廟(종묘)
※ 宗廟(종묘) – 왕이나 제후의 位牌(위패)를 모셔두는 사당을 말한다.

寧 훈음 편안할 영 부수 집 宀(면)
▶▶▶ 집 宀(면) + 마음 心(심) + 그릇 皿(명) + 丁(정) ➡ 제사 준비가 끝난 집
가재도구(그릇 皿(명)이 대표)를 집 안(宀)에 들여 놓고 나니 마음이(心) 편안하다는 뜻의 글자로 丁(정)은 발음기호이다.
●●●●● 安寧(안녕)

寂(적) 寞(막) 寡(과) 字(자) 安(안) 寒(한) 寢(침)

寂 훈음 고요할 적 부수 집 宀(면) ▶▶▶ 집 宀(면) + 叔(숙) ➡ 아재비 홀로 있는 집
집(宀)이 고요하다는 뜻을 나타내기 위한 것이었으나 발음요소인 叔(숙)의 음이 약간 달라져 있다.
●●●●● 靜寂(정적)/寂寞(적막)/寂寂(적적)

寞 훈음 쓸쓸할/적막할 막 부수 집 宀(면) ▶▶▶ 집 宀(면) + 없을 莫(막) ➡ 텅 빈 집
집안에(宀) 아무도 없으니(莫) 얼마나 쓸쓸할까?
●●●●● 寂寞(적막)/寞寞(막막)/寂寞江山(적막강산)

寡 훈음 적을 과 부수 집 宀(면)
▶▶▶ 집 宀(면) + 머리 頁(혈) + 칼 刀(도) ➡ 집 안에 외로이 있는 과부의 모습
집 안에 우두커니 홀로 근심하는 사람의 모습에서 '과부'를 가리키는 글자였으나, 훗날 칼 刀(도)가 더해져 남편을 사별한 여인네의 슬픔(욕망을 잘라내는 칼)을 더 분명히 한 글자이다. '적다, 홀어버이' 등의 뜻으로 의미 확대됐다.
●●●●● 衆寡不敵(중과부적)/寡婦(과부)/寡黙(과묵)/寡人(과인)

字 훈음 글자 자 부수 아들 子(자) ▶▶▶ 집 宀(면) + 아들 子(자) ➡ 아이가 있는 집
'집안(宀)에서 아이(子)를 기르다'가 본래 의도였다고 한다면 '글자'는 가차자이며, 子(자)가 발음기호임을 알 수 있다. 집안에 자식이 한둘 태어나면서 대가족이 되듯이 글자 역시 하나 둘씩 모여 문장을 이룬다는 의미에서 생긴 글자이다.
●●●●● 文字(문자)/字幕(자막)/字意(자의)/識字憂患(식자우환)

安

훈음 편안할 안 **부수** 집 宀(면) ▶▶▶ 집 宀(면) + 계집 女(녀) ➡ 여자가 있어 편안한 집
집(宀)안엔 여자(女)가 있어야 집안과 남자가 편안하다 하여 편안할 安(안)이 만들어졌다.
●●●●● 安定(안정)/安心(안심)/平安(평안)/安樂死(안락사)

寒

훈음 찰 한 **부수** 집 宀(면) ▶▶▶ 宀(면) + 卄(입) + 共(공) + 얼음 冫(빙) ➡ 얼음이 어는 집
볏 집 더미 속에 들어가 바들바들 떨고 있는 사람의 모습을 그린 글자에서 '차다'라는 뜻이 생겼으나 현재의 글자로는 얼음 冫(빙)자로 그 의미를 알아 낼 수 있을 정도다.
●●●●● 寒波(한파)/寒氣(한기)/避寒(피한)/嚴冬雪寒(엄동설한)

寢

훈음 잠잘 침 **부수** 집 宀(면) ▶▶▶ 宀(면) + 나뭇조각 爿(장) + 帚(추) ➡ 침상을 정리함
취침하기 전에 집 안에(宀) 있는 침상(爿)을 깨끗하게 쓸고 닦아(帚) 놓은 모습으로 잠자리를 정돈하는 모습에서 '잠자다, 눕다, 쉬다'의 뜻으로 발전됐다.
●●●●● 寢臺(침대)/就寢(취침)/寢具(침구)/不寢番(불침번)

寬(관) 寫(사) 寃(원) 寓(우) 審(심) – 동물관련

寬

훈음 너그러울 관 **부수** 집 宀(면) ▶▶▶ 집 宀(면) + 산양 환(萈)– 산양을 보살핌
집 宀(면)을 제외한 寬(관)자의 나머지 부분은 눈은(目) 커다랗고 뿔(卝)과 꼬리(丶)가 달린 산양(萈)을 나타낸 글자다. 길 잃은 산짐승에게 거처(宀)와 먹을 것을 주어 '보살피다'에서 '관대하다'의 뜻이 파생된 글자로 卝(관)이 발음요소이다.
●●●●● 寬大(관대)/寬待(관대)/寬容(관용)

寫

훈음 베낄 사 **부수** 집 宀(면) ▶▶▶ 집 宀(면) + 까치 舃(석) ➡ 까치집
새집은 다 똑같이 생겼다. 즉 까치(舃)집(宀)은 다 베낀 것처럼 모양이 비슷하다하여 '베끼다, 옮겨 놓다'의 뜻이 생긴 글자로 두 글자 모두 의미요소이다.
●●●●● 寫本(사본)/筆寫本(필사본)/複寫機(복사기)/寫生(사생)

寃

훈음 원통할 원 **부수** 집 宀(면) ▶▶▶ 집 宀(면) + 토끼 兎(토) ➡ 우리 안에 갇힌 토끼
달아나는 토끼(兎)가 잡혀 우리(宀) 안에 갇힌 모습에서 '원통하고 억울하다'의 뜻이 파생된 글자로 두 글자 모두 의미요소이다. 冤(원)의 俗字(속자)다.
●●●●● 寃痛(원통)

寓

훈음 머무를 우 **부수** 집 宀(면) ▶▶▶ 집 宀(면) + 원숭이 禺(우) ➡ 임시 거처(원숭이 집)
특별한 형태의 집이 없이 지내는 나무늘보나 원숭이 같은 동물들의 집이라는 뜻에서 '임시 거처나 더부살이' 등의 뜻이 파생됐다. 두 글자 모두 의미요소이며 禺(우)가 발음기호이다.
●●●●● 寓話(우화)/寓居(우거)

훈음 살필 심 **부수** 집 宀(면) ▶▶▶ 집 宀(면) + 갈마들 番(번) ➡ 집 안에 난 범인의 발자국(동물 발자국)
집(宀) 안에 들어온 범인을 알아내기 위해 발자국(釆–番)을 자세히 살펴보는 모습에서 '살피다, 자세히 하다'의 뜻이 파생되었다. 따라서 두 글자 모두 의미요소로 사용됐다.
●●●●● 審判(심판)/誤審(오심)/審問(심문)/主審(주심)/審査(심사)

穴(혈) 穿(천) 窄(착) 搾(착) 窮(궁) 究(구) 空(공) 窟(굴) 穽(정)

穴

훈음 구멍 혈 부수 제 부수 ▶▶▶ 집 宀(면) + 八(팔) ➡ 동굴 모양

비교적 최근까지도 산자락이나 언덕 등에 굴을 파서 기거하던 사람들이 있었다. 바로 사람이 들어가 살기 위해 파헤쳐진 굴의 모양을 본뜬 글자이다.

●●●●● 穴居(혈거)/墓穴(묘혈)/偕老同穴(해로동혈)

穿

훈음 뚫을 천 부수 굴 穴(혈) ▶▶▶ 굴 穴(혈) + 어금니 牙(아) ➡ 어금니가 잇몸을 뚫고 나오다

어금니(牙)의 뚫고 나오는 성질에서 뚫어서(牙) 굴(穴)을 만든다는 글자를 만들어 냈다.

●●●●● 穿孔(천공)/穿石(천석)

窄

훈음 좁을 착 부수 구멍 穴(혈) ▶▶▶ 구멍 穴(혈) + 잠깐 乍(사) ➡ 좁을 동굴

입구가 협소한 또는 속이 좁고 협소한 동굴을 나타내기 위해 구멍 穴(혈)을 의미요소로, 잠깐 乍(사)는 발음기호이다. 손(扌)으로 짜거나 졸라서 내용이나 속이 좁아지게 만든다 하여 착취(搾取)의 짤 착(搾)자도 만들어냈다.

●●●●● 狹窄(협착)/압착(壓搾)

窮

훈음 다할/막힐/가난할 궁 부수 구멍 穴(혈) ▶▶▶ 굴 穴(혈) + 몸 躬(궁) ➡ 옹색한 모양

몸 躬(궁)이 발음기호이나 굴 즉 거처(穴)가 너무 좁아 몸(身)을 제대로 가누지도 못하고 마치 활(弓)처럼 몸을 웅크려야만 잘 수 있는 상황이니 앞이 콱 막힌 것 같고... 막다른 골목에 와 있는 것 같기도 하여 만들어진, 의미에 상호 연관이 있는 글자다.

●●●●● 窮極的(궁극적)/窮地(궁지)/貧窮(빈궁)

究

훈음 궁구할 구 부수 아홉 九(구) ▶▶▶ 굴 穴(혈) + 아홉 九(구) ➡ 끝까지 파고들다

깊이 파고들다가 원뜻으로 구멍 穴(혈)이 의미요소이며 아홉 九(구)는 발음기호다. 사물의 이치를 캐기 위해서도 깊이 파고들어야 한다는 추상적 의미로 뜻이 확대됐다.

●●●●● 研究(연구)/探究(탐구)/學究熱(학구열)/窮究(궁구)

※ 窮究(궁구) - 깊이 파고들어 연구하다.

空

훈음 빌 공 부수 구멍 穴(혈) ▶▶▶ 구멍 穴(혈) + 工(공) ➡ 구멍을 파낸 자리

움집이나 토굴은 언덕이나 산자락에 구멍을 내거(工)나 땅을 파서(工) 만들어야(工) 한다. 따라서 속이 빈(工) 집(穴)이나 구멍을 나타내는 글자로 장인 工(공)은 발음기호이다.

●●●●● 空港(공항)/空間(공간)//空手來空手去(공수래공수거)

窟

훈음 굴/움막 굴 부수 구멍 穴(혈) ▶▶▶ 구멍 穴(혈) + 굽을 屈(굴) ➡ 사람과 동물이 기거하는 곳

동굴이나 굴 같은 넓은 구멍을 가리키는 말로 속이 비어 있는 구멍 穴(혈)이 의미요소이고, 屈(굴)은 발음기호이다.

●●●●● 洞窟(동굴)/兎營三窟(토영삼굴)/土窟(토굴)

穽

훈음 허방다리 정 **부수** 구멍 穴(혈) ▶▶▶ 구멍 穴(혈) + 우물 井(정) ➡ 함정

동물을 잡기 위해 몰래 파 놓은 속이 비어 있는 움푹한 땅 속을 나타내는 글자로 두 글자 모두 의미요소고, 井(정)은 발음을 겸한다.

●●●●● 陷穽(함정)

竊(절) 窃(절) 突(돌) 窓(창) 窒(질) 膣(질) 窯(요)

竊

훈음 훔칠 절 **부수** 구멍 穴(혈) ▶▶▶ 구멍 穴(혈) + 벼 禾(화) + 卨(설) ➡ 창고에서 곡식을 훔쳐감

창고에서 쌀을 훔쳐 구멍으로 빼내 갔다는 이야기를 담고 있는 글자로 구멍 穴(혈)과 벼 禾(화)가 의미요소고, 卨(설)은 발음기호이며, 훔칠 절(竊)자의 속자(俗字)가 끊을 절(切)을 발음기호로 훔칠 절(窃)자이다.

●●●●● 竊盜(절도)/剽竊(표절)

突

훈음 갑자기 돌 **부수** 구멍 穴(혈) ▶▶▶ 구멍 穴(혈) + 개 犬(견) ➡ 개집에서 갑자기 뛰쳐나온 개

갑자기 튀어 나오다는 사상을 전달하기 위해 구멍에서 개가 뛰쳐나오는 모습을 그렸다.
개 犬(견) 및 구멍 穴(혈) 모두가 의미요소에 기여한다.

●●●●● 突進(돌진)/突擊(돌격)/突然(돌연)/衝突(충돌)

窓

훈음 창 창 **부수** 구멍 穴(혈) ▶▶▶ 구멍 穴(혈) + 厶(사) + 마음 心(심) ➡ 집 안의 창문

창문을 뜻하는 글자로 창문 窗(창)을 쓰다가 마음 心(심)이 더해지면서 천장 囱(창)이 厶(사)로 간략화되었으며, 추상적 의미도 첨가되어 '같은 곳을 향하는 마음' 즉 同窓(동창) 같은 말이 생겨난 글자로 천장 囱(창)이 발음기호이다.

●●●●● 窓門(창문)/東窓(동창)/窓口(창구)/學窓(학창)

窒

훈음 막을 질 **부수** 구멍 穴(혈) ▶▶▶ 구멍 穴(혈) + 이를 至(지) ➡ 구멍(숨)이 막힘

구멍이나 동굴의 입구를 막다는 뜻을 나타내기 위해 구멍 穴(혈)을 의미요소고, 이를 至(지)는 발음기호이며, 동굴(穴)처럼 결국에 막혀(窒)있는 구멍이 질구(膣口)의 여성의 생식기 질(膣)이다.

※ 姪(질) – 조카 질

●●●●● 窒息(질식)/窒塞(질색)

훈음 가마 요 **부수** 구멍 혈 ▶▶▶ 구멍 穴(혈) + 새끼 양 羔(고) ➡ 동물을 태워 그릇을 만듦

새끼 양 羔(고)은 양을 불에 굽는 모양으로 그릇을 굽는 가마의 모양인 구멍 穴(혈)을 추가하여 그릇을 구워 내는 가마를 나타낸 글자로 두 글자 모두 의미요소이다.

●●●●● 陶窯(도요)/窯業(요업)

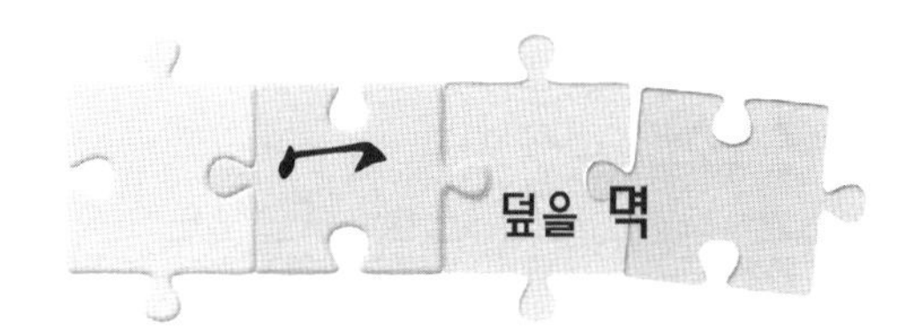

冖(멱) 襾(아) 軍(군) 受(수) 冥(명) 奐(환)

冖

훈음 덮을 멱 부수 제 부수

밥상을 덮어 놓던 보자기처럼 사물을 덮고 가리고 하는 의미요소로 사용되는 글자다.

갓머리라는 명칭을 가진 宀(면)에서 윗부분 丶(주)이 없는 같은 꼴이라 하여 '민갓머리'로 더 자주 불리 운다.

襾

훈음 덮을 아 부수 제 부수 – 코르크 마개

'덮다'의 뜻을 가진 부수자로 단독 쓰임은 없고 편의상 이 글자와 모양이 비슷한 글자의 부수로 사용하기 위해 만들어진 것 같으며, 물건을 덮든 위아래를 맞추어 덮든 모두가 '덮다'의 뜻을 가진 글자다.

●●●●●

軍

훈음 군사 군 부수 수레 車(거) ▶▶▶ 덮을 冖(멱) + 수레 車(거) ➡ 마차를 병거로 만들다

지금의 글자꼴은 덮을 冖(멱)처럼 보여서 수레에 천을 덧씌워 병거의 모양을 만들었다. 군사용 운반 수단이자 전투 수단인 병거로 사용하게 함으로 그 병거를 사용하는 軍士(군사)와 관련된다 하여 군사 軍(군)으로 쓰인다고 해석할 수 있으나 예전의 글꼴은 사람 人(인)과 쌀 勹(포)로 보는 설이 있다.

●●●●● 軍士(군사)/軍隊(군대)/軍人(군인)/軍用(군용)

受

훈음 받을 수 부수 오른손 又(우)

▶▶▶ 손톱 爪(조) + 덮을 冖(멱) + 오른손 又(우) ➡ 선물을 주고받는 모습

가리개로 덮은(冖) 음식이나 선물꾸러미를 주고(爪)받는(又) 모습에서 받을 수라는 글자가 생겼다.

●●●●● 受諾(수락)/受賞(수상)/授受(수수)/受講(수강)

冥

훈음 어두울 명 부수 덮을 멱 ▶▶▶ 덮을 冖(멱) + 해 日(일) + 여섯 六(육) ➡ 어둠의 상황

두 손(六-廾의 변형)으로 자궁(冖)을 벌려 태아(日)를 꺼내는 모습으로, 밝은 세상으로 나오기 전 어머니 자궁 속의 상태를 나타낸 글자로 '어둡다, 깊숙하다, 저승'의 뜻으로 파생됐다.

빛날 奐(환)자가 대조가 되는 의미의 글자다.

●●●●● 冥想(명상)/冥福(명복)을 빌다

奐

훈음 빛날 환 부수 큰 大(대) ▶▶▶ 사람 人(인) + 큰 대(大=두 손 廾(공)의 변형) ➡ 아이를 받는 장면

두 손(廾)으로 산모의 자궁을 벌려 태아를 받아 내는 장면을 그린 글자로 어둠 속에 있던 어린아이가 밝은 세상으로 나왔다 하여 '빛나다'의 뜻을 가지게(?) 됐다.

广(엄) 府(부) 廳(청) 店(점) 庫(고) 廟(묘)

广

훈음 집 엄 부수 제 부수

집을 가리키는 글자로 주로 사람이 단순히 먹고 자고 하는 집이 아닌 궁궐이나 차고 정원 등 넓은 집이나 그 집이 상징하는 관청 등으로 의미가 확대된 글자다.

府

훈음 곳집 부/관청 부 부수 집 广(엄) ▶▶▶ 집 广(엄) + 줄 付(부) ➡ 뇌물이 오가는 관청

창고의 옛 표현으로 물건을 쌓아 두던 곳이므로 집 广(엄)이 의미요소이고, 付(부)가 발음기호임을 쉽게 알 수 있다. 또한 물건 가득한 곳에서 뇌물을 주고받는 일이 있었고, 관청에는 백성들에게 하사할 물건을 쌓아 둔 곳집이 큰 곳이므로 줄 付(부) 역시 의미에 관여했으며, 관청이라는 뜻으로도 확대 사용됐다.

••••• 議政府(의정부)/府庫(부고)/政府(정부)

廳

훈음 관청 청 부수 집 广(엄) 호 ▶▶▶ 집 广(엄) + 들을 聽(청) ➡ 백성의 소리를 잘 들어야 할 곳 즉 관청

억울한 사람이나 백성의 소리에 진정으로 귀 기울여 들어야(聽) 할 사람들 즉 관리들이 일하는 곳은 큰 집(广)인 관청이므로 두 글자 모두 의미요소이다.

••••• 官廳(관청)/市廳(시청)/廳舍(청사)/國稅廳(국세청)

店

훈음 가게 점 부수 집 广(엄) ▶▶▶ 큰 집 广(엄) + 점칠 占(점) ➡ 점치고 돈 받는 가게

상점이나 가게의 탄생 역사는, 점괘(卜)를 말해(口) 주며 복채를 받던 집(广)에서 점집이 시작되었음을 보여준다.

••••• 店鋪(점포)/商店(상점)/店員(점원)/入店(입점)/賣店(매점)

庫

훈음 곳집 고 부수 집 广(엄) ▶▶▶ 집 广(엄) + 수레 車(거) ➡ 수레를 넣어 두는 차고

귀중한 수레(車)를 밖에 방치해 두지 않고 커다란 곳간(广)이나 차고를 만들어 넣어 두던 데서 '곳집, 창고'를 뜻하는 글자가 만들어졌으며, 두 글자 모두 의미요소고 車(거)는 발음에 영향을 주었다.

••••• 倉庫(창고)/車庫(차고)/寶庫(보고)/國庫(국고)/寶庫(보고)

廟

훈음 사당 묘 부수 집 广(엄) ▶▶▶ 집 广(엄) + 아침 朝(조) ➡ 조상을 모신 집, 사당

조상의 신주를 모셔 놓은 집. 즉 사당을 뜻하기 위한 것이었으니 집 广(엄)이 의미요소로 쓰였으며, 아침 朝(조)가 발음요소라 하나 워낙 발음이 다르니 믿기가 힘들다. 아침마다 조상의 위패를 모셔둔 곳에 가서 참배를 드리던 풍습을 생각을 한다면 왜 이 두 글자가 합쳐져서 사당 廟(묘)가 되었는지 짐작이 갈 것 같다.

••••• 宗廟(종묘)/家廟(가묘)

廊(랑) 庭(정) 廣(광) 廓(곽) 底(저) 康(강) 廢(폐)

廊

훈음 복도 랑 부수 집 广(엄) ▶▶▶ 집 广(엄) + 사나이 郎(랑) ➡ 집의 부속물 복도
넓고 크고 긴 복도를 나타내기 위한 글자이므로 집 广(엄)이 의미요소고 郎(랑)은 발음기호이다. 그러나 사나이 즉 대궐 복도는 크고 굵은 기둥들이 마치 건장한 사나이들처럼 도열해 서 있으므로, 단순히 발음에만 영향을 준 것이 아님을 알 수 있다.
●●●●● 柱廊(주랑)/畵廊(화랑)/回廊(회랑)/廊下(낭하)

庭

훈음 뜰 정 부수 집 广(엄) ▶▶▶ 큰 집 广(엄) +조정 廷(정) ➡ 큰 집에 딸린 정원
정원은 궁궐 같은 큰 집에나 있었으므로 집 广(엄)이 의미요소고 廷(정)은 발음요소이다.
●●●●● 庭園(정원)/親庭(친정)/庭球(정구)/宮庭(궁정)

廣

훈음 넓을 광 부수 집 广(엄) ▶▶▶ 집 广(엄) + 누를 黃(황) ➡ 큰 집 안의 마당
큰 집(广) 혹은 대궐에 있는 누런(黃) 흙먼지 날리는 넓은 마당을 나타내는 글자이므로, 두 글자 모두 의미요소고 黃(황)은 발음을 겸한다.
●●●●● 廣場(광장)/廣野(광야)/廣範圍(광범위)/廣角(광각)

廓

훈음 둘레 곽 부수 집 广(엄) ▶▶▶ 집 广(엄) + 성곽 郭(곽) ➡ 큰 성의 주변 담장
넓은 도시나 성을 둘러싸고 있는 外廓(외곽)의 큰 담을 가리키는 말로, 집 广(엄)과 성곽 郭(곽) 모두가 의미요소고 郭(곽)은 발음을 겸한다.
●●●●● 外廓團體(외곽단체)/廓大(확대)/輪廓(윤곽)

底

훈음 밑 저 부수 집 广(엄) ▶▶▶ 집 广(엄) + 근본 氐(저) ➡ 집 안의 저장 창고
음식이나 물건들을 저장해 두던 집 안의 지하 저장고 같은 곳을 지칭하던 것으로, 집 广(엄)이 의미요소이며 氐(저)는 발음 겸 의미요소이다.
●●●●● 底力(저력)/底邊(저변)/底意(저의)/基底(기저)/徹底(철저)

康

훈음 편안할 강 부수 집 广(엄) ▶▶▶ 집 广(엄) + 미칠 隶(이) ➡ 숨는 장소 – 집이 커야 숨을 곳도 있지!
아무도 쫓아오지(隶) 않는 곳(广)에 숨어 있는 모습에서 '편안하고, 좋다'는 의미로 확대됐다.
●●●●● 平康(평강)/康寧(강녕)/健康(건강)/壽福康寧(수복강녕)

廢

훈음 폐할 폐 부수 집 广(엄) ▶▶▶ 집 广(엄) + 쏠 發(발) ➡ 공격받아 폐허가 된 성
공격(發)을 당하여 쑥대밭이 되어 황폐해진 성(广) 모습을 그린 글자이므로, 집 广(엄) 및 쏠 發(발). 두 글자 모두 의미요소에 관여한다.
●●●●● 廢業(폐업)/廢鑛(폐광)/廢家(폐가)/廢止(폐지)

座(좌) 席(석) 床(상) 庶(서) 遮(차)

座

훈음 자리 좌 부수 집 广(엄) ▶▶▶ 집 广(엄) + 앉을 坐(좌) ➡ 정좌를 하고 대작을 하는 모습
집 안에 제대로 앉을 만한 곳, 즉 자리를 가리키는 말이므로 두 글자 모두 의미요소로 쓰였으며 앉을 坐(좌)는 발음을 겸하고 있다.
●●●●● 座席(좌석)/寶座(보좌)/講座(강좌)/座談(좌담)

席

훈음 자리 석 부수 수건 巾(건) ▶▶▶ 큰 집 广(엄) + 廿(입) + 수건 巾(건) ➡ 집 안의 방석
대궐(广)에는 고급 명주로 만든 자리(巾) 즉 높은 사람이 앉을 자리나 방석이 있었으며, 계급 여하에 따라 앉는 자리가 달랐다.
●●●●● 座席(좌석)/首席(수석)/坐不安席(좌불안석)/席次(석차)

床

훈음 상 상 부수 집 广(엄) ▶▶▶ 집 广(엄) + 나무 木(목) ➡ 집 안의 침대

의외로 중국 사람들이 침대 생활을 하고 있는데 바로 나무로 만든 침상을 가리키는 말로, 나무 木(목)이 의미요소이며, 집 안의 잠자는 잠자리나 바닥을 뜻하므로 广(엄) 역시 의미요소이다.

●●●●● 册床(책상)/平床(평상)/同床異夢(동상이몽)/起床(기상)

庶

훈음 여러 서 부수 집 广(엄) ▶▶▶ 집 广(엄) + 廿(입) + 불 灬(화) ➡ 집 안 가득한 연기

집(广) 안에서 음식을 삶거나 끓이면서 생기는 집 안 가득 찬 연기(灬)의 모습에서 '많다, 여러'의 뜻과, 연기 때문에 눈이 매워 흘리는 눈물에서 '서러운 첩의 자식'이라는 의미를 갖게 된 글자로 모두가 의미요소에 기여하는 글자이다.

●●●●● 庶民(서민)/庶子(서자)

遮

훈음 막을 차 부수 갈 辶(착) ▶▶▶ 갈 辶(착) + 여러 庶(서) ➡ 연기가 길을 막다

길을 가로막다가 원뜻이므로 갈 辶(착)이 의미요소인 것은 쉽게 알 수 있으나, 여러 庶(서)의 용도에 있어 발음기호라는 설도 있으며, 많은 사람이 길을 가로막고 서서 가지 못하게 한다는 설도 설득력이 있어 보인다.

●●●●● 遮斷(차단)/遮陽(차양)

度(도) 渡(도) 序(서) 庚(경) 庸(용) 傭(용) 唐(당) 糖(당)

度

훈음 법도 도 부수 집 广(엄) ▶▶▶ 집 广(엄) + 스물 廿(입) + 오른손 又(우) ➡ 집과 관련 없음

'손으로 길이를 재다'가 본래의 의미라고 한다. 따라서 손 又(우)가 의미요소고, 나머지가 아마 발음기호 역할을 했을 것이다. 점차로 '정도, 법도, 헤아리다' 등의 뜻으로 의미 확대되었다.

●●●●● 度量衡(도량형)/角度(각도)/制度(제도)/法度(법도)

渡

훈음 건널 도 부수 물 氵(수) ▶▶▶ 물 氵(수) + 법도 度(도) ➡ 집과 관련 없음

물을 건너다가 원뜻이므로 물 氵(수)가 의미요소고, 법도 度(도)는 발음기호이다.

●●●●● 渡美(도미)/渡航(도항)/賣渡(매도)/讓渡(양도)

序

훈음 차례 서 부수 집 广(엄) ▶▶▶ 집 广(엄) + 나 予(여) ➡ 집과 관련 없음

베틀에서 왔다 갔다 하며 가로 실을 엮는 베틀 북의 모양을 본떠 만든 글자가 予(여)자이다. 천을 짜는 공장(广)이나 집(广)을 함께 그려서 순서와 질서가 필요한 천 짜는 일을 통해 '차례, 순서, 처음'이라는 뜻이 파생됐다.

●●●●● 序論(서론)/順序(순서)/秩序(질서)/序文(서문)

庚

훈음 천간 경 부수 집 广(엄) ▶▶▶ 집 广(엄) + 午(오) ➡ 집과 관련 없음

두 손으로 절굿공이를 들어 올린 모습을 그린 글자로 분명 타작이나 방아를 찧는 것과 관련이 있었을 것이나, 十干(십간)의 일곱 번째로 사용되자 절구에 곡식을 빻는 모습을 대신한 글자가 아래의 쓸 庸(용)자이다. 집 广(엄)의 의미와는 전혀 무관하다.

●●●●● 庚方(경방)/庚午(경오)

庸

훈음 쓸 용 부수 집 广(엄) ▶▶▶ 천간 庚(경) + 쓸 用(용) ➡ 집과 관련 없음

두 손으로 절굿공이를 들어 올려 절구(用)에 든 곡식을 빻는 모습에서 절구질은 한가운데를 내리쳐야 하므로 '양쪽 어디에도 치우치지 않는 가운데'라는 기본뜻이 탄생되었으며, 점차로 '어리석다, 보통이다'등으로 의미가 확대되었다. 집 广(엄)의 의미와는 전혀 무관하며, 일(庸)시키기 위해 돈으로 고용한 사람(亻)을 용병(傭兵)의 품팔이 용(傭)이라 한다.

●●●●● 登庸(등용)/中庸(중용)/庸劣(용렬)

唐

훈음 당나라 당 부수 입 口(구) ▶▶▶ 방앗간(广-집 엄) + 절굿공이(肀) + 곡식(口) ➡ 가차자
절굿공이를 들고(肀) 절구질 하는 모습에서 단단할 당(唐)의 뜻이 되었으나 가차되어 당시(唐詩)의 당나라 당(唐)이 되었으며, 당나라(唐)에서 들여온 쌀(米)처럼 생긴 설탕을 당분(糖分)의 사탕(砂糖) 당(糖)이라 한다.
●●●●● 荒唐無稽(황당무계))/唐麵(당면)/唐詩(당시)/唐突(당돌)/糖分(당분)/葡萄糖(포도당)

良(량) 浪(랑) 郞(랑) 廊(랑) 朗(랑) 娘(낭) 狼(낭)

良

훈음 좋을 량 부수 어긋날 艮(간) ▶▶▶ 삐침 丿(별) + 어긋날 艮(간)
艮(간)과는 아무 관련이 없는 글자로 긴 주랑(柱廊), 즉 궁궐의 긴 복도의 모습 혹은 성벽 위로 길게 이어진 길(回廊(회랑)의 모습을 본뜬 글자다. '좋다, 어질다'로 사용되며 다른 글자의 발음요소에 관여한다. ※ 어긋날 艮(간)부에 속하나 건축물과 관련이 있어 정리했다.
●●●●● 良質(양질)/良好(양호)/良心(양심)/選良(선량)

浪

훈음 물결 랑 부수 물 氵(수) ▶▶▶ 물 氵(수) + 좋을 良(량)
바람이나 태풍에 의해 이는 물결을 나타낸 글자이므로 물 氵(수)가 의미요소이며 良(량)은 발음기호다.
●●●●● 波浪注意報(파랑주의보)/風浪(풍랑)/浪漫(낭만)/浪費(낭비)

郞

훈음 사나이 랑 부수 고을 읍(邑=阝)
▶▶▶ 좋을 良(량) + 고을 읍(阝-우부방) - 발음기호 ➡ 기둥 같은 남자들
마을에 있는 기둥 같은 남자들이란 뜻으로 두 글자 모두 의미요소이며 良(량)은 발음도 겸하고 있다. 良(량) 자체가 回廊(회랑) 즉 복도를 의미하므로 크고 굵은 기둥이 도열한 궁궐의 복도를 생각하면 마을(阝)의 기둥 같은 남자들 즉 사내를 가리키기에 충분하다고 본다.
●●●●● 新郞(신랑)/花郞(화랑)/郞君(낭군)

廊

훈음 복도 랑 부수 집 广(엄) ▶▶▶ 집 广(엄) + 사나이 郞(랑) ➡ 기둥을 받치고 있는 복도
넓고 크고 긴 복도를 나타내기 위한 글자이므로 집 广(엄)이 의미요소고 郞(랑)은 발음기호이다. 그러나 사나이 즉 대궐 복도는 크고 굵은 기둥들이 마치 건장한 사나이들처럼 도열해 서 있으므로, 단순히 발음에만 영향을 준 것이 아님을 알 수 있다.
●●●●● 柱廊(주랑)/畵廊(화랑)/回廊(회랑)

朗

훈음 밝을 랑 부수 달 月(월) ▶▶▶ 좋을 良(량) + 달 月(월) ➡ 또렷한 보름달
휘영청 밝은 달을 나타내는 글자이므로 달 月(월)이 의미요소이며 良(량)이 발음요소임은 쉽게 알 수 있다. 良(양) 자체가 성벽 위로 난 길을 가리키므로 성 위로 높이 솟아오른 밝은 달의 모습을 더욱 또렷하게 해주므로 의미요소에 기여했다고 볼 수 있다.
●●●●● 明朗(명랑)/朗讀(낭독)/朗朗(낭랑)/朗報(낭보)/朗誦(낭송)

娘

훈음 아가씨 낭/랑 부수 계집 女(여) ▶▶▶ 계집 女(여) + 좋을 良(량) ➡ 명랑한 아가씨
나긋나긋하고 젊은 여자를 가리키는 말이므로, 계집 女(여)가 의미요소이고 良(량)은 발음기호이다.
●●●●● 娘子(낭자)/娘子軍(낭자군)

狼

훈음 이리 랑/낭 부수 개 犭(견) ▶▶▶ 개 犭(견) + 어질 良(량)
사나운 산짐승인 이리나 늑대를 나타내는 글자로 개 犭(견)이 의미요소이며, 良(량)은 발음기호로 외딴 산속에서 이리나 늑대를 만난다면 얼마나 무섭겠는가? 여기서 狼狽(낭패)를 봤다는 말이 생겨났다.
●●●●● 狼狽(낭패)

高(고)　喬(교)　橋(교)　嬌(교)　僑(교)　矯(교)　驕(교)

高

훈음 높을 고 **부수** 제 부수

사람이 드나드는(冂) 성 입구(冂)를 크게 하고 그 위에 누각을 세워 멀리서도 알아 볼 수 있게 한 '높이 솟아 있는 건물'을 본떠서 만든 글자로, 위쪽의 입 口(구)는 먼 곳을 내려다 볼 수 있는 창문이나 장소이고, 아래의 口(구)는 출입구를 나타냈으며 亠(두)는 지붕을 나타낸다.

●●●●● 高等敎育(고등교육)/天高馬肥(천고마비)/高見(고견)/高低(고저)

喬

훈음 높을 교 **부수** 입 口(구)

▶▶▶ 젊을/어릴 夭(요) + 갓머리 없는 높을 高(고) ➡ 지붕 끝에 달려 있는 장식물

건물 위의 지붕 난간이나 지붕 꼭대기에 장식(夭)이 달려 있는 '높은 건축물'을 가리키는 글자로, 2층 이상의 높은 건물을 상징하는 高(고)가 의미요소고 夭(요)는 발음기호다.

●●●●● 喬木(교목)/喬松(교송)/喬木世家(교목세가)

橋

훈음 다리 교 **부수** 나무 木(목) ▶▶▶ 나무 木(목) + 높을 喬(교) ➡ 냇가에 높이 매단 나무다리

'강 위로 높게(喬) 매단 나무(木)다리' 옛날의 다리는 거의 다 나무다리였고, 강 위에 높이 걸려 있는 것이었으므로 간단히 나무(木)와 높다(喬)를 합쳐서 다리 橋(교)를 만들었다.

●●●●● 橋脚(교각)/大橋(대교)/陸橋(육교)/架橋(가교)/橋頭堡(교두보)

嬌

훈음 아리따울 교 **부수** 계집 女(여) ▶▶▶ 계집 女(여) + 높을 喬(교)

'예쁘다고 사람들이 그러니까 한껏 코가 높아진(喬) 여자(女)'로 계집 女(여)가 의미요소고 喬(교)는 발음부호이다.

●●●●● 嬌態(교태)/嬌聲(교성)/愛嬌(애교)

僑

훈음 우거할/더부살이할 교 **부수** 사람 亻(인)

▶▶▶ 사람 亻(인) + 높을 喬(교) ➡ 외국에 나가 사는 잘난 사람

키 큰 사람/나아가 잘난 사람을 지칭하고자 하는 글자였으나 잘난 사람들만 외국에 나가 사는 것으로 생각하였는지 '외국에 사는 사람'에서 점차 '더부살이 하는 사람'으로 의미가 바뀐 글자이다. 사람 亻(인)이 의미요소이고 喬(교)는 발음기호이다.

●●●●● 僑胞(교포)/僑民(교민)

矯

훈음 바로잡을 교 **부수** 화살 矢(시) ▶▶▶ 화살 矢(시) + 높을 喬(교) ➡ 활쏘기 전에 여러 번 고쳐 잡다

먼 과녁을 맞추기 위해 높이(喬) 쳐든 화살(矢)을 제대로 쏘기 위해 여러 번 '바로잡다'에서 나온 글자로, 화살 矢(시)가 의미요소고 喬(교)는 발음기호이다.

●●●●● 矯正(교정)/矯角殺牛(교각살우)

驕

훈음 교만할 교 **부수** 말 馬(마) ▶▶▶ 말 馬(마) + 높을 喬(교) ➡ 높은 곳에 앉아 있는 사람

말(馬)의 높은(喬) 안장 위에 앉으니 모든 사람들이 발 밑에 있는 것으로 착각하는 사람을 가리키는 말로서 말 馬(마)가 의미요소로 사용되었다.

●●●●● 驕慢(교만)

稿(고) 豪(호) 毫(호) 壕(호) 濠(호)

稿

훈음 볏짚 고 부수 벼 禾(화) ▶▶▶ 벼 禾(화) + 높을 高(고)

벼의 낟알을 떨어낸 줄기 즉 볏짚을 뜻하는 글자로 벼 禾(화)가 의미요소고 높을 高(고)는 발음기호다. 옛날엔 볏짚이 쓰임새가 많았기 때문에 글자가 만들어졌으며 훗날 '글을 써서 정리한 원고'의 뜻을 가지게 되었다.

●●●●● 原稿(원고)/草稿(초고)/脫稿(탈고)/起稿(기고)/投稿(투고)

豪

훈음 호걸 호 부수 돼지 豕(시) ▶▶▶ 高(고)의 생략형 + 돼지 豕(시) ➡ 많은 돼지 무리

털이 빳빳하게 높이 솟아 있는 멧돼지를 일컫는 말이었으나 이후 기개가 출중하고 재능이 출중한 남자를 가리키게 되었다. 돼지 豕(시)와 높을 高(고) 모두가 의미요소이며 高(고)는 발음에도 영향을 미쳤다.

●●●●● 豪傑(호걸)/豪雨(호우)/豪言(호언)/豪奢(호사)/富豪(부호)

毫

훈음 가는 털 호 부수 털 毛(모) ▶▶▶ 높을 高(고) + 털 毛(모) ➡ 높이 솟은 가는 털

짐승의 길게 자란 잔털을 의미하므로 두 글자 모두 의미요소이며 高(고)는 발음기호이다.

●●●●● 秋毫(추호)/揮毫(휘호)/一毫斑點(일호반점)

壕

훈음 해자 호 부수 흙 土(토) ▶▶▶ 흙 土(토) + 호걸 豪(호) – 둘레를 구덩이로 파서 만든 방어벽

성 주위로 파 놓은 방어용 해자 즉 호수를 뜻하므로 흙 土(토)를 의미요소로 豪(호)를 발음기호로 했다.

●●●●● 待避壕(대피호)/塹壕(참호)/防空壕(방공호)

濠

훈음 해자 호 부수 물 氵(수) ▶▶▶ 물 氵(수) + 호걸 豪(호) ➡ 주위를 물로 두른 방어벽

성주위로 파 놓은 방어용 해자 즉 호수를 뜻한다. 물 氵(수)를 더하여 물을 강조한 해자로서 물 氵(수)가 의미요소이며, 豪(호)는 발음기호이다.

●●●●● 濠洲(호주)

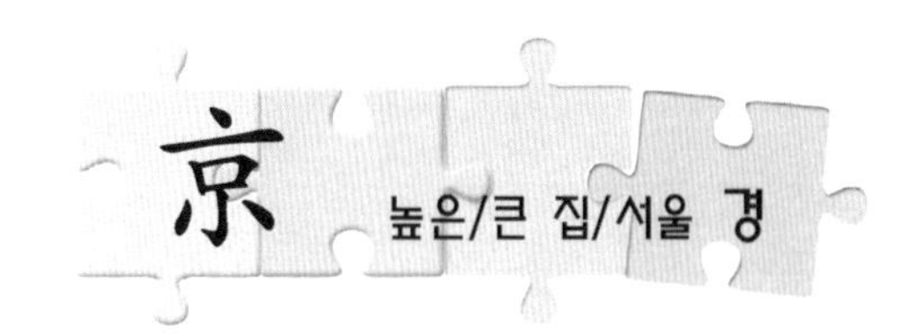

京(경) 景(경) 影(영) 凉(량) 鯨(경) 就(취) 掠(약) 諒(량) 蹴(축)

京

훈음 서울 경 **부수** 돼지해밑 亠(두) ▶▶▶ 머리 亠(두) + 口 + 작을 소(小) ➡ 높은 건물

여기서 머리 亠(두)는 말뚝(小)을 박고 지을 정도로 우뚝 솟은 망대나 큰 집의 지붕을 가리키며 후대에 크고 높은 곳이라 하여 서울 京(경)이 됐으며 부잣집(京)을 터는(扌) 장면이 약탈(掠奪)의 노략질할 약(掠)자이며 대궐(京)에서 백성들에게 부탁하는 말(言)이 양지(諒知)/양해(諒解)의 믿음 양(諒)자이다.

●●●●● 東京(동경)/北京(북경)/南京(남경)/西京(서경)/침략(侵掠)

景

훈음 볕 경 **부수** 해 日(일) ▶▶▶ 해 日(일) + 서울 京(경) ➡ 높은 건물에 해가 걸렸다

높이 솟은 누각(京)의 지붕 위로 마치 해(日)가 솟아오르는 것처럼 보여 보는 이들로 하여금 감탄을 자아냈을 것이며, '오늘날 산 중턱에 해가 걸렸다'는 말을 하는 것처럼 당시 드물었던 높은 건물의 등장으로 마치 해가 '높은 건물 위로 떠오르는 것처럼' 여겨져서 만들어진 글자로 '크고 웅장한 볕과 경치'로 의미 확대됐다.

●●●●● 景致(경치)/景觀(경관)/背景(배경)/風景(풍경)

影

훈음 그림자 영 **부수** 터럭 彡(삼)

▶▶▶ 해 日(일) + 서울/클 京(경) = 터럭 彡(삼) ➡ 높은 건물로 인해 생긴 그림자

터럭 彡(삼)은 무늬를 가리킬 때가 많아 여기서는 높이 솟아 오른 해(景)에 의해 생기는 높은 건물의 그림자에서 '그림자, 해가 비치는 물체로 인해 맺힌 상'의 의미가 파생됐다.

●●●●● 幻影(환영)/影響(영향)/撮影(촬영)/投影(투영)

凉

훈음 서늘할 량(양) **부수** 얼음 冫(빙) ▶▶▶ 얼음 冫(빙) + 서울/클 京(경)

사람이 위축되면 언다고 하듯 시골 영감 처음 온 서울(京)의 모습에 기가 죽어 얼어버린(冫) 모습에서 서늘하다/춥다가 탄생한 회의문자다. 京(경)은 발음기호이며, 涼(량)의 俗字(속자)이다.

●●●●● 淸凉飮料(청량음료)/荒凉(황량)/炎凉世態(염량세태)

鯨

훈음 고래 경 **부수** 고기 魚(어) ▶▶▶ 고기 魚(어) + 서울/클 京(경) – 발음기호

서울(京)(큰 도시)만큼 엄청나게 큰 고기(魚)가 바로 고래이며, 京(경)은 발음과 의미 모두에 기여했음을 볼 수 있다.

●●●●● 捕鯨(포경)

就

훈음 이룰/나아갈 취 **부수** 절름발이 尢(왕) ▶▶▶ 서울/클 京(경) + 더욱 尤(우) ➡ 서울을 가리킴

'이루다'라는 것은 특별하고 큰일을 성취해 낸 것을 말하는 것으로 서울(京)처럼 큰 곳을 가리키는 손(尤)을 통해 큰 곳으로 '나아가다'는 뜻을 갖게 됐고, 나아가 마침내 서울이나 높은 곳으로 진출했으니 큰일을 이루었다 하여 '이루다'가 파생됐다.

●●●●● 成就(성취)/就任(취임)/就業(취업)/就航(취항)

蹴

훈음 찰 축 **부수** 발 足(족) ▶▶▶ 발 足(족) + 이룰 就(취)

'발로 밟다, 발로 차다'는 뜻을 나타내기 위한 것이므로 발 足(족)이 의미요소이고, 나머지 이룰 취(就)가 발음요소이다. 발(足)에 차인 것이 앞으로 나아감(就)으로 찰 축자가 만들어졌다.

●●●●● 蹴球(축구)

戶(호) 所(소) 房(방) 扁(편) 扇(선) 雇(고) 顧(고) 淚(루)

戶

훈음 외짝 문/지게 호 부수 제 부수 ▶▶▶ 창고의 문이나 쪽 문을 말함
대궐 문(門)과 대조되는 것으로 문짝이 하나만 있는 창고나 서민들의 방문을 본떠 만든 글자가 호구조사(戶口調査)의 외짝 문/지게 호(戶)
●●●●● 家家戶戶(가가호호)/戶別訪問(호별방문)

所

훈음 바 소 부수 외짝 문/지게 戶(호) ▶▶▶ 도끼 斤(근) + 외짝 문/지게 戶(호) ➡ 무기나 농기구 두는 곳
도끼(斤)와 같은 도구나 무기를 두는 곳(戶)이 장소(場所)의 바 소(所)
●●●●● 名所(명소)/所見(소견)/所得(소득)/所聞(소문)/無所不爲(무소불위)/適材適所(적재적소)

房

훈음 방 방 부수 외짝 문/지게 戶(호) ▶▶▶ 모 方(방) + 외짝 문/지게 戶(호)
방(方)을 발음기호로 쪽 문(戶-지게 호)을 하나 그려 넣어 사랑방(舍廊房)의 방 방(房)
●●●●● 空房(공방)/宮房(궁방)/藥房(약방)/獨守空房(독수공방)/文房四友(문방사우)/文房具(문방구)

扁

훈음 넓적할 편 부수 얼음 冫(빙) ▶▶▶ 얼음 冫(빙) + 서울/클 京(경) – 발음기호
싸리문(戶)도 책(冊)처럼 엮어서 만들므로 편평하다(扁平)의 넓적할 편(扁)
●●●●● 扁桃腺(편도선)/扁平(편평)

扇

훈음 사립문/부채 선 부수 외짝 문/지게 戶(호) ▶▶▶ 깃 羽(우) + 외짝 문/지게 戶(호) ➡ 부채 모양
창호지문(戶)과 새 깃털(羽)의 유사한 모습에서 선풍기(扇風機) 부채 선(扇)
●●●●● 扇風機(선풍기)/風扇(풍선)/煽動(선동)/虛風扇(허풍선)/火爐冬扇(화로동선)

雇

훈음 품 살 고 부수 새 隹(추) ▶▶▶ 새 隹(추) + 외짝 문/지게 戶(호) ➡ 새장에 갇힌 새
새장(戶-외짝 문 호)에 갇힌 새(隹)의 모습에서 고용인(雇傭人)의 품살 고(雇)
●●●●● 解雇(해고)/雇傭人(고용인)/雇用主(고용주)

顧

훈음 돌아볼 고 부수 머리 頁(혈) ▶▶▶ 품 살 雇(고) + 머리 頁(혈) ➡ 일군을 돌봐야 할 고용주
일군(雇)을 돌봐주는 주인(頁)의 역할에서 삼고초려(三顧草廬)의 돌아볼 고(顧)
●●●●● 顧客(고객)/顧問(고문)/一顧(일고)/不顧(불고)

淚

훈음 눈물 루 부수 물 水(수) ▶▶▶ 발 어그러질 려(戾) + 물 氵(수)
개장(戶)에 갇힌 포로(犬)가 흘리는 피눈물(氵)이 혈루(血淚)의 눈물 루(淚)
●●●●● 孤臣寃淚(고신원루)/感淚(감루)

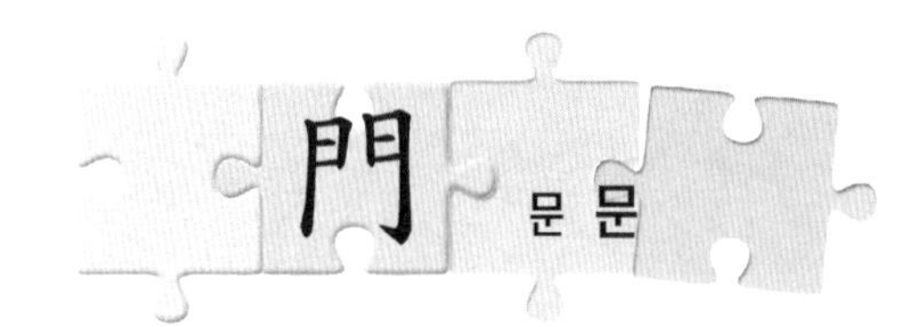

門(문) 開(개) 閉(폐) 問(문) 聞(문) 間(간) 閃(섬)
閑(한) 閣(각) 關(관) 閱(열) 闕(궐) – 대문과 직접 관련된 글자

門

훈음 문 문 **부수** 제 부수

두 짝 문을 그대로 옮겨 놓은 글자로 방문은 주로 외짝 문 호(戶)가 가리키고 大門(대문)을 포함한 큰 문들을 이 문 門(문)자가 가리킨다.

●●●●● 閉門(폐문)/門下生(문하생)/門外漢(문외한)/門前沃畓(문전옥답)

開

훈음 열 개 **부수** 문 門(문)

▶▶▶ 문 門(문) + 한 一(일) + 두 손 廾(공) ➡ 문빗장을 들어 올려 문을 열다

두 손(廾)으로 문빗장(一)을 들어 올려 대문(門)을 열려고 하는 모습을 그린 글자다.

●●●●● 開閉(개폐)/開校(개교)/開學(개학)/開店(개점)/開始(개시)

閉

훈음 닫을 폐 **부수** 문 門(문)

▶▶▶ 문 門(문) + 한 一(일) + 갈고리 亅(궐) + 삐침 丿(별) ➡ 문빗장을 걸어 잠금

문빗장(一)을 가로질러 문을 걸어 잠그는 모습에서 '닫다'라는 글자가 만들어졌다.

●●●●● 閉場(폐장)/閉會式(폐회식)/開閉(개폐)/閉業(폐업)

問

훈음 물을 문 **부수** 입 口(구) ▶▶▶ 문 門(문) + 입 口(구) ➡ 문 열고 물어 봄

대문(門) 앞에 와서 집 안 사람들에게 무엇인가를 물어(口) 보는 모습을 그린 글자다.

●●●●● 問答式(문답식)/質問(질문)/問議(문의)/問喪(문상)

聞

훈음 들을 문 **부수** 귀 耳(이) ▶▶▶ 문 門(문) + 귀 耳(이) ➡ 귀를 갖다 대고 엿들음

대문(門(문)에 귀(耳)를 갖다 대고 밖의 동정을 엿듣는 모습의 글자다.

●●●●● 聽聞會(청문회)/新聞(신문)/所聞(소문)/見聞(견문)

間

훈음 사이 간 **부수** 문 門(문) – (閒(한/간)의 속자 ▶▶▶ 문 門(문) + 해 日(일) ➡ 대문 사이로 지나감

문(門)틈 사이로 햇빛/달빛(日/月)이 새어 들어오는 모습에서 '사이, 틈, 간격'이 파생됐다.

●●●●● 時間(시간)/間隔(간격)/間歇(간헐)

閃

훈음 번쩍할 섬 **부수** 문 門(문) ▶▶▶ 문 門(문) + 사람 人(인) ➡ 재빠르게 지나감

문 사이로 사람(人)의 모습이 언뜻 보였다 사라졌다 하는 것을 보고 글자를 만들었다.

●●●●● 閃光(섬광)/東閃西忽(동섬서홀)

閑

훈음 막을 한 **부수** 나무 木(목) ▶▶▶ 문 門(문) + 나무 木(목) ➡ 대문 앞이 막혔으니 한가할 수 밖에

대문(門) 앞에 나무를 심었다는 것은 아무도 드나들지 못하게 차단하려고 하는 것이므로 '막다'의 뜻이고, 대문이 막혀 아무도 출입을 하지 않으니 '한가롭다'는 뜻이 파생됐다.

●●●●● 閑暇(한가)/忙中閑(망중한)/閑良(한량)/農閑期(농한기)

閣

훈음 문설주 각 부수 문 門(문) ▶▶▶ 문 門(문) +각각 各(각)

크고 무거운 문짝을 지탱할 기둥을 가리키는 말로 문 門(문)이 의미요소이고, 各(각)이 발음기호이다.

●●●●● 樓閣(누각)/閣僚(각료)/內閣(내각)/改閣(개각)

關

훈음 빗장 관 부수 문 門(문)

▶▶▶ 문 門(문) + 작을 幺(요) + 쌍상투 丱(관) ➡ 빗장을 단단히 묶어 열지 못하도록 함

丱(관) 모양의 글자는 성문을 보다 확실하게 잠가 열기 어렵게 만든 빗장이고 실 糸(사)를 더하여 꽁꽁 묶어 풀기 어렵다. 즉 한번 닫으면 열기 어려움을 강조한 글자로 모든 글자가 의미요소이며 丱(관)이 발음기호 역할을 겸했다.

●●●●● 關聯(관련)/聯關(연관)/關鍵(관건)/關係(관계)/關心(관심)/關稅(관세)/三角關係(삼각관계)/利害關係(이해관계)/關與(관여)/關節(관절)/八字所關(팔자소관)

閱

훈음 검열할/볼 열 부수 문 門(문) ▶▶▶ 문 門(문) + 기쁠 兌(태) ➡ 문을 드나드는 사람을 살핌

성문에서 드나드는 사람들을 검문 검색하는 모습을 그린 글자로, 문 門(문)이 의미요소고 기쁠 兌(태)가 발음기호이다. ※ 悅(열) - 기쁠 열/說(열) - 기꺼울 열

●●●●● 檢閱(검열)/閱覽(열람)/閱兵(열병)

闕

훈음 대궐 궐 부수 문 門(문) ▶▶▶ 문 門(문) + 숨찰 궐(欮) - 돌아다니기 숨찬 집

큰 대문이 달린 집. 즉 大闕(대궐)/宮闕(궁궐)을 뜻하는 글자이므로 큰 대문을 상징하는 문 門(문)이 의미요소고 나머지는 발음 요소이나 돌아다니기 숨 찰 정도로 큰 집이라 하여 숨찰 궐(欮)이 의미 및 발음요소로 사용되었다.

●●●●● 大闕(대궐)/入闕(입궐)/補闕選擧(보궐선거)/闕席(궐석)

簡(간)	閔(민)	憫(민)	悶(민)	閏(윤)	潤(윤)
閨(규)	閥(벌)	闌(난)	欄(난)	爛(난)	蘭(난)

簡

훈음 대쪽 간 부수 대 竹(죽) ▶▶▶ 대 竹(죽) + 사이 間(간) ➡ 대나무 종이

옛날 종이 대신 대나무를 길고 납작하게 다듬은 다음 그 위에다 글을 썼는데, 바로 그 얇고 편편하고 좁은 대나무 쪽을 의미하는 글자로 대 竹(죽)이 의미요소이며 間(간)은 발음요소이다.

●●●●● 竹簡(죽간)/書簡文(서간문)/簡便(간편)/簡單明瞭(간단명료)

閔

훈음 위문할 민 부수 문 문 - 단독으로 사용되지 않고 발음기호로

▶▶▶ 문 門(문) + 무늬 文(문) ➡ 관가에서 고문(형벌) 당하고 있는 사람에 대한 안타까운 마음

관가(門)에서 고문(文-묵형-문신)을 당한 사람을 불쌍히 여겨 치료해 주는 모습에서 '위문하다, 마음 아프게 여기다'의 뜻이 파생되었으나 단독으로 거의 쓰이지 않게 되자 '마음 아파하다'는 뜻을 더 분명히 하기 위해 마음 忄(심)을 추가한 글자가 아래의 근심할 憫(민)이다.

憫

훈음 근심할 민 부수 마음 忄(심)

▶▶▶ 마음 忄(심) + 위문할 閔(민) ➡ 처형당하는 사람에 대한 연민의 정

관가(門)에서 墨刑(묵형) 즉 고문(文)을 받고 괴로워하는 사람에 대한 동정심과 불쌍히 여기는 심정을 나타내고자 마음 忄(심)을 추가한 글자로 閔(민)이 발음기호이다.

●●●●● 憐憫(연민)/憫惘(민망)

悶

훈음 번민할 민 **부수** 마음 心(심) ▶▶▶ 문 門(문) + 마음 心(심) ➡ 대문을 나서는 순간 근심이 사라짐

번민하고 고민하는 모습을 나타낸 글자이다. 모든 고민과 염려의 출입문이 심장이므로 心(심)과 門(문)을 의미요소로 門(문)은 또한 발음기호로도 사용됐다.

●●●●● 煩悶(번민)

훈음 윤달 윤 **부수** 문 門(문) ▶▶▶ 문 門(문) + 王(왕) ➡ 윤달에 바깥출입을 삼가는 왕

음력으로 윤달에 해당하는 달에 임금(王)이 바깥출입을 삼가고 왕궁(門) 안에만 머무르던 풍습을 반영한 글자로 두 글자 모두 의미요소에 기여한다.

●●●●● 閏年(윤년)/閏月(윤월)

훈음 젖을 윤 **부수** 물 氵(수) ▶▶▶ 물 氵(수) + 윤달 閏(윤)

'물에 젖다'를 뜻하므로 물 氵(수)가 의미요소고 閏(윤)은 발음기호이다. 왕(王)이 사람들이 사는 모습을 보려고 궁궐(門)을 나서니 백성들이 감격의 눈물(氵)을 흘려 생긴 글자다.

●●●●● 潤澤(윤택)/潤氣(윤기)/潤滑油(윤활유)

훈음 도장방 규 **부수** 문 門(문) ▶▶▶ 문 門(문) + 홀 圭(규)

부녀자들이 거하는 방 혹은 안방을 지칭하는 말로써 문 門(문)이 의미요소고 圭(규)는 발음기호이다.

●●●●● 閨房(규방)/閨秀(규수)/閨中處子(규중처자)

훈음 공훈 벌 **부수** 문 門(문) ▶▶▶ 문 門(문) + 칠 伐(벌) ➡ 혁혁한 공을 세운 집안

큰 공을 세워 높은 벼슬자리로 나아간 지체 높은 집안을 가리키는 말로서, 문 門(문)이 의미요소고 伐(벌)은 발음기호이며 '공로, 가문' 등으로 의미 확대되었다.

●●●●● 學閥(학벌)/派閥(파벌)/門閥(문벌)/派閥主義(파벌주의)

훈음 가로 막을 난 **부수** 문 門(문) ▶▶▶ 문 門(문) + 가릴 柬(간) ➡ 출입 적/부적격자를 가려냄

성문(門)에서 출입 부적격자를 가려내는(柬) 것이 가로 막을 난(闌)이며, 나무 木(목)을 첨가하여 만든 글자가 欄干(난간) 欄(난)자이다.

●●●●● 欄外(난외)/欄干(난간)/空欄(공란)

훈음 문드러질 란 **부수** 불 火 ▶▶▶ 가로막을 闌(란) + 불 火(화) ➡ 들판이 불탄다.

들판이 불타듯(火) 흐드러지게 피어있는 꽃이 난(闌)을 발음기호로 난개(爛開)의 문드러질 난(爛)자이고 풀 艹(초)를 더하여 만든 글자가 蘭草(난초) 蘭(난)자이다.

●●●●● 爛開(난개)/爛發(난발)/爛商討議(난상토의)/蘭草(난초)

✍ 언덕은 떨어질 위험이 있고 샘물의 발원지고 지하자원이 매장되어 있으며 강변에서 보면 흙무더기요 산 같은 장애물이며 성벽에 비하기도 한다.

厂(엄) 泉(천) 原(원) 源(원) 願(원)

厂

훈음 굴 바위 엄 부수 제 부수

언덕의 바위가 약간 돌출되고 비탈진 모양에서 만들어진 글자로 '굴 바위/석굴/언덕/낭떠러지'를 뜻한다. 민엄호란 부수명은 집 广(엄)호에서 윗부분에 점 丶(주)가 없으므로 민둥산의 민머리의 뜻으로 사용하여 민갓머리.

泉

훈음 샘 천 부수 물 氵(수) ▶▶▶ 흰 白(백) + 물 水(수) ➡ 햇볕을 받아 반짝이는 샘물

바위틈에서 샘솟는 샘물이(水) 햇빛을 받아 반짝반짝 빛나는(白) 모습을 그린 글자로 두 글자 모두 의미요소이다.

●●●●● 溫泉(온천)/黃泉(황천)/源泉(원천)

原

훈음 근원 원 부수 언덕 厂(엄) ▶▶▶ 언덕 厂(엄) + 샘 泉(천) ➡ 언덕에서 발원하는 샘

모든 강의 발원은 바위 틈(厂)에서 샘솟는 샘(氵)물이 모여 내를 이루고, 내가 합쳐져 큰 강이 된다. 따라서 모든 큰 강의 발원지는 작은 샘인 것이다.

●●●●● 平原(평원)/原來(원래)/原初(원초)/原價(원가)/原料(원료)

源

훈음 근원 원 부수 물 氵(수)

▶▶▶ 물 氵(수) + 근원 原(원) ➡ 강물의 근원은 바위틈에서 솟아나는 샘

산언덕 아래 계곡 같은 데서 물이 솟아 흐르는 모습을 본뜬 글자인 原(원)자가 원래 글자였으나, 의미를 더욱 분명히 하기 위해 물 氵(수)를 첨가한 글자이다. 물 氵(수)와 原(원) 모두가 의미요소이며 原(원)은 발음기호이다.

●●●●● 根源(근원)/發源(발원)/資源(자원)/拔本塞源(발본색원)

願

훈음 원할 원 부수 머리 頁(혈) ▶▶▶ 근원 原(원) + 머리 頁(혈)

모든 욕심은 마음에서 나지만 먼저 원하게 되는 근원(原)은 정신, 곧 머리(頁)라 생각하여 두 글자 모두 의미요소로 原(원)은 발음기호로 쓰였다.

●●●●● 願望(원망)/歎願書(탄원서)/所願(소원)/祈願(기원)

厄(액) 危(위) 詭(궤) 反(반) 仄(측) 厚(후) 享(향)
厭(염) 壓(압) 炭(탄) 厓(애) 涯(애) 崖(애)

危

훈음 위태할 위 부수 병부 卩(절) ▶▶▶ 사람 人(인) + 재앙 厄(액) ➡ 벼랑 끝에 서 있는 사람

벼랑(厂)이나 낭떠러지(厂)에서 떨어진 사람(㔾)의 모습이 재액(災厄)의 액 액(厄)자이며, 벼랑(厂) 끝에 매달려 있는 사람(人)의 모습에서 '위험하고, 불안정한 모습'이라는 의미를 갖는 흔히 코너에 몰린 상황을 '벼랑 끝에 서 있다'로 묘사한 바로 그 장면의 글자가 위험(危險)의 위태할 위(危)자이고 말(言)로 사람을 위태롭게(危) 하는 것이 궤변(詭辯)의 속일 궤(詭)자이다.

●●●●● 危機(위기)/危重(위중)/危殆(위태)/危機一髮(위기일발)/詭計(궤계)

反

훈음 되돌릴/뒤집을 반 부수 또 又(우) ▶▶▶ 언덕 厂(엄) + 오른손 又(우) ➡ 장애물을 막아 냄

언덕(厂) 같은 장애물을 손(又)으로 막아 저항하며 물리친다 하여 되돌릴 反(반)자가 생겼으며 머리 숙이고 언덕이나 낭떠러지(厂)를 걸어가는 사람(人)의 모습에서 기울 측(仄)

●●●●● 贊反(찬반)/反對(반대)/反擊(반격)/反逆(반역)/反響(반향)

厚

훈음 두터울 후 부수 언덕 厂(엄) ▶▶▶ 언덕 厂(엄) + 해 日(일) + 아들 子(자) ➡ 두터운 성벽

두터운 성곽이나 성벽을 나타낸 글자로 언덕 厂(엄)이 의미요소고, 나머지도 높을 高(고)를 거꾸로 써 놓은 모습이므로 의미요소에 기여함을 볼 수 있다. 현재의 글꼴로는 그 모습을 찾아 볼 수 없을 정도로 변형되었다.

●●●●● 重厚(중후)/濃厚(농후)/厚待(후대)/厚賜(후사)

享

훈음 누릴 향 부수 머리 亠(두)

▶▶▶ 높을 高(고) + 子(자) ➡ 자손들이 조상에게 많은 제물을 바치는 모습

현재의 글꼴은 잊고 높은 건축물 즉 高(고)의 생략형으로 생각하여 후손이 조상들께 많은 제물을 바치는 모양을 본뜬 것이고, 이 글자와 거꾸로 된 모양이 위의 두터울 厚(후)자로 반대로 조상이 후손들에게 많은 복을 준다는 의미를 담고 있다고 하는 설도 유력하다.

●●●●● 享壽(향수)/享年(향년)/享有(향유)/享樂主義(향락주의)

厭

훈음 싫을 염 부수 언덕 厂(엄)

▶▶▶ 벼랑 厂(엄) + 日(甘(감)의 변형) + 肉(月) + 개 犬(견) ➡ 단고기에 질리다

개고기를 이북사람들은 단고기라고 하는데 이 단고기, 즉 개를 잡아 바위 아래나 언덕에 자리를 잡고 배터지도록 먹고 질린 상황을 묘사한 말로써 모든 글자가 의미요소이며 그 개고기(厭)가 위(胃)를 짓누르는(土) 모습에서 압사(壓死)의 누를 압(壓)자가 만들어지지 않았나 생각한다.

●●●●● 厭症(염증)/厭世主義(염세주의)/壓倒(압도)/壓搾(압착)/壓縮(압축)/壓制(압제)

炭

훈음 숯 탄 부수 불 火(화) ▶▶▶ 뫼 山(산) + 언덕 厂(엄) + 불 火(화) ➡ 지하에 묻혀 있는 불의 재료

산(山) 속 깊숙이(厂) 혹은 언덕(厂) 밑에 불(火)의 재료인 석탄 등이 묻혀 있었다는 것을 옛날 사람들도 알았고 그것을 이용하였다는 것이 신기하다.

●●●●● 炭鑛(탄광)/採炭(채탄)/石炭(석탄)/無煙炭(무연탄)

厓

훈음 언덕 애 부수 기슭 厂(엄)

▶▶▶ 기슭 厂(엄) + 흙 土(토) ➡ 홀 圭(규)가 아님 – 흙이 겹겹이 쌓여 있는 언덕

흙이 겹겹이 쌓여 있는 물가나 해안가의 언덕을 본뜬 글자다. 기슭 厂(엄)이나 흙의 겹침(土×2) 모두가 의미요소로 쓰였으나, 단독으로는 거의 쓰이지 않고 발음요소에 많이 사용된다.

●●●●● 물가에서 본 언덕

涯

훈음 물가 애 부수 물 水(수) ▶▶▶ 물 氵(수) + 언덕 厓(애)

물가를 나타내는 글자로 물 氵(수)가 의미요소이고, 厓(애)는 발음과 의미를 겸하는 요소인데 물가란 당연히 양쪽이 언덕일 수밖에 없으므로 그 구성요소가 흥미로우며 물가란 또한 사물의 끝자락을 의미한다.

●●●●● 生涯(생애)/天涯孤兒(천애고아)

崖

훈음 벼랑 애 부수 뫼 山(산) ▶▶▶ 뫼 山(산) + 언덕 厓(애) ➡ 산에 있는 언덕 즉 벼랑
벼랑이란 높은 낭떠러지를 말하므로 뫼 山(산)을 더하여 그 의미를 더욱 분명히 한 글자이다. 두 글자 모두 의미요소고 언덕 厓(애)는 발음기호를 겸한다.
●●●●● 斷崖(단애)

詹(첨) 瞻(첨) 擔(담) 膽(담) – 기슭 厂(엄)으로

詹

훈음 이를 첨 부수 말씀 言(언) – 발음기호
▶▶▶ 사람 人(인) + 기슭 厂(엄) + 여덟 八(팔) + 말씀 言(언) ➡ 높은 곳에서 여럿에게 말하다
어떤 사람(人)이 언덕(厂) 즉 높은 곳에 서서 듣고 있는 모든(八) 사람에게 말(言)하는 모습에서 '말 많음' 모인 모든 사람에게 말을 하였으니 모두에게 다 '이르렀다'의 의미를 가진 글자로 단독으로 쓰이는 경우는 거의 없다.

瞻

훈음 볼 첨 부수 눈 目(목) ▶▶▶ 눈 目(목) + 이를 詹(첨) ➡ 말이 나오는 높은 곳을 쳐다봄
'아주 멀리 보다'를 나타내는 말로 눈 目(목)이 의미요소고 이를 詹(첨)은 발음기호이다.
●●●●● 瞻星臺(첨성대)

膽

훈음 쓸개 담 부수 고기 肉(육)
▶▶▶ 肉(육)달 月(월) + 이를 詹(첨) ➡ 쓸개는 신체의 한 부위로
쓸개를 뜻하기 위한 것이니 신체를 상징하는 육(肉)달 월(月)을 의미요소로 이를 詹(첨)을 발음기호로 했다. "중국에서는 쓸개에서 용감한 마음이나 생각이 나온다"고 여겼기에 그러한 뜻으로 쓰인 경우가 많다.
●●●●● 膽力(담력)/大膽(대담)/落膽(낙담)/臥薪嘗膽(와신상담)/熊膽(웅담)

擔

훈음 멜 담 부수 손 扌(수) ▶▶▶ 손 扌(수) + 이를 詹(첨) ➡ 손으로 등에 걸쳐 메다
어깨에 메다가 본뜻으로 손 扌(수)가 의미요소고, 詹(첨)이 발음기호임은 쓸개 膽(담)에서도 알 수 있다.
●●●●● 負擔(부담)/擔當(담당)/擔任(담임)/加擔(가담)/擔保(담보)

阝/阜 좌부 방/언덕/동네/마을 부

阝(부)	阜(부)	埠(부)	階(계)	陛(폐)
院(원)	防(방)	阪(판)	陵(능)	陸(륙)

阝

훈음 언덕 부 부수 언덕 阜(부) ➡ 험한 산비탈이나 언덕에 계단처럼 층층이 난 측면 형상을 본뜸
좌측에 올 땐 左阜傍(좌부 방) 우측에 올 때 右阜傍(우부방)이다.
기슭이나 언덕에 토굴을 파고 사는 중국 황화 유역의 사람들이 토굴을 오르내리기 쉽게 흙 계단을 만들고, 그것의 모습에서 생긴 글자로 언덕이라는 의미로까지 발전했다.

阜

훈음 언덕 부 부수 제 부수 – 험한 산비탈이나 언덕에 계단처럼 층층이 난 측면 형상을 본뜸
언덕 부(阜)를 간단하게 만들어 타 글자와 함께 쓰는 모양이 언덕 부(阝)자이고 사람이 배를 타고 내리기에 편하게 흙(土)을 돋우어 언덕(阜=阝)처럼 만든 곳이 부두(埠頭)의 선창 부(埠)이다
●●●●● 埠頭(부두)

階

훈음 섬돌 계 부수 언덕 阝(부) ➤➤➤ 언덕 阝(부) + 모두 皆(개) ➡ 계단
모두(皆)가 언덕(阝)을 오르내리기 쉽게 층계를 만드니 모두 개(皆)를 발음기호로 계단(階段)의 섬돌 계(階)자이며 모두(比)가 들을 수 있도록 늘 아래를 향해 이야기 하는 임금님이 서있는 층계(阝)처럼 높은 곳(土)이 폐하(陛下)의 섬돌 폐(陛)자이다.
●●●●● 階段(계단)/位階(위계)/階級(계급)/階層(계층)

院

훈음 담 원 부수 언덕 阝(부) ➤➤➤ 언덕 阝(부) + 완전할 完(완) ➡ 작은 언덕인 담
담은 '작은 언덕'에 해당함으로 언덕 阝(부)를 의미요소로 完(완)을 발음기호로 했다.
●●●●● 寺院(사원)/學院(학원)/院長(원장)/大學院(대학원)/院內(원내)

防

훈음 둑 방 부수 언덕 阝(부) ➤➤➤ 언덕 阝(부) + 모 方(방) ➡ 사방의 적을 막아주는 둑/제방
사방팔방(方)에서 쳐들어오는 적군을 방어하기 위해 자연제방인 둑(阝)이나 언덕만큼 좋은 요새는 없었다. 따라서 언덕 阝(부)를 의미요소로 方(방)을 발음기호로 했다.
●●●●● 堤防(제방)/防役(방역)/防腐劑(방부제)/防空壕(방공호)

阪

훈음 비탈 판 부수 좌부방 阝(언덕 부)=阜(부) ➤➤➤ 언덕 阝(부) +되돌릴 反(반) ➡ 경사진 비탈
경사진 비탈 즉 언덕을 나타내기 위해 언덕 阝(부)를 의미요소로 反(반)을 발음기호로 했다.
●●●●● 大阪(대판)–오오사까

陵

훈음 큰 언덕 능 부수 언덕 阝(부)
➤➤➤ 언덕 阝(부) + 언덕 夌(릉) ➡ 큰 무덤 – 유사 언덕
옛 글자는 사람과 언덕만 그려 놓았으나 그 언덕이 높고 커서 꽤 힘써서 올라가야 할 정도라는 것을 더 분명히 하기 위해 발(夊–뒤져서올 치)을 하나 첨가한 글자로 모두 의미요소에 기여함을 알 수 있다.
●●●●● 王陵(왕릉)/陵蔑(능멸)/陵遲處斬(능지처참)/丘陵(구릉)

陸

훈음 뭍 륙 부수 언덕 阝(부) ▶▶▶ 언덕 阝(부) + 언덕 坴(륙) ➡ 큰 언덕

갑골문은 흙 계단의 상형인 언덕 阝(부)와 언덕을 기어오르는 여러 사람(坴)의 모습을 그려 놓아(혹자는 멀리서도 잘 보이는 건축물이라고도 함) 해안에서 혹은 강가에서 뭍으로 기어 올라가는 모습을 그려 '육지, 뭍'이라는 글자를 만들어 냈다.

●●●●● 陸地(육지)/上陸(상륙)/陸軍(육군)/離陸(이륙)/着陸(착륙)

障(장) 隔(격) 際(제) 陷(함) 隱(은) 限(한) 險(험) 隘(애)

훈음 가로막을 장 부수 언덕 阝(부) ▶▶▶ 언덕 阝(부) + 글 章(장) ➡ 언덕은 장애요소임

산 같은 장애물이란 표현처럼 큰 언덕 같은 것이 앞을 가로막아 진행을 방해한다는 뜻의 글자다. 언덕 阝(부)가 의미요소고 章(장)은 발음기호이다.

●●●●● 障碍(장애)/故障(고장)/障壁(장벽)/安全保障(안전보장)

훈음 사이 뜰 격 부수 언덕 阝(부) ▶▶▶ 언덕 阝(부) + 막을 鬲(격) ➡ 한 장소를 두 곳으로 벌여 놓음

언덕에 의해 두 진영이나 지역이 벌어진 상황을 묘사한 글자로, 언덕 阝(부)가 의미요소고 솥 력(鬲(격))이 발음기호이다.

●●●●● 間隔(간격)/隔離(격리)/隔差(격차)/隔世之感(격세지감)

훈음 사이 제 부수 좌부 방(언덕 阝 부) ▶▶▶ 언덕 阝(부) + 제사 祭(제) ➡ 두 담 사이

두 담이 서로 맞닿는 곳을 뜻하여 언덕 阝(부)가 의미요소로 쓰였고, 祭(제)는 발음기호로 사용되었으나 후에 '닿다, 만나다, 사귀다'로 의미 확대됐다는 설과 제사(祭)를 통해 인간과 신 사이의 담(阝)을 허무는 모습에서 만들어졌다는 설도 있다.

●●●●● 交際(교제)/國際(국제)/一望無際(일망무제)

훈음 빠질 함 부수 언덕 阝(부) ▶▶▶ 언덕 阝(부) + 사람 人(인) + 절구 臼(구) ➡ 장애물 설치

언덕(阝(부))에 몰래 구덩이(臼)를 파 놓고 사람이나(人) 동물을 빠지게 한다. 여기서 언덕 阝(부)는 함정을 파내면서 쌓이게 된 흙더미를 의미했다.

●●●●● 陷穽(함정)/謀陷(모함)/陷落(함락)/缺陷(결함)

훈음 숨길 은 부수 언덕 阝(부)

▶▶▶ 언덕 阝(부) + 손톱 爪(조) + 工(공) + 손 又(우) + 마음 心(심) ➡ 은신처

언덕이나 으슥한 곳에 중요한 것을 숨겨두다가 원뜻이므로 언덕 阝(부)는 당연히 의미요소이다. 두 손(爪+又)으로 어떤 물건(工)을 감싸고 있는 모습에서 숨기다의 의미를 더 분명히 해 주며, 죽을 때까지 숨길 수 있는 가슴(心)을 더하여 그 의미를 더욱 굳건히 한 글자이다.

●●●●● 隱蔽(은폐)/隱密(은밀)/隱匿(은닉)/隱身(은신)/隱遁(은둔)

훈음 한계 한 부수 좌 阝(부)변 ▶▶▶ 언덕 阝(부) + 어긋날 艮(간) ➡ 가로막히는 장애물

어긋날 艮(간)자는 볼 見(견)자와 비슷한 글자로 見(견)자가 앞을 바라보는 모습이라면 艮(간)자는 뒤 돌아보는 모습으로, 장벽이나 한계(阝)로 인해 더 이상 나아갈 수 없는 상황에서 물러나는 모습을 그린 글자가 限(한)자다. '제한, 경계, 한도' 등으로 의미 확대되었다. 겹겹이(益) 쌓인 언덕(阝)길이 점점 좁아짐을 나타낸 글자가 애로(隘路)의 좁을 애(隘)자이다.

●●●●● 限界(한계)/限度(한도)/限定(한정)/制限(제한)/極限(극한)

險

훈음 험할 험 **부수** 좌 阝(부)변 ▶▶▶ 언덕 阝(부) + 모두 僉(첨) ➡ 앞을 가로막음 – 높은 언덕

'산 같은 장애물'에서 암시하듯 '언덕이나 산같이 높고 험한 것'이 앞을 가로막고 있어 넘기가 힘들다는 사상을 전달하고자 함으로 언덕 阝(부)가 의미요소이고, 僉(첨)은 발음기호이다.

●●●●● 險難(험난)/險惡(험악)/險談(험담)/冒險(모험)/保險(보험)

附(부) 陟(척) 降(강/항) 陰(음) 陽(양) 隱(은) 穩(온)

附

훈음 붙을 부 **부수** 언덕 阝(부) ▶▶▶ 언덕 阝(부) + 줄 付(부) ➡ 비빌 언덕

'붙다, 기대다'는 것은 듬직하고 의지가 될 만한 상대에게 쏠린다는 의미이므로 작은 둔덕이지만 피난처로 삼아 숨고 기대 지낼 만한 곳이라 하여, 언덕 阝(부)를 의미요소로 付(부)를 발음기호로 했다. – "비빌 언덕이라도 있어야지." 여기서 언덕이란 도움을 기대할 수 있는 '그 무엇이다.'

●●●●● 附着(부착)/牽强附會(견강부회)/附和雷同(부화뇌동)

陟

훈음 오를 척 **부수** 언덕 阝(부) ▶▶▶ 언덕 阝(부) + 걸음 步(보) ➡ 언덕을 오름

'언덕(阝)'과 '언덕을 향한 두 발바닥(步)'을 통해 언덕이나 산 같은 곳으로 올라가는 모습을 그린 글자로 주로 人名(인명)/地名(지명)에 사용되는 글자이다.

●●●●● 三陟郡(삼척군)

降

훈음 내릴 강/항복할 항 **부수** 언덕 阝(부) ▶▶▶ 언덕 阝(부) + 어그러질 舛(천) ➡ 언덕을 내려옴

'오르다'가 언덕(阝)과 위로 향한 발자국(步) 두 개를 그렸다면 '내려오다'는 아래로 향한 발자국(舛) 두 개를 그려서 언덕에서 내려온다는 것을 '상형화'하였다. 언덕에서 내려왔다는 것은 투항하였다는 의미이기도 하여 '항복하다'로 의미 확대된 글자이다.

●●●●● 昇降機(승강기)/降水量(강수량)/降伏(항복)

陰

훈음 응달 음 **부수** 언덕 阝(부)

▶▶▶ 언덕 阝(부) + 이제 今(금) + 구름 云(운) ➡ 언덕의 그림자 – 그늘이 생김

구름 가득 찬 산허리 또는 언덕에서 '어둡다, 음흉하다' 등의 뜻이 파생되었으며, 구름 云(운)과 언덕 阝(부)는 의미요소이고, 이제 今(금)은 발음기호이다.

●●●●● 陰沈(음침)/陰陽(음양)/陰散(음산)/陰謀(음모)

陽

훈음 볕 양 **부수** 언덕 阜(부)

▶▶▶ 언덕 阝(부) + 아침 旦(단) + 말 勿(물) ➡ 언덕 위로 해가 떠오름 – 높은 언덕

언덕(阝) 양지쪽에 아침 해가 떠오르자(旦) 밤새 이슬에 젖어 있던 草木(초목)들이 따스한 아침 햇살을 받아 마르면서 김이 모락모락 피어나는 모습과 눈부신 햇살의 모습을 그린 글자다. 두 글자 모두 의미요소이며 昜(양)이 발음기호이다.

●●●●● 陽地(양지)/太陽(태양)/夕陽(석양)/斜陽産業(사양산업)

隱

훈음 숨길 은 **부수** 언덕 阜(부) ▶▶▶ – 손(爫+ヨ) +마음 심(心) +중요한 것(工) ➡ 꼭 쥐고 있음

두 손(爫+ヨ)으로 가슴(心)에 무엇인가를(工) 꼭 껴안고 있는 모습에서 사물을 숨기기 좋은 언덕(阝=阜)을 첨가하여 은폐(隱蔽)의 숨길 은(隱)

●●●●● 隱遁(은둔)/隱匿(은닉)/隱密(은밀)/隱身(은신)/隱然中(은연중)/隱忍自重(은인자중)

훈음 평온할 온 **부수** 벼 禾(화) ▶▶▶ – 벼 禾(화) + 삼갈 은(㥯) ➡ 벼를 많이 저장해 둠

벼(禾)를 많이 쌓아둔(㥯) 모습에서 평온(平穩)할 온(穩)

●●●●● 穩當(온당)/不穩(불온)/穩和(온화)/不穩書籍(불온서적)

陶(도) 隆(륭) 陣(진) 陳(진) 隣(린)

陶

훈음 질그릇 도 부수 언덕 阝(부)

▶▶▶ 언덕 阝(부) + 질그릇 匋(도) ➡ 도자기를 굽는 가마와 언덕이 비슷함

질그릇 匋(도)자가 쓰이지 않자 가마터의 모습을 상형화한 언덕 阝(부)를 추가하여 사용하게 됐다. 따라서 질그릇 匋(도)는 발음기호이다.

●●●●● 陶瓷器(도자기)/陶藝(도예)

隆

훈음 클 륭 부수 언덕 阝(부) ▶▶▶ 내릴 降(강) + 날 生(생) ➡ 언덕처럼 우뚝 솟아난 식물

그 두꺼운 大地(대지)를 뚫고 나오는 식물의 힘과 생장이 눈부시고 엄청나다 하여 날 生(생)을 의미요소로 나머지는 발음기호이다. 언덕같이 솟아나다는 뜻이다.

●●●●● 隆盛(융성)/隆崇(융숭)/隆起(융기)

陣

훈음 줄 진 부수 언덕 阝(부) ▶▶▶ 언덕 阝(부) + 수레 車(거) ➡ 병거들로 담을 침

병거(車)가 머물러 있는 곳(阝)을 陣地(진지)라고 하며, 군사들이 전쟁을 하기 위해 대열을 갖추고 언덕 주위로 진을 친 모습을 상상하기 바란다. 또한 도열해 있는 병거들의 모습이 마치 언덕을 연상시키기에 충분하다.

●●●●● 陣地(진지)/陣營(진영)/陳頭(진두)/背水陣(배수진)

陳

훈음 늘어놓을 진 부수 언덕 阝(부) ▶▶▶ 언덕 阝(부) + 동녘 東(동) ➡ 흙더미로 언덕을 쌓음

자루(東)에 물건을 담아 묶어서 늘어놓은 모습이 언덕(阝) 혹은 언덕을 쌓는 것 같다 하여 두 글자 모두 의미요소로 쓰였으며, 하나하나 물건을 담고 쌓아 놓는 모습에서 '말보따리를 한마디씩 내놓다' 자루에 오래 담겨져 있으니 '묵다, 오래되다'의 의미도 파생됐다.

●●●●● 陳列(진열)/陳述(진술)/新陳代謝(신진대사)/陳腐(진부)

隣

훈음 이웃 린 부수 언덕 阝(부)

▶▶▶ 언덕 阝(부) + 쌀 米(미) + 어그러질 舛(천) ➡ 음식을 나눠 주러 다니는 사이

이웃 동네나 옆 마을을 의미하는 글자로 언덕 阝(부)가 왼쪽이 아닌 오른쪽에 와서 고을 邑(읍)을 나타내는 이웃 鄰(린)이 원래의 글자였으나, 최근에 실수로 隣(린)으로 바뀐 글자이므로 언덕 阝(부)가 아닌 고을 邑(阝-우부방)이 의미요소이고, 나머지는 발음기호이다.

●●●●● 隣接(인접)/善隣(선린)/隣近(인근)

隋(수) 隨(수) 髓(수) 墮(타) 惰(타)

隋

훈음 수나라 수/나머지 고기 타 부수 언덕 阝(부) – 발음기호

▶▶▶ 언덕 阝(부) + 왼 左(좌) + 고기 肉(육) ➡ 제단 위의 시체

천하게 여겨지는 왼쪽(左)과 고기(肉=月)가 함께 쓰인 것을 봐서는 언덕배기에 방치해 놓은 시체를 새들이 찢어발겨 먹는 장면으로 보이나 정확히 알 길은 없다. 뜻 역시 '수나라 수' 외에 다른 뜻으로 현재 쓰이지 않고 단지 발음기호로만 사용되며 또는 높은 곳(阝)으로 제사 고기를(月) 들고(左) 가는 모습 또는 제사 지내고 남은 고기를 들고 있는 모습이라는 설도 있다.

隨

훈음 따를 수 **부수** 언덕 阝(부) ▶▶▶ 언덕 阝(부) + 수나라 隋(수) ➡ 제사지내는 곳으로 따라 가다

'길을 따라가다'가 본뜻이므로 갈 辶(착)이 의미요소고 隋(수)는 발음기호인데, 글자를 잘 보면 의미요소인 갈 辶(착)이 隋(수)의 한가운데 들어가 있음을 볼 수 있으며 또한 제사지내는(隋) 곳으로 좇아가는(辶) 것이 수행(隨行)의 따를 수(隨)라는 설도 있다.

●●●●● 隨行(수행)/夫唱婦隨(부창부수)/隨筆(수필)/隨時(수시)

髓

훈음 골수 수 **부수** 뼈 骨(골) ▶▶▶ 뼈 骨(골) + 따를 隨(수)

골수란 뼛속을 채우고 있는 연한 조직으로 붉은빛과 누런빛의 것이 있으며 골수에서 혈액이 만들어진다. 따라서 뼈 骨(골)이 의미요소고, 따를 隨(수)가 발음기호이나 언덕 阝(부)자가 글자의 미관상 빠져 있음에 유의하자.

●●●●● 骨髓(골수)/骨髓分子(골수분자)

훈음 떨어질 타 **부수** 흙 土(토) ▶▶▶ 고기 찢을 隋(타) + 흙 土(토) ➡ 제사고기가 떨어짐

언덕위에(隋) 올려놓은 제사고기가 땅(土)으로 떨어지는 것이 타락(墮落)의 떨어질 타(墮)

●●●●● 墮落(타락)

惰

훈음 게으를 타 **부수** 마음 忄(심) ▶▶▶ 마음 忄(심) + 隋(타/수) ➡ 떨어진 제사고기를 그냥 방치

떨어지든 말든 신경(忄) 쓰지 않는 것이 타성(惰性)의 게으를 타(惰)자이며 심히 게으른 상태를 나타내려는 글자로 마음 忄(심)이 의미요소고 나머지는 발음기호이다.

●●●●● 惰性(타성)

邑(읍) = 阝(부)　郡(군)　部(부)　都(도)　郭(곽)　廓(곽)　郊(교)

邑

훈음 =阝(부) 우부방/고을 읍 부수 제 부수 ▶▶▶ 울타리 口(국) + 사람 巴(파)

정착생활을 하게 된 사람들(巴)이 모여 사는 마을의 경계(口)를 그려 넣어 촌락/마을의 의미를 갖게 된 글자다. 부수자로 쓰일 경우 언덕 阝(부)를 글자의 오른쪽에 사용하여 우부방이라 부르며 阝(부)자가 오른편에 올 경우는 나라나 고을 이름 혹은 일정한 구역과 관련된 글자임을 명심하자.

●●●●● 邑內(읍내)/邑長(읍장)

郡

훈음 고을 군 부수 고을 邑(읍)

▶▶▶ 임금 君(군) + 고을 읍(邑)/우부방(阝) ➡ 다스리는 사람이 있는 마을

고을이란 사람이 모여 사는 마을을 가리키므로 고을 읍(阝(=邑)을 의미요소로 임금 君(군)을 소리 부수로 활용하여 만든 글자다. 나라나 고을(口)을 다스리는(尹) 사람, 곧 임금(君)과 마을(阝=邑) 즉 백성이 함께 동거하는 마을이라는 의미를 분명히 한 글자이다.

●●●●● 郡守(군수)/郡民(군민)/郡廳(군청)

部

훈음 거느릴/나눌 부 부수 고을 읍(阝=邑) ▶▶▶ 부풀 부(咅) + 고을 읍(阝) ➡ 잘게 쪼갠 마을

부풀어 오른(立+口)) 즉 커진 마을(阝)을 잘 다스리기 위해 잘게 나누어 조직을 한다는 뜻을 나타내기 위한 글자이므로, 양쪽 다 의미요소로 쓰였고 부풀 부(咅)는 발음기호로도 쓰였다.

●●●●● 部隊(부대)/部署(부서)/外務部(외무부)

都

훈음 도읍 도 부수 고을 阝(읍) ▶▶▶ 놈 者(자) + 고을 阝(읍) ➡ 보다 큰 마을

사람들(者)이 모여(阝) 사는 곳의 여러 명칭 중의 하나로 꽤 많은 사람들이 모여 사는 곳을 도읍이라 하며 고을 邑(읍)에 해당하는 阝(부)가 의미요소고 者(자)는 발음기호이다. 놈 者(자)가 무엇을 끓이고 삶는 모습이라면 저녁 무렵 집집마다 굴뚝에서 연기가 올라오는 모습을 풍경으로 하는 모여 있는 마을 邑(읍)=阝(부)은 결국 도읍이나 성, 마을을 의미한다.

●●●●● 都市(도시)/都邑(도읍)/都城(도성)/遷都(천도)/都賣(도매)

郭

훈음 성곽 곽 부수 고을 읍(邑=阝) ▶▶▶ 누릴 享(향) + 고을 읍(邑=阝) ➡ 마을을 둘러싼 성곽

누릴 享(향)자의 원 모습은 성곽 곳곳에 있는 망루의 모습을 나타낸 글자로 지금의 享(향)의 윗부분인 높을 高(고)의 생략형에서 추측해 볼 수 있다. 따라서 성곽 郭(곽)은 고을 읍(邑=阝)자가 암시하듯 고을 주위를 보다 더 견고한 성곽(享)을 쌓은 모습에서 만들어진 글자로 모두 의미요소에 기여하며 여기에 큰 집 엄(广)이 더해지면 유곽(遊廓)의 둘레 곽(廓)이 된다.

●●●●● 外郭(외곽)/城郭(성곽)/輪廓(윤곽)/外廓團體

郊

훈음 성 밖 교 부수 고을 읍(邑=阝) ▶▶▶ 사귈 交(교) + 고을 읍(邑=阝) ➡ 마을 밖

성 밖 혹은 성으로부터 일정거리 이상 떨어진 곳을 의미하는 글자이므로 성/고을 읍(邑=阝)이 의미요소로 交(교)는 발음기호로 쓰였다.

●●●●● 郊外(교외)/近郊(근교)

郞(랑) 邪(사) 邸(저) 鄕(향) 響(향) 饗(향) 郵(우)

郞

훈음 사나이 랑 부수 고을 읍(邑=阝)

▶▶▶ 좋을 良(량) + 고을 읍(阝-우부방) ➡ 기둥 같은 마을 성원

마을에 있는 기둥 같은 남자들이란 뜻으로 두 글자 모두 의미요소이며 良(량)은 발음도 겸하고 있다. 良(량) 자체가 回廊(회랑) 즉 복도를 의미하므로 크고 굵은 기둥이 도열한 궁궐의 복도를 생각하면 마을(阝)의 기둥 같은 남자들 즉 사내를 가리키기에 충분하다고 본다.

●●●●● 新郞(신랑)/花郞(화랑)/郞君(낭군)

邪

훈음 간사할 사 부수 고을 읍(阝) ▶▶▶ 牙(아) + 고을 읍(阝=邑) ➡ 마을에 숨어 있는 스파이들

아(牙)를 발음기호로 고을 邑(읍)을 의미요소로 하여 고을에서 어금니처럼 숨어 찌르는 사람이라는 뜻에서 간사하다, 사악하다라는 뜻이 생겼다.

●●●●● 奸邪(간사)/邪惡(사악)/妖邪(요사)/邪敎(사교)/正邪(정사)

邸

훈음 집 저 부수 고을 읍(阝=邑) ▶▶▶ 근본 氐(저) + 고을 읍(阝=邑) ➡ 마을을 구성하는 근본 요소

사람이 주체이지만 어떤 마을의 풍광은 주택 즉 각 집들의 모양에 의해 영향을 받는다. 따라서 집이나 주택을 그 고을의 근본을 이루는 것으로 보아 두 글자 모두 의미요소이고, 근본 氐(저)는 발음기호이다.

●●●●● 邸宅(저택)/官邸(관저)/私邸(사저)

鄕

훈음 시골 향 부수 고을 읍(邑=阝)

▶▶▶ 시골 향(乡) + 고소할 皀(흡) + 병부 卩(절) ➡ 음식상을 마주하고 앉아 먹는 두 사람

갑골문은 '음식상(皀)을 앞에 두고 마주앉은 두 사람'을 그리고 있으나 훗날 '고향'으로 가차되자 원래의 뜻을 위해 만든 글자가 잔치할 饗(향)자이며 소리 음(音)을 첨가하여 잔치에 음주가무가 빠질 수 없다하여 만들어진 글자가 음향(音響)의 울릴 향(響)자이다. 전서에 와서는 병부卩(절)이 고을 邑(읍)으로 바뀌어 한 마을 사람들이 모여 식사하는 모습이 됨으로 고향을 연상하기가 훨씬 쉬워졌다.

●●●●● 故鄕(고향)/鄕愁(향수)/他鄕(타향)/歸鄕(귀향)/望鄕(망향)

郵

훈음 역참 우 부수 고을 읍(邑=阝) ▶▶▶ 드리울/끝 垂(수) + 고을 읍(邑=阝) ➡ 모든 마을에 연결됨

직역하면 마을의 끝자락을 의미하나 문서나 편지를 전달하는 人馬(인마)를 번갈아 내보내기 위해 마을과 마을 사이에 적당한 거리를 두고 설치한 집을 가리키므로 두 글자 모두 의미요소이다. 드리울 垂(수)에 끝이라는 의미도 포함된다.

●●●●● 郵便(우편)/郵遞局(우체국)/郵送(우송)

那(나) 邦(방) 邱(구) 耶(야)

那

훈음 어찌 나 부수 고을 읍(邑=阝) ▶▶▶ 冄(염) + 고을 읍(邑=阝) ➡ 어느 지역

분명 중국의 어느 지역이나 민족을 지칭하는 글자였음을 고을 읍(邑=阝)을 보면 알 수 있다. 지금은 '어찌, 어느' 등의 의미로 가차되었으며 현대 중국어에서는 '지시대명사'로 많이 쓰이는 글자이나 우리말에서는 위의 단어들 외에는 쓰이는 경우가 거의 없다.

●●●●● 刹那(찰나)/那落(나락)/刹那主義(찰나주의)

邦

훈음 나라 방 부수 고을 읍(邑= 阝) ▶▶▶ 예쁠 丰(봉) + 고을 읍(邑= 阝) ➡ 아무 나라

국가의 틀을 갖춘 한 나라를 지칭하는 글자로써 고을 읍(邑= 阝)이 의미요소고 丰(봉)은 발음기호이다.

※ 玤(방) - 옥돌 방

●●●●● 友邦(우방)/萬邦(만방)

邱

훈음 땅 이름 구 부수 고을 읍(阝=邑) ▶▶▶ 언덕 丘(구) + 고을 읍(阝=邑) ➡ 구릉이 많은 지역

언덕이나 구릉이 많은 지역이나 마을을 가리키기 위한 글자이므로 두 글자 모두 의미요소로 쓰였으며 언덕 丘(구)는 발음기호이기도 하다.

●●●●● 大邱(대구)

耶

훈음 어조사 야 부수 귀 耳(이) ▶▶▶ 귀 耳(이) + 고을 읍(阝=邑) ➡ 예수를 耶蘇(야소)라 함

부호라 생각하고 그냥 외우자. 귀 耳(이)와 고을 읍(阝=邑)자와는 아무런 관련이 없다.

●●●●● 耶蘇(야소)/有耶無耶(유야무야)/耶蘇敎(야소교)

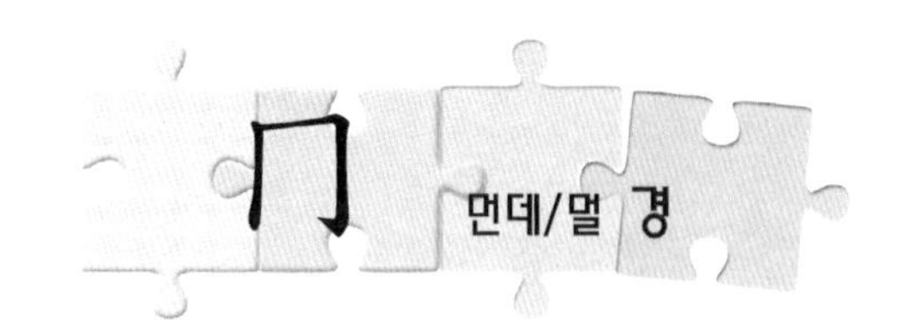

冂(경)	向(향)	尙(상)	常(상)	裳(상)	賞(상)
堂(당)	償(상)	掌(장)	黨(당)	當(당)	商(상)

冂

훈음 멀 경 **부수** 제 부수

고을의 바깥 지역을 郊(교)라 하고 郊(교)의 바깥 지역을 들 野(야)라 하고, 野(야)의 바깥 지역을 수풀 林(림)이라 하고, 林(림)의 바깥 지역을 멀 冂(경)이라 했다.

向

훈음 향할 향 **부수** 입 口(구) ▶▶▶ 집 宀(면) + 입 口(구) ➡ 드나드는 출입구 방향

丶(주) + 冂(경)이 아니라 집 宀(면)자의 확대 글자로 집(宀)과 출입구(口)를 단순 간결하게 처리하여 사람이 드나드는 출입구, 방향을 묘사한 글자다.

●●●●● 方向(방향)/向學(향학)/傾向(경향)/上向(상향)

尙

훈음 오히려 상 **부수** 작을 小(소) ▶▶▶ 小(소) + 冂(경) + 口(구) ➡ 높이 솟은 누각

숭상하다에서 보면 높이다의 뜻이 있는데 성곽 즉 성문(冂) 위에 또 우뚝 솟아 있는 멀리서도 눈에 띄는 누각(小)의 모양에서 향할 向(향) + 여덟 八(팔)로 보는 설은 노아 홍수를 살아남은 여덟 사람이 밖의 동정을 창문으로 살피는 모습에서 옛날을 회상하는 뜻을 품게 되었으며, 賞(상)의 본자가 常(상) 아래 貝(패)를 더한 글자이므로 常(상)의 약자로 보는 설도 있다.

●●●●● 高尙(고상)/崇尙(숭상)/口尙乳臭(구상유취)/時機尙早(시기상조)/尙宮(상궁)/尙文(상문)

常

훈음 항상 상 **부수** 수건 巾(건) ▶▶▶ 숭상할 尙(상) + 수건 巾(건) – 발음기호

치마가 본뜻이어서 수건 巾(건)을 의미요소로 尙(상)을 발음기호로 썼으나 '항상, 늘' 등으로 가차되자 본뜻을 살린 글자가 옷 衣(의)를 첨가한 치마 裳(상)이다.

●●●●● 常時(상시)/常綠樹(상록수)/人之常情(인지상정)/無常(무상)

裳

훈음 치마 상 **부수** 옷 衣(의) ▶▶▶ 尙(상) + 옷 衣(의) ➡ 치마도 옷이다

치마 常(상)이 '항상, 늘'로 쓰이자 옷 衣(의)를 추가하여 '치마'라는 원뜻을 살린 글자로, 옷 衣(의)가 의미요소고 常(상)이 발음기호이다.

●●●●● 衣裳(의상)/同價紅裳(동가홍상)

賞

훈음 상줄 상 **부수** 조개 貝(패) ▶▶▶ 尙(상) + 조개 貝(패) ➡ 상패에는 반드시 부상이 따라야 함

공을 세운 사람을 높여(尙)서 논밭이나 돈(貝)을 부상으로 下賜(하사)하는 모습을 그린 글자로 상금에 해당하는 조개 貝(패)가 의미요소로 尙(상)은 발음기호로 쓰였다.

●●●●● 賞金(상금)/賞與金(상여금)/副賞(부상)/賞罰(상벌)

堂

훈음 집 당 **부수** 흙 土(토) ▶▶▶ 尙(상) + 흙 土(토) – 터 위에 집을 짓는다

흙(土)을 돋우어 터를 높이(尙) 쌓아 그 위에 집을 짓는 풍습에서 만들어진 글자로 흙 土(토)가 의미요소고 尙(상)은 발음기호이다.

●●●●● 明堂(명당)/堂堂(당당)/殿堂(전당)/講堂(강당)/堂叔(당숙)

償

훈음 갚을 상 부수 사람 亻(인) ▶▶▶ 사람 亻(인) + 상줄 賞(상)

원래 주인에게 돌려주다가 본뜻이므로 사람 亻(인)이 의미요소고 賞(상)은 발음기호이다.

●●●●● 報償(보상)/賠償(배상)/辨償(변상)/償還(상환)

掌

훈음 손바닥 장 부수 손 手(수) ▶▶▶ 尙(상) + 손 手(수) ➡ 손 안에 손바닥 있다

손바닥이란 뜻을 나타내기 위해 손 手(수)가 의미요소로 常(상)은 발음기호로 쓰였다.

●●●●● 拍掌大笑(박장대소)/掌握(장악)/如反掌(여반장)

黨

훈음 무리 당 부수 검을 黑(흑) ▶▶▶ 尙(상) + 검을 黑(흑) ➡ 속 검은 사람들의 모임

속이 검은 사람들의 모임을 뜻하는 것으로 검을 黑(흑)이 의미요소고 尙(상)은 발음기호이다.

●●●●● 與黨(여당)/惡黨(악당)/黨論(당론)/政黨(정당)

※ 党(당) – 오랑캐/무리 당 – 사람 儿(인) – 黨(당)의 약자.

當

훈음 마땅할 당 부수 밭 田(전) ▶▶▶ 숭상할 尙(상) + 밭 田(전) ➡ 농지를 숭상함

곡식을 산출하는 농지(田)를 높이 바라보던 풍습에서 나온 글자다. 두 글자 모두 의미요소이며 尙(상)은 발음기호로 쓰였다. 훗날 '마땅하다, 주관하다'의 뜻이 파생됐다.

●●●●● 當局(당국)/當爲(당위)/妥當(타당)/當代(당대)/配當(배당)

商

훈음 헤아릴 상 부수 입 口(구) ▶▶▶ 辛(신) + 빛날 冏(경) ➡ 창문의 커튼을 걷고 밖을 내다봄

정설이 없는 글자로 상나라 사람 혹은 商族(상족)을 상징하는 '건축물'의 상형이라는 설도 있으며, 오히려/숭상할 尙(상)의 본자로 보는 설도 있다. 아무튼 지금은 '헤아리다, 장사하다, 상나라'의 뜻으로 쓰인다.

●●●●● 商人(상인)/商業(상업)/商街(상가)/貿易商(무역상)

冉(염) 再(재) 冓(구) 構(구) 溝(구) 購(구) 講(강) 爯(칭) 稱(칭)

冉

훈음 나아갈 염 부수 멀 冂(경)몸 ▶▶▶ 冂(경) + 土 – 구레나룻

구레나룻을 의미하는 글자로 '약하다, 세월이 가는 모양'의 의미로 파생되었으나 단독으로는 거의 사용되지 않는다.

●●●●● 冉弱(염약)

再

훈음 두 재 부수 멀 冂(경)몸 ▶▶▶ 한 一(일) + 수염 冉(염) ➡ 양쪽으로 늘어진 모습

두 再(재)를 한 一(일)과 수염 冉(염)으로 인수분해 하였으나, 수염 冉(염)과는 현재의 글자꼴이 같아서 편의상 분해한 것이고 의미와는 전혀 관계없다. 한 손에 두 마리의 생선을 든 모습이라는 설과 한 손으로 중앙을 들어 올리니 묶어 놓은 생선 등이 양쪽으로 늘어진다 하여 '둘, 재차'의 의미를 갖게 된 글자다.

●●●●● 再次(재차)/再建(재건)/再發(재발)/再選(재선)

冓

훈음 짤 구 부수 멀 冂(경)몸 ▶▶▶ 冉(염) + 冉(염) ➡ 죽세공품이 만들어지는 과정

풀이나 대나무를 얇게 하여 竹細工(죽세공)품인 대나무 바구니나 각종 그릇을 만들기 위해 얽히게 짜 놓은 모습, 혹은 나무를 가로세로로 어긋나게 쌓아 놓은 모습을 본떠 '짜다, 어긋나게 쌓다' 등의 뜻의 글자가 되었다. 현재의 글자는 冉(염)자를 서로 맞대어 놓은 모습이다.

●●●●● 內冓(내구)

構

훈음 얽을 구 부수 나무 木(목) ▶▶▶ 나무 木(목) + 짤 冓(구) ➡ 나무로 짜 맞춤

짤 冓(구)가 거의 쓰이지 못하자 그 의미를 더욱 분명히 하기 위해 나무 木(목)을 추가하여 서로 얼기설기 짜 맞춘다는 개념을 전달한 글자다. 모두 의미요소이며 冓(구)는 발음을 겸한다.

●●●●● 機構(기구)/構造(구조)/虛構(허구)/構圖(구도)/構想(구상)

溝

훈음 봇도랑/하수도 구 부수 물 氵(수)변 ▶▶▶ 물 氵(수) + 짤 冓(구) ➡ 물이 빠지는 곳

대나무 바구니에 물을 담으면 여기저기 빈틈으로 물이 빠지듯이 여기저기로 빠져나가 스며드는 하수나 도랑을 나타내는 글자이므로, 물 氵(수)가 의미요소고 冓(구)는 발음기호 겸 의미보조이다.

●●●●● 溝池(구지)/下水溝(하수구)

購

훈음 살 구 부수 조개 貝(패) ▶▶▶ 조개 貝(패) + 짤 冓(구) ➡ 돈을 내고 물건을 사다

돈(貝)을 주고 물건을 사들이는 것을 말하므로 貝(패)가 의미요소이고, 冓(구)는 발음기호로 쓰였다.

●●●●● 購買(구매)/購讀(구독)/購入(구입)

講

훈음 익힐 강 부수 말씀 言(언) ▶▶▶ 말씀 言(언) + 짤 冓(구) ➡ 말로 짜 맞춤

말로 단어들을 짜 맞춰 무형의 물건(교훈)을 만들어 내는 것을 나타내는 글자로 말씀 言(언)이 의미요소고 얽을/짤 冓(구)는 발음기호 겸 의미보조이다.

●●●●● 講讀(강독)/講義(강의)/講演(강연)/受講(수강)

稱

훈음 일컬을 칭 부수 벼 禾(화) ▶▶▶ 벼 禾(화) + 손톱 爪(조) + 冉(염) ➡ 벼를 저울로 달다

들을 칭(爯)자는 손으로 곡식(禾)을 얹힌 저울을 들어 올려(爪+冉) 무게를 짐작해 보는 모습으로 옛날 저울의 전신이라 할 수 있는 글자다. 무게를 달아야 했던 것 중 가장 대표적인 것이 곡식이었으므로 곡식을 대표한 벼 禾(화)를 첨부한 글자로 모두가 다 의미요소로 쓰였다.

●●●●● 稱讚(칭찬)/對稱(대칭)/稱號(칭호)/假稱(가칭)/尊稱(존칭)

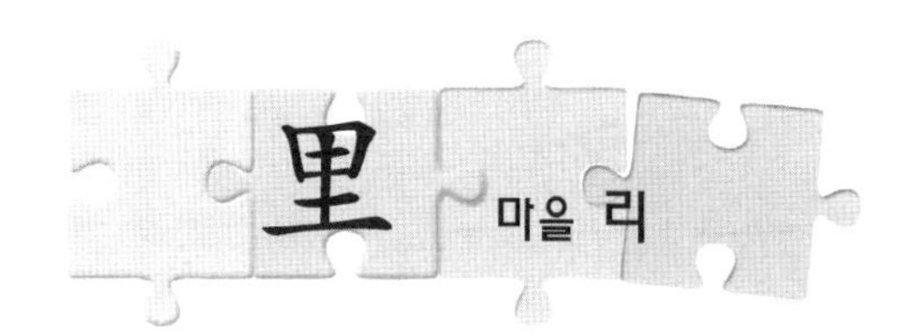

里(리) 理(리) 裏(리) 野(야) 埋(매) 量(량) 糧(량)

里

훈음 마을 리 **부수** 제 부수 ➠ 밭 田(전) + 흙 土(토) ➡ 논밭을 중심으로 이루어진 마을

예전의 시골 마을 주위는 온통 논밭(田) 천지요, 논밭(田)의 근본은 흙(土)이다. 따라서 밭(田)과 흙(土)은 곧 시골의 마을을 떠올리게 한다. 사람들이 모여 사는 마을을 나타낸 글자이다.

●●●●● 里長(이장)/靑雲萬里(청운만리)/里程標(이정표)/異域萬里(이역만리)

理

훈음 다스릴 리 **부수** 구슬 玉(옥) ➠ 구슬 玉(옥) + 마을 里(리) ➡ 보물을 잘 다루다

구슬(玉) 즉 '옥을 다루다'가 원뜻이므로 구슬 玉(옥)이 의미요소고 마을 里(리)는 발음기호이며, '구슬을 다룬다는 것'은 돌과 뒤섞인 옥돌을 잘 다루어 玉器(옥기) 즉 쓸 만 한 물건을 만들어 내는 것을 말한다. 여기서 '장식, 길, 이해' 등의 뜻이 파생되었다.

●●●●● 理性(이성)/合理的(합리적)/理念(이념)/攝理(섭리)

裏

훈음 속 리 **부수** 옷 衣(의) ➠ 옷 衣(의) + 마을 里(리) ➡ 옷 속

옷의 안쪽을 나타내는 말이므로 옷 衣(의)가 의미요소고 里(리)는 단순히 발음기호에만 영향을 준 글자다.

●●●●● 表裏不同(표리부동)/裏面(이면)/裏書(이서)

野

훈음 들 야 **부수** 마을 里(리) ➠ 마을 里(리) + 나 予(여) ➡ 마을 주위의 들판

숲과 숲 사이에 공터나 마을과 인접한 수풀이나 들판을 가리키는 말로 마을 里(리)가 의미요소고 나 予(여)는 발음기호이다. 고을이나 마을의 바깥 지역을 성 밖 郊(교)라 하고 郊(교)의 바깥 지역을 들 野(야)라 했다.

●●●●● 廣野(광야)/野人(야인)/野黨(야당)/野球(야구)/視野(시야)

埋

훈음 묻을 매 **부수** 흙 土(토) ➠ 흙 土(토) + 마을 里(리) ➡ 마을 주변 흙 속에 매장

'땅 속에 묻다'가 원뜻이므로 흙 土(토)는 의미요소이나 마을 里(리)가 왜 여기에 쓰였는지 추측하기는 쉽지 않다.

●●●●● 埋葬(매장)/埋立(매립)/埋伏(매복)

量

훈음 헤아릴 량 **부수** 마을 里(리) ➠ 日(일) + 一(일) + 里(리) ➡ 눈대중으로 자루에 곡식을 퍼 담음

현재의 글자꼴로는 위와 같이 인수분해를 할 수 있으나 日(일)을 갑골문에서는 됫박(口)의 상형으로 里(리)는 자루를 상징하는 東(동)의 상형으로 그려놓았다. 따라서 됫박으로 자루에 곡식을 담고 있는 모습에서 '헤아리다, 되, 말, 분량' 등의 뜻이 탄생되었다.

●●●●● 測量(측량)/重量(중량)/度量衡(도량형)/計量(계량)

糧

훈음 양식 량 **부수** 쌀 米(미) ➠ 쌀 米(미) + 헤아릴 量(량) ➡ 헤아리는 대상인 곡물

곡물 즉 양식을 뜻하는 글자이므로 쌀 米(미)가 의미요소고, 量(량)은 발음기호이다.

위의 量(량) 자체가 곡식을 퍼 담는 모습에서 곡식의 의미를 지녔으나, '헤아리다'의 뜻으로 더 많이 쓰이게 되자 곡식의 대표 격인 쌀 米(미)를 첨가하여 본래의 뜻을 보존한 글자이다.

●●●●● 糧食(양식)/軍糧米(군량미)/食糧(식량)/糧穀(양곡)

重(중)　動(동)　種(종)　鍾(종)　鐘(종)　衝(충)

重

훈음 무거울 중 부수 마을 里(리) ▶▶▶ 사람 人(인) + 東(동) ➡ 짐을 진사람

양쪽을 묶어 옮기기 쉽게 만든 자루의 상형인 東(동)자가 상징하는 "짐"을 지고 있는 사람(人)의 모습에서 '무겁다, 상태가 심하다' 등의 뜻이 파생된 글자이다. 두 글자 모두 의미요소이며 東(동)이 발음에 영향을 미친 것 같다. 마을 里(리)와 생김새만 같을 뿐 관계없는 글자다.

●●●●● 重量(중량)/比重(비중)/起重機(기중기)

動

훈음 움직일 동 부수 힘 力(력) ▶▶▶ 무거울 重(중) + 힘 力(력) ➡ 무거운 짐을 옮기는데 필요한 힘

무거운 짐을 등에 지고 옮기는 모습을 그린 글자로 자루를 등에 짊어진 사람을 묘사하는 무거울 중(重)자에 무거운 것을 옮기면서 힘을 쓴다 하여 힘 力(력)을 의미요소로 아무리 무거운 것이라도 잘 동여매고 옮기면(重) 작은 힘(力)만으로도 충분하다는 뜻에서 만들어진 글자다.

●●●●● 動力(동력)/自動車(자동차)/電動車(전동차)/活動(활동)

種

훈음 씨 종 부수 벼 禾(화) ▶▶▶ 벼 禾(화) + 무거울 重(중) ➡ 종자를 등짐하고 파종하는 장면

파종하기 위해 종자 즉 볍씨(禾)를 등에 지고(重) 씨 뿌리는 모습에서 나온 글자로 벼 禾(화)가 의미요소고 重(중)은 발음기호이다.

●●●●● 種子(종자)/播種(파종)/種族(종족)/種豆得豆(종두득두)

鍾

훈음 술병/술잔 종 부수 쇠 金(금) ▶▶▶ 쇠 金(금) + 무거울 重(중) ➡ 매 달아놓은 무거운 쇳덩이

쇠로 만든 술병의 모양에서 술병/술잔 종(鍾)자가 나왔으며 포로(童)를 때리듯 때려서 소리가 나는 쇳덩이(金)가 打鐘(타종)의 종/쇠북 鐘(종)자이다.

●●●●● 鐘閣(종각)/鐘路(종로)/卦鐘(괘종)/梵鐘(범종)

衝

훈음 찌를 충 부수 갈 行(행) ▶▶▶ 갈 行(행) + 무거울 重(중) ➡ 사거리에서 충돌함

길거리에서 우마차가 부딪치는 육중한 소리로 '찌르다, 부딪치다'의 뜻을 나타냈다. 사거리 行(행)이 의미요소고 무거울 重(중)이 발음기호이다.

●●●●● 衝突(충돌)/緩衝(완충)/衝天(충천)/折衝(절충)

확인학습문제

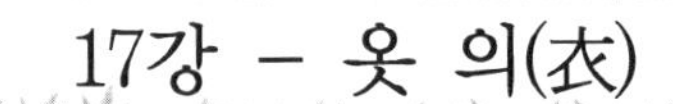

◆ 다음 글자의 훈과 음을 쓰시오.

( )衣( ) - ( )依( ) - ( )裒( ) - ( )哀( ) - ( )喪( ) - ( )袁( ) -
( )園( ) - ( )遠( ) - ( )猿( ) - ( )裳( )

◆ 다음 글자를 분해하시오.

1. 哀 = [ ] + [ ] + [ ]
2. 衣 = [ ] + [ ]
3. 裒 = [ ] + [ ]
4. 園 = [ ] + [ ]
5. 喪 = [ ] + [ ] + [ ]
6. 袁 = [ ] + [ ]
7. 遠 = [ ] + [ ]
8. 依 = [ ] + [ ]

◆ 다음 글자를 소리 부분(聲符)과 뜻 부분(意符)으로 분해하시오.

9. 依 = 소리 부분(聲符) [ ] + 뜻 부분(意符) [ ]

10. 猿 = 소리 부분(聲符) [ ] + 뜻 부분(意符) [ ]

11. 상복 입고 곡하는 모습을 나타낸 글자는?

① 哀 ② 裒 ③ 喪 ④ 依

12. 다음 중 발음이 틀린 글자는?

① 遠 ② 園 ③ 猿 ④ 裒

◆ 다음 중 주어진 글자로 이루어지는 단어를 2개 이상 한자 또는 한글로 쓰시오.

13. 衣 - [ ]
14. 依 - [ ]
15. 裒 - [ ]
16. 哀 - [ ]
17. 喪 - [ ]
18. 園 - [ ]

19. 遠 -

20. 猿 -

21. 裳 -

22. 勳 -

◆ 다음 글자의 훈과 음을 쓰시오.

( )衣( ) - ( )袖( ) - ( )被( ) - ( )裸( ) - ( )初( ) - ( )表( ) -
( )裏( ) - ( )裕( ) - ( )褱( ) - ( )懷( )

◆ 다음 글자를 분해하시오.

1. 裏 = + +
2. 初 = +
3. 表 = +
4. 裕 = +
5. 褱 = + +
6. 懷 = +
7. 被 = +
8. 裸 = +

◆ 다음 글자를 소리 부분(聲符)과 뜻 부분(意符)으로 분해하시오.

9. 懷 = 소리 부분(聲符) + 뜻 부분(意符)

10. 다음 중 부수가 <u>틀린</u> 글자는?
① 袖 ② 裏 ③ 喪 ④ 裸

11. 흐르는 눈물을 옷으로 가리며 그리워한 데서 나온 글자는?
① 袖 ② 褱 ③ 懷 ④ 裏

◆ 다음 중 주어진 글자로 이루어지는 단어를 2개 이상 한자 또는 한글로 쓰시오.

12. 衣 -

13. 袖 -

14. 被 -

15. 裸 -

16. 初 -

17. 表 -

18. 裏 -

19. 裕 -

20. 褱 - 21. 懷 -

◆ 다음 글자의 훈과 음을 쓰시오.

( )襄( ) - ( )壤( ) - ( )讓( ) - ( )釀( )

◆ 다음 글자를 소리 부분(聲符)과 뜻 부분(意符)으로 분해하시오.

1. 壤 = 소리 부분(聲符) + 뜻 부분(意符)

2. 讓 = 소리 부분(聲符) + 뜻 부분(意符)

3. 釀 = 소리 부분(聲符) + 뜻 부분(意符)

4. 비옥한 흙이나 땅을 가리키는 말의 글자는?

① 讓 ② 釀 ③ 襄 ④ 壤

◆ 다음 중 주어진 글자로 이루어지는 단어를 2개 이상 한자 또는 한글로 쓰시오.

5. 壤 - 6. 讓 -

7. 釀 -

확인학습문제

18강 - 수건 건(巾)

◆ 다음 글자의 훈과 음을 쓰시오.

( )巾( ) - ( )布( ) - ( )市( ) - ( )肺( ) - ( )幣( ) - ( )希( ) -
( )稀( )

◆ 다음 글자를 분해하시오.

1. 幣 = ___ + ___ + ___
2. 常 = ___ + ___
3. 布 = ___ + ___
4. 希 = ___ + ___
5. 肺 = ___ + ___
6. 稀 = ___ + ___
7. 市 = ___ + ___
8. 巾 = ___ + ___

◆ 다음 글자를 소리 부분(聲符)과 뜻 부분(意符)으로 분해하시오.

9. 稀 = 소리 부분(聲符) ___ + 뜻 부분(意符) ___

10. 다음 중 부수가 틀린 글자는?
① 希 ② 幣 ③ 布 ④ 怖

11. 다음 중 발음이 틀린 글자는?
① 佈 ② 怖 ③ 布 ④ 幣

◆ 다음 중 주어진 글자로 이루어지는 단어를 2개 이상 한자 또는 한글로 쓰시오.

12. 巾 - ___
13. 布 - ___
14. 市 - ___
15. 肺 - ___

16. 幣 -

17. 希 -

18. 稀 -

◘ 다음 글자의 훈과 음을 쓰시오.

(　)席(　) - (　)帳(　) - (　)幕(　) - (　)帶(　) - (　)滯(　) - (　)常(　)

◘ 다음 글자를 분해하시오.

1. 幕 = ＋ ＋
2. 席 = ＋
3. 帳 = ＋
4. 帶 = ＋
5. 滯 = ＋ ＋
6. 常 = ＋

◘ 다음 글자를 소리 부분(聲符)과 뜻 부분(意符)으로 분해하시오.

7. 帳 = 소리 부분(聲符) ＋ 뜻 부분(意符)

8. 幕 = 소리 부분(聲符) ＋ 뜻 부분(意符)

9. 다음 중 부수가 틀린 글자는?
① 幕 ② 帶 ③ 滯 ④ 席

10. 물 흐름이 끊긴 상황을 묘사한 글자는?
① 幕 ② 帶 ③ 常 ④ 滯

◘ 다음 중 주어진 글자로 이루어지는 단어를 2개 이상 한자 또는 한글로 쓰시오.

11. 席 -

12. 帳 -

13. 幕 -

14. 帶 -

15. 滯 -

16. 常 -

◘ 다음 글자의 훈과 음을 쓰시오.

(　)帛(　) - (　)綿(　) - (　)棉(　) - (　)錦(　)

◘ 다음 글자를 분해하시오.

1. 綿 = ＋ ＋　　2. 棉 = ＋

3. 錦 = ＋　　4. 帛 = ＋

◘ 다음 글자를 소리 부분(聲符)과 뜻 부분(意符)으로 분해하시오.

5. 錦 = 소리 부분(聲符) ＋ 뜻 부분(意符)

6. 다음 중 음이 틀린 글자는?
① 綿　② 棉　③ 錦　④ 緜

7. '이어지다, 빈틈없다'로 파생된 뜻으로 쓰인 글자는?
① 錦　② 綿　③ 帛　④ 棉

◘ 다음 중 주어진 글자로 이루어지는 단어를 2개 이상 한자 또는 한글로 쓰시오.

8. 帛 -

9. 綿 -

10. 錦 -

확인학습문제

19강 – 색깔/빛 색(色)

◘ 다음 글자의 훈과 음을 쓰시오.

( )色( ) – ( )白( ) – ( )靑( ) – ( )赤( ) – ( )黑( ) – ( )黃( ) – ( )艶( )

◘ 다음 글자를 분해하시오.

1. 艶 = ☐ + ☐ + ☐
2. 黃 = ☐ + ☐
3. 色 = ☐ + ☐
4. 赤 = ☐ + ☐
5. 靑 = ☐ + ☐
6. 黑 = ☐ + ☐

7. 사람을 화형시키는 장면의 색깔에서 나온 글자는?
① 靑　② 紅　③ 赤　④ 黑

◘ 다음 중 주어진 글자로 이루어지는 단어를 2개 이상 한자 또는 한글로 쓰시오.

8. 色 –
9. 白 –
10. 靑 –
11. 赤 –
12. 黑 –
13. 黃 –
14. 艶 –

확인학습문제

20강 - 푸를 청(靑)

◆ 다음 글자의 훈과 음을 쓰시오.

(　)靑(　) - (　)淸(　) - (　)情(　) - (　)晴(　) - (　)精(　) - (　)靜(　) -
(　)猜(　)

◆ 다음 글자를 분해하시오.

1. 靜 = ＋ ＋

2. 靑 = ＋

3. 淸 = ＋

4. 晴 = ＋

5. 精 = ＋

6. 猜 = ＋

◆ 다음 글자를 소리 부분(聲符)과 뜻 부분(意符)으로 분해하시오.

7. 淸 = 소리 부분(聲符) ＋ 뜻 부분(意符)

8. 晴 = 소리 부분(聲符) ＋ 뜻 부분(意符)

9. 다음 중 발음이 틀린 글자는?
① 情 ② 精 ③ 猜 ④ 靜

10. "파랗게 질렸다"로 겁을 잔뜩 먹었다는 뜻을 가진 글자는?
① 靑 ② 淸 ③ 猜 ④ 晴

◆ 다음 중 주어진 글자로 이루어지는 단어를 2개 이상 한자 또는 한글로 쓰시오.

11. 靑 -

12. 淸 -

13. 情 -

14. 晴 -

15. 精 -

16. 靜 -

17. 猜 -

확인학습문제

21강 - 붉을 적(赤)

◆ 다음 글자의 훈과 음을 쓰시오.

(　)赤(　) – (　)赫(　) – (　)赦(　)

◆ 다음 글자를 분해하시오.

1. 赤 = ＿＿ + ＿＿
2. 赫 = ＿＿ + ＿＿
3. 赦 = ＿＿ + ＿＿

4. 다음 중 부수가 틀린 글자는?

① 赦　② 奕　③ 赫　④ 赩

◆ 다음 중 주어진 글자로 이루어지는 단어를 2개 이상 한자 또는 한글로 쓰시오.

5. 赤 -
6. 赫 -
7. 赦 -

확인학습문제

22강 – 누를 황(黃)

◆ 다음 글자의 훈과 음을 쓰시오.

(　)黃(　) – (　)廣(　) – (　)鑛(　) – (　)擴(　) – (　)橫(　) – (　)寅(　) – (　)演(　)

◆ 다음 글자를 분해하시오.

1. 擴 = ＿＿ + ＿＿ + ＿＿
2. 橫 = ＿＿ + ＿＿
3. 廣 = ＿＿ + ＿＿
4. 黃 = ＿＿ + ＿＿
5. 鑛 = ＿＿ + ＿＿ + ＿＿
6. 擴 = ＿＿ + ＿＿
7. 演 = ＿＿ + ＿＿

8. 다음 중 발음이 틀린 글자는?
   ① 廣　② 鑛　③ 擴　④ 曠

9. 옛날집의 대문이 빗장을 가로질렀다 거기서 “가로”라는 뜻이 생긴 글자는?
   ① 擴　② 廣　③ 橫　④ 鑛

◆ 다음 중 주어진 글자로 이루어지는 단어를 2개 이상 한자 또는 한글로 쓰시오.

10. 黃 – ＿＿
11. 廣 – ＿＿
12. 鑛 – ＿＿
13. 擴 – ＿＿
14. 橫 – ＿＿
15. 寅 – ＿＿
16. 演 – ＿＿

확인학습문제

23강 - 검을 흑(黑)

◆ 다음 글자의 훈과 음을 쓰시오.

( )黑( ) - ( )墨( ) - ( )默( ) - ( )熏( ) - ( )薰( ) - ( )勳( )

◆ 다음 글자를 분해하시오.

1. 薰 = ___ + ___ + ___
2. 勳 = ___ + ___
3. 熏 = ___ + ___
4. 墨 = ___ + ___

◆ 다음 글자를 소리 부분(聲符)과 뜻 부분(意符)으로 분해하시오.

5. 薰 = 소리 부분(聲符) ___ + 뜻 부분(意符) ___
6. 勳 = 소리 부분(聲符) ___ + 뜻 부분(意符) ___

7. 다음 중 발음이 <u>틀린</u> 글자는?

① 默 ② 潶 ③ 墨 ④ 嘿

◆ 다음 중 주어진 글자로 이루어지는 단어를 2개 이상 한자 또는 한글로 쓰시오.

8. 黑 -
9. 墨 -
10. 默 -
11. 熏 -
12. 薰 -
13. 勳 -

확인학습문제

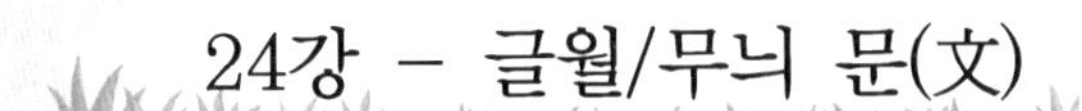

◆ 다음 글자의 훈과 음을 쓰시오.

( )文( ) - ( )紋( ) - ( )紊( ) - ( )閔( ) - ( )憫( ) - ( )虔( )

◆ 다음 글자를 분해하시오.

1. 憫 = ______ + ______ + ______
2. 閔 = ______ + ______
3. 虔 = ______ + ______
4. 紊 = ______ + ______

◆ 다음 글자를 소리부분(聲符)과 뜻 부분(意符)으로 분해하시오.

5. 紋 = 소리 부분(聲符) ______ + 뜻 부분(意符) ______
6. 紊 = 소리 부분(聲符) ______ + 뜻 부분(意符) ______

7. 다음 중 "음"이 다른 글자는?
① 文 ② 紋 ③ 紊 ④ 虔

◆ 다음 중 주어진 글자로 이루어지는 단어를 2개 이상 한자 또는 한글로 쓰시오.

8. 文 - ______
9. 紋 - ______
10. 紊 - ______
11. 閔 - ______
12. 憫 - ______
13. 虔 - ______

확인학습문제

25강 - 매울 신(辛)

◘ 다음 글자의 훈과 음을 쓰시오.

( )辛( ) - ( )新( ) - ( )親( ) - ( )辭( ) - ( )亂( ) - ( )辯( ) -
( )辨( )

◘ 다음 글자를 분해하시오.

1. 辭 = + +
2. 辨 = +
3. 亂 = +
4. 辯 = +

◘ 다음 글자를 소리 부분(聲符)과 뜻 부분(意符)으로 분해하시오.

5. 新 = 소리 부분(聲符)  + 뜻 부분(意符)

6. 다음 글자 중에서 부수가 <u>틀린</u> 것은?
① 親 ② 新 ③ 辯 ④ 辭

◘ 다음 중 주어진 글자로 이루어지는 단어를 2개 이상 한자 또는 한글로 쓰시오.

7. 辛 -
8. 新 -
9. 親 -
10. 辭 -
11. 亂 -
12. 辯 -
13. 辨 -

확인학습문제

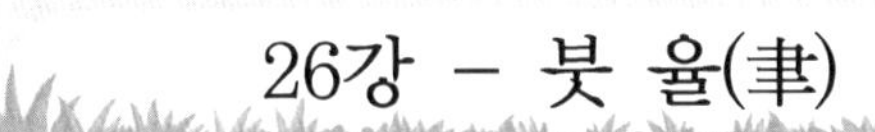

26강 - 붓 율(聿)

◆ 다음 글자의 훈과 음을 쓰시오.

( )聿( ) - ( )筆( ) - ( )律( ) - ( )書( ) - ( )晝( ) - ( )畵( ) -
( )劃( ) - ( )建( ) - ( )津( ) - ( )盡( ) - ( )肅( ) - ( )繡( )

◆ 다음 글자를 분해하시오.

1. 畵 = ( ) + ( ) + ( )
2. 筆 = ( ) + ( )
3. 劃 = ( ) + ( )
4. 聿 = ( ) + ( )
5. 盡 = ( ) + ( )
6. 晝 = ( ) + ( )
7. 書 = ( ) + ( )
8. 律 = ( ) + ( )

◆ 다음 글자를 소리 부분(聲符)과 뜻 부분(意符)으로 분해하시오.

9. 律 = 소리 부분(聲符) ( ) + 뜻 부분(意符) ( )

10. 다음 글자 중에서 부수가 "붓 율(聿)"자 인 것은?

① 律 ② 津 ③ 肅 ④ 筆

11. 원래 '수놓다'는 뜻을 나타내는 글자였는데 자수를 놓을 때 바늘에 찔리지 않으려고 조심스럽게 수를 놓는 것에서 '삼가다, 엄숙하다'로 의미가 확대된 글자는?

① 律 ② 筆 ③ 肅 ④ 繡

◆ 다음 중 주어진 글자로 이루어지는 단어를 2개 이상 한자 또는 한글로 쓰시오.

12. 筆 -
13. 律 -
14. 書 -
15. 晝 -
16. 畵 -
17. 劃 -

18. 建 -

19. 津 -

20. 盡 -

21. 肅 -

22. 繡 -

◘ 다음 글자의 훈과 음을 쓰시오.

( )建( ) - ( )健( ) - ( )鍵( )

◘ 다음 글자를 소리 부분(聲符)과 뜻 부분(意符)으로 분해하시오.

1. 健 = 소리 부분(聲符) + 뜻 부분(意符)
2. 鍵 = 소리 부분(聲符) + 뜻 부분(意符)

3. 다음 글자 중에서 발음이 틀린 것은?
   ① 建 ② 健 ③ 鍵 ④ 進

4. 튼튼하다는 것은 사람이 건강하다는 것이다. 그런 의미로 만들어진 글자는?
   ① 健 ② 鍵 ③ 楗 ④ 腱

◘ 다음 중 주어진 글자로 이루어지는 단어를 2개 이상 한자 또는 한글로 쓰시오.

5. 建 -

6. 健 -

7. 鍵 -

◘ 다음 글자의 훈과 음을 쓰시오.

( )糸( ) - ( )絲( ) - ( )系( ) - ( )係( ) - ( )孫( ) - ( )遜( )

◘ 다음 글자를 분해하시오.

1. 孫 = + +
2. 係 = +
3. 遜 = +
4. 系 = +

◘ 다음 글자를 소리 부분(聲符)과 뜻 부분(意符)으로 분해하시오.

5. 遜 = 소리 부분(聲符) [ ] + 뜻 부분(意符) [ ]

6. 係 = 소리 부분(聲符) [ ] + 뜻 부분(意符) [ ]

7. 끊어진 실을 이어준다는 뜻을 가진 글자는?
① 絲 ② 系 ③ 孫 ④ 係

◘ 다음 중 주어진 글자로 이루어지는 단어를 2개 이상 한자 또는 한글로 쓰시오.

8. 絲 -
9. 系 -
10. 係 -
11. 孫 -
12. 遜 -

◘ 다음 글자의 훈과 음을 쓰시오.

( )溪( ) - ( )線( ) - ( )紹( ) - ( )紀( ) - ( )給( ) - ( )絡( ) - ( )繼( ) - ( )繫( ) - ( )續( )

◘ 다음 글자를 분해하시오.

1. 線 = [ ] + [ ] + [ ]
2. 紹 = [ ] + [ ]
3. 溪 = [ ] + [ ]
4. 絡 = [ ] + [ ]
5. 夜 = [ ] + [ ] + [ ]
6. 紀 = [ ] + [ ]
7. 繼 = [ ] + [ ]
8. 繫 = [ ] + [ ]

◘ 다음 글자를 소리 부분(聲符)과 뜻 부분(意符)으로 분해하시오.

9. 紹 = 소리 부분(聲符) [ ] + 뜻 부분(意符) [ ]

10. 紀 = 소리 부분(聲符) [ ] + 뜻 부분(意符) [ ]

11. 다음 글자 중에서 발음이 틀린 것은?
① 溪 ② 繼 ③ 繫 ④ 給

12. 神(신)을 불러 실로 사람과 신을 묶어 준다 하여 '잇다'라는 뜻을 가진 글자는?

① 溪　② 繼　③ 續　④ 紹

◘ 다음 중 주어진 글자로 이루어지는 단어를 2개 이상 한자 또는 한글로 쓰시오.

13. 溪 - ______　14. 線 - ______

15. 紹 - ______　16. 紀 - ______

17. 給 - ______　18. 絡 - ______

19. 繼 - ______　20. 繫 - ______

21. 續 - ______

◘ 다음 글자의 훈과 음을 쓰시오.

(　)約(　) - (　)結(　) - (　)縛(　) - (　)變(　) - (　)縣(　) - (　)懸(　) -
(　)累(　) - (　)組(　) - (　)織(　) - (　)糾(　) - (　)紡(　) -
(　)索(　/　) - (　)絞(　) - (　)締(　) - (　)編(　) - (　)縫(　) - 緘(　)

◘ 다음 글자를 분해하시오.

1. 縛 = ______ + ______ + ______　2. 結 = ______ + ______

3. 約 = ______ + ______　4. 絞 = ______ + ______

5. 索 = ______ + ______ + ______　6. 累 = ______ + ______

7. 締 = ______ + ______　8. 紡 = ______ + ______

9. 變 = ______ + ______ + ______　10. 縣 = ______ + ______

11. 懸 = ______ + ______　12. 緘 = ______ + ______

◘ 다음 글자를 소리 부분(聲符)과 뜻 부분(意符)으로 분해하시오.

13. 懸 = 소리 부분(聲符) ______ + 뜻 부분(意符) ______

14. 紡 = 소리 부분(聲符) ______ + 뜻 부분(意符) ______

15. 絞 = 소리 부분(聲符) [ ] + 뜻 부분(意符) [ ]

16. 編 = 소리 부분(聲符) [ ] + 뜻 부분(意符) [ ]

17. 縫 = 소리 부분(聲符) [ ] + 뜻 부분(意符) [ ]

18. 緘 = 소리 부분(聲符) [ ] + 뜻 부분(意符) [ ]

19. 다음 글자 중에서 음이 2가지로 나는 것은?
① 變 ② 累 ③ 索 ④ 締

20. 옛 글자는 "밭 전"이 세 개 겹쳐 있어 실(끈)로 무엇인가를 함께 묶어 놓은 모습으로 '매달리다'가 본뜻인 글자는?
① 累 ② 組 ③ 縛 ④ 縫

21. '입구를 묶어 밀봉하다'는 뜻의 글자는?
① 織 ② 緘 ③ 編 ④ 縫

◘ 다음 중 주어진 글자로 이루어지는 단어를 2개 이상 한자 또는 한글로 쓰시오.

22. 約 -
23. 結 -
24. 縛 -
25. 變 -
26. 縣 -
27. 懸 -
28. 累 -
29. 組 -
30. 織 -
31. 糾 -
32. 紡 -
33. 索 -
34. 絞 -
35. 締 -
36. 編 -
37. 縫 -
38. 緘 -

◘ 다음 글자의 훈과 음을 쓰시오.

( )紙( ) - ( )綠( ) - ( )終( ) - ( )絹( ) - ( )級( ) - ( )綿( )

◘ 다음 글자를 분해하시오.

1. 綿 = ＿＿ + ＿＿ + ＿＿　　2. 絲 = ＿＿ + ＿＿

3. 絹 = ＿＿ + ＿＿　　4. 級 = ＿＿ + ＿＿

◘ 다음 글자를 소리 부분(聲符)과 뜻 부분(意符)으로 분해하시오.

5. 級 = 소리 부분(聲符) ＿＿ + 뜻 부분(意符) 

6. 다음 글자 중에서 천과 관련이 없는 글자는?

① 紙　　② 絹　　③ 級　　④ 綿

◘ 다음 중 주어진 글자로 이루어지는 단어를 2개 이상 한자 또는 한글로 쓰시오.

7. 紙 - ＿＿　　8. 絲 - ＿＿

9. 終 - ＿＿　　10. 絹 - ＿＿

11. 級 - ＿＿　　12. 綿 - ＿＿

◘ 다음 글자의 훈과 음을 쓰시오.

( )紫( ) - ( )綠( ) -( ) 素( ) - ( )紅( ) - ( )紺( )

◘ 다음 글자를 분해하시오.

1. 綠 = ＿＿ + ＿＿ + ＿＿　　2. 紅 = ＿＿ + ＿＿

3. 素 = ＿＿ + ＿＿　　4. 紺 = ＿＿ + ＿＿

◘ 다음 글자를 소리 부분(聲符)과 뜻 부분(意符)으로 분해하시오.

5. 級 = 소리 부분(聲符) ＿＿ + 뜻 부분(意符) ＿＿

6. 다음 글자 중에서 천과 관련이 없는 글자는?

① 紙　　② 絹　　③ 級　　④ 綿

◘ 다음 중 주어진 글자로 이루어지는 단어를 2개 이상 한자 또는 한글로 쓰시오.

7. 紫 - ＿＿　　8. 綠 - ＿＿

9. 素 -

10. 紅 -

11. 紺 -

◆ 다음 글자의 훈과 음을 쓰시오.

( )細( ) - ( )絕( ) - ( )統( ) - ( )緊( ) - ( )緩( ) - ( )維( ) - ( )綱( ) - ( )繡( ) - ( )紳( )

◆ 다음 글자를 분해하시오.

1. 緩 = + +
2. 統 = +
3. 緊 = +
4. 維 = +
5. 繡 = + +
6. 綱 = +
7. 絕 = +
8. 細 = +

◆ 다음 글자를 소리 부분(聲符)과 뜻 부분(意符)으로 분해하시오.

9. 綱 = 소리 부분(聲符) + 뜻 부분(意符)

10. 紳 = 소리 부분(聲符) + 뜻 부분(意符)

11. 다양한 사람들을 하나로 묶어 거느리고 통솔하다는 뜻을 가진 글자는?
① 絕 ② 細 ③ 統 ④ 緊

12. '규율, 잡아 묶다, 다스리다' 등의 뜻으로 파생된 글자는?
① 緊 ② 繡 ③ 綱 ④ 統

13. '고귀한 사람'을 지칭하게 된 글자는?
① 細 ② 維 ③ 絕 ④ 紳

◆ 다음 중 주어진 글자로 이루어지는 단어를 2개 이상 한자 또는 한글로 쓰시오.

14. 細 -

15. 絕 -

16. 統 -

17. 緊 -

18. 緩 -

19. 維 -

20. 綱 -

21. 繡 -

22. 紳 -

◘ 다음 글자의 훈과 음을 쓰시오.

(　)肙(　) - (　)捐(　) - (　)絹(　)

◘ 다음 글자를 소리 부분(聲符)과 뜻 부분(意符)으로 분해하시오.

1. 捐 = 소리 부분(聲符) 　　 + 뜻 부분(意符)

2. 다음 글자 중에서 발음이 틀린 것은?
   ① 肙 ② 捐 ③ 絹 ④ 娟

3. 자신의 것을 남에게 주거나 버리는 것을 뜻하는 글자는?
   ① 絹 ② 捐 ③ 娟 ④ 肙

◘ 다음 중 주어진 글자로 이루어지는 단어를 2개 이상 한자 또는 한글로 쓰시오.

4. 捐 -

5. 絹 -

확인학습문제

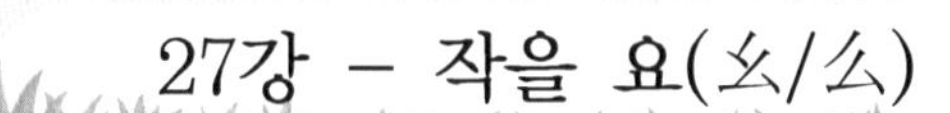

27강 - 작을 요(幺/么)

◆ 다음 글자의 훈과 음을 쓰시오.

(　　)幺(　　) - (　　)幻(　　) - (　　)幼(　　) - (　　)幽(　　) - (　　)幾(　　) - (　　)繼(　　)

◆ 다음 글자를 분해하시오.

1. 幾 = ＿ + ＿ + ＿
2. 幽 = ＿ + ＿
3. 幼 = ＿ + ＿
4. 幻 = ＿ + ＿

5. 막대기에 무엇인가를 매달아 요술을 부리는 모습이 변해서 만들어진 글자는?
   ① 幼　　② 幻　　③ 幽　　④ 繼

6. '희미한 등불'이 본뜻이었는데, '어둡다, 검다, 그윽하다, 조용하다'로 의미 확대된 글자는?
   ① 幼　　② 幾　　③ 幽　　④ 幻

◆ 다음 중 주어진 글자로 이루어지는 단어를 2개 이상 한자 또는 한글로 쓰시오.

7. 幻 -

8. 幼 -

9. 幽 -

10. 幾 -

11. 繼 -

확인학습문제

28강 - 벼 화(禾)

◆ 다음 글자의 훈과 음을 쓰시오.

( )禾( ) - ( )種( ) - ( )黎( ) - ( )香( ) - ( )秋( ) - ( )秉( ) - ( )兼( ) - ( )利( ) - ( )穫( ) - ( )季( ) - ( )年( ) - ( )移( ) - ( )穀( ) - ( )積( ) - ( )稅( ) - ( )曆( ) - ( )歷( )

◆ 다음 글자를 분해하시오.

1. 兼 = ☐ + ☐ + ☐
2. 秉 = ☐ + ☐
3. 利 = ☐ + ☐
4. 移 = ☐ + ☐
5. 穫 = ☐ + ☐ + ☐
6. 積 = ☐ + ☐
7. 秋 = ☐ + ☐
8. 稅 = ☐ + ☐

◆ 다음 글자를 소리 부분(聲符)과 뜻 부분(意符)으로 분해하시오.

9. 種 = 소리 부분(聲符) ☐ + 뜻 부분(意符) ☐
10. 穫 = 소리 부분(聲符) ☐ + 뜻 부분(意符) ☐
11. 穀 = 소리 부분(聲符) ☐ + 뜻 부분(意符) ☐
12. 積 = 소리 부분(聲符) ☐ + 뜻 부분(意符) ☐
13. 租 = 소리 부분(聲符) ☐ + 뜻 부분(意符) ☐
14. 稅 = 소리 부분(聲符) ☐ + 뜻 부분(意符) ☐
15. 歷 = 소리 부분(聲符) ☐ + 뜻 부분(意符) ☐
16. 曆 = 소리 부분(聲符) ☐ + 뜻 부분(意符) ☐

17. "禾"자와 관계 깊은 것은?

① 根　② 未　③ 米　④ 羊

18. "黎"자와 비슷한 뜻을 가진 글자는?

① 暗　② 白　③ 巾　④ 堂

19. 다음 중 서로 관계 없는 것은?

① 秋　② 春　③ 夕　④ 夏

20. "秉"자와 반대의 뜻을 가진 글자는?

① 放　② 千　③ 苦　④ 禾

21. "利"자와 비슷한 뜻을 가진 글자는?

① 銳　② 鈍　③ 尙　④ 洞

22. "季"자와 반대의 뜻을 가진 글자는?

① 李　② 弟　③ 伯　④ 享

23. 다음 중 "穀"이 아닌 것은?

① 禾　② 米　③ 魚　④ 麥

24. "歷"자와 관계 깊은 것은?

① 컴퓨터 공학　② 고기잡이　③ 감정, 마음　④ 세계 역사

◘ 다음 중 주어진 글자로 이루어지는 단어를 2개 이상 한자 또는 한글로 쓰시오.

25. 禾 –

26. 種 –

27. 黎 –

28. 香 –

29. 秋 –

30. 秉 –

31. 兼 –

32. 利 –

33. 穫 –

34. 季 –

35. 年 –

36. 移 –

37. 穀 –

38. 積 –

39. 稅 -

40. 曆 -

41. 歷 -

◆ 다음 글자의 훈과 음을 쓰시오.

(　)和(　) - (　)利(　) - (　)梨(　) - (　)秀(　) - (　)誘(　) - (　)透(　) -
(　)秋(　) - (　)愁(　) - (　)委(　) - (　)倭(　) - (　)矮(　)

◆ 다음 글자를 두 부분으로 분해하시오.

1. 誘 = 　 + 　 + 　
2. 秀 = 　 + 　
3. 愁 = 　 + 　
4. 梨 = 　 + 　
5. 委 = 　 + 　
6. 矮 = 　 + 　
7. 秋 = 　 + 　
8. 透 = 　 + 　

◆ 다음 글자를 소리 부분(聲符)과 뜻 부분(意符)으로 분해하시오.

9. 和 = 소리 부분(聲符) 　 + 뜻 부분(意符) 　
10. 梨 = 소리 부분(聲符) 　 + 뜻 부분(意符) 　
11. 誘 = 소리 부분(聲符) 　 + 뜻 부분(意符) 　
12. 透 = 소리 부분(聲符) 　 + 뜻 부분(意符) 　
13. 愁 = 소리 부분(聲符) 　 + 뜻 부분(意符) 　
14. 倭 = 소리 부분(聲符) 　 + 뜻 부분(意符) 　
15. 矮 = 소리 부분(聲符) 　 + 뜻 부분(意符) 　

16. 다음 중 "음"이 서로 다른 글자는?
① 利 ② 梨 ③ 童 ④ 理

17. "和"자와 비슷한 뜻을 가진 글자는?
① 分 ② 問 ③ 協 ④ 進

18. "秀"자의 뜻은 무엇인가?

① 평범하다 ② 특출하다 ③ 둔하다 ④ 사과하다

19. "愁"자와 비슷한 뜻을 가진 글자는?

① 患 ② 存 ③ 怒 ④ 仙

20. 다음 중 "음"이 서로 다른 글자는?

① 手 ② 西 ③ 秀 ④ 愁

21. "矮"자와 반대의 뜻을 가진 글자는?

① 北 ② 芳 ③ 瓦 ④ 長

◘ 다음 중 주어진 글자로 이루어지는 단어를 2개 이상 한자 또는 한글로 쓰시오.

22. 禾 -
23. 和 -
24. 利 -
25. 梨 -
26. 秀 -
27. 誘 -
28. 秋 -
29. 愁 -
30. 倭 -
31. 矮 -

◘ 다음 글자의 훈과 음을 쓰시오.

( )秩( ) - ( )稚( ) - ( )稀( ) - ( )秒( ) - ( )稻( ) - ( )蘇( ) -
( )稱( ) - ( )禿( ) - ( )科( ) - ( )程( ) - ( )稿( ) - ( )黍( ) -
( )稷( ) - ( )私( ) - ( )菌( )

◘ 다음 글자를 분해하시오.

1. 稻 = + +
2. 稀 = +
3. 稚 = +
4. 禿 = +
5. 蘇 = + +
6. 科 = +
7. 稱 = +
8. 程 = +

◆ 다음 글자를 소리부분(聲符)과 뜻 부분(意符)으로 분해하시오.

9. 秩 = 소리 부분(聲符) [ ] + 뜻 부분(意符) [ ]

10. 稚 = 소리 부분(聲符) [ ] + 뜻 부분(意符) [ ]

11. 稀 = 소리 부분(聲符) [ ] + 뜻 부분(意符) [ ]

12. 秒 = 소리 부분(聲符) [ ] + 뜻 부분(意符) [ ]

13. 稻 = 소리 부분(聲符) [ ] + 뜻 부분(意符) [ ]

14. 程 = 소리 부분(聲符) [ ] + 뜻 부분(意符) [ ]

15. 稿 = 소리 부분(聲符) [ ] + 뜻 부분(意符) [ ]

16. 다음 중 서로 관계 없는 것은?
① 序 ② 亭 ③ 秩 ④ 第

17. "稚"자와 관계 없는 것은?
① 長 ② 幼 ③ 老 ④ 成

18. "稀"자와 반대의 뜻이라고 할 수 없는 글자는?
① 多 ② 庶 ③ 寡 ④ 群

19. "稻"자와 관계 없는 것은?
① 禾 ② 米 ③ 花 ④ 穀

20. 다음 중 "사람"이라는 뜻이 들어간 글자는?
① 秒 ② 禿 ③ 黍 ④ 稚

21. "蘇"자와 관계 없는 것은?
① 生 ② 活 ③ 失神 ④ 回復

22. "私"자와 반대의 뜻을 가진 글자는?
① 公 ② 自 ③ 難 ④ 少

◆ 다음 중 주어진 글자로 이루어지는 단어를 2개 이상 한자 또는 한글로 쓰시오.

23. 秩 – [ ] 24. 稚 – [ ]

25. 稀 – [ ] 26. 秒 – [ ]

27. 稻 -

28. 蘇 -

29. 稱 -

30. 禿 -

31. 科 -

32. 程 -

33. 稿 -

34. 黍 -

35. 稷 -

36. 私 -

37. 菌 -

◆ 다음 글자의 훈과 음을 쓰시오.

(　　)秉(　) - (　　)兼(　) - (　　)謙(　) - (　　)廉(　/　) - (　　)嫌(　)

◆ 다음 글자를 소리 부분(聲符)과 뜻 부분(意符)으로 분해하시오.

1. 謙 = 소리 부분(聲符) ＋ 뜻 부분(意符)
2. 廉 = 소리 부분(聲符) ＋ 뜻 부분(意符)
3. 嫌 = 소리 부분(聲符) ＋ 뜻 부분(意符)

4. "嫌"자와 비슷한 뜻을 가진 글자는?
① 厭 ② 好 ③ 午 ④ 於

5. "謙"자와 반대의 뜻을 가진 글자는?
① 傲 ② 眞 ③ 尸 ④ 所

6. "秉"자와 비슷한 뜻이 아닌 글자는?
① 執 ② 握 ③ 把 ④ 行

◆ 다음 중 주어진 글자로 이루어지는 단어를 2개 이상 한자 또는 한글로 쓰시오.

7. 秉 -

8. 兼 -

9. 謙 -

10. 廉 -

11. 嫌 -

확인학습문제

29강 – 쌀 미(米)

◆ 다음 글자의 훈과 음을 쓰시오.

( )米( ) – ( )粗( ) – ( )粒( ) – ( )精( ) – ( )粹( ) – ( )粉( ) –
( )粘( ) – ( )粧( ) – ( )糞( )

◆ 다음 글자를 분해하시오.

1. 精 = ☐ + ☐ + ☐
2. 粗 = ☐ + ☐
3. 粒 = ☐ + ☐
4. 粉 = ☐ + ☐
5. 粘 = ☐ + ☐
6. 粧 = ☐ + ☐
7. 糞 = ☐ + ☐
8. 粹 = ☐ + ☐

◆ 다음 글자를 소리 부분(聲符)과 뜻 부분(意符)으로 분해하시오.

9. 粗 = 소리 부분(聲符) ☐ + 뜻 부분(意符) ☐

10. 粒 = 소리 부분(聲符) ☐ + 뜻 부분(意符) ☐

11. 精 = 소리 부분(聲符) ☐ + 뜻 부분(意符) ☐

12. 粉 = 소리 부분(聲符) ☐ + 뜻 부분(意符) ☐

13. 粘 = 소리 부분(聲符) ☐ + 뜻 부분(意符) ☐

14. 粧 = 소리 부분(聲符) ☐ + 뜻 부분(意符) ☐

15. "粹"자와 반대의 뜻을 가진 글자는?
① 雜 ② 切 ③ 柬 ④ 伐

16. "粘"자와 관계 깊은 것은?
① 下 ② 旨 ③ 着 ④ 氣

17. "粧"자와 비슷한 뜻을 가진 글자는?

① 犬 ② 飾 ③ 扌 ④ 汚

18. "糞"자와 관계 깊은 것은?

① 화장실 ② 운동 경기 ③ 성격 ④ 날씨

◘ 다음 중 주어진 글자로 이루어지는 단어를 2개 이상 한자 또는 한글로 쓰시오.

19. 米 -

21. 粗 -

22. 粒 -

23. 精 -

24. 粹 -

25. 粉 -

26. 粘 -

27. 粧 -

28. 糞 -

◘ 다음 글자의 훈과 음을 쓰시오.

( )米( ) - ( )釆( ) - ( )番( ) - ( )氣( ) - ( )迷( )

◘ 다음 글자를 분해하시오.

1. 釆 = +

2. 番 = +

3. 氣 = +

4. 迷 = +

◘ 다음 글자를 소리 부분(聲符)과 뜻 부분(意符)으로 분해하시오.

5. 番 = 소리 부분(聲符) + 뜻 부분(意符)

6. 迷 = 소리 부분(聲符) + 뜻 부분(意符)

7. "쌀"과 관계 없는 글자는?

① 粗 ② 迷 ③ 米 ④ 粘

◘ 다음 중 주어진 글자로 이루어지는 단어를 2개 이상 한자 또는 한글로 쓰시오.

8. 米 -

9. 番 -

10. 氣 -

11. 迷 -

◆ 다음 글자의 훈과 음을 쓰시오.

( )米( ) - ( )料( ) - ( )類( ) - ( )糖( ) - ( )糧( ) - ( )粟( ) -
( )糟( ) - ( )糠( ) - 쌀 관련 글자

◆ 다음 글자를 두 부분으로 분해하시오.

1. 類 = + +

2. 料 = +

3. 糖 = +

4. 糧 = +

◆ 다음 글자를 소리 부분(聲符)과 뜻 부분(意符)으로 분해하시오.

5. 糖 = 소리 부분(聲符) + 뜻 부분(意符)

6. 糧 = 소리 부분(聲符) + 뜻 부분(意符)

7. 糟 = 소리 부분(聲符) + 뜻 부분(意符)

8. 糠 = 소리 부분(聲符) + 뜻 부분(意符)

9. "類"자와 비슷한 뜻을 가진 글자는?
① 單 ② 盲 ③ 衆 ④ 界

10. 다음 중 "糧"에 속하지 않는 것은?
① 粟 ② 米 ③ 氣 ④ 糟

11. "糖"자와 관계 깊은 것은?
① 苦 ② 甘 ③ 无 ④ 辛

◆ 다음 중 주어진 글자로 이루어지는 단어를 2개 이상 한자 또는 한글로 쓰시오.

12. 料 -

13. 類 -

14. 糖 -

15. 糧 -

16. 粟 -

17. 糟 -

18. 糠 -

확인학습문제

30강 - 콩/제기 두(豆)

◆ 다음 글자의 훈과 음을 쓰시오.

( )豆( ) - ( )頭( ) - ( )登( ) - ( )燈( ) - ( )鄧( ) - ( )短( ) - ( )鼓( ) - ( )豊( ) - ( )體( ) - ( )禮( )

◆ 다음 글자를 두 부분으로 분해하시오.

1. 禮 = ＿ + ＿ + ＿
2. 體 = ＿ + ＿
3. 豊 = ＿ + ＿
4. 登 = ＿ + ＿
5. 短 = ＿ + ＿
6. 鼓 = ＿ + ＿
7. 頭 = ＿ + ＿
8. 燈 = ＿ + ＿

◆ 다음 글자를 소리 부분(聲符)과 뜻 부분(意符)으로 분해하시오.

9. 燈 = 소리 부분(聲符) ＿ + 뜻 부분(意符) ＿

10. 頭 = 소리 부분(聲符) ＿ + 뜻 부분(意符) ＿

11. 다음 중 "음"이 서로 <u>다른</u> 글자는?
① 登 ② 燈 ③ 侍 ④ 等

12. "頭"자와 관계 <u>없는</u> 것은?
① ㅗ ② 首 ③ 扌 ④ 頁

13. 다음 중 서로 관계 <u>없는</u> 것은?
① 上 ② 登 ③ 降 ④ 昇

14. 다음 중 관계가 나머지 셋과 <u>다른</u> 것은?
① 長 - 短 ② 心 - 身 ③ 首 - 尾 ④ 肉 - 體

15. "豊"자와 관계 없는 것은?

① 多　② 充　③ 富　④ 薄

16. "體"자와 비슷한 뜻을 가진 글자는?

① 仙　② 休　③ 身　④ 忄

◘ 다음 중 주어진 글자로 이루어지는 단어를 2개 이상 한자 또는 한글로 쓰시오.

17. 豆 -　18. 頭 -

19. 登 -　20. 燈 -

21. 鄧 -　22. 短 -

23. 鼓 -　24. 豊 -

25. 體 -　26. 禮 -

◘ 다음 글자의 훈과 음을 쓰시오.

( )壴( ) - ( )尌( ) - ( )鼓( ) - ( )彭( ) - ( )喜( ) - ( )樹( ) -
( )澎( ) - ( )膨( ) - ( )對( )

◘ 다음 글자를 분해하시오.

1. 樹 = + +　2. 尌 = +

3. 壴 = +　4. 彭 = +

5. 喜 = +　6. 膨 = +

◘ 다음 글자를 소리부분(聲符)과 뜻 부분(意符)으로 분해하시오.

7. 尌 = 소리 부분(聲符) + 뜻 부분(意符)

8. 樹 = 소리 부분(聲符) + 뜻 부분(意符)

9. 澎 = 소리 부분(聲符) + 뜻 부분(意符)

10. 膨 = 소리 부분(聲符) + 뜻 부분(意符)

11. 다음 중 "음"이 서로 <u>다른</u> 글자는?

① 壴　　② 尌　　③ 柱　　④ 玉

12. 다음 "鼓"자에 대한 설명으로 맞는 것은?

① 북, 북채, 손　　② 연기, 땔감　　③ 국, 밥, 수저　　④ 창, 칼, 활

13. 다음 중 "음"이 서로 <u>다른</u> 글자는?

① 烹　　② 彭　　③ 膨　　④ 壹

14. "喜"자와 비슷한 뜻이 <u>아닌</u> 글자는?

① 歡　　② 樂　　③ 悅　　④ 哀

◘ 다음 중 주어진 글자로 이루어지는 단어를 2개 이상 한자 또는 한글로 쓰시오.

15. 鼓 –　　16. 喜 –

17. 樹 –　　18. 澎 –

19. 膨 –　　20. 對 –

확인학습문제

31강 - 그릇 명(皿)

◆ 다음 글자의 훈과 음을 쓰시오.

( )皿( ) - ( )盟( ) - ( )孟( ) - ( )猛( ) - ( )蓋( ) - ( )盡( ) -
( )盛( ) - ( )盤( ) - ( )溫( ) - ( )盃( ) - ( )盆( ) - ( )盧( ) -
( )盜( )

◆ 다음 글자를 분해하시오.

1. 猛 = [ ] + [ ] + [ ]
2. 盃 = [ ] + [ ]
3. 盤 = [ ] + [ ]
4. 盜 = [ ] + [ ]
5. 蓋 = [ ] + [ ] + [ ]
6. 盆 = [ ] + [ ]
7. 孟 = [ ] + [ ]
8. 盧 = [ ] + [ ]
9. 溫 = [ ] + [ ] + [ ]
10. 盡 = [ ] + [ ]
11. 盛 = [ ] + [ ]
12. 盟 = [ ] + [ ]

◆ 다음 글자를 소리 부분(聲符)과 뜻 부분(意符)으로 분해하시오.

13. 猛 = 소리 부분(聲符) [ ] + 뜻 부분(意符) [ ]
14. 盛 = 소리 부분(聲符) [ ] + 뜻 부분(意符) [ ]
15. 盤 = 소리 부분(聲符) [ ] + 뜻 부분(意符) [ ]
16. 盆 = 소리 부분(聲符) [ ] + 뜻 부분(意符) [ ]

17. 붓처럼 생긴 수세미나 솔을 손에 잡고 솥을 깨끗이 닦는다는 글자는?
① 盛 ② 盡 ③ 盤 ④ 溫

18. 호랑이 그림이 그려진 놋그릇이나 밥그릇을 상징하는 글자는?
① 盆 ② 盡 ③ 盧 ④ 盃

◘ 다음 중 주어진 글자로 이루어지는 단어를 2개 이상 한자 또는 한글로 쓰시오.

19. 皿 -
20. 盟 -
21. 孟 -
22. 猛 -
23. 蓋 -
24. 盡 -
25. 盛 -
26. 盤 -
27. 溫 -
28. 盆 -
29. 盧 -
30. 盜 -

◘ 다음 단어를 넣어 문장을 만들거나 뜻을 쓰시오.

31. 盟誓(맹서) -
32. 溫和(온화) -
33. 竊盜(절도) -
34. 蓋然(개연) -
35. 孟母三遷(맹모삼천) -
36. 苦盡甘來(고진감래) -
37. 珍羞盛饌(진수성찬) -

◘ 다음 글자의 훈과 음을 쓰시오.

( )監( ) - ( )鑑( ) - ( )覽( ) - ( )濫( ) - ( )藍( ) - ( )檻( ) -
( )艦( ) - ( )鹽( ) - ( )益( ) - ( )溢( )

◘ 다음 글자를 분해하시오.

1. 覽 = + +
2. 濫 = +
3. 監 = +
4. 鑑 = +
5. 艦 = + +
6. 檻 = +
7. 溢 = + +
8. 益 = +

◘ 다음 글자를 소리 부분(聲符)과 뜻 부분(意符)으로 분해하시오.

9. 鑑 = 소리 부분(聲符) ______ + 뜻 부분(意符) ______

10. 대야의 재질이 청동임을 밝히는 쇠를 더하여 이 글자가 사물을 비쳐보는 청동거울임을 알 수 있다. 이 글자는?
① 覽 ② 檻 ③ 鑑 ④ 藍

11. 발음이 다른 글자는?
① 覽 ② 藍 ③ 檻 ④ 鑑

◘ 다음 중 주어진 글자로 이루어지는 단어를 2개 이상 한자 또는 한글로 쓰시오.

12. 監 -
13. 鑑 -
14. 覽 -
15. 濫 -
16. 藍 -
17. 襤 -
18. 艦 -
19. 鹽 -
20. 益 -
21. 溢 -

◘ 다음 단어를 넣어 문장을 만들거나 뜻을 쓰시오.

22. 監視(감시) -
23. 鑑賞(감상) -
24. 觀覽(관람) -
25. 濫用(남용) -
26. 襤褸(남루) -
27. 海溢(해일) -
28. 航空母艦(항공모함) -
29. 多多益善(다다익선) -
30. 靑出於藍(청출어람) -

확인학습문제

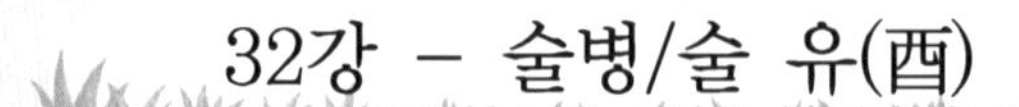

32강 - 술병/술 유(酉)

◆ 다음 글자의 훈과 음을 쓰시오.

(　)酉(　) - (　)酋(　) - (　)尊(　) - (　)遵(　) - (　)鄭(　) - (　)醜(　)

◆ 다음 글자를 분해하시오.

1. 尊 = 　 + 　 + 　
2. 遵 = 　 + 　
3. 酋 = 　 + 　
4. 鄭 = 　 + 　

5. 경건한 자세로 조상에게 술을 바쳐야 하였으므로 이 글자에 정중하다라는 의미가 추가된 글자는?
   ① 尊　② 遵　③ 醜　④ 鄭

6. 술에 취하여 개처럼 행동하는 사람 혹은 아주 이상한 사람은 '귀신' 같다고 하는데 바로 그것을 나타내고자 한 글자는?
   ① 醜　② 遵　③ 鄭　④ 尊

◆ 다음 중 주어진 글자로 이루어지는 단어를 2개 이상 한자 또는 한글로 쓰시오.

7. 酋 -
8. 尊 -
9. 遵 -
10. 鄭 -
11. 醜 -

◆ 다음 단어를 넣어 문장을 만들거나 뜻을 쓰시오.

12. 遵守(준수) -
13. 鄭重(정중) -
14. 醜態(추태) -

15. 唯我獨尊(유아독존) -

◆ 다음 글자의 훈과 음을 쓰시오

( )酒( ) - ( )酌( ) - ( )酬( ) - ( )酊( ) - ( )酷( ) - ( )醉( ) -
( )醒( ) - ( )猶( ) - ( )釀( ) - ( )醬( ) - ( )酵( ) - ( )酸( ) -
( )酢( ) - ( )醫( )

◆ 다음 글자를 분해하시오.

1. 醫 = + +
2. 酒 = +
3. 酌 = +
4. 酬 = +
5. 醉 = +
6. 釀 = +
7. 猶 = + +
8. 醒 = +
9. 酵 = +
10. 酢 = +

◆ 다음 글자를 소리 부분(聲符)과 뜻 부분(意符)으로 분해하시오.

11. 酌 = 소리 부분(聲符) + 뜻 부분(意符)
12. 酊 = 소리 부분(聲符) + 뜻 부분(意符)
13. 醒 = 소리 부분(聲符) + 뜻 부분(意符)
14. 釀 = 소리 부분(聲符) + 뜻 부분(意符)
15. 醬 = 소리 부분(聲符) + 뜻 부분(意符)

16. 두 개체가 너무 비슷하여 양쪽에서 갈팡질팡하는 모습에서 '머뭇거리다'로 의미 확대된 글자는?
① 酒 ② 酬 ③ 醉 ④ 猶

17. 전쟁터에서 날아온 화살을 맞아 생긴 상처구멍에 술을 부어 소독하는 장면에서 '치료하다, 치료하는 사람'의 뜻이 생겨난 글자는?
① 酢 ② 酸 ③ 醫 ④ 酵

◆ 다음 중 주어진 글자로 이루어지는 단어를 2개 이상 한자 또는 한글로 쓰시오.

18. 酒 -

19. 酌 -

20. 酬 -

21. 酊 -

22. 酷 -

23. 醉 -

24. 醒 -

25. 猶 -

26. 釀 -

27. 醬 -

28. 酵 -

29. 酸 -

30. 酢 -

31. 醫 -

◆ 다음 단어를 넣어 문장을 만들거나 뜻을 쓰시오.

32. 對酌(대작) -

33. 報酬(보수) -

34. 酒酲(주정) -

35. 苛酷(가혹) -

36. 覺醒(각성) -

37. 醱酵(발효) -

38. 名醫(명의) -

39. 乳酸菌(유산균) -

40. 斗酒不辭(두주불사) -

41. 執行猶豫(집행유예) -

42. 醉中珍談(취중진담) -

확인학습문제

33강 - 장군/질그릇 부(缶)

◆ 다음 글자의 훈과 음을 쓰시오.

( )缶( ) - ( )陶( ) - ( )寶( ) - ( )遙( ) - ( )謠( ) - ( )搖( ) - ( )籃( ) - ( )缺( )

◆ 다음 글자를 분해하시오.

1. 寶 = + + +

2. 陶 = +

3. 遙 = +

4. 缺 = + +

5. 搖 = +

◆ 다음 글자를 소리 부분(聲符)과 뜻 부분(意符)으로 분해하시오.

6. 陶 = 소리 부분(聲符) + 뜻 부분(意符)

7. 缺 = 소리 부분(聲符) + 뜻 부분(意符)

8. 집안에 금은보화가 가득 쌓여 있는 모습을 형상화한 글자는?
① 陶 ② 缶 ③ 寶 ④ 缺

9. '그릇이 깨지다'가 원뜻이므로 그릇을 상형화한 글자는?
① 謠 ② 陶 ③ 缶 ④ 缺

◆ 다음 중 주어진 글자로 이루어지는 단어를 2개 이상 한자 또는 한글로 쓰시오.

10. 陶 -

11. 寶 -

12. 遙 -

13. 謠 -

14. 搖 -

15. 缺 -

◆ 다음 단어를 넣어 문장을 만들거나 뜻을 쓰시오.

16. 遙遠(요원) -

17. 歌謠(가요) -

18. 搖籃(요람) -

19. 金銀寶貨(금은보화) -

20. 完全無缺(완전무결) -

확인학습문제

34강 - 그물 망(罒)

◘ 다음 글자의 훈과 음을 쓰시오.

(　)网(　) - (　)罔(　) - (　)網(　) - (　)岡(　) - (　)鋼(　) - (　)綱(　) - (　)剛(　)

◘ 다음 글자를 분해하시오.

1. 網 = ＿ + ＿ + ＿
2. 鋼 = ＿ + ＿
3. 剛 = ＿ + ＿
4. 罔 = ＿ + ＿
5. 岡 = ＿ + ＿ + ＿
6. 綱 = ＿ + ＿

◘ 다음 글자를 소리 부분(聲符)과 뜻 부분(意符)으로 분해하시오.

7. 網 = 소리 부분(聲符) ＿ + 뜻 부분(意符) ＿
8. 鋼 = 소리 부분(聲符) ＿ + 뜻 부분(意符) ＿
9. 綱 = 소리 부분(聲符) ＿ + 뜻 부분(意符) ＿
10. 剛 = 소리 부분(聲符) ＿ + 뜻 부분(意符) ＿

11. 얽히고설킨 산등성을 나타내는 말의 글자는?
① 網 ② 鋼 ③ 岡 ④ 剛

12. '규율, 잡아 묶다, 다스리다' 등의 뜻으로 파생된 글자는?
① 鋼 ② 剛 ③ 網 ④ 綱

◘ 다음 중 주어진 글자로 이루어지는 단어를 2개 이상 한자 또는 한글로 쓰시오.

13. 罔 - ＿
14. 網 - ＿
15. 岡 - ＿
16. 鋼 - ＿

17. 綱 -

18. 剛 -

◘ 다음 단어를 넣어 문장을 만들거나 뜻을 쓰시오.

19. 罔極(망극) -

20. 岡陵(강릉) -

21. 鐵鋼(철강) -

22. 搜査網(수사망) -

23. 三綱五倫(삼강오륜) -

24. 外柔內剛(외유내강) -

◘ 다음 글자의 훈과 음을 쓰시오.

( )買( ) - ( )罪( ) - ( )置( ) - ( )罰( ) - ( )署( ) - ( )罵( ) -
( )罷( ) - ( )羅( )

◘ 다음 글자를 분해하시오.

1. 羅 = + +

2. 罰 = +

3. 罪 = +

4. 罷 = +

5. 署 = +

6. 置 = +

7. 곧은 사람에게 가치 있는 것을 맡겨둔다는 뜻의 글자는?

① 買 ② 罵 ③ 置 ④ 署

8. 그물에 걸린 곰의 모습에서 '죄인을 놓아주다, 쉬다, 그치다, 그만두다' 등의 뜻이 파생된 글자는?

① 罪 ② 署 ③ 罵 ④ 罷

◘ 다음 중 주어진 글자로 이루어지는 단어를 2개 이상 한자 또는 한글로 쓰시오.

9. 買 -

10. 罪 -

11. 置 -

12. 罰 -

13. 署 -

14. 罵 -

15. 罷 -

16. 羅 -

◆ 다음 단어를 넣어 문장을 만들거나 뜻을 쓰시오.

17. 賣買(매매) -

18. 罰則(벌칙) -

19. 罵倒(매도) -

20. 罷業(파업) -

21. 免罪符(면죄부) -

22. 拘置所(구치소) -

23. 森羅萬象(삼라만상) -

확인학습문제

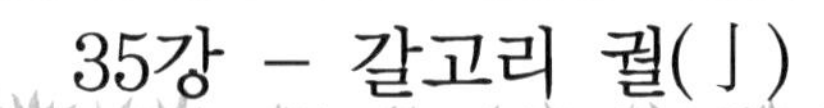

35강 – 갈고리 궐(亅)

◆ 다음 글자의 훈과 음을 쓰시오.

( )亅( ) – ( )予( ) – ( )野( ) – ( )序( ) – ( )豫( ) – ( )預( )

◆ 다음 글자를 분해하시오.

1. 予 = ＋ ＋
2. 野 = ＋
3. 序 = ＋
4. 豫 = ＋
5. 숲과 숲 사이에 공터나 마을과 인접한 수풀이나 들판을 가리키는 글자는?
   ① 豫 ② 林 ③ 預 ④ 野
6. 베틀을 왔다갔다 하며 가로실을 엮는 베틀북의 모양을 본떠 만든 글자는?
   ① 豫 ② 預 ③ 序 ④ 予

◆ 다음 중 주어진 글자로 이루어지는 단어를 2개 이상 한자 또는 한글로 쓰시오.

7. 野 –
8. 序 –
9. 豫 –
10. 預 –

◆ 다음 단어를 넣어 문장을 만들거나 뜻을 쓰시오.

11. 廣野(광야) –
12. 序文(서문) –
13. 豫言(예언) –
14. 預金(예금) –

◆ 다음 글자의 훈과 음을 쓰시오.

( )了( ) – ( )亨( ) – ( )享( ) – ( )烹( ) – ( )淳( ) – ( )孰( ) –
( )塾( ) – ( )熟( )

◆ 다음 글자를 분해하시오.

1. 熟 = + +
2. 享 = +
3. 孰 = +
4. 亨 = +
5. 烹 = + +
6. 了 = +
7. 淳 = +
8. 塾 = +

◆ 다음 글자를 소리 부분(聲符)과 뜻 부분(意符)으로 분해하시오.

9. 塾 = 소리 부분(聲符) + 뜻 부분(意符)

10. 熟 = 소리 부분(聲符) + 뜻 부분(意符)

11. 높은 건축물 즉 高(고)의 생략형으로 생각하여 후손이 조상들께 많은 제물을 바치는 모양을 본뜬 글자는?

① 享 ② 亨 ③ 塾 ④ 孰

12. 태어난 아들이 물처럼 순수해야 자식을 낳은 부모들이 노후를 편히 누릴 수 있다는 뜻의 글자는?

① 享 ② 孰 ③ 淳 ④ 塾

◆ 다음 중 주어진 글자로 이루어지는 단어를 2개 이상 한자 또는 한글로 쓰시오.

13. 了 –
14. 亨 –
15. 享 –
16. 烹 –
17. 淳 –
18. 孰 –
19. 塾 –
20. 熟 –

◘ 다음 단어를 넣어 문장을 만들거나 뜻을 쓰시오.

21. 完了(완료) -

22. 熟考(숙고) -

23. 萬事亨通(만사형통) -

24. 兎死狗烹(토사구팽) -

확인학습문제

36강 - 절구 구(臼)

◆ 다음 글자의 훈과 음을 쓰시오.

( )臼( ) - ( )插( ) - ( )臿( ) - ( )舁( ) - ( )舂( ) - ( )舄( ) -
( )與( ) - ( )興( ) - ( )舊( )

◆ 다음 글자를 분해하시오.

1. 與 = + +
2. 興 = +
3. 舁 = +
4. 臿 = +
5. 插 = + +
6. 舄 = +
7. 舂 = +
8. 舊 = +

◆ 다음 글자를 소리 부분(聲符)과 뜻 부분(意符)으로 분해하시오.

9. 插 = 소리 부분(聲符) + 뜻 부분(意符)

10. 萑 = 소리 부분(聲符) + 뜻 부분(意符)

11. 舊 = 소리 부분(聲符) + 뜻 부분(意符)

12. 까치집을 강조한 글자로 높은 나뭇가지 사이로 마른 나뭇가지를 이용하여 대바구니처럼 집을 짓는 까치집의 특징을 살린 글자는?

① 舄 ② 舂 ③ 舊 ④ 萑

13. 가마(同)를 네 사람이 손으로 들어올려 들쳐 메고 가는 모습을 본뜬 글자는?

① 舁 ② 與 ③ 興 ④ 插

◆ 다음 중 주어진 글자로 이루어지는 단어를 2개 이상 한자 또는 한글로 쓰시오.

14. 插 -

15. 興 -

16. 舊 -

◆ 다음 단어를 넣어 문장을 만들거나 뜻을 쓰시오.

17. 揷畵(삽화) -

18. 興味(흥미) -

19. 親舊(친구) -

◆ 다음 글자의 훈과 음을 쓰시오.

(　)舀(　) - (　)滔(　) - (　)稻(　) - (　)陷(　) - (　)諂(　) - (　)毁(　)

◆ 다음 글자를 분해하시오.

1. 諂 = 　 + 　 + 　
2. 稻 = 　 + 　
3. 陷 = 　 + 　
4. 舀 = 　 + 　
5. 毁 = 　 + 　 + 　
6. 滔 = 　 + 　

7. 물이 넘치는 모습을 절구에서 곡식이 넘치는 모습으로 연상시킨 글자는?
① 稻 ② 滔 ③ 陷 ④ 諂

8. 사람이 까치발을 하고 처마 밑에 달린 벌집이나 새집 등을 몽둥이(殳)로 때려 부수는 모습을 그린 글자고 가는 모습을 본뜬 글자는?
① 陷 ② 毁 ③ 諂 ④ 舀

◆ 다음 중 주어진 글자로 이루어지는 단어를 2개 이상 한자 또는 한글로 쓰시오.

9. 滔 -

10. 稻 -

11. 陷 -

12. 諂 -

13. 毁 -

◆ 다음 단어를 넣어 문장을 만들거나 뜻을 쓰시오.

14. 滔滔(도도) -

15. 陷穽(함정) -

16. 阿諂(아첨) -

17. 毁損(훼손) -

18. 立稻先賣(입도선매) -

확인학습문제

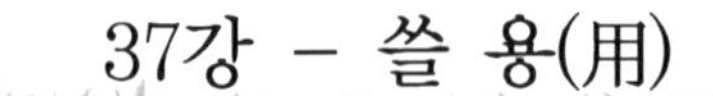

◆ 다음 글자의 훈과 음을 쓰시오.

( )用( ) - ( )甬( ) - ( )勇( ) - ( )湧( ) - ( )踊( ) - ( )誦( )

◆ 다음 글자를 분해하시오.

1. 湧 = ☐ + ☐ + ☐
2. 甬 = ☐ + ☐
3. 勇 = ☐ + ☐
4. 踊 = ☐ + ☐

◆ 다음 글자를 소리 부분(聲符)과 뜻 부분(意符)으로 분해하시오.

5. 勇 = 소리 부분(聲符) ☐ + 뜻 부분(意符) ☐
6. 湧 = 소리 부분(聲符) ☐ + 뜻 부분(意符) ☐
7. 踊 = 소리 부분(聲符) ☐ + 뜻 부분(意符) ☐

8. 양쪽에 손잡이가 달린 통과 힘을 합하여 사냥감이나 땔감을 가득 채운 통을 번쩍 들어올리는 남자의 힘쓰는 모습에서 나온 글자는?
   ① 勇 ② 踊 ③ 誦 ④ 湧

9. '높이 뛰어오르다'를 나타내기 위한 글자는?
   ① 誦 ② 踊 ③ 湧 ④ 勇

◆ 다음 중 주어진 글자로 이루어지는 단어를 2개 이상 한자 또는 한글로 쓰시오.

10. 用 - ☐
11. 勇 - ☐
12. 湧 - ☐
13. 踊 - ☐
14. 誦 - ☐

◆ 다음 단어를 넣어 문장을 만들거나 뜻을 쓰시오.

15. 勇氣(용기) -

16. 湧出(용출) -

17. 舞踊(무용) -

18. 稱誦(칭송) -

19. 無用之物(무용지물) -

◆ 다음 글자의 훈과 음을 쓰시오.

(　　)甫(　) - (　　)浦(　) - (　　)捕(　) - (　　)鋪(　) - (　　)敷 - (　　)補(　)

◆ 다음 글자를 분해하시오.

1. 甫 = 　 + 　 + 　
2. 捕 = 　 + 　
3. 浦 = 　 + 　
4. 鋪 = 　 + 　
5. 무엇인가를 잡기 위해선 그물을 넓고 크게 해서 잡는다는 뜻의 글자는?

① 浦　② 鋪　③ 甫　④ 捕

6. 시골 장터에 장이 서면 대장간 앞에 많은 농기구 등을 펼쳐 놓고 장사하던 모습에서 나온 글자는?

① 捕　② 浦　③ 甫　④ 鋪

◆ 다음 중 주어진 글자로 이루어지는 단어를 2개 이상 한자 또는 한글로 쓰시오.

7. 浦 -
8. 捕 -
9. 鋪 -

◆ 다음 단어를 넣어 문장을 만들거나 뜻을 쓰시오.

10. 浦口(포구) -

11. 捕獲(포획) -

12. 道路鋪裝(도로포장) -

◆ 다음 글자의 훈과 음을 쓰시오.

( )專( ) - ( )賻( ) - ( )傅( ) - ( )簿( ) - ( )薄( ) - ( )博( ) - ( )縛( )

◆ 다음 글자를 분해하시오.

1. 賻 = + +
2. 博 = +
3. 傅 = +
4. 尃 = +
5. 敷 = + +
6. 溥 = +
7. 簿 = + +
8. 縛 = +
9. 補 = +

◆ 다음 글자를 소리 부분(聲符)과 뜻 부분(意符)으로 분해하시오.

10. 賻 = 소리 부분(聲符) + 뜻 부분(意符)

11. 傅 = 소리 부분(聲符) + 뜻 부분(意符)

12. 簿 = 소리 부분(聲符) + 뜻 부분(意符)

13. 敷 = 소리 부분(聲符) + 뜻 부분(意符)

14. 초상을 치루기 위해 목돈이 필요한 喪主(상주)를 돕기 위해 제공하는 금전이나 물질을 의미하는 글자는?

① 傅 ② 賻 ③ 敷 ④ 博

15. 종이가 없던 시절 종이 대신 사용되던 대나무를 얇고 넓게 만들어 그 위에 중요한 것들을 기록하던 풍습에서 만들어진 글자는?

① 傅 ② 簿 ③ 賻 ④ 薄

◆ 다음 중 주어진 글자로 이루어지는 단어를 2개 이상 한자 또는 한글로 쓰시오.

16. 賻 -
17. 傅 -

18. 簿 -

19. 敷 -

20. 補 -

21. 薄 -

22. 博 -

23. 縛 -

◆ 다음 단어를 넣어 문장을 만들거나 뜻을 쓰시오.

24. 補充(보충) -

25. 薄氷(박빙) -

26. 賻儀金(부의금) -

27. 家計簿(가계부) -

28. 博學多識(박학다식) -

29. 自繩自縛(자승자박) -

확인학습문제

38강 – 덮을 아(襾)

◆ 다음 글자의 훈과 음을 쓰시오.

( )襾( ) – ( )賈( ) – ( )西( ) – ( )要( ) – ( )腰( ) – ( )覆( ) – ( )覇( )

◆ 다음 글자를 분해하시오.

1. 腰 = ＿ + ＿ + ＿
2. 要 = ＿ + ＿
3. 賈 = ＿ + ＿
4. 襾 = ＿ + ＿

◆ 다음 글자를 소리 부분(聲符)과 뜻 부분(意符)으로 분해하시오.

5. 腰 = 소리 부분(聲符) ＿ + 뜻 부분(意符) ＿
6. 覆 = 소리 부분(聲符) ＿ + 뜻 부분(意符) ＿

7. '무엇인가 덮고 있는 형태'라는 설과 코르크마개로 포도주 병을 덮어 두는 것처럼 암수가 서로 맞물려 있는 모습에서 나온 글자는?
   ① 襾 ② 要 ③ 西 ④ 賈

8. 신체부위인 허리를 분명히 하기 위해 신체를 상징하는 육달 월을 추가하여 만든 글자는?
   ① 要 ② 腰 ③ 賈 ④ 覆

◆ 다음 중 주어진 글자로 이루어지는 단어를 2개 이상 한자 또는 한글로 쓰시오.

9. 西 – ＿
10. 要 – ＿
11. 腰 – ＿
12. 覆 – ＿

13. 覇 -

◆ 다음 단어를 넣어 문장을 만들거나 뜻을 쓰시오.

14. 要職(요직) -

15. 補充(보충) -

16. 顚覆(전복) -

17. 覇權(패권) -

18. 東問西答(동문서답) -

19. 腰折腹痛(요절복통) -

확인학습문제

39강 - 안석 궤(几)

◆ 다음 글자의 훈과 음을 쓰시오.

( )凡( ) - ( )帆( ) - ( )恐( ) - ( )風( ) - ( )亢( ) - ( )抗( ) - ( )航( )

◆ 다음 글자를 분해하시오.

1. 恐 = ___ + ___ + ___
2. 風 = ___ + ___
3. 帆 = ___ + ___
4. 凡 = ___ + ___

◆ 다음 글자를 소리 부분(聲符)과 뜻 부분(意符)으로 분해하시오.

5. 帆 = 소리 부분(聲符) ___ + 뜻 부분(意符) ___
6. 抗 = 소리 부분(聲符) ___ + 뜻 부분(意符) ___
7. 航 = 소리 부분(聲符) ___ + 뜻 부분(意符) ___

8. 구부리고 앉은 사람이 두 손을 내민 모습의 글자는?
① 帆 ② 恐 ③ 風 ④ 亢

◆ 다음 중 주어진 글자로 이루어지는 단어를 2개 이상 한자 또는 한글로 쓰시오.

9. 凡 -
10. 帆 -
11. 恐 -
12. 風 -
13. 抗 -

14. 航 -

◆ 다음 단어를 넣어 문장을 만들거나 뜻을 쓰시오.

15. 對抗(대항) -

16. 航路(항로) -

17. 恐妻家(공처가) -

18. 禮儀凡節(예의범절) -

19. 風前燈火(풍전등화) -

20. 腰折腹痛(요절복통) -

확인학습문제

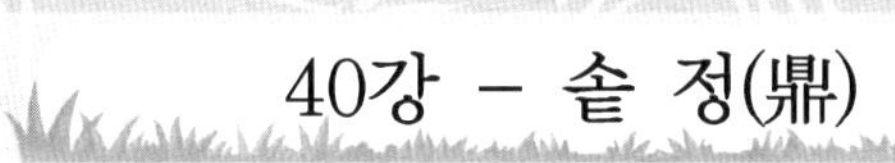

◆ 다음 글자의 훈과 음을 쓰시오.

( )鼎( ) - ( )則( ) - ( )敗( ) - ( )員( ) - ( )具( )

◆ 다음 글자를 분해하시오.

1. 鼎 = ☐ + ☐ + ☐
2. 則 = ☐ + ☐
3. 敗 = ☐ + ☐
4. 具 = ☐ + ☐

5. 솥(貝=鼎)을 몽둥이나 돌로 쳐서 깨뜨리는 모습에서 파생된 글자는?
   ① 則 ② 敗 ③ 鼎 ④ 具

6. 두 손(廾)으로 솥을 들고 있는 모습에서 잔치할 혹은 손님을 대접할 '준비가 되었다/갖추었다' 라는 의미 글자는?
   ① 敗 ② 具 ③ 員 ④ 貞

◆ 다음 중 주어진 글자로 이루어지는 단어를 2개 이상 한자 또는 한글로 쓰시오.

7. 鼎 -
8. 貞 -
9. 則 -
10. 敗 -
11. 員 -
12. 具 -

◆ 다음 단어를 넣어 문장을 만들거나 뜻을 쓰시오.

13. 鼎立(정립) -
14. 貞操(정조) -
15. 法則(법칙) -
16. 公務員(공무원) -
17. 文房具(문방구) -
18. 敗家亡身(패가망신) -

확인학습문제

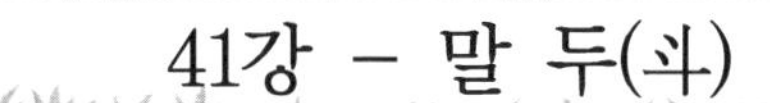

41강 - 말 두(斗)

◘ 다음 글자의 훈과 음을 쓰시오.

(　)斗(　) - (　)科(　) - (　)料(　) - (　)斜(　) - (　)魁(　)

◘ 다음 글자를 분해하시오.

1. 魁 = 　 + 　 + 　
2. 斜 = 　 + 　
3. 料 = 　 + 　
4. 科 = 　 + 　

5. 원래 모습은 술과 같은 액체를 떠내기 위해 자루가 달린 국자모습으로 곡식이나 액체따위를 재는 데 쓰이는 단위다. 이 글자는?

① 料　② 量　③ 科　④ 斗

6. 귀신도 여러 종류가 있나보다. 귀신 중의 우두머리란 뜻을 가진 글자는?

① 魁　② 鬼　③ 魔　④ 愧

◘ 다음 중 주어진 글자로 이루어지는 단어를 2개 이상 한자 또는 한글로 쓰시오.

7. 科 -
8. 料 -
9. 斜 -
10. 魁 -

◘ 다음 단어를 넣어 문장을 만들거나 뜻을 쓰시오.

11. 傾斜(경사) -
12. 魁帥(괴수) -
13. 食料品(식료품) -
14. 金科玉條(금과옥조) -

확인학습문제

42강 – 상자 방(匚)/감출 혜(匸)

◆ 다음 글자의 훈과 음을 쓰시오.

( )匚( ) – ( )醫( ) – ( )區( ) – ( )匠( ) – ( )匹( ) – ( )甚( ) – ( )勘( ) – ( )堪( )

◆ 다음 글자를 분해하시오.

1. 醫 = ____ + ____ + ____ + ____
2. 區 = ____ + ____
3. 匠 = ____ + ____
4. 勘 = ____ + ____ + ____
5. 堪 = ____ + ____
6. 甚 = ____ + ____
7. 匹 = ____ + ____

8. 나무를 정교하게 깎고 속을 파내고 하여 유용한 용기나 예술품을 만들 수 있는 사람을 뜻하는 글자는?

① 匹　② 匠　③ 區　④ 匚

9. 음식과 배우자에게 너무 집착하는 모양새를 회의자로 만든 글자로 정도에 지나친 것을 말하는 글자는?

① 匹　② 勘　③ 匠　④ 甚

◆ 다음 중 주어진 글자로 이루어지는 단어를 2개 이상 한자 또는 한글로 쓰시오.

10. 醫 –
11. 區 –
12. 匠 –
13. 匹 –
14. 甚 –

15. 勘 -

16. 堪 -

◘ 다음 단어를 넣어 문장을 만들거나 뜻을 쓰시오.

17. 醫術(의술) -

18. 區域(구역) -

20. 配匹(배필) -

22. 勘案(감안) -

23. 堪當(감당) -

19. 匠人精神(장인정신) -

21. 後悔莫甚(후회막심) -

확인학습문제

43강 - 입 벌릴 감(凵)

◘ 다음 글자의 훈과 음을 쓰시오.

( )凵( ) - ( )出( ) - ( )凶( ) - ( )胸( ) - ( )兇( ) - ( )匈( ) -
( )洶( ) - ( )函( )

◘ 다음 글자를 분해하시오.

1. 匈 = ＿ + ＿ + ＿
2. 胸 = ＿ + ＿
3. 洶 = ＿ + ＿
4. 兇 = ＿ + ＿
5. 凶 = ＿ + ＿
6. 出 = ＿ + ＿

◘ 다음 글자를 소리 부분(聲符)과 뜻 부분(意符)으로 분해하시오.

7. 胸 = 소리 부분(聲符) ＿ + 뜻 부분(意符) ＿
8. 兇 = 소리 부분(聲符) ＿ + 뜻 부분(意符) ＿
9. 匈 = 소리 부분(聲符) ＿ + 뜻 부분(意符) ＿
10. 洶 = 소리 부분(聲符) ＿ + 뜻 부분(意符) ＿

11. 적의 공격을 차단하기 위해 또는 동물을 잡기 위해 파 놓은 함정에 재수 없게 걸려든 사람이나 동물의 모습에서 '최악의 재수 없는 상황'을 묘사한 글자는?
① 凶 ② 匈 ③ 兇 ④ 洶

12. 가슴에 이리(凶-흉칙한 것)가 들어 있는 무서운 부족이라 하여 생긴 글자는?
① 胸 ② 凶 ③ 匈 ④ 兇

◘ 다음 중 주어진 글자로 이루어지는 단어를 2개 이상 한자 또는 한글로 쓰시오.

13. 出 - ＿

14. 凶 -

15. 胸 -

16. 兇 -

17. 匈 -

18. 洶 -

19. 函 -

◘ 다음 단어를 넣어 문장을 만들거나 뜻을 쓰시오.

20. 出世(출세) -

21. 凶家(흉가) -

22. 胸像(흉상) -

23. 元兇(원흉) -

24. 投票函(투표함) -

◘ 다음 글자의 훈과 음을 쓰시오.

(　)出(　) - (　)拙(　) - (　)屈(　) - (　)窟(　) - (　)掘(　)

◘ 다음 글자를 분해하시오.

1. 掘 = + +
2. 窟 = +
3. 屈 = +
4. 拙 = +

◘ 다음 글자를 소리 부분(聲符)과 뜻 부분(意符)으로 분해하시오.

5. 窟 = 소리 부분(聲符) + 뜻 부분(意符)

6. 掘 = 소리 부분(聲符) + 뜻 부분(意符)

7. 꼬리를 감추고 뒷걸음치며 줄행랑치는 모습에서 나온 글자는?

① 拙 ② 屈 ③ 窟 ④ 掘

8. '땅을 파내다'를 뜻하는 글자로 그 행위를 하는 것은 손이므로 '손 수' 자가 추가된 글자다. 이 글자는?

① 掘 ② 拙 ③ 搜 ④ 窟

◘ 다음 중 주어진 글자로 이루어지는 단어를 2개 이상 한자 또는 한글로 쓰시오.

9. 出 -

10. 拙 -

11. 屈 -

12. 窟 -

13. 掘 -

◘ 다음 단어를 넣어 문장을 만들거나 뜻을 쓰시오.

14. 稚拙(치졸) -

15. 卑屈(비굴) -

16. 盜掘(도굴) -

확인학습문제

44강 - 집 면(宀)

◆ 다음 글자의 훈과 음을 쓰시오.

(　)家(　) - (　)定(　) - (　)宿(　) - (　)室(　) - (　)宅(　) - (　)宮(　) - (　)宇(　) - (　)宙(　)

◆ 다음 글자를 두 부분으로 분해하시오.

1. 宿 = 　 + 　 + 　　2. 定 = 　 + 　

3. 家 = 　 + 　　4. 室 = 　 + 　

◆ 다음 글자를 소리 부분(聲符)과 뜻 부분(意符)으로 분해하시오.

5. 定 = 소리 부분(聲符) 　 + 뜻 부분(意符) 　

6. 宇 = 소리 부분(聲符) 　 + 뜻 부분(意符) 　

7. 宙 = 소리 부분(聲符) 　 + 뜻 부분(意符) 　

8. "宅, 宮, 宿" 이 글자들의 공통점은 무엇인가?
① 가축　② 집　③ 전쟁　④ 날씨

9. 다음 중 "집"보다는 주로 "방"을 의미하는 글자는?
① 家　② 室　③ 宅　④ 宿

◆ 다음 중 주어진 글자로 이루어지는 단어를 2개 이상 한자 또는 한글로 쓰시오.

10. 家 -　11. 定 -

12. 宿 -　13. 室 -

14. 宅 -　15. 宮 -

16. 宇 -　17. 宙 -

◘ 다음 글자의 훈과 음을 쓰시오.

(　)官(　) − (　)管(　) − (　)館(　) − (　)棺(　) − (　)遣(　) − (　)追(　)

◘ 다음 글자를 두 부분으로 분해하시오.

1. 遣 = ＿ ＋ ＿ ＋ ＿　　2. 管 = ＿ ＋ ＿

3. 館 = ＿ ＋ ＿　　4. 棺 = ＿ ＋ ＿

5. 追 = ＿ ＋ ＿　　6. 官 = ＿ ＋ ＿

◘ 다음 글자를 소리부분(聲符)과 뜻 부분(意符)으로 분해하시오.

7. 管 = 소리 부분(聲符) ＿ ＋ 뜻 부분(意符) ＿

8. 館 = 소리 부분(聲符) ＿ ＋ 뜻 부분(意符) ＿

9. 棺 = 소리 부분(聲符) ＿ ＋ 뜻 부분(意符) ＿

10. 다음 중 "음"이 서로 다른 글자는?
① 官　② 館　③ 追　④ 棺

11. "遣"자와 비슷한 뜻을 가진 글자는?
① 松　② 瓦　③ 秉　④ 完

12. "사람"과 직접적인 관계가 없는 글자는?
① 棺　② 官　③ 管　④ 遣

13. "追"자와 비슷한 뜻을 가진 글자는?
① 泊　② 呂　③ 巷　④ 逐

◘ 다음 중 주어진 글자로 이루어지는 단어를 2개 이상 한자 또는 한글로 쓰시오.

14. 官 − ＿　　15. 管 − ＿

16. 館 − ＿　　17. 棺 − ＿

18. 遣 − ＿　　19. 追 − ＿

◘ 다음 글자의 훈과 음을 쓰시오.

( )宁( ) – ( )貯( ) – ( )實( ) – ( )寶( ) – ( )富( ) – ( )密( ) – ( )害( ) – ( )割( ) – ( )憲( ) – ( )守( )

◘ 다음 글자를 두 부분으로 분해하시오.

1. 寶 = ___ + ___ + ___ ___
2. 富 = ___ + ___
3. 害 = ___ + ___
4. 守 = ___ + ___
5. 實 = ___ + ___ + ___
6. 割 = ___ + ___
7. 宁 = ___ + ___
8. 貯 = ___ + ___
9. 憲 = ___ + ___ + ___ + ___
10. 密 = ___ + ___ + ___

◘ 다음 글자를 소리 부분(聲符)과 뜻 부분(意符)으로 분해하시오.

11. 貯 = 소리 부분(聲符) ___ + 뜻 부분(意符) ___
12. 密 = 소리 부분(聲符) ___ + 뜻 부분(意符) ___
13. 富 = 소리 부분(聲符) ___ + 뜻 부분(意符) ___

14. 다음 중 "음"이 서로 다른 글자는?
① 貯 ② 宁 ③ 完 ④ 定

15. 다음 중 관계가 나머지 셋과 다른 것은?
① 貧 – 富 ② 密 – 集 ③ 寶 – 珍 ④ 憲 – 法

16. 다음 중 성격이 나머지 셋과 다른 것은?
① 多 ② 富 ③ 豊(豐) ④ 薄

17. "割"자와 반대의 뜻을 가진 글자는?
① 分 ② 且 ③ 合 ④ 史

18. "守"자와 비슷한 뜻을 가진 글자는?

① 止　　② 由　　③ 保　　④ 萬

◘ 다음 중 주어진 글자로 이루어지는 단어를 2개 이상 한자 또는 한글로 쓰시오.

19. 貯 -　　20. 實 -

21. 害 -　　22. 割 -

23. 寶 -　　24. 富 -

25. 憲 -　　26. 守 -

◘ 다음 글자의 훈과 음을 쓰시오.

(　)宣(　) - (　)宜(　) - (　)宰(　) - (　)宦(　) - (　)容(　) - (　)宏(　) - (　)宗(　) - (　)寧(　)

◘ 다음 글자를 두 부분으로 분해하시오.

1. 容 = 　 + 　 + 　
2. 宣 = 　 + 　
3. 宜 = 　 + 　
4. 宦 = 　 + 　
5. 寧 = 　 + 　 + 　 + 　
6. 宗 = 　 + 　
7. 宰 = 　 + 　

◘ 다음 중 주어진 글자로 이루어지는 단어를 2개 이상 한자 또는 한글로 쓰시오.

8. 容 -　　9. 宣 -

10. 宜 -　　11. 宦 -

12. 宏 -　　13. 寧 -

14. 宗 -　　15. 宰 -

◘ 다음 글자의 훈과 음을 쓰시오.

(　)寂(　) - (　)寞(　) - (　)寡(　) - (　)安(　) - (　)字(　) - (　)寒(　) - (　)寢(　)

◘ 다음 글자를 두 부분으로 분해하시오.

1. 寒 = ☐ + ☐ + ☐　2. 寞 = ☐ + ☐

3. 寂 = ☐ + ☐　4. 安 = ☐ + ☐

5. 寢 = ☐ + ☐ + ☐ + ☐ + ☐

6. 寡 = ☐ + ☐ + ☐ + ☐

◘ 다음 글자를 소리 부분(聲符)과 뜻 부분(意符)으로 분해하시오.

7. 寂 = 소리 부분(聲符) ☐ + 뜻 부분(意符) ☐

8. 寞 = 소리 부분(聲符) ☐ + 뜻 부분(意符) ☐

9. "寡"자와 반대의 뜻을 가진 글자는?
① 多　② 前　③ 利　④ 家

10. 다음 중 성격이 나머지 셋과 다른 것은?
① 寞　② 靜　③ 寂　④ 騷

11. "寒"자와 반대의 뜻을 가진 글자는?
① 溫　② 佳　③ 豸　④ 氷

◘ 다음 글자로 이루어지는 단어를 2개 이상 한자 또는 한글로 쓰시오.

12. 寒 -　13. 寢 -

14. 寂 -　15. 寞 -

16. 安 -　17. 字 -

18. 寡 -

◘ 다음 글자의 훈과 음을 쓰시오.

( )寬( ) - ( )寫( ) - ( )寃( ) - ( )寓( ) - ( )審( )

◘ 다음 글자를 분해하시오.

1. 寬 = ☐ + ☐ + ☐　2. 寫 = ☐ + ☐

3. 寃 = [ ] + [ ]　　4. 審 = [ ] + [ ]

◆ 다음 글자를 소리 부분(聲符)과 뜻 부분(意符)으로 분해하시오.

5. 寬 = 소리 부분(聲符) [ ] + 뜻 부분(意符) [ ]

6. 寓 = 소리 부분(聲符) [ ] + 뜻 부분(意符) [ ]

7. "寬"자와 비슷한 뜻을 가진 글자는?

① 恕　② 勇　③ 己　④ 巴

8. 다음 중 서로 관계 <u>없는</u> 글자는?

① 督　② 審　③ 竹　④ 監

9. 다음 중 성격이 나머지 셋과 <u>다른</u> 것은?

① 寃　② 恨　③ 忘　④ 怒

◆ 다음 중 주어진 글자로 이루어지는 단어를 2개 이상 한자 또는 한글로 쓰시오.

10. 寬 -　　11. 寫 -

12. 寃 -　　13. 寓 -

14. 審 -

확인학습문제

45강 – 굴/구멍 혈(穴)

◆ 다음 글자의 훈과 음을 쓰시오.

( )穴( ) – ( )穿( ) – ( )窄( ) – ( )窮( ) – ( )究( ) – ( )空( ) – ( )窟( ) – ( )穽( )

◆ 다음 글자를 두 부분으로 분해하시오.

1. 窮 = ☐ + ☐ + ☐
2. 穿 = ☐ + ☐
3. 究 = ☐ + ☐
4. 窄 = ☐ + ☐
5. 空 = ☐ + ☐
6. 窟 = ☐ + ☐
7. 穽 = ☐ + ☐
8. 穴 = ☐ + ☐

◆ 다음 글자를 소리 부분(聲符)과 뜻 부분(意符)으로 분해하시오.

9. 窄 = 소리 부분(聲符) ☐ + 뜻 부분(意符) ☐
10. 窮 = 소리 부분(聲符) ☐ + 뜻 부분(意符) ☐
11. 究 = 소리 부분(聲符) ☐ + 뜻 부분(意符) ☐
12. 空 = 소리 부분(聲符) ☐ + 뜻 부분(意符) ☐
13. 窟 = 소리 부분(聲符) ☐ + 뜻 부분(意符) ☐
14. 穽 = 소리 부분(聲符) ☐ + 뜻 부분(意符) ☐

15. "穴"자와 비슷한 뜻을 가진 글자는?
① 宀 ② 門 ③ 孔 ④ 央

16. 다음 중 "구멍, 굴"과 관계 없는 것은?
① 窟 ② 孔 ③ 穴 ④ 水

◘ 다음 중 주어진 글자로 이루어지는 단어를 2개 이상 한자 또는 한글로 쓰시오.

17. 穴 -
18. 穿 -
19. 窄 -
20. 窮 -
21. 究 -
22. 空 -
23. 窟 -
24. 穽 -

◘ 다음 글자의 훈과 음을 쓰시오.

(　)竊(　) - (　)突(　) - (　)窓(　) - (　)窒(　) - (　)窯(　)

◘ 다음 글자를 분해하시오.

1. 窓 = 　 + 　 +
2. 突 = 　 +
3. 窒 = 　 +
4. 窯 = 　 +

◘ 다음 글자를 소리 부분(聲符)과 뜻 부분(意符)으로 분해하시오.

5. 竊 = 소리 부분(聲符) 　 + 뜻 부분(意符)
6. 窒 = 소리 부분(聲符) 　 + 뜻 부분(意符)

7. "竊"자와 관계 깊은 것은?
① 半 ② 盜 ③ 男 ④ 江

8. "突"자에 대한 것 중 맞는 것은?
① 집과 어른 ② 어린이와 집 ③ 개와 고양이 ④ 개와 구멍

◘ 다음 중 주어진 글자로 이루어지는 단어를 2개 이상 한자 또는 한글로 쓰시오.

9. 竊 -
10. 突 -
11. 窓 -
12. 窒 -
13. 窯 -

확인학습문제

46강 - 덮을 멱(冖)

◘ 다음 글자의 훈과 음을 쓰시오.

( )冖( ) - ( )襾( ) - ( )軍( ) ( )受( ) - ( )冥( ) - ( )奐( )

◘ 다음 글자를 분해하시오.

1. 受 = [ ] + [ ] + [ ] 2. 軍 = [ ] + [ ]

3. 奐 = [ ] + [ ] + [ ] 4. 冥 = [ ] + [ ]

5. "冖"자와 비슷한 뜻을 가진 글자는?
① 宀 ② 襾 ③ 阝 ④ 彳

6. "軍"자와 관계 없는 것은?
① 戰 ② 干 ③ 花 ④ 刂

7. "冥"자와 반대의 뜻을 가진 글자는?
① 暗 ② 向 ③ 明 ④ 決

◘ 다음 중 주어진 글자로 이루어지는 단어를 2개 이상 한자 또는 한글로 쓰시오.

8. 軍 -

9. 受 -

10. 冥 -

확인학습문제

47강 - 집 엄(广)

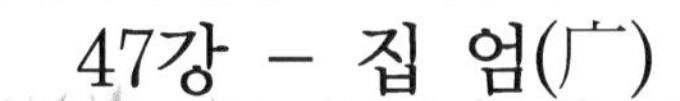

◆ 다음 글자의 훈과 음을 쓰시오.

(　　)广(　) - (　　)府(　) - (　　)廳(　) - (　　)店(　) - (　　)庫(　) - (　　)廟(　) - (　　)廉(　)

◆ 다음 글자를 두 부분으로 분해하시오.

1. 府 = 　 + 　 + 　

2. 廳 = 　 + 　

3. 廟 = 　 + 　

4. 庫 = 　 + 　

◆ 다음 글자를 소리 부분(聲符)과 뜻 부분(意符)으로 분해하시오.

5. 府 = 소리 부분(聲符) 　 + 뜻 부분(意符) 　

6. 廳 = 소리 부분(聲符) 　 + 뜻 부분(意符) 　

7. 店 = 소리 부분(聲符) 　 + 뜻 부분(意符) 　

8. 庫 = 소리 부분(聲符) 　 + 뜻 부분(意符) 　

9. 廟 = 소리 부분(聲符) 　 + 뜻 부분(意符) 　

10. 廉 = 소리 부분(聲符) 　 + 뜻 부분(意符) 　

11. "广"자와 비슷한 뜻을 가진 글자는?

① 彡 　② 宀 　③ 廴 　④ 乙

12. 다음 중 서로 관계 없는 것은?

① 然 　② 庫 　③ 倉 　④ 府

13. "店"자는 어떤 종류의 일에 어울리는 건물인가?

① 가정집 　② 장사하는 집 　③ 관공서 　④ 학교

◆ 다음 중 주어진 글자로 이루어지는 단어를 2개 이상 한자 또는 한글로 쓰시오.

14. 府 -

15. 廳 -

16. 店 -

17. 庫 -

18. 廟 -

19. 廉 -

◆ 다음 글자의 훈과 음을 쓰시오.

(　)廊(　) - (　)庭(　) - (　)廣(　) - (　)廓(　) - (　)底(　) - (　)康(　) -
(　)廢(　)

◆ 다음 글자를 두 부분으로 분해하시오.

1. 廊 = +

2. 庭 = +

3. 廣 = +

4. 廓 = +

5. 底 = +

6. 康 = +

7. 廢 = +

◆ 다음 글자를 소리 부분(聲符)과 뜻 부분(意符)으로 분해하시오.

8. 廊 = 소리 부분(聲符) + 뜻 부분(意符)

9. 庭 = 소리 부분(聲符) + 뜻 부분(意符)

10. 廣 = 소리 부분(聲符) + 뜻 부분(意符)

11. 廓 = 소리 부분(聲符) + 뜻 부분(意符)

12. 底 = 소리 부분(聲符) + 뜻 부분(意符)

13. "廊"자와 관계 깊은 것은?

① 부엌 ② 복도 ③ 바닥 ④ 천장

14. 다음 중 서로 관계 없는 것은?

① 廣 ② 洪 ③ 狹 ④ 大

15. "郭"자와 관계 깊은 것은?

① 川　　② 壁　　③ 至　　④ 宀

16. "廢"자와 비슷한 뜻을 가진 글자는?

① 閉　　② 開　　③ 閑　　④ 聞

◇ 다음 중 주어진 글자로 이루어지는 단어를 2개 이상 한자 또는 한글로 쓰시오.

17. 廊 –

18. 庭 –

19. 廣 –

20. 廓 –

21. 底 –

22. 康 –

23. 廢 –

◇ 다음 글자의 훈과 음을 쓰시오.

( )座( ) – ( )席( ) – ( )床( ) – ( )庶( ) – ( )遮( )

◇ 다음 글자를 분해하시오.

1. 遮 = 　 + 　 + 　
2. 庶 = 　 + 　
3. 席 = 　 + 　
4. 座 = 　 + 　

◇ 다음 글자를 소리 부분(聲符)과 뜻 부분(意符)으로 분해하시오.

5. 座 = 소리 부분(聲符) 　 + 뜻 부분(意符)
6. 遮 = 소리 부분(聲符) 　 + 뜻 부분(意符)

7. 다음 중 서로 관계<u>없는</u> 것은?

① 其　　② 座　　③ 席　　④ 坐

8. 다음 중 "床"이라고 할 수 <u>없는</u> 것은?

① 책상　　② 침대　　③ 밥상　　④ 도마

◇ 다음 중 주어진 글자로 이루어지는 단어를 2개 이상 한자 또는 한글로 쓰시오.

9. 座 -
10. 席 -
11. 床 -
12. 庶 -
13. 遮 -

◇ 다음 글자의 훈과 음을 쓰시오.

( )度( ) – ( )渡( ) – ( )序( ) – ( )庚( ) – ( )庸( )

◇ 다음 글자를 소리 부분(聲符)과 뜻 부분(意符)으로 분해하시오.

1. 渡 = 소리 부분(聲符) + 뜻 부분(意符)
2. 序 = 소리 부분(聲符) + 뜻 부분(意符)

3. 다음 중 "음"이 서로 다른 글자는?
① 度 ② 渡 ③ 耂 ④ 刂

4. 다음 중 서로 관계 없는 것은?
① 第 ② 序 ③ 秩 ④ 古

5. 다음 "庸"자에 대한 설명 중 맞지 않는 것은?
① 쓰다 ② 어리석다 ③ 보통이다 ④ 뛰어나다

◇ 다음 중 주어진 글자로 이루어지는 단어를 2개 이상 한자 또는 한글로 쓰시오.

6. 度 -
7. 渡 -
8. 序 -
9. 庚 -
10. 庸 -

확인학습문제

48강 – 좋을 량(良)

◘ 다음 글자의 훈과 음을 쓰시오.

(　)良(　) – (　)浪(　) – (　)郎(　) – (　)廊(　) – (　)朗(　) – (　)娘(　) – (　)狼(　)

◘ 다음 글자를 두 부분으로 분해하시오.

1. 廊 = ＿ + ＿ + ＿　　2. 朗 = ＿ + ＿

3. 郎 = ＿ + ＿　　4. 浪 = ＿ + ＿

◘ 다음 글자를 소리 부분(聲符)과 뜻 부분(意符)으로 분해하시오.

5. 浪 = 소리 부분(聲符) ＿ + 뜻 부분(意符) ＿

6. 郎 = 소리 부분(聲符) ＿ + 뜻 부분(意符) ＿

7. 廊 = 소리 부분(聲符) ＿ + 뜻 부분(意符) ＿

8. 朗 = 소리 부분(聲符) ＿ + 뜻 부분(意符) ＿

9. 娘 = 소리 부분(聲符) ＿ + 뜻 부분(意符) ＿

10. 狼 = 소리 부분(聲符) ＿ + 뜻 부분(意符) ＿

11. 다음 중 “음”이 서로 다른 글자는?
① 浪　② 廊　③ 恨　④ 朗

12. 다음 중 서로 관계 없는 것은?
① 好　② 良　③ 善　④ 惡

13. “浪”자와 비슷한 뜻을 가진 글자는?
① 氷　② 波　③ 川　④ 沈

14. 다음 "朗"자에 대한 설명 중 맞지 않는 것은?

① 明 ② 쾌활하다 ③ 싫어하다 ④ 밝다

15. "娘"자와 반대의 뜻을 가진 글자는?

① 郎 ② 婦 ③ 浪 ④ 狼

16. 다음 중 "짐승"을 의미하는 글자는?

① 良 ② 狼 ③ 浪 ④ 廊

◆ 다음 중 주어진 글자로 이루어지는 단어를 2개 이상 한자 또는 한글로 쓰시오.

17. 良 -

18. 浪 -

19. 郎 -

20. 廊 -

21. 朗 -

22. 娘 -

23. 狼 -

확인학습문제

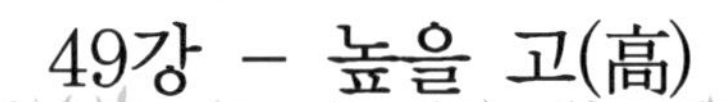

◆ 다음 글자의 훈과 음을 쓰시오.

( )高( ) – ( )喬( ) – ( )僑( ) – ( )嬌( ) – ( )橋( ) – ( )矯( ) – ( )驕( )

◆ 다음 글자를 두 부분으로 분해하시오.

1. 驕 = ＿ + ＿ + ＿　　2. 矯 = ＿ + ＿

3. 喬 = ＿ + ＿　　4. 橋 = ＿ + ＿

◆ 다음 글자를 소리 부분(聲符)과 뜻 부분(意符)으로 분해하시오.

5. 僑 = 소리 부분(聲符) ＿ + 뜻 부분(意符) ＿

6. 嬌 = 소리 부분(聲符) ＿ + 뜻 부분(意符) ＿

7. 橋 = 소리 부분(聲符) ＿ + 뜻 부분(意符) ＿

8. 矯 = 소리 부분(聲符) ＿ + 뜻 부분(意符) ＿

9. 驕 = 소리 부분(聲符) ＿ + 뜻 부분(意符) ＿

10. 다음 중 "음"이 서로 다른 글자는?

① 交　② 僑　③ 稿　④ 橋

11. "高"자와 비슷한 뜻을 가진 글자는?

① 仲　② 下　③ 崔　④ 好

12. "矯"자와 관계 깊은 글자는?

① 安　② 正　③ 免　④ 戶

13. 다음 중 서로 관계 없는 것은?

① 倨　　② 傲　　③ 恭　　④ 驕

◘ 다음 중 주어진 글자로 이루어지는 단어를 2개 이상 한자 또는 한글로 쓰시오.

14. 高 -

15. 喬 -

16. 僑 -

17. 嬌 -

18. 橋 -

19. 矯 -

20. 驕 -

◘ 다음 글자의 훈과 음을 쓰시오.

(　)稿(　) - (　)豪(　) - (　)毫(　) - (　)壕(　) - (　)濠(　)

◘ 다음 글자를 분해하시오.

1. 豪 = 　 + 　 + 　

2. 毫 = 　 + 　

3. 濠 = 　 + 　

4. 稿 = 　 + 　

◘ 다음 글자를 소리 부분(聲符)과 뜻 부분(意符)으로 분해하시오.

5. 稿 = 소리 부분(聲符) 　 + 뜻 부분(意符)

6. 豪 = 소리 부분(聲符) 　 + 뜻 부분(意符)

7. 毫 = 소리 부분(聲符) 　 + 뜻 부분(意符)

8. 壕 = 소리 부분(聲符) 　 + 뜻 부분(意符)

9. 濠 = 소리 부분(聲符) 　 + 뜻 부분(意符)

10. 다음 중 "음"이 서로 다른 글자는?

① 濠　　② 豪　　③ 虎　　④ 稿

11. "壕, 濠" - 이 두 글자의 공통점은 무엇인가?

① 공격, 살상　　② 매복, 습격　　③ 방어, 수비　　④ 함성, 깃발

◘ 다음 중 주어진 글자로 이루어지는 단어를 2개 이상 한자 또는 한글로 쓰시오.

12. 稿 -

13. 毫 -

14. 亳 -

15. 壕 -

16. 濠 -

◘ 다음 글자의 훈과 음을 쓰시오.

( )景( ) - ( )影( ) - ( )京( ) - ( )凉( ) - ( )鯨( ) - ( )就( ) - ( )蹴( )

◘ 다음 글자를 두 부분으로 분해하시오.

1. 影 = + +
2. 鯨 = +
3. 景 = +
4. 凉 = +

◘ 다음 글자를 소리 부분(聲符)과 뜻 부분(意符)으로 분해하시오.

5. 景 = 소리 부분(聲符) + 뜻 부분(意符)
6. 影 = 소리 부분(聲符) + 뜻 부분(意符)
7. 凉 = 소리 부분(聲符) + 뜻 부분(意符)
8. 鯨 = 소리 부분(聲符) + 뜻 부분(意符)
9. 蹴 = 소리 부분(聲符) + 뜻 부분(意符)

10. 다음 중 "음"이 서로 다른 글자는?
① 景 ② 京 ③ 鯨 ④ 就

11. 다음 중 서로 관계없는 글자는?
① 景 ② 陽 ③ 日 ④ 主

12. "凉"자와 비슷한 느낌이 아닌 글자는?

① 氷 ② 寒 ③ 溫 ④ 冷

13. "就"자와 비슷한 뜻을 가진 글자는?

① 進 ② 如 ③ 止 ④ 坐

14. 다음 "鯨"자에 대한 설명 중 맞는 것은?

① 날짐승 ② 곤충의 한 종류
③ 바다에 사는 동물 ④ 뱀 또는 도마뱀

◆ 다음 중 주어진 글자로 이루어지는 단어를 2개 이상 한자 또는 한글로 쓰시오.

15. 景 -

16. 影 -

17. 京 -

18. 凉 -

19. 鯨 -

20. 就 -

21. 蹴 -

확인학습문제

50강 - 문 문(門)

◆ 다음 글자의 훈과 음을 쓰시오.

( )門( ) - ( )開( ) - ( )閉( ) - ( )問( ) - ( )聞( ) - ( )間( ) -
( )閃( ) - ( )閑( ) - ( )閣( ) - ( )關( ) - ( )閱( ) - ( )闕( )

◆ 다음 글자를 두 부분으로 분해하시오.

1. 開 = ☐ + ☐ + ☐　　2. 問 = ☐ + ☐

3. 閉 = ☐ + ☐　　4. 聞 = ☐ + ☐

5. 關 = ☐ + ☐ + ☐　　6. 閣 = ☐ + ☐

7. 閱 = ☐ + ☐　　8. 闕 = ☐ + ☐

◆ 다음 글자를 소리 부분(聲符)과 뜻 부분(意符)으로 분해하시오.

9. 問 = 소리 부분(聲符) ☐ + 뜻 부분(意符) ☐

10. 聞 = 소리 부분(聲符) ☐ + 뜻 부분(意符) ☐

11. 閣 = 소리 부분(聲符) ☐ + 뜻 부분(意符) ☐

12. 關 = 소리 부분(聲符) ☐ + 뜻 부분(意符) ☐

13. 闕 = 소리 부분(聲符) ☐ + 뜻 부분(意符) ☐

14. 다음 중 관계가 나머지 셋과 다른 것은?
① 有 - 無　② 天 - 地　③ 開 - 閉　④ 新 - 聞

15. "聞"자와 비슷한 뜻을 가진 글자는?
① 聽　② 望　③ 番　④ 定

16. "閃"자에 대한 설명 중 맞는 것은?

① 낮잠 ② 눈 깜빡할 사이 ③ 장난감 ④ 심부름

17. “闕”자와 비슷한 뜻을 가진 글자는?

① 爿 ② 卩 ③ 防 ④ 宮

◆ 다음 중 주어진 글자로 이루어지는 단어를 2개 이상 한자 또는 한글로 쓰시오.

18. 門 - ______ 19. 開 - ______

20. 閉 - ______ 21. 問 - ______

22. 聞 - ______ 23. 間 - ______

24. 閃 - ______ 25. 閑 - ______

26. 閣 - ______ 27. 關 - ______

28. 閱 - ______ 29. 闕 - ______

◆ 다음 글자의 훈과 음을 쓰시오.

( )簡( ) – ( )閔( ) – ( )憫( ) – ( )悶( ) – ( )閏( ) – ( )潤( ) –
( )閨( ) – ( )閥( )

◆ 다음 글자를 두 부분으로 분해하시오.

1. 潤 = ______ + ______ + ______ 2. 閔 = ______ + ______

3. 閏 = ______ + ______ 4. 憫 = ______ + ______

◆ 다음 글자를 소리 부분(聲符)과 뜻 부분(意符)으로 분해하시오.

5. 簡 = 소리 부분(聲符) ______ + 뜻 부분(意符) ______

6. 閔 = 소리 부분(聲符) ______ + 뜻 부분(意符) ______

7. 憫 = 소리 부분(聲符) ______ + 뜻 부분(意符) ______

8. 悶 = 소리 부분(聲符) ______ + 뜻 부분(意符) ______

9. 潤 = 소리 부분(聲符) ______ + 뜻 부분(意符) ______

10. 閨 = 소리 부분(聲符) ______ + 뜻 부분(意符) ______

11. 閥 = 소리 부분(聲符) ______ + 뜻 부분(意符) ______

12. 다음 중 "음"이 서로 다른 글자는?

① 閔 ② 憫 ③ 問 ④ 敏

13. 다음 중 성격이 나머지 셋과 다른 것은?

① 悶 ② 煩 ③ 憫 ④ 問

14. 다음 중 "음"이 서로 다른 글자는?

① 尹 ② 潤 ③ 閏 ④ 玉

◘ 다음 중 주어진 글자로 이루어지는 단어를 2개 이상 한자 또는 한글로 쓰시오.

15. 簡 - ______ 16. 閔 - ______

17. 憫 - ______ 18. 悶 - ______

19. 閏 - ______ 20. 潤 - ______

21. 閨 - ______ 22. 閥 - ______

확인학습문제

51강 – 기슭/낭떠러지/바위 엄(厂)

◆ 다음 글자의 훈과 음을 쓰시오.

(　)厂(　) – (　)泉(　) – (　)原(　) – (　)源(　) – (　)願(　)

◆ 다음 글자를 두 부분으로 분해하시오.

1. 願 = ☐ + ☐ + ☐
2. 源 = ☐ + ☐
3. 原 = ☐ + ☐
4. 泉 = ☐ + ☐

◆ 다음 글자를 소리 부분(聲符)과 뜻 부분(意符)으로 분해하시오.

5. 源 = 소리 부분(聲符) ☐ + 뜻 부분(意符) ☐
6. 願 = 소리 부분(聲符) ☐ + 뜻 부분(意符) ☐

7. 다음 중 "음"이 서로 다른 글자는?
① 原　② 願　③ 完　④ 元

8. "願"자와 비슷한 뜻을 가진 글자는?
① 武　② 奉　③ 欲　④ 左

◆ 다음 중 주어진 글자로 이루어지는 단어를 2개 이상 한자 또는 한글로 쓰시오.

9. 泉 –
10. 原 –
11. 源 –
12. 願 –

◆ 다음 글자의 훈과 음을 쓰시오.

(　)厄(　) – (　)危(　) – (　)反(　) – (　)厚(　) – (　)享(　) – (　)厭(　) – (　)炭(　) – (　)厓(　) – (　)涯(　) – (　)崖(　)

◆ 다음 글자를 두 부분으로 분해하시오.

1. 危 = + +
2. 厄 = +
3. 反 = +
4. 厚 = +
5. 厓 = +
6. 涯 = +
7. 崖 = +
8. 厭 = +
9. 炭 = +
10. 享 = +

◆ 다음 글자를 소리 부분(聲符)과 뜻 부분(意符)으로 분해하시오.

11. 涯 = 소리 부분(聲符) + 뜻 부분(意符)
12. 崖 = 소리 부분(聲符) + 뜻 부분(意符) 

13. 다음 중 서로 관계 없는 것은?
① 厄 ② 殃 ③ 富 ④ 禍

14. 다음 중 "음"이 서로 다른 글자는?
① 愛 ② 厓 ③ 圭 ④ 崖

15. "危"자와 반대의 뜻을 가진 글자는?
① 安 ② 悲 ③ 日 ④ 伏

16. "厭"자와 반대의 뜻을 가진 글자는?
① 爭 ② 愛 ③ 忘 ④ 目

17. "厚"자와 반대의 뜻을 가진 글자는?
① 夫 ② 矛 ③ 薄 ④ 高

◆ 다음 중 주어진 글자로 이루어지는 단어를 2개 이상 한자 또는 한글로 쓰시오.

18. 厄 -
19. 危 -
20. 反 -
21. 厚 -
22. 享 -
23. 厭 -
24. 炭 -
25. 厓 -
26. 涯 -
27. 崖 -

확인학습문제

52강 - 언덕 부(阝/阜)

◘ 다음 글자의 훈과 음을 쓰시오.

(　)阝(　) - (　)階(　) - (　)院(　) - (　)防(　) - (　)阪(　) - (　)陵(　) - (　)陸(　)

◘ 다음 글자를 두 부분으로 분해하시오.

1. 陵 = ☐ + ☐ + ☐　　2. 階 = ☐ + ☐

3. 陸 = ☐ + ☐　　4. 防 = ☐ + ☐

◘ 다음 글자를 소리 부분(聲符)과 뜻 부분(意符)으로 분해하시오.

5. 階 = 소리 부분(聲符) ☐ + 뜻 부분(意符) ☐

6. 院 = 소리 부분(聲符) ☐ + 뜻 부분(意符) ☐

7. 防 = 소리 부분(聲符) ☐ + 뜻 부분(意符) ☐

8. 阪 = 소리 부분(聲符) ☐ + 뜻 부분(意符) ☐

9. 陵 = 소리 부분(聲符) ☐ + 뜻 부분(意符) ☐

10. 陸 = 소리 부분(聲符) ☐ + 뜻 부분(意符) ☐

11. 다음 "阝"자에 대한 표현 중 적당한 것은?
① 칼, 창　② 현악기　③ 언덕, 계단　④ 물고기

12. 다음 중 서로 관계 없는 것은?
① 防　② 阪　③ 陵　④ 平

13. 다음 중 서로 관계 없는 것은?
① 地　② 陸　③ 川　④ 土

◘ 다음 중 주어진 글자로 이루어지는 단어를 2개 이상 한자 또는 한글로 쓰시오.

14. 階 -
15. 院 -
16. 防 -
17. 阪 -
18. 陵 -
19. 陸 -

◘ 다음 글자의 훈과 음을 쓰시오.

( )障( ) - ( )隔( ) - ( )際( ) - ( )陷( ) - ( )隱( ) - ( )險( ) -
( )限( )

◘ 다음 글자를 두 부분으로 분해하시오.

20. 陷 = + +
21. 際 = +
22. 隔 = +
23. 障 = +
24. 隱 = + + + +
25. 限 = +
26. 險 = +

◘ 다음 글자를 소리 부분(聲符)과 뜻 부분(意符)으로 분해하시오.

27. 障 = 소리 부분(聲符) + 뜻 부분(意符)
28. 隔 = 소리 부분(聲符) + 뜻 부분(意符)
29. 際 = 소리 부분(聲符) + 뜻 부분(意符)
30. 險 = 소리 부분(聲符) + 뜻 부분(意符)
31. 限 = 소리 부분(聲符) + 뜻 부분(意符)

32. "障"자와 비슷한 뜻을 가진 글자는?
① 妨 ② 句 ③ 軍 ④ 包

33. "陷"자와 비슷한 뜻이 아닌 글자는?
① 沒 ② 溺 ③ 求 ④ 沈

34. "隔"자와 비슷한 뜻을 가진 글자는?

① 召 ② 間 ③ 民 ④ 刂

35. "隱"자에 대한 설명 중 맞는 것은?

① 자랑하다 ② 감추다 ③ 기절하다 ④ 폭발하다

◆ 다음 중 주어진 글자로 이루어지는 단어를 2개 이상 한자 또는 한글로 쓰시오.

36. 障 -

37. 隔 -

38. 際 -

39. 陷 -

40. 隱 -

41. 險 -

42. 限 -

◆ 다음 글자의 훈과 음을 쓰시오.

( )附( ) - ( )陟( ) - ( )降( ) - ( )陰( ) - ( )陽( ) - ( )隊( ) - ( )墜( )

◆ 다음 글자를 두 부분으로 분해하시오.

1. 隊 = + +

2. 陟 = +

3. 墜 = +

4. 降 = +

5. 陰 = + +

6. 陽 = +

7. 附 = +

◆ 다음 글자를 소리 부분(聲符)과 뜻 부분(意符)으로 분해하시오.

8. 附 = 소리 부분(聲符) + 뜻 부분(意符)

9. 陰 = 소리 부분(聲符) + 뜻 부분(意符)

10. 陽 = 소리 부분(聲符) + 뜻 부분(意符)

11. "陟"자와 반대의 뜻을 가진 글자는?

① 降 ② 巽 ③ 自 ④ 忙

12. 다음 중 나머지 셋과 느낌이 다른 하나는?

① 光 ② 景 ③ 暗 ④ 陽

13. "隊"자와 비슷한 뜻을 가진 글자는?

① 單 ② 中 ③ 群 ④ 矛

14. 다음 중 서로 관계 없는 것은?

① 墜 ② 降 ③ 先 ④ 落

◇ 다음 중 주어진 글자로 이루어지는 단어를 2개 이상 한자 또는 한글로 쓰시오.

15. 附 –

16. 陟 –

17. 降 –

18. 陰 –

19. 陽 –

20. 隊 –

21. 墜 –

◇ 다음 글자의 훈과 음을 쓰시오.

( )陶( ) – ( )隆( ) – ( )陣( ) – ( )陳( ) – ( )隣( )

◇ 다음 글자를 두 부분으로 분해하시오.

1. 陶 = + +

2. 陣 = +

3. 隆 = +

4. 陳 = +

◇ 다음 글자를 소리 부분(聲符)과 뜻 부분(意符)으로 분해하시오.

5. 陶 = 소리 부분(聲符) + 뜻 부분(意符)

6. 隆 = 소리 부분(聲符) + 뜻 부분(意符)

7. 隣 = 소리 부분(聲符) + 뜻 부분(意符)

8. "陶"자와 관계 깊은 글자는?

① 宀 ② 皿 ③ 扌 ④ 辶

9. 다음 중 "음"이 서로 다른 글자는?

① 珍　② 陳　③ 軒　④ 陣

10. "隣"자와 관계 깊은 글자는?
① 氵　② 天　③ 遠　④ 近

◆ 다음 중 주어진 글자로 이루어지는 단어를 2개 이상 한자 또는 한글로 쓰시오.

11. 陶 -
12. 隆 -
13. 陣 -
14. 陳 -
15. 隣 -

◆ 다음 글자의 훈과 음을 쓰시오.

(　)隋(　) - (　)隨(　) - (　)髓(　) - (　)墮(　) - (　)惰(　)

◆ 다음 글자를 분해하시오.

1. 隋 = 　+　+
2. 髓 = 　+
3. 隨 = 　+
4. 墮 = 　+
5. 惰 = 　+

◆ 다음 글자를 소리부분(聲符)과 뜻 부분(意符)으로 분해하시오.

6. 隨 = 소리 부분(聲符) 　+ 뜻 부분(意符)
7. 髓 = 소리 부분(聲符) 　+ 뜻 부분(意符)
8. 墮 = 소리 부분(聲符) 　+ 뜻 부분(意符)
9. 惰 = 소리 부분(聲符) 　+ 뜻 부분(意符)

10. 다음 중 "음"이 서로 다른 글자는?
① 隋　② 隨　③ 宙　④ 首

11. "墮"자와 비슷한 뜻을 가진 글자는?
① 夫　② 落　③ 流　④ 見

12. “惰”자와 반대의 뜻을 가진 글자는?

① 勤 ② 萬 ③ ネ ④ 切

◘ 다음 중 주어진 글자로 이루어지는 단어를 2개 이상 한자 또는 한글로 쓰시오.

13. 隋 -

14. 隨 -

15. 髓 -

16. 墮 -

17. 惰 -

확인학습문제

53강 - 고을 읍(阝/邑)

◆ 다음 글자의 훈과 음을 쓰시오.

( )阝( ) = ( )邑( ) - ( )郡( ) - ( )部( ) - ( )都( ) - ( )郞( ) - ( )鄕( )

◆ 다음 글자를 분해하시오.

1. 郡 = ＿ + ＿ + ＿
2. 部 = ＿ + ＿
3. 都 = ＿ + ＿
4. 鄕 = ＿ + ＿
5. 郞 = ＿ + ＿
6. 邑 = ＿ + ＿

◆ 다음 글자를 소리 부분(聲符)과 뜻 부분(意符)으로 분해하시오.

7. 郡 = 소리 부분(聲符) ＿ + 뜻 부분(意符) ＿

8. 部 = 소리 부분(聲符) ＿ + 뜻 부분(意符) ＿

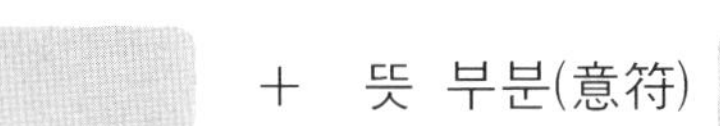

9. 都 = 소리 부분(聲符) ＿ + 뜻 부분(意符) ＿

10. 郞 = 소리 부분(聲符) ＿ + 뜻 부분(意符) ＿

11. 다음 중 "음"이 서로 다른 글자는?
    ① 阝 ② 倍 ③ 部 ④ 剖

12. 다음 중 서로 관계 없는 것은?
    ① 邑 ② 村 ③ 家 ④ 郡

13. "郞"자와 비슷한 뜻을 가진 글자는?
    ① 夫 ② 娘 ③ 犭 ④ 虎

◆ 다음 중 주어진 글자로 이루어지는 단어를 2개 이상 한자 또는 한글로 쓰시오.

14. 郡 - ＿

15. 部 -

16. 都 -

17. 郎 -

18. 鄕 -

◘ 다음 글자의 훈과 음을 쓰시오.

(　　)邪(　) - (　　)邸(　) - (　　)鄕(　) - (　　)郵(　) - (　　)鄭(　)

◘ 다음 글자를 소리 부분(聲符)과 뜻 부분(意符)으로 분해하시오.

1. 郎 = 소리 부분(聲符) + 뜻 부분(意符)
2. 邪 = 소리 부분(聲符) + 뜻 부분(意符)
3. 邸 = 소리 부분(聲符) + 뜻 부분(意符)
4. 郵 = 소리 부분(聲符) + 뜻 부분(意符)

5. "邪"자와 비슷한 뜻을 가진 글자는?
① 勇 ② 奸 ③ 貞 ④ 兒

6. "邸"자와 비슷한 뜻이 아닌 글자는?
① 宅 ② 家 ③ 地 ④ 屋

7. 다음 "郎"자에 대한 설명 중 맞는 것은?
① 남자 ② 젖먹이 ③ 가축 ④ 음식

◘ 다음 중 주어진 글자로 이루어지는 단어를 2개 이상 한자 또는 한글로 쓰시오.

8. 邪 -

9. 邸 -

10. 郵 -

11. 鄭 -

◘ 다음 글자의 훈과 음을 쓰시오.

(　　)那(　) - (　　)邦(　) - (　　)邱(　) - (　　)耶(　)

◘ 다음 글자를 분해하시오.

1. 那 = ＋ ＋
2. 邦 = ＋ 
3. 邱 = ＋
4. 耶 =  ＋

◘ 다음 글자를 소리 부분(聲符)과 뜻 부분(意符)으로 분해하시오.

5. 邦 = 소리 부분(聲符) ＋ 뜻 부분(意符)
6. 邱 = 소리 부분(聲符) ＋ 뜻 부분(意符) 

◘ 다음 중 주어진 글자로 이루어지는 단어를 2개 이상 한자 또는 한글로 쓰시오.

7. 那 -
8. 邦 -
9. 邱 -
10. 耶 -

확인학습문제

54강 – 멀/먼데 경(冂)

◆ 다음 글자의 훈과 음을 쓰시오.

(　)冂(　) – (　)向(　) – (　)尙(　) – (　)常(　) – (　)裳(　) – (　)賞(　) – (　)償(　) – (　)掌(　) – (　)堂(　) – (　)黨(　) – (　)當(　) – (　)商(　)

◆ 다음 글자를 분해하시오.

1. 尙 = [　] + [　] + [　]
2. 裳 = [　] + [　]
3. 常 = [　] + [　]
4. 堂 = [　] + [　]
5. 賞 = [　] + [　]
6. 當 = [　] + [　]
7. 償 = [　] + [　] + [　]
8. 掌 = [　] + [　]
9. 向 = [　] + [　]
10. 黨 = [　] + [　]

◆ 다음 글자를 소리 부분(聲符)과 뜻 부분(意符)으로 분해하시오.

11. 常 = 소리 부분(聲符) [　] + 뜻 부분(意符) [　]
12. 裳 = 소리 부분(聲符) [　] + 뜻 부분(意符) [　]
13. 賞 = 소리 부분(聲符) [　] + 뜻 부분(意符) [　]
14. 償 = 소리 부분(聲符) [　] + 뜻 부분(意符) [　]
15. 掌 = 소리 부분(聲符) [　] + 뜻 부분(意符) [　]
16. 堂 = 소리 부분(聲符) [　] + 뜻 부분(意符) [　]
17. 黨 = 소리 부분(聲符) [　] + 뜻 부분(意符) [　]
18. 當 = 소리 부분(聲符) [　] + 뜻 부분(意符) [　]

19. 다음 중 “음”이 서로 다른 글자는?

① 常 ② 尙 ③ 章 ④ 裳

20. "常"자와 비슷한 뜻을 가진 글자는?
① 恒 ② 犬 ③ 食 ④ 月

21. 다음 중 "음"이 서로 다른 글자는?
① 堂 ② 當 ③ 黨 ④ 富

22. "賞"자와 반대의 뜻을 가진 글자는?
① 忄 ② 相 ③ 罰 ④ 象

23. 다음 중 "掌"자와 관계 깊은 것은?
① 舟 ② 扌 ③ 止 ④ 鳥

24. "堂"자와 비슷한 뜻이 아닌 글자는?
① 舍 ② 宀 ③ 主 ④ 广

25. 다음 중 성격이 나머지 셋과 다른 것은?
① 黨 ② 群 ③ 孤 ④ 衆

◘ 다음 중 주어진 글자로 이루어지는 단어를 2개 이상 한자 또는 한글로 쓰시오.

26. 向 -
27. 尙 -
28. 常 -
29. 裳 -
30. 賞 -
31. 償 -
32. 掌 -
33. 堂 -
34. 黨 -
35. 當 -
36. 商 -

◘ 다음 글자의 훈과 음을 쓰시오.

( )同( ) - ( )洞( ) - ( )銅( ) - ( )桐( ) - ( )胴( ) - ( )內( )

◘ 다음 글자를 분해하시오.

1. 同 = + +
2. 洞 = +

3. 銅 = ＿ + ＿　　4. 胴 = ＿ + ＿

◆ 다음 글자를 소리 부분(聲符)과 뜻 부분(意符)으로 분해하시오.

5. 洞 = 소리 부분(聲符) ＿ + 뜻 부분(意符) ＿

6. 銅 = 소리 부분(聲符) ＿ + 뜻 부분(意符) ＿

7. 桐 = 소리 부분(聲符) ＿ + 뜻 부분(意符) ＿

8. 胴 = 소리 부분(聲符) ＿ + 뜻 부분(意符) ＿

9. 다음 중 "음"이 서로 다른 글자는?
① 同　② 銅　③ 洞　④ 回

10. "同"자와 반대의 뜻을 가진 글자는?
① 異　② 名　③ 末　④ 礻

11. "內"자와 반대의 뜻을 가진 글자는?
① 因　② 外　③ 卩　④ 則

◆ 다음 중 주어진 글자로 이루어지는 단어를 2개 이상 한자 또는 한글로 쓰시오.

12. 同 - ＿　　13. 洞 - ＿

14. 銅 - ＿　　15. 桐 - ＿

16. 胴 - ＿　　17. 內 - ＿

◆ 다음 글자의 훈과 음을 쓰시오.

(　)冉(　) - (　)再(　) - (　)冓(　) - (　)構(　) - (　)溝(　) - (　)購(　) - (　)講(　) - (　)稱(　)

◆ 다음 글자를 두 부분으로 분해하시오.

1. 再 = ＿ + ＿ + ＿　　2. 冉 = ＿ + ＿

3. 冓 = ＿ + ＿ + ＿　　4. 構 = ＿ + ＿

5. 購 = ＿＿ + ＿＿

6. 溝 = ＿＿ + ＿＿

7. 稱 = ＿＿ + ＿＿ + ＿＿

8. 講 = ＿＿ + ＿＿

◆ 다음 글자를 소리 부분(聲符)과 뜻 부분(意符)으로 분해하시오.

9. 構 = 소리 부분(聲符) ＿＿ + 뜻 부분(意符) ＿＿

10. 溝 = 소리 부분(聲符) ＿＿ + 뜻 부분(意符) ＿＿

11. 購 = 소리 부분(聲符) ＿＿ + 뜻 부분(意符) ＿＿

12. 다음 중 "음"이 서로 다른 글자는?
① 購 ② 句 ③ 講 ④ 構

13. "再"자와 비슷한 뜻을 가진 글자는?
① 叉 ② 彡 ③ 更 ④ 久

14. "購"자와 반대의 뜻을 가진 글자는?
① 殳 ② 賣 ③ 炎 ④ 限

◆ 다음 중 주어진 글자로 이루어지는 단어를 2개 이상 한자 또는 한글로 쓰시오.

15. 再 - ＿＿

16. 構 - ＿＿

17. 溝 - ＿＿

18. 購 - ＿＿

19. 講 - ＿＿

20. 稱 - ＿＿

확인학습문제

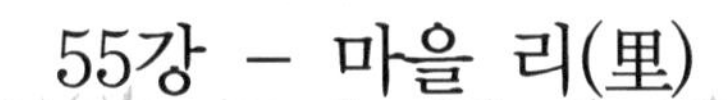
55강 – 마을 리(里)

◆ 다음 글자의 훈과 음을 쓰시오.

(　)里(　) – (　)理(　) – (　)裏(　) – (　)野(　) – (　)埋(　) – (　)重(　) – (　)量(　) – (　)糧(　)

◆ 다음 글자를 분해하시오.

1. 理 = [　] + [　] + [　]　　2. 里 = [　] + [　]

3. 野 = [　] + [　]　　4. 埋 = [　] + [　]

5. 糧 = [　] + [　] + [　]　　6. 重 = [　] + [　]

7. 量 = [　] + [　]　　8. 裏 = [　] + [　]

◆ 다음 글자를 소리 부분(聲符)과 뜻 부분(意符)으로 분해하시오.

9. 理 = 소리 부분(聲符) [　] + 뜻 부분(意符) [　]

10. 裏 = 소리 부분(聲符) [　] + 뜻 부분(意符) [　]

11. 野 = 소리 부분(聲符) [　] + 뜻 부분(意符) [　]

12. 糧 = 소리 부분(聲符) [　] + 뜻 부분(意符) [　]

13. 憧 = 소리 부분(聲符) [　] + 뜻 부분(意符) [　]

14. 다음 중 "음"이 서로 다른 글자는?
① 里　② 理　③ 野　④ 裏

15. "里"자와 비슷한 뜻을 가진 글자는?
① 儿　② 眞　③ 村　④ 亥

16. 다음 중 "음"이 서로 다른 글자는?
① 重　② 東　③ 憧　④ 童

17. "童"자와 비슷한 뜻을 가진 글자는?
① 翁 ② 大 ③ 立 ④ 兒

18. 다음 중 "음"이 서로 다른 글자는?
① 量 ② 童 ③ 羊 ④ 糧

19. "裏"자와 반대의 뜻을 가진 글자는?
① 支 ② 表 ③ 少 ④ 老

20. "重"자와 반대의 뜻을 가진 글자는?
① 士 ② 厚 ③ 河 ④ 輕

21. "糧"자와 관계 깊은 것은?
① 食 ② 思 ③ 聿 ④ 山

22. 다음 글자 중 의미가 "사람"인 것은?
① 糧 ② 里 ③ 野 ④ 童

◘ 다음 중 주어진 글자로 이루어지는 단어를 2개 이상 한자 또는 한글로 쓰시오.

23. 里 -
24. 理 -
25. 裏 -
26. 野 -
27. 埋 -
28. 重 -
29. 糧 -
30. 量 -

◘ 다음 글자의 훈과 음을 쓰시오.

( )重( ) - ( )衝( ) - ( )動( ) - ( )種( )

◘ 다음 글자를 두 부분으로 분해하시오.

1. 重 = +
2. 動 = +

◘ 다음 글자를 소리 부분(聲符)과 뜻 부분(意符)으로 분해하시오.

3. 重 = 소리 부분(聲符) + 뜻 부분(意符)

4. 衝 = 소리 부분(聲符) ______ + 뜻 부분(意符) ______

5. 動 = 소리 부분(聲符) ______ + 뜻 부분(意符) ______

6. 種 = 소리 부분(聲符) ______ + 뜻 부분(意符) ______

7. 다음 중 "衝"자와 음이 같은 글자는?

① 忠 ② 仲 ③ 定 ④ 宗

8. 다음 중 서로 관계 없는 것은?

① 動 ② 運 ③ 靜 ④ 活

◆ 다음 중 주어진 글자로 이루어지는 단어를 2개 이상 한자 또는 한글로 쓰시오.

9. 重 - ______

10. 衝 - ______

11. 動 - ______

12. 種 - ______

土(토) 地(지) 坤(곤) 均(균) 坦(탄) 堅(견)
場(장) 坐(좌) 堂(당) 陸(륙) – 땅과 관련

土

훈음 흙 토 부수 제 부수 ▶▶▶ 남자의 상징처럼 생긴 토우(土偶)의 모습

쌓아올린 흙무더기의 모습을 본떠서 만든 글자로 '흙, 땅, 나라' 등을 가리킨다는 설도 있으며 흙으로 만들어 구운 남자의 상징처럼 생긴 형상의 모습에서 따온 글자로 여겨진다.

●●●●● 土地(토지)/農土(농토)/國土(국토)/土産品(토산품)/沃土(옥토)

地

훈음 땅 지 부수 흙 土(토) ▶▶▶ 흙 土(토) + 어조사 也(야)

형태가 많이 바뀐 글자이나 의미상으로는 흙과 뱀을 합한 글자로 파충류가 기어 다니는 땅이 본뜻이나 여성의 음부를 상징하는 也(야)가 사용되면서 둘 다 '생산'을 상징하는 땅과 어머니가 딱 맞아떨어진 글자가 되었다.

●●●●● 地球(지구)/天地(천지)/地上(지상)/地面(지면)/地殼(지각)

坤

훈음 땅 곤 부수 흙 土(토)

▶▶▶ 흙 土(토) + 번개/아홉째 지지 申(신) ➡ 농사에 도움이 되는 번개가 땅에 떨어짐

번개를 상징하는 申(신)은 만물 생성의 상징인 강력한 에너지의 근원으로 여겼으므로 땅 地(지)와 마찬가지로 흙 土(토)와 어우러져 생산의 근본 요인으로 작용한다.

●●●●● 乾坤一色(건곤일색)

均

훈음 고를 균 부수 흙 土(토) ▶▶▶ 흙 土(토) + 적을 勻(균) ➡ 흙을 고르게 함 – 평평한 땅

평평한 땅 혹은 땅을 평평하게 함이 원뜻이므로 흙 土(토)가 의미요소고 勻(균)은 발음기호이다. 후에 '고르다, 평평하다'로 의미 확대됐다. 평평한 수면위로 혹은 지평선 위로 해가 떠오르는(旦) 모습에서 흙 토(土)와 어우러져 탄탄대로(坦坦大路)/평탄(平坦)의 평평할 탄(坦)

●●●●● 均衡(균형)/均等(균등)/平均(평균)/均一(균일)/虛心坦懷(허심탄회)

堅

훈음 굳을 견 부수 흙 土(토) ▶▶▶ 굳을 간(臣+又) + 흙 土(토) ➡ 굳은 땅

굳거나 딱딱한 땅을 나타내기 위한 것이었으니 '흙 土(토)'가 의미요소, 굳을 간(臣+又)이 발음기호이다. 이 간(臣+又)자는 잡혀온 포로에게 손을 가까이 대려하자 지레 겁먹고 몸을 잔뜩 움츠리는 모습에서 '굳다'라는 뜻을 가지게 되었으나 쓰이지는 않는다. ※ 掔(견) - 끌 견

●●●●● 堅持(견지)/堅固(견고)/堅實(견실)/中堅(중견)

場

훈음 마당 장 부수 흙 土(토) ▶▶▶ 흙 土(토) + 볕 昜(양) ➡ 넓은 땅

아침 해가 떠오르는(昜) 곳/해가 잘 드는 너른 땅(土)에서 즉 마당에서 굿판을 벌리든 장이 열리는 곳을 가리킨다. 즉 사람들이 많이 모일 수 있는 너른 장소를 의미하므로 흙 土(토)가 의미요소이며 볕 昜(양)이 발음기호다.

●●●●● 場所(장소)/場外(장외)/場面(장면)/登場(등장)/現場(현장)

坐

훈음 앉을 좌 **부수** 흙 土(토) ➡ 사람 人(인) + 흙 土(토) ➡ 땅 바닥

땅 위에 마주 앉은 두 사람을 상형한 글자로 '앉다'가 본뜻으로 글자 모두가 의미요소에 쓰였으며, 자리나 바닥에 앉게 되므로 흙 土(토)가 자리나 바닥을 나타내게 되었다.

●●●●● 坐骨(좌골)/坐視(좌시)/坐礁(좌초)/坐井觀天(좌정관천)

堂

훈음 집 당 **부수** 흙 土(토) ➡ 尙(상) + 흙 土(토) ➡ 높이 쌓아올려 다듬은 땅

흙(土)을 돋우어 터를 높이(尙) 쌓아 그 위에 집을 짓는 풍습에서 만들어진 글자로 흙 土(토)가 의미요소고 尙(상)은 발음기호이다.

●●●●● 明堂(명당)/堂堂(당당)/殿堂(전당)/講堂(강당)/堂叔(당숙)

陸

훈음 뭍 륙 **부수** 언덕 阝(부) ➡ 언덕 阝(부) + 언덕 坴(륙) ➡ 큰 언덕

갑골문은 흙 계단의 상형인 언덕 阝(부)와 언덕을 기어오르는 여러 사람(坴)의 모습을 그려 놓아(혹자는 멀리서도 잘 보이는 건축물이라고도 함) 해안에서 혹은 강가에서 뭍으로 기어 올라가는 모습을 그려 '육지, 뭍'이라는 글자를 만들어 냈다.

●●●●● 陸地(육지)/上陸(상륙)/陸軍(육군)/大陸(대륙)/陸上(육상)

塊(괴) 壤(양) 基(기) 墨(묵) 城(성) 壁(벽) 堤(제) 塞(새)
塗(도) 壇(단) 埋(매) 墳(분) 墓(묘) 堆(퇴) – **흙과 관련**

塊

훈음 흙덩이 괴 **부수** 흙 土(토) ➡ 흙 土(토) + 귀신 鬼(귀) ➡ 흙덩어리

흙덩이를 나타내고자 한 글자이므로 흙 土(토)가 의미요소고 鬼(귀)는 발음요소이다. 퇴비(堆肥)는 땅(土)에 쌓인 새(隹)들의 배설물이므로 퇴적물(堆積物)의 언덕 퇴(堆)

●●●●● 金塊(금괴)/塊炭(괴탄)

壤

훈음 흙 양 **부수** 흙 土(토) ➡ 흙 土(토) + 도울 襄(양) ➡ 비옥한 흙

비옥한 흙이나 땅을 가리키는 말이었으므로 흙 土(토)가 의미요소고 襄(양)은 발음기호이다.

●●●●● 土壤(토양)/天壤之差(천양지차)

基

훈음 터 기 **부수** 흙 土(토) ➡ 그 其(기) + 흙 土(토) ➡ 만물의 기초인 흙

동식물의 기초는 모두 흙(土)에 있다. 나무나 식물도 그 뿌리를 흙(土)에 내리며 사람도 동물도 땅(土)의 소출로 살아가므로 모든 삶의 터전은 흙(土) 즉 땅에 있다 하여 흙 土(토)를 의미요소로 그 其(기)를 발음기호로 했다.

●●●●● 基礎(기초)/基本(기본)/基盤(기반)/基幹産業(기간산업)

墨

훈음 먹 묵 **부수** 흙 土(토) ➡ 검을 黑(흑) + 흙 土(토) ➡ 검은 흙

붓글씨 쓸 때 사용하던 검은 먹을 나타내기 위한 글자로 두 글자 모두 의미요소고 검을 黑(흑)은 발음을 겸한다. 간단하게 표현하면 검은(黑) 흙(土)이 곧 먹 墨(묵)인 것이다.

●●●●● 墨刑(묵형)/水墨畵(수묵화)/近墨者黑(근묵자흑)

城

훈음 성 성 **부수** 흙 土(토) ➡ 흙 土(토) + 이룰 成(성) ➡ 토성의 재료

성곽에 세워져 있는 망루와 큰 도끼의 합자였는데, 훗날 망루가 흙 土(토)로 바뀌었다.

성곽을 지키는 모습에서 '성'자가 파생되었다. 옛날엔 토성이 많았으므로 城(성)을 더욱 분명히 하기 위해 흙 土(토)를 의미요소로 成(성)은 발음기호로 했다.

●●●●● 土城(토성)/城門(성문)/城郭(성곽)

壁

훈음 벽 벽 **부수** 흙 土(토) ▶▶▶ 辟(벽) + 흙 土(토) ➡ 담벼락의 재료

辟(벽)을 발음기호로 담벼락의 성분인 흙 土(토)를 의미 요소로 하여 만든 글자이다.

●●●●● 擁壁(옹벽)/城壁(성벽)/壁報(벽보)/壁紙(벽지)/絕壁(절벽)

堤

훈음 둑 제 **부수** 흙 土(토) ▶▶▶ 흙 土(토) + 옳을 是(시) ➡ 제방 쌓기에 필요한 자재

하천의 범람을 막기 위해 양쪽에 쌓아올린 둑을 말하는 것으로 흙 土(토)가 의미요소이고 옳을 是(시)는 발음요소이다. ※ 提(제) - 끌 제 - 提案(제안)

●●●●● 堤防(제방)/防波堤(방파제)

塞

훈음 변방 새/막을 색 **부수** 흙 土(토)

▶▶▶ 집 宀(면) + 工(공) + 두 손 廾(공) + 흙 土(토) ➡ 흙을 사용한 마무리 공사

工(공)자는 오늘날로 말하면 벽돌에 해당하며 두 손(廾)으로 벽돌을 쌓고 그 틈새에 흙(土)을 바른다거나 채워 넣어 변방에 있는 허술한 성벽이나 집 담벼락을 만드는 모습에서 '변방, 막다' 등의 뜻이 파생됐다. 따라서 모든 글자가 다 의미요소이다.

●●●●● 塞翁之馬(새옹지마)/要塞(요새)/拔本塞源(발본색원)

塗

훈음 진흙/칠할 도 **부수** 흙 土(토) ▶▶▶ 도랑 涂(도) + 흙 土(토) ➡ 흙탕물/진흙

흙탕물색인 진흙을 나타내기 위한 글자로 흙 土(토)가 의미요소이고, 도랑 涂(도)가 발음기호이다. 예전의 흙벽돌집을 다 지은 후 진흙물을 마감재로 벽에 바르던 풍습에서 나온 글자이다.

●●●●● 塗抹(도말)/塗料(도료)/塗裝(도장)

壇

훈음 단 단 **부수** 흙 土(토) ▶▶▶ 흙 土(토) + 미쁠 亶(단) ➡ 쌓아올린 흙무더기

옛날에는 흙이나 돌무더기를 쌓아올려 그 위에 제물을 올려놓고 제사를 지냈다. 바로 그 모습 즉 흙(土)을 높이 도탑게(亶) 쌓아올려 만든 모습에서 '그 주위보다 높거나 특별한 곳'을 의미하게 되었다. 亶(단)이 발음기호이다.

●●●●● 壇上(단상)/演壇(연단)/講壇(강단)/畵壇(화단)

埋

훈음 묻을 매 **부수** 흙 土(토) ▶▶▶ 흙 土(토) + 마을 里(리) ➡ 사람이 매장되는 땅 속인 흙

'땅 속에 묻다'가 원뜻이므로 흙 土(토)는 의미요소이나 마을 里(리)가 왜 여기에 쓰였는지 추측하기란 쉽지 않다.

●●●●● 埋葬(매장)/埋立(매립)/埋伏(매복)/埋沒(매몰)

墳

훈음 무덤 분 **부수** 흙 土(토) ▶▶▶ 흙 土(토) + 클 賁(분) ➡ 쌓아올린 흙

흙을 도톰히 쌓아 무덤을 만들었으므로 흙 土(토)를 의미요소로, 솟구쳐 오르는 뜻이 있는 클 賁(분)을 발음기호로 해서 글자를 만들었다.

●●●●● 古墳(고분)/墳墓(분묘)

墓

훈음 무덤 묘 **부수** 흙 土(토) ▶▶▶ 없을 莫(막) + 흙 土(토) ➡ 잡초만 무성한 흙/무덤

사람이 죽어 들어가는 무덤을 나타내는 글자로 한줌 흙으로만 남게 되고 모든 것이 비어 있는 것이나 마찬가지이므로 흙(土) 밖에 없다(莫) 하여 두 글자 모두 의미요소고 莫(막)은 저물 모로도 읽히므로 발음기호이다.

●●●●● 墳墓(분묘)/墓室(묘실)/墓碑(묘비)/墓地(묘지)/省墓(성묘)

圭(규)	奎(규)	硅(규)	佳(가)	街(가)	卦(괘)
掛(괘)	閨(규)	封(봉)	厓(애)	涯(애)	崖(애)

圭

훈음 홀 규 부수 흙 土(토)
'홀'이 임금을 알현하는 신하들이 들고 있는 의장용에 가까운 도구라면 '규'는 임금이 중요 행사나 의식에서 손에 들고 있는 의장용 도구로 부하들에게 중요한 임명을 할 때 信標(신표)로서 줄 수도 있었다. 신하들 손에 들린 홀은 대나무를 깎아 만든 것임이 笏(홀)이라는 글자에 나타나며, 임금의 敎示(교시)나 알현시 올릴 말씀을 적어 두었다.

●●●●● 圭角(규각)

奎

훈음 별 이름 규 부수 큰 大(대) ▶▶▶ 큰 大(대) + 홀 圭(규)
크게 쓰이는 글자는 아니며 사람이 발을 크게 벌리고 걷는 모습에서 사람 大(대)가 의미요소이며 圭(규)는 발음기호이다. 사람이 걸어온 길을 발자국이라 하듯 임금님의 문장이나 문사의 경칭으로 큰 발자국이란 의미로 사용하여 奎章(규장)이나 奎翰(규한)이라 한다.

●●●●● 奎章閣(규장각)/奎翰(규한)

硅

훈음 규소 규 부수 돌 石(석)
▶▶▶ 돌 石(석) + 홀 圭(규) ➡ 규소의 성분인 돌
비금속 원소의 하나인 규소(실리콘)를 가리키는 말이므로 돌 石(석)을 의미요소로 圭(규)를 발음기호로 했다. 전형적인 半導體(반도체)의 하나이다.

●●●●● 硅素(규소)/硅酸(규산)

佳

훈음 아름다울 가 부수 사람 亻(인)
▶▶▶ 사람 亻(인) + 홀 圭(규) ➡ 아름다운 사람
아름답게 치장한 사람을 가리키는 말로서 사람 亻(인)이 의미요소고 圭(규)는 발음기호이다.

●●●●● 佳人(가인)/佳作(가작)/漸入佳境(점입가경)/百年佳約(백년가약)/佳人薄命(가인박명)/仲秋佳節(중추가절)

街

훈음 거리 가 부수 갈 行(행) ▶▶▶ 갈 行(행) + 홀 圭(규) ➡ 사거리에 서 있는 가로수
사통팔달의 큰 거리를 나타내기 위해서 圭(규)를 발음기호로 사거리를 뜻하는 사거리行(행)을 의미요소로 사용했다. ※ 佳(가) - 아름다울 가

●●●●● 街頭(가두)/市街(시가)/街路樹(가로수)/街頭示威(가두시위)

卦

훈음 점/괘 괘 부수 점 卜(복) ▶▶▶ 홀 圭(규) + 점 卜(복)
점과 관련된 글자로 점 卜(복)을 의미요소로 圭(규)는 발음기호로 했다.

●●●●● 占卦(점괘)/卦辭(괘사)/八卦(팔괘)

掛

훈음 걸 괘 부수 손 扌(수) ▶▶▶ 손 扌(수) + 卦(괘)
걸다는 뜻이 卦(괘)가 점과 관련되어 사용되자 물건을 벽이나 나뭇가지에 거는 행위를 하는 손 扌(수)를 첨가하여 '걸다'라는 의미를 살려둔 글자이다. 손 扌(수)가 의미요소이고, 卦(괘)는 발음기호로 사용됐다.

●●●●● 掛念(괘념)/掛鐘時計(괘종시계)

閨

훈음 도장방 규 부수 문 門(문) ▶▶▶ 문 門(문) + 홀 圭(규)
부녀자들이 거하는 방 혹은 안방을 지칭하는 말로써 문 門(문)이 의미요소고 圭(규)는 발음기호이다.

●●●●● 閨房(규방)/閨秀(규수)/閨中處子(규중처자)

封

훈음 봉할 봉 부수 마디 寸(촌) ▶▶▶ 圭(규) + 마디 寸(촌) ➡ 나무를 땅에 심음
홀 圭(규)와는 아무런 관련이 없는 글자로 나무 木(목) + 흙 土(토)가 잘못 변하여 圭(규)로 바뀐 것으로 나무(木)를 땅(土)에 심는(又) 장면으로 국경이나 지역을 구분하기 위해 그 경계에 심던 나무에서 '땅의 경계'가 원뜻이었으나 '땅을 나누어 주다, 봉하다'로 의미 확대된 글자이다.

●●●●● 封緘(봉함)/封印(봉인)/開封(개봉)/密封(밀봉)/封鎖(봉쇄)

厓

훈음 언덕 애 **부수** 기슭 厂(엄)

▶▶▶ 기슭 厂(엄) + 흙 土(토) ➡ 홀 圭(규)가 아님 – 흙이 겹겹이 쌓여 있음

흙이 겹겹이 쌓여 있는 물가나 해안가의 언덕을 본뜬 글자로, 기슭 厂(엄)이나 흙의 겹침(土×2) 모두가 의미요소로 쓰였으나 단독으로는 거의 쓰이지 않고 발음요소에 많이 사용된다.

涯

훈음 물가 애 **부수** 물 氵(수) ▶▶▶ 물 氵(수) + 언덕 厓(애) ➡ 계곡의 양 언덕과 물길이 접해 있음

물가를 나타내는 글자로 물 氵(수)가 의미요소이고 厓(애)는 발음과 의미를 겸한다. 물가란 당연히 양쪽이 언덕일 수밖에 없으므로 그 구성요소가 흥미로우며 물가란 또한 사물의 끝자락을 의미한다.

●●●●● 生涯(생애)/天涯孤兒(천애고아)

崖

훈음 벼랑 애 **부수** 뫼 山(산) ▶▶▶ 뫼 山(산) + 언덕 厓(애) ➡ 산에 있는 높은 언덕

벼랑이란 높은 낭떠러지를 말하므로 뫼 山(산)을 더하여 그 의미를 더욱 분명히 한 글자로, 두 글자 모두 의미요소이고 언덕 厓(애)는 발음기호를 겸한다.

●●●●● 斷崖(단애)

堇(근) 勤(근) 謹(근) 饉(근) 僅(근) 艱(간) 難(난) 歎(탄) 嘆(탄)

堇

훈음 노란 진흙 근 **부수** 흙 土(토) ➡ 따로 쓰이지 않고 발음요소에만 기여

옛 글자는 가마솥에 무엇을 삶거나 굽고 있는 모습으로 도자기를 굽는 가마라면 그 화력에 흙이 익어 노랗게 됐을 것이므로 '노란 진흙'이라 하며 그 속에 동물이나 새가 들었다면 삶아질 때 그 고통이 참으로 크다는 것을 나타내는 글자이다.

勤

훈음 부지런할 근 **부수** 힘 力(력) ▶▶▶ 노란 진흙 堇(근) + 힘 力(력) ➡ 부지런하다는 것은 힘을 쏟는다는 말

부지런하다는 것은 남보다 일찍 일어나 쉬지 않고 꾀피우지 않고 열심히 일을 한다는 사상이므로, 힘 力(력)을 의미요소로 堇(근)을 발음기호로 했다.

●●●●● 通勤(통근)/勤勉(근면)/勤續(근속)/夜勤(야근)/勤儉(근검)

謹

훈음 삼갈 근 **부수** 말씀 言(언) ▶▶▶ 말씀 言(언) + 노란 진흙 堇(근) ➡ 말을 삼가다

말을 삼가다를 뜻하기 위함이었으므로 말씀 言(언)이 의미요소고 堇(근)이 발음기호이다.

●●●●● 謹愼(근신)/謹賀(근하)/謹賀新年(근하신년)

饉

훈음 흉년들 근 **부수** 밥 食(식) ▶▶▶ 밥 食(식) + 노란 진흙 堇(근) ➡ 먹을 게 없다

堇(근)을 발음기호로 흉년이란 먹을 게 부족한 것을 말하므로 밥 食(식)을 의미요소로 했다.

●●●●● 饑饉(기근)/豊年饑饉(풍년기근)

僅

훈음 겨우 근 **부수** 사람 亻(인) ▶▶▶ 사람 亻(인) + 진흙 堇(근) ➡ 간신히 생명을 유지한 사람

소수의 뛰어난 재능을 가진 사람을 나타내는 글자이다. 사람 亻(인)이 의미요소고 堇(근)은 발음기호로, '재능을 가진 사람이 많지 않다'에서 '겨우, 거의, 적다'의 뜻이 파생됐다.

●●●●● 僅僅(근근)히/僅少(근소)

艱

훈음 어려울 간 **부수** 어긋날 艮(간) ▶▶▶ 노란 진흙 堇(근) + 어긋날 艮(간) ➡ 견디기 쉽지 않다

진흙 堇(근)의 옛 글자는 가마에 무엇인가를 끓이거나 삶는 모습으로 만약 그 안에 동물이나 새 등이 들어 있다면 얼마나 견디기 어려울까 하여 艮(간)을 발음기호로 하여 어려울 간을 만들었다.

●●●●● 艱難(간난) – 들고 고생스러움

難

훈음 어려울 난 **부수** 새 隹(추) ▶▶▶ 노란 진흙 堇(근) + 새 隹(추) ➡ 솥단지의 새
어떤 새의 상형이었으나 발음이 같다는 이유로 '어렵다'로 가차되어 사용된 글자로 堇(근)이 발음기호일 것이다. 그러나 堇(근)이 솥단지에 무엇을 삶는 모습이라면 닭과 같은 새가 삶아질 때의 고통을 나타낸 글자로 보여 지며 모두 의미요소일 수도 있다.
●●●●● 患難(환난)/災難(재난)/難解(난해)/苦難(고난)

歎

훈음 읊을 탄/한숨 쉴 탄 **부수** 하품 欠(흠)
▶▶▶ 노란 진흙 堇(근) + 하품 欠(흠) ➡ 고통에 입이 다물어지지 않음
긴 가뭄(堇)에 입을 크게 벌리고 숨을 몰아 내쉬는(欠) 장면이 읊을/탄식할 탄(歎)자라면 입 구(口)를 더하여 만든 글자는 詠嘆(영탄)의 탄식할/한숨 쉴 탄(嘆)이나 의미가 거의 같은 글자로 하품 欠(흠)이 들어간 글자가 더 자주 널리 쓰인다.
●●●●● 歎息(탄식)/恨歎(한탄)/歎服(탄복)/歎願(탄원)/慨嘆(개탄)

垂(수) 睡(수) 郵(우) 華(화) 燁(엽) 唾(타)

垂

훈음 드리울 수 **부수** 흙 土(토) ➡ 축 늘어진 식물의 모습
'땅 위로 솟아나 고개를 숙이고 있는 한포기 풀'의 상형으로 흙 土(토)를 제외한 부분이 '꽃과 잎을 늘어뜨린 채 서 있는 풀'의 상형이다. – 땅 위에 피어 있는 한포기 풀이나 꽃.
●●●●● 懸垂橋(현수교)/垂簾聽政(수렴청정)/垂直(수직)/垂楊(수양)

睡

훈음 잠잘 수 **부수** 눈 目(목) – 눈 目(목) + 드리울 垂(수) ➡ 눈꺼풀이 쳐짐
눈(目)꺼풀이 아래로 쳐지니(垂) 수면(睡眠)의 잠잘 수(睡)
●●●●● 睡眠(수면)/午睡(오수)/睡魔(수마)/昏睡(혼수)

郵

훈음 역참 우 **부수** 고을 邑(읍) ▶▶▶ 고을 阝(읍) + 드리울 垂(수) ➡ 마을의 끝자락
마을(阝)의 끝자락(垂)에 마련된 우체국(郵遞局)의 역참(驛站) 우(郵)
●●●●● 郵便(우편)/郵政(우정)

唾

훈음 침 타 **부수** 입 口(구) ▶▶▶ 입 口(구) + 드리울 垂(수) ➡ 타원형으로 침이 땅에 떨어지는 모습
침을 뱉으면(口) 나무줄기 늘어지듯(垂) 땅으로 떨어지니 타액(唾液)의 침 타(唾)
●●●●● 唾液(타액)/咳唾(해타)

華

훈음 빛날/꽃 화 **부수** 풀 艸(초) ▶▶▶ 풀 艹(초) + 드리울 垂(수) ➡ 꽃잎이 휘날리는 모습
꽃(艹)이 흐드러지게(垂) 피어 있는 모습에서 화려(華麗)의 빛날/꽃 화(華)
●●●●● 華麗(화려)/華奢(화사)/華僑(화교)/富貴榮華(부귀영화)

燁

훈음 빛날 엽 **부수** 불 火(화) ▶▶▶ 불 火(화) + 빛날/꽃 華(화) ➡ 간신히 생명을 유지한 사람
불(火)타듯 피어 있는 꽃(華)밭이 사람의 이름에 주로 쓰이는 빛날 엽(燁)
●●●●● 李承燁(이승엽)

田(전) 畓(답) 男(남) 勇(용) 界(계) 番(번) 畫(화) 思(사) 當(당)

田

훈음 밭 전 부수 제 부수

시골에 가면 흔히 볼 수 있는 논밭의 논두렁 밭두렁 모양을 그대로 본떠서 만든 글자로 갑골문의 모양과 변함이 없다.

●●●●● 田畓(전답)/鹽田(염전)/油田(유전)/田園(전원)/我田引水(아전인수)

畓

훈음 논 답 부수 밭 田(전) ▶▶▶ 물 水(수) + 밭 田(전) ➡ 물이 필요한 밭

물이 없는 곳에서는 논(畓)을 만들 수 없다. 논에는 물대기가 필수이므로 물대는/물이 필요한 농경지라 하여 물 水(수)와 밭 田(전) 모두가 의미요소로 사용됐다. 밭은 물이 고여 있지 않은 농경지고, 논은 늘 물이 고여 있는 농경지를 말한다.

●●●●● 門前沃畓(문전옥답)/田畓(전답)/水利安全畓(수리안전답)

男

훈음 사내 남 부수 밭 田(전) ▶▶▶ 밭 田(전) + 힘 力(력) ➡ 일터에서 힘쓰는 남자

사내란 모름지기 밭(田)에서 쟁기질(力) 즉 힘(力)을 쓸 수 있어야 한다. 가족을 먹여 살리려면 신체의 힘과 정신의 힘(力)이 필요하다.

●●●●● 男子(남자)/男女(남녀)/男尊女卑(남존여비)/甲男乙女(갑남을녀)

勇

훈음 날쌜 용 부수 힘 力(력) ▶▶▶ 길 甬(용) + 힘 力(력) ➡ 밭이 아니라 바구니/통

날쌔고 용맹하다는 뜻이므로 힘 力(력)을 의미요소로 길 甬(용)을 발음기호로 했다. 양쪽에 손잡이가 달린 통(甬)과 힘(力)을 합하여 사냥감이나 땔감을 가득 채운 통(甬)을 번쩍 들어올리는 남정네의 힘(力)쓰는 모습에서 글자가 만들어졌다.

●●●●● 勇敢(용감)/勇氣(용기)/勇猛(용맹)/勇敢無雙(용감무쌍)

界

훈음 지경 계 부수 밭 田(전) ▶▶▶ 밭 田(전) + 끼일 介(개) ➡ 논두렁/밭두렁

논두렁 밭두렁이란 말은 논과 밭의 경계를 말하는 것으로 어떻게 보면 밭과 논 사이에 끼여 있는 꼴이므로 밭 田(전)과 사이에 낄 介(개) 모두가 의미요소고 介(개)는 발음기호로 쓰였다.

●●●●● 境界(경계)/世界(세계)/花柳界(화류계)/宗敎界(종교계)

番

훈음 갈마들 번 부수 밭 田(전) ▶▶▶ 분별할 釆(변) + 밭 田(전) ➡ 밭에 난 새(짐승) 발자국

밭(田)에 번갈아 나 있는 짐승 발자국의 모습에서 '갈마(번갈아)들다, 차례'의 뜻이 생겼으며 두 글자 모두 의미요소로 사용되었다. 일설에는 田(전)이 발바닥이 뭉툭한 짐승의 발자국이라는 설도 있다.

●●●●● 番號(번호)/順番(순번)/當番(당번)/番地(번지)

畫

훈음 그림 화 부수 밭 田(전)

▶▶▶ 붓 聿(율) + 밭 田(전) + 위 터진 그릇 凵(감) ➡ 도화지 위에 펼쳐진 붓의 향연

그림을 그리는 데 필요한 도구인 붓(聿)과 그려진 그림(田)을 합쳐서 만든 글자이다. 붓(聿)으로 벼루(凵)에서 먹을 묻혀 종이 위에 그림(田)을 그리고 있는 모습이 글자에 보인다.

●●●●● 畫家(화가)/挿畫(삽화)/畫龍點睛(화룡점정)/畫廊(화랑)

思

훈음 생각할 사 **부수** 마음 心(심) ▶▶▶ 田(전) + 心(심) ➡ 정수리의 변형 – 뇌와 마음의 합동

정수리 신(囟)의 변형인 밭 田(전)과 마음 心(심)의 합자로 생각이란 머리와 마음 즉 정신과 마음의 합작품이라고 생각한 고대인들의 훌륭한 발상에서 나온 글자다.

••••• 思考(사고)/思想(사상)/意思(의사)/思索(사색)

當

훈음 마땅할 당 **부수** 밭 田(전) ▶▶▶ 숭상할 尙(상) + 밭 田(전) ➡ 밭을 소중히 여기는 것은 마땅함

곡식을 산출하는 농지(田)를 높이 바라보던 풍습에서 나온 글자로 두 글자 모두 의미요소이며 尙(상)은 발음기호이다. 훗날 '마땅하다, 주관하다'의 뜻으로 파생됐다.

••••• 當局(당국)/當爲(당위)/妥當(타당)/當代(당대)/配當(배당)

由(유) 胄(주) 油(유) 抽(추) 袖(수) 宙(주) 笛(적) 軸(축)

由

훈음 말미암을 유 **부수** 밭 田(전)

투구의 상형인 胄(주)와 발생이 같으나 由(유)는 '경유하다, 따르다'로, 胄(주)는 '투구나 맏손자'의 뜻으로만 쓰인다.

••••• 由來(유래)/經由地(경유지)/事由(사유)/理由(이유)

胄

훈음 맏아들/투구 주 **부수** 멀 冂(경) ▶▶▶ 由(유) + 冒(모)의 생략형 – 투구를 눈까지 눌러쓰다

머리에 쓰는 투구의 모습을 나타낸 글자로 由(유) 자체가 그 투구의 모습이고, 아래의 冒(모) 생략형의 옛 글자는 눈 目(목)자로 투구를 눌러쓸 때 눈만 남는 모습을 그렸다.

••••• 甲胄(갑주)

油

훈음 기름 유 **부수** 물 氵(수) ▶▶▶ 물 氵(수) + 말미암을 由(유)

기름도 흐르는 물의 성향과 같으므로 물 氵(수)가 의미요소고 由(유)는 발음기호이다.

••••• 注油(주유)/油田(유전)/潤滑油(윤활유)

抽

훈음 뺄 추 **부수** 손 扌(수) ▶▶▶ 손 扌(수) + 말미암을 由(유) ➡ 손으로 끌어당김

'손으로 끌어당기거나 잡아빼'는 모습을 그린 글자로 손 扌(수)가 의미요소고 由(유)는 발음기호이다.

••••• 抽出(추출)/抽籤(추첨)/抽象(추상)

袖

훈음 소매 수 **부수** 옷 衤(의) ▶▶▶ 옷 衤(의) + 由(유) ➡ 옷의 소매

옷소매를 나타내는 말로 옷 衤(의)가 의미요소이고, 由(유)는 발음기호로 '옷소매'의 앞부분이 넓게 비어 있으므로 '손이나 무엇을 넣다/숨기다'의 뜻도 파생됐다.

••••• 領袖會談(영수회담)/袖手傍觀(수수방관)

宙

훈음 집 주 **부수** 집 宀(면) ▶▶▶ 집 宀(면) + 말미암을 由(유)

집의 마룻대와 들보를 지칭하던 말이었으므로 집 宀(면)이 의미요소로 由(유)는 발음기호일 뿐이다. 훗날 '집, 하늘'을 지칭하는 것으로 의미 확대되었다.

••••• 宇宙(우주)

笛

훈음 피리 적 **부수** 대 竹(죽) ▶▶▶ 대 竹(죽) + 말미암을 由(유) ➡ 대나무로 만든 피리

피리나 피리 소리를 나타내려고 하여 대 竹(죽)의 의미요소로 由(유)가 발음기호였음은 나아갈 迪(적)에서도 알 수 있다.

••••• 汽笛(기적)/警笛(경적)

軸 훈음 굴대 축 부수 수레 車(거) ▶▶▶ 수레 車(거) + 말미암을 由(유) ➡ 수레바퀴 연결대

수레의 굴대(샤프트)를 지칭하기 위한 글자이므로 수레 車(거)가 의미요소고, 由(유)가 발음기호임은 동서 妯(축)/고물 舳(축)자에서 확인 가능하다.

●●●●● 車軸(차축)/主軸(주축)/天方地軸(천방지축)/地軸(지축)

異(이)	翼(익)	糞(분)	苗(묘)	描(묘)	猫(묘)
畏(외)	胃(위)	謂(위)	畜(축)	蓄(축)	畢(필)

異 훈음 다를 이 부수 밭 田(전) ▶▶▶ 밭 田(전) + 함께 共(공) ➡ 귀신의 탈을 쓴 사람

여기서 共(공)자는 두 손을 흔드는 모습이고 밭 田(전)자는 사람의 얼굴과 다른 모습을 한 귀신의 얼굴 즉 큰 탈을 쓰고 춤추는 모습에서 '기이하다, 다르다'로 의미 확대되었다.

●●●●● 特異(특이)/異口同聲(이구동성)/異國(이국)/異腹(이복)

翼 훈음 날개 익 부수 깃 羽(우) ▶▶▶ 깃 羽(우) + 다를 異(이) ➡ 새 날개

날개를 뜻하는 글씨로 깃 羽(우)가 의미요소로 다를 異(이)가 발음요소로 쓰였으며 밥(米)과 비슷하나 다른(異)것은 분뇨(糞尿)의 똥 분(糞)

●●●●● 右翼(우익)/左翼手(좌익수)/人糞(인분)/馬糞(마분)

※ 異(이)와 翼(익)은 중국어로 발음이 같다.

苗 훈음 묘 묘 부수 풀 艹(초) ▶▶▶ 풀 艹(초) + 밭 田(전) ➡ 묘종의 모습

밭(田)에 옮겨심기 위해 가꾼 식물(艹)의 모습이 묘종(苗種)의 모 묘(苗)자이며 묘(苗)를 발음으로 사물을 손(扌)으로 그려 묘사(描寫)하니 그릴 묘(描)/묘(苗)를 발음으로 개 견(犭)을 넣어 흑묘백묘(黑猫白猫)의 고양이 묘(猫)

●●●●● 苗木(묘목)/苗床(묘상)/苗板(묘판)/描出(묘출)/素描(소묘)

畏 훈음 두려워할 외 부수 밭 田(전) ▶▶▶ 밭 田(鬼) + 칼 刂(도) ➡ 탈을 쓴 사람이 무섭다

옛 글자의 모습은 가면을 쓴 귀신(鬼)이 손에 무기(刂)를 들고 있는 모습을 그려 보기만 해도 공포심이 느껴지도록 한 글자로, 자연스럽게 '두려워하다'의 뜻이 파생됐다.

옛 글자를 보면 畏(외)자의 밭 田(전)은 귀신 鬼(귀)의 윗부분과 같은 꼴이다.

●●●●● 畏敬(외경)/敬畏(경외)

畜 훈음 쌓을 축 부수 밭 田(전) ▶▶▶ 검을 玄(현) + 밭 田(전) ➡ 음식물이 쌓이는 위장

사람의 몸(月)속에 있는 밭(田)이 위장(胃腸)의 밥통 위(胃)자이고 배고프다고(胃) 쪼르륵 소리(言) 내는 것이 소위(所謂)의 이를 위(謂)자이며 창자의 모양을 玄(현)자로 정리했고 밥통 胃(위)의 모양을 田(전)자로 정리한 글자로 음식물이 쌓이는 사람이나 짐승의 위장의 상형이 바로 이 쌓을 畜(축)자이다.

●●●●● 家畜(가축)/牧畜(목축)/畜産(축산)/畜舍(축사)/脾胃(비위)/胃液(위액)/胃潰瘍(위궤양)

蓄 훈음 쌓을 축 부수 풀 艹(초) ▶▶▶ 풀 艹(초) + 쌓을 畜(축) ➡ 풀을 쌓아 둠

畜(축)자가 본 글자이나 이 글자가 가축이라는 의미도 갖게 되자, '쌓다'라는 의미만을 표현하기 위해 초식동물의 위장에 쌓이는 꼴, 즉 풀 艹(초)를 더하여 '쌓다'라는 글자를 또다시 만들었다. 따라서 풀 艹(초)와 畜(축) 모두가 의미요소이고 畜(축)은 발음기호 역할도 한다.

●●●●● 貯蓄(저축)/蓄膿症(축농증)/含蓄(함축)/蓄財(축재)

畢

훈음 마칠 필 **부수** 밭 田(전) ▶▶▶ 밭 田(전) + 꽃 華(화)의 아랫부분 – 매미채

잠자리나 매미채처럼 자루 달린 그물 모양으로 새나 토끼 등을 사냥할 때 쓰던 도구로써 '그물질하다, 끝내다'로 의미 확대된 글자이다.

●●●●● 畢竟(필경)/未畢(미필)/檢査畢(검사필)

卯(묘) 柳(류) 劉(유) 留(유) 貿(무)

卯

훈음 넷째 地支(지지) 묘 **부수** 병부 卩(절)

칼로 어떤 물건을 반으로 잘라놓은 모습을 본떠서 만든 글자였으나 干支(간지)에 주로 쓰이고 다른 글자의 발음요소로 많이 사용된다. 또한 갑골문에서는 양쪽으로 땅을 파서 만든 저장 구덩이(저수지)라고도 한다.

자 · 축 · 인 · 묘 · 진 · 사 · 오 · 미 · 신 · 유 · 술 · 해- 12地支(지지)

●●●●● 卯方(묘방)/卯生(묘생)

劉

훈음 죽일 류 **부수** 칼 刂(도) – 단독 사용 없음

▶▶▶ 卯(묘) + 쇠 金(금) + 칼 刂(도)

'죽이다'가 본뜻인 글자로 희생제물을 둘로 갈라(卯) 죽이는데 사용된 칼(刂)과 그 칼의 재질인 쇠 금(金)을 더하여 만든 글자로, 卯(묘)가 발음부호 역할도 하고 있다.

柳

훈음 버드나무 류 **부수** 나무 木(목) ▶▶▶ 나무 木(목) + 卯(묘)

줄기와 이파리가 늘어지는 버드나무를 가리키는 말로 나무 木(목)을 의미요소로 卯(묘)를 발음기호로 하여 만든 글자다.

●●●●● 花柳界(화류계)/路柳墻花(노류장화)

留

훈음 머무를 유 **부수** 밭 田(전) ▶▶▶ 卯(묘) + 밭 田(전) ➡ 물이 고여 있는 논밭

저수지(卯)가 있는 논밭이란 의미에서 농경지에 물이 늘 '고여 있다, 머무르다'의 뜻이 파생된 글자로 卯(묘)는 발음기호도 겸한다.

●●●●● 滯留(체류)/留宿(유숙)/留保(유보)/保留(보류)

貿

훈음 바꿀 무 **부수** 조개 貝(패) ▶▶▶ 卯(묘) + 조개 貝(패) ➡ 돈과 물건을 바꿈

돈과 물건을 '바꾸다'라는 뜻을 나타내기 위한 것이므로 조개 貝(패)가 의미요소고 卯(묘)는 발음기호이다. 훗날 '장사하다' 등으로 뜻이 확대됐다.

●●●●● 貿易(무역)/貿易風(무역풍)

甲(갑) 押(압) 鴨(압) 狎(압) – 글자의 조자 논리를 터득하기 위한 구성

甲

훈음 첫째 천간 갑 **부수** 밭 田(전)

병사들이 입는 갑옷이 통으로 된 가죽이나 천이 아니라 한 조각 한 조각 이어 붙인 것임을 알 수 있는데 바로 그 단단한 가죽의 이어진 모습을 본뜬 것이라는 설이 가장 유력하다.

●●●●● 甲論乙駁(갑론을박)/回甲(회갑)/還甲(환갑)/甲冑(갑주)/甲富(갑부)

押

훈음 누를 압 **부수** 손 手(수) ▶▶▶ 손 扌(수) + 첫째 천간 甲(갑) ➡ 손으로 누르다

손으로 상대방을 눌러 제압하는 모습이므로 손 扌(수)가 의미요소고 甲(갑)이 발음기호이다.

●●●●● 押送(압송)/押留(압류)/押收(압수)

鴨

훈음 오리 압 **부수** 새 鳥(조) ▶▶▶ 甲(갑) + 새 鳥(조) ➡ 새의 일종인 오리

새의 일종인 '오리'를 나타내는 글자로 새 鳥(조)가 의미요소고 甲(갑)은 발음기호이다.

●●●●●

狎

훈음 익숙할 압 **부수** 개 犭(견) ▶▶▶ 개 犭(견) + 甲(갑) ➡ 길들여진 개

길들여진 개를 의미하여 개 犭(견)이 의미요소고 甲(갑)은 발음기호이며, '익숙하다, 길들이다, 업신여기다'의 뜻으로 의미 확대되었으나 실사용은 거의 전무하다.

●●●●● 狎鷗亭(압구정)

周(주) 週(주) 調(조) 彫(조) 稠(조)

周

훈음 두루 주 **부수** 입 口(구) ▶▶▶ 冂(경) + 길할 吉(길) ➡ 밭에 골고루 자라는 빽빽한 농작물

갑골문은 밭(田) 모양의 사각형 안에 점(丶)이 하나씩 찍혀 있는 모습으로 밭이나 논에 농작물이 빽빽하게 그리고 골고루 잘 자라고 있는 모습을 그렸다. 그래서 '빽빽하다, 골고루, 두루' 등의 뜻으로 의미 확대되었으며 벼(禾)가 밭에 빼곡히(周) 들어찬 모습이 조밀(稠密)의 빽빽할 조(稠)자이다

●●●●● 周邊(주변)/周旋(주선)/周到綿密(주도면밀)/周遊(주유)

週

훈음 돌/요일 주 **부수** 갈 辶(착) ▶▶▶ 갈 辶(착) + 두루 周(주) ➡ 돌아다니다

농작물이 골고루(周) 잘 자라는지 돌아다녀(辶) 보는 농부의 행동에서 갈 辶(착)을 의미요소로 두루 周(주)는 발음 및 의미보조로 쓰인다.

●●●●● 週末(주말)/週期的(주기적)

調

훈음 고를 조 **부수** 말씀 言(언) ▶▶▶ 말씀 言(언) + 두루 周(주) ➡ 말로 두루두루 살펴봄

적당하고 어울리는 말을 나타내고자 하였으므로 말씀 言(언)이 의미요소고 두루 周(주)는 발음기호이다. 그러나 周(주)자가 '두루, 골고루'라는 의미를 갖고 있어 모든 사람에게 다 영향을 미치는 말이라는 관점에서 보면 의미요소에도 기여함을 볼 수 있다.

●●●●● 調整(조정)/調節(조절)/調査(조사)/調和(조화)/格調(격조)

彫

훈음 새길 조 **부수** 터럭 彡(삼) ▶▶▶ 터럭 彡(삼) + 두루 周(주) ➡ 예술 작품/예술 활동

금속이나 바위에 칼로 글이나 그림 새기는(彡) 것을 주(周)를 발음으로 조각(彫刻)/조상(彫像)의 새길 조(彫)

●●●●● 彫刻(조각)/彫塑(조소)/木彫(목조)/浮彫(부조)

炎(염) 談(담) 淡(담) 營(영) 榮(영) 螢(형) 勞(노)

炎

훈음 불탈 염 **부수** 불 火(화) ▶▶▶ 불 火(화) + 불 火(화) ➡ 치솟는 불길

무섭게 치솟는 불길의 모양을 본떠서 만든 글자로 '불꽃이나 뜨겁다'의 의미를 갖는다.

●●●●● 炎症(염증)/炎凉世態(염량세태)

談

훈음 말씀 담 **부수** 말씀 言(언) ▶▶▶ 言(언) + 불탈 炎(염) ➡ 열기가 느껴지는 대화

얼마나 열변(言)을 토하며 담소를 나누던지 열기(火)가 뜨겁게 느껴진다. 여기서 뜨거운(炎) 말(言) 즉 말씀 談(담)의 글자가 탄생됐다. ※ 淡(담) - 묽을 담/痰(담) - 가래 담

●●●●● 談笑(담소)/談話(담화)/怪談(괴담)/對談(대담)/談判(담판)

淡

훈음 묽을 담 **부수** 물 氵(수) ▶▶▶ 물 氵(수) + 불탈 炎(염) ➡ 불에 정제된 물

순수하고 깨끗하며 맑은 물을 나타낸 글자로 물 氵(수)가 의미요소이며, 炎(염)이 발음기호이나 정련한 물에서 본다면 炎(염)이 의미요소에 관여함을 알 수 있다.

●●●●● 淡素(담소)/淡白(담백)/淡水(담수)/淡淡(담담)/淡泊(담박)

營

훈음 경영할 영 **부수** 불 火(화) ▶▶▶ 불탈 炎(염) + 덮을 冖(멱) + 음률 呂(려) ➡ 막사 주위를 비춤

궁궐 또는 軍營(군영)이나 兵營(병영) 주위의 경비를 위해 환하게 밝혀 놓은 등불의 모습을 그린 글자로, 궁궐 宮(궁)의 생략형인 呂(려)와 불꽃 炎(염) 모두가 의미요소이다. 훗날 '짓다, 꾀하다, 맡다' 등으로 의미 확대되었다.

●●●●● 經營(경영)/營業(영업)/營內(영내)/官營(관영)/營養(영양)

榮

훈음 꽃/영화 영 **부수** 나무 木(목)

▶▶▶ 불탈 炎(염) + 덮을 冖(멱) + 나무 木(목) ➡ 나무 위의 꽃이 불탐

밤에 진영을 밝히기 위해 횃불 여러 개를 교차시켜 놓아 둔 모습에서 '활활 타다, 빛나다, 나아가 활짝 핀 꽃' 등의 글자가 탄생되었다. 따라서 모두가 의미요소이다.

●●●●● 榮華(영화)/榮辱(영욕)/繁榮(번영)/虛榮(허영)/榮轉(영전)

螢

훈음 개똥벌레 형 **부수** 벌레 虫(충) ▶▶▶ 불꽃 炎(염) + 冖(멱) + 벌레 虫(충) ➡ 불빛을 내는 벌레

몸통 전체 특히 꼬랑지 부분에서 빛을 발하는 벌레인 개똥벌레를 나타낸 글자로 벌레 虫(충)과 나머지 글자 전체가 의미요소이다.

●●●●● 螢雪之功(형설지공)/螢光燈(형광등)

勞

훈음 일할 로 **부수** 힘 力(력) ▶▶▶ 등불 熒(형) + 力(력) ➡ 뙤약볕에서 힘쓰다

이 땅에서 勞動者(노동자)로 살아간다는 것은, 종처럼 일해야 함을 의미한다. 노예들의 힘(力)으로 이룩된 만리장성이나 이집트의 피라미드를 보고 감탄할 때 뙤약볕(火) 아래서 강제노역을 하던 수많은 불쌍한 영혼들의 통곡 소리가 소리 없이 울려 퍼진다.

●●●●● 勞動(노동)/勤勞者(근로자)/勞苦(노고)/勞賃(노임)/勞組(노조)

火(화) 滅(멸) 災(재) 焚(분) 燃(연) 燒(소)
烈(렬) 赤(적) 赫(혁) 爆(폭) – **불로 태워 멸망**

火

훈음 불 화 **부수** 제 부수 ▶▶▶ 불꽃의 모습

불타오르는 불꽃의 모습을 간결하게 정리한 글자가 화재(火災)의 불 화(火)자로 태우고 멸망시키고 음식을 요리하고 등등의 의미요소로 사용된다.

●●●●● 火山(화산)/火魔(화마)/烈火(열화)/火焰(화염)

滅

훈음 멸망할 멸 **부수** 물 氵(수) ▶▶▶ 물 氵(수) + 불 火(화) + 도끼 戌(술) ➡ 물과 불로 멸망시킴

옛 사람들이 재앙이라는 글자를 나타내기 위해 물 水(수)와 불 火(화)를 합하여 재앙 災(재)를 만들었는데 거기에 무시무시한 도끼 戌(술)이 더해졌으니 완전히 없애 버린다는 사상을 전달하기에 충분할 것이다.

●●●●● 滅亡(멸망)/滅族(멸족)/滅種(멸종)/破滅(파멸)/不滅(불멸)

災

훈음 재앙 재 **부수** 불 火(화) ▶▶▶ 내 巛(천) + 불 火(화) ➡ 물과 불로 인한 재앙

홍수(巛)와 화재(火)로 인한 재앙이 가장 흔하면서 가장 무서운 재앙이었으므로 두 글자를 합하여 '재앙'이라는 글자를 만들어 냈다.

●●●●● 災殃(재앙)/火災(화재)/水災(수재)/天災(천재)/災難(재난)

焚

훈음 불사를 분 **부수** 불 火(화) ▶▶▶ 수풀 林(림) + 불 火(화) ➡ 숲을 불태움

숲이 불타는 모습 혹은 밭을 만들기 위해 숲을 불태우는 모습을 그린 글자로 모두 의미요소임을 알 수 있다.

●●●●● 焚身(분신)/焚香(분향)/焚書坑儒(분서갱유)

燒

훈음 사를 소 **부수** 불 火(화) ▶▶▶ 불 火(화) + 높을 堯(요) ➡ 태워 없앰

불태워 없애다, 불 '사르다'를 의미하므로 불 火(화)가 의미요소이고, 벽돌이나 흙덩이를 이고 있는 모습의 높을 堯(요)가 의미보조 겸 발음기호이다.

●●●●● 燒滅(소멸)/燃燒(연소)/燒却(소각)/燒失(소실)/燒酒(소주)

赤

훈음 붉을 적 **부수** 제 부수 ▶▶▶ 흙 土(토) + 불 火(화) ➡ 사람을 화형시킴

제물로 사람(土-大)을 바쳐 태우는(火), 火刑(화형)시키는 모습을 그린 글자이다.

●●●●● 赤裸裸(적나라)/赤信號(적신호)/赤字(적자)/赤化(적화)

赫

훈음 붉을 혁 **부수** 붉을 赤(적) ▶▶▶ 붉을 赤(적) + 붉을 赤(적) ➡ 모조리 태워 버림

몹시 붉은 모습을 나타내기 위해 붉을 赤(적)을 겹쳐 써서 강조한 글자이다.

●●●●● 赫赫(혁혁)

爆

훈음 터질 폭 **부수** 불 火(화) ▶▶▶ 불 火(화) + 사나울 暴(폭) ➡ 엄청난 화력으로 주위를 불태움

폭약이든 화산이든 터지는 것을 나타낸 글자로 불 火(화)가 의미요소이며 暴(폭)은 발음 겸 의미요소이다.

●●●●● 爆藥(폭약)/爆彈(폭탄)/爆笑(폭소)/爆擊(폭격)/起爆(기폭)

烈

훈음 세찰 렬 **부수** 불 灬(화) ▶▶▶ 줄 列(렬) + 불 灬(화) ➡ 세찬 불길

불길이 세차다는 것을 나타내는 글자이므로 불 灬(화)가 당연히 의미요소로 쓰였고, 列(렬)은 발음기호로 사용되어 '세차다, 굳세다'로 의미 확대됐다.

●●●●● 烈火(열화)/壯烈(장렬)/烈士(열사)/熾烈(치열)/殉國先烈(순국선열)

炭(탄) 爐(로) 灰(회) 煩(번) 燥(조) 熱(열)

炭

훈음 숯 탄 **부수** 불 火(화) ▶▶▶ 뫼 山(산) + 언덕 厂(엄) + 불 火(화) ➡ 언덕에 묻힌 불타는 흙
산(山) 속 깊숙이(厂) 혹은 언덕(厂) 밑에 불(火)의 재료인 석탄 등이 묻혀 있었다는 것을 옛날 사람들도 알았고 그것을 이용하였다는 것이 신기하다.
●●●●● 炭鑛(탄광)/採炭(채탄)/石炭(석탄)/無煙炭(무연탄)

爐

훈음 화로 로 **부수** 불 火(화) ▶▶▶ 불 火(화) + 밥그릇 盧(로) ➡ 불을 담아 놓은 그릇
말 그대로 불을 담아 두던 화로를 뜻하므로 불(火)과 그릇(盧)을 뜻하는 두 글자 모두 의미요소이며 밥그릇 盧(로)가 발음기호이다.
●●●●● 火爐(화로)/煖爐(난로)/香爐(향로)/爐邊談話(노변담화)

灰

훈음 재 회 **부수** 불 火(화) ▶▶▶ 右(우)의 왼편(又) + 불 火(화) ➡ 불타고 남은 재
장작이 타고 불길이 꺼지면서 남은 잿더미에서 나뭇가지를 손에 잡고 숯을 골라내는 장면을 그린 글자에서 '재, 재가 되다, 멸망' 등의 의미를 갖게 됐다. 두 글자 모두 의미요소이다.
●●●●● 石灰(석회)/灰壁(회벽)/灰色(회색)

煩

훈음 괴로워할 번 **부수** 불 화(火) ▶▶▶ 불 화(火) + 머리 頁(혈) ➡ 머리가 불탐 – 상징적
머리(頁)에 쥐난다(火), 머리가 폭발하기 일보직전이다, 머리에 열난다 등등 모두 괴로운 상황을 말하는 것으로 두 글자 모두 의미요소이다.
●●●●● 煩惱(번뇌)/煩悶(번민)/煩雜(번잡)

燥

훈음 마를 조 **부수** 불 火(화) ▶▶▶ 불 火(화) + 울 喿(소) ➡ 나무가 불타 주위가 마름/건조
비가 오지 않아 모든 것이 타 들어가는 상황을 묘사한 글자이다. 불 火(화)가 의미요소이며 울 喿(소)는 발음기호다.
●●●●● 乾燥(건조)/無味乾燥(무미건조)/燥渴(조갈)

熱

훈음 더울 열 **부수** 불 火(화) ▶▶▶ 심을 埶(예) + 불 灬(화) ➡ 이글거리는 대지
한여름 땅에서 올라오는 이글거리는 열기를 나타낸 글자로 불 灬(화)가 의미요소이며 심을 埶(예)는 열기를 식혀주기 위해 그늘을 제공하는 나무심기를 말하므로 의미 겸 발음요소이다.
심을 埶(예)의 왼편인 언덕 坴(륙)자와 알 丸(환)자의 원글자를 보면, 사람이 몸을 구푸려 땅에 나무를 심는 모습임을 분명히 알 수 있으므로 '심다'의 뜻은 가지고 있지만 글자꼴이 현재처럼 바뀐 것이다.
●●●●● 熱氣(열기)/發熱(발열)/熱狂(열광)/以熱治熱(이열치열)

煮(자) 熟(숙) 烹(팽) 蒸(증) 然(연) 燃(연) 焦(초) – 삶고/찌고/굽고

煮

훈음 삶을 자 **부수** 불 灬(화) – 일본어에 많이 사용됨(니루/니모노)
▶▶▶ 놈 者(자) + 불 灬(화) ➡ 삶는 모습
솥에 콩(나물/고기)을 삶고 있는 모습이라는 설이 있다. 놈 자(者)자가 주격조사로 쓰이자 원래의 '삶다'라는 의미를 살리기 위해 불 灬(화)발이 첨가된 글자이다.

熟

훈음 익을 숙 부수 불 灬(화) ▶▶▶ 누구 孰(숙) + 불 灬(화) ➡ 익히도록 끓임

음식을 끓이다, 불로 삶거나 '끓이다'를 나타내기 위해 불 화(灬)를 첨가하여 본뜻을 살린 글자로 불 화(灬) 및 孰(숙) 모두 의미요소이며 누구 孰(숙) 자체가 원래 '끓이다'의 뜻이었으나 '누구'로 가차되자 본뜻을 살리기 위해 불 灬(화)를 첨가시킨 글자이다.

●●●●● 熟練(숙련)/完熟(완숙)/熟考(숙고)/未熟(미숙)/熟達(숙달)

烹

훈음 삶을 팽 부수 불 火(화) ▶▶▶ 형통할 亨(형) + 불 灬(화) ➡ 솥으로 삶는 모습

음식을 익히고 삶는 모습에서 '삶다'의 뜻을 가진 글자로, 불 灬(화)가 의미요소이고 亨(형)은 솥단지나 냄비를 상징했을 것이다. 그러나 여기서는 발음기호 역할을 한다.

●●●●● 兎死狗烹(토사구팽)

蒸

훈음 찔 증 부수 풀 艹(초) ▶▶▶ 풀 艹(초) + 김 오를 烝(증) ➡ 제물을 요리하는 모습

글자 가운데 있는 도울 丞(승)자의 원 모습은 두 손으로 곡식이 담긴 제기(豆)를 제단에 바치려고 들고 있는 모습을 하고 있다. 따라서 솥단지에 곡식(艹)을 넣고 불을(灬) 지펴 음식을 만들어 바치는 모습으로 변화되어 풀 艹(초)가 솥에서 나가는 증기나 김의 모양새 역할을 하였다.

●●●●● 蒸發(증발)/汗蒸幕(한증막)/蒸氣(증기)

然

훈음 그러할 연 부수 불 火(화) ▶▶▶ 고기 肉(月) + 개 犬(견) + 불 灬(화) ➡ 개고기 굽는 장면

개(犬)고기(肉)를 불(灬)에 태우는 장면에서 '태우다'가 본뜻인데, 가차되어 '그렇다'로 쓰이자 불 火(화)를 더 첨가하여 원뜻을 보존한 글자가 사를 燃(연)자이다.

●●●●● 自然(자연)/然後(연후)/果然(과연)/未然(미연)/超然(초연)

燃

훈음 사를 연 부수 불 火(화) ▶▶▶ 불 火(화) + 그러할 然(연) ➡ 불살라 버림

然(연)이 '태우다'의 본뜻과는 다르게 '그러하다'로 쓰임새가 넘어가자, 본뜻을 살리기 위해 불 火(화)를 추가한 글자로 불 火(화)가 의미요소이고 그러할 然(연)이 발음기호이다.

●●●●● 燃燒(연소)/燃料(연료)/燃燈會(연등회)/化石燃料(화석연료)

焦

훈음 그을릴 초 부수 불 火(화) ▶▶▶ 새 隹(추) + 불 灬(화) ➡ 새 구이

새를 불에 구워 먹는 장면에서 '굽다, 그슬다'의 원뜻이 나왔으며 여기서 '애태우다, 애타다'의 뜻이 파생됐다. 두 글자 모두 의미요소이며 隹(추)가 발음기호이다.

●●●●● 焦點(초점)/焦眉(초미)/焦燥(초조)/勞心焦思(노심초사)

黑(흑) 熏(훈) 焰(염) 煙(연) – 연기

黑

훈음 검을 흑 부수 제 부수

▶▶▶ 口(구) + 丶(주) + 土(토) + 불 灬(화) ➡ 부엌에서 굴뚝으로 연기 빠지는 모습

불꽃(炎)이 굴뚝이나 창문(罒의 변형)으로 빠져나가며 온통 주위가 검은 연기에 휩싸이는 모습에서 '검다'로, 묵형을 당해 여기저기 먹물이 들어간 사람의 모습에서 '검다'로 의미 파생된 글자로 보기도 한다.

●●●●● 黑心(흑심)/暗黑(암흑)/近墨者黑(근묵자흑)/黑字(흑자)

熏

훈음 연기 낄 훈 부수 불 灬(화) ▶▶▶ 千(천) + 검을 黑(흑) ➡ 연기가 빠져 나가는 모습

연기가 자욱하다의 黑(흑)이 '검다'로 가차되자, 연기가 나가는 모습을(屮–千)을 첨가하여 '연기에 그을리다, 연기가 가득하다'의 본래의 의미를 더 분명히 한 글자이다.

●●●●● 熏劑(훈제)

焰

훈음 불꽃 염 부수 불 火(화)

▶▶▶ 불 火(화) + 陷(함)의 생략형 – 구덩이에서 불길이 솟는 모습

불꽃이 세차게 일어나는 모습을 의미하는 글자이므로 불 火(화)가 의미요소고 나머지는 발음기호이다.

●●●●● 火焰(화염)/氣焰(기염)을 토하다

煙

훈음 연기 연 부수 불 火(화) ▶▶▶ 불 火(화) + 막을 垔(인) ➡ 작은 연기

사방을 채우는 연기를 뜻하는 글자이므로 불 火(화)가 의미요소고 垔(인)이 발음기호이다.

垔(인)은 머리에 망태기를 이고 있는 모습으로 '채우다, 막다'의 뜻이다. ※ 烟(연)과 同字(동자)

●●●●● 煙氣(연기)/吸煙(흡연)/禁煙(금연)

熙(희) 煥(환) 光(광) 燭(촉) 燦(찬) 照(조) – 불꽃/등불/횃불

熙

훈음 빛날 희 부수 불 火(화) ▶▶▶ 턱 이(臣+巳) + 불 灬(화) ➡ 밝게 빛나는 불빛

불빛이 빛나다를 의미하는 글자이므로 불 灬(화)가 의미요소고 나머지는 발음기호이다.

●●●●● 康熙字典(강희자전)/朴正熙(박정희)

煥

훈음 불꽃 환 부수 불 火(화) –단독사용 찾기 어려움 ▶▶▶ 불 火(화) + 빛날 奐(환) ➡ 불꽃

사방을 환하게 만드는 불꽃을 나타낸 글자로 불 火(화)가 의미요소고 奐(환)은 발음기호이다.

주로 이름에 많이 쓰인다.

燭

훈음 촛불 촉 부수 불 火(화) ▶▶▶ 불 火(화) + 촉나라 蜀(촉) ➡ 불꽃을 가진 촛불

촛불을 뜻하기 위한 글자로 불 火(화)가 의미요소이고 蜀(촉)은 발음기호이다.

●●●●● 燭臺(촉대)/華燭(화촉)/洞燭(통촉)

光

훈음 빛 광 부수 사람 儿(인) ▶▶▶ 불 火(화) + 사람 儿(인) ➡ 횃불 든 모습

머리에 불(火)을 이고 있는 모습, 즉 횃불(火)을 높이 들고 있는 모습에서 '빛, 빛나다'라는 뜻이 생겼다.

●●●●● 光明(광명)/光彩(광채)/榮光(영광)/發光(발광)

照

훈음 비출 조 부수 불 灬(화) 발

▶▶▶ 밝을 昭(소) + 불 灬(화)발 – 횃불로 어둠을 밝힘

횃불(灬)을 밝혀 캄캄한 밤중을 비추면 주위가 대낮처럼 밝아(昭)진다 하여 두 글자 모두 의미요소이며 밝을 昭(소)가 발음기호를 겸하기도 하며 밤늦도록 불(火)밝히고 잔치(粲-고기와 떡과 손)하는 모습에서 찬란(燦爛)/찬연(燦然)의 빛날 찬(燦)자가 만들어졌다.

●●●●● 照明(조명)/照準(조준)/照會(조회)/對照(대조)/參照(참조)

丶(주) 主(주) 住(주) 注(주) 駐(주) 註(주) 柱(주) 往(왕) – 호롱불의 심지

훈음 점 주 부수 제 부수

점이나 점을 찍다 혹은 호롱불의 심지에 해당하는 글자로 '점, 불꽃' 등의 명칭으로 불리며 사물을 분별하거나 강조하기 위해 사용되는 경우가 많다.

主

훈음 주인 주 **부수** 점 丶(주) ▶▶▶ 점 丶(주) + 임금 王(왕) ➡ 심지의 불꽃

횃불의 상형으로 점 丶(주)가 심지의 불꽃이며 王(왕)은 촛대나 횃불의 들고 있는 부분으로 임금과는 아무런 관련이 없으며, 촛대(王) 위에서 지긋이 타고 있는 심지의 불꽃(丶)이 마치 모든 사물의 중심이 되므로 훗날 집안의 중심인 주인이라는 의미를 갖게 되었다.

●●●●● 主人(주인)/所有主(소유주)/主客顚倒(주객전도)/主權(주권)

住

훈음 살 주 **부수** 사람 亻(인) ▶▶▶ 사람 亻(인) + 주인 主(주) ➡ 사람이 살고 있다는 증거

칠흑같이 어두운 한밤중에 깊은 산 속에서 불빛(主)을 발견하면 불빛이 새어나오는 곳에 누군가(亻)가 살고 있을 거라고 생각한다. 따라서 사람이 거주하다가 본뜻이므로 사람 亻(인)이 의미요소고 主(주)는 발음요소이나 의미에도 기여한다.

●●●●● 住宅(주택)/住居(주거)/入住(입주)/住民(주민)

注

훈음 물댈 주 **부수** 물 氵(수) ▶▶▶ 물 氵(수) + 주인 主(주)

소리글자로 논밭에 물대기(氵)를 의미하는 글자이므로 물 氵(수)가 의미요소고 主(주)는 발음기호이다. 불꽃이(主) 빛을 계속 발하기 위해선 호롱에 기름(氵)을 계속 주입해야 한다.

●●●●● 注油(주유)/注意(주의)/注目(주목)/注射(주사)/注視(주시)

駐

훈음 머무를 주 **부수** 말 馬(마) ▶▶▶ 말 馬(마) + 주인 主(주) ➡ 말과 함께 밤을 새는 곳

호텔이나 모텔에 주차를 해 놓고 객실에서 하루 묵어가는 것처럼, 酒幕(주막)에 들러 한잔 걸치고 말(馬)과 함께 하루 머물다 갈 수 있는 객점이나 주점을 말하는 것으로 말 馬(마)가 의미요소고 主(주)는 발음기호이다.

●●●●● 駐車場(주차장)/駐美(주미)/駐屯(주둔)/進駐(진주)

註

훈음 주낼 주 **부수** 말씀 言(언) ▶▶▶ 말씀 言(언) + 主(주) ➡ 말로 주위를 밝힘

논에 물을 대듯 말(言)로 보충 설명이나 부언하는 것을 말하므로 말씀 言(언)이 의미요소요 主(주)는 발음기호임.

●●●●● 註解(주해)/註釋(주석)/脚註(각주)

柱

훈음 기둥 주 **부수** 나무 木(목) ▶▶▶ 나무 木(목) + 주인 主(주) ➡ 나무 기둥

집 안의 대들보인 기둥을 나타내는 글자로 나무 木(목)이 의미요소고 主(주)가 발음기호이다.

●●●●● 柱廊(주랑)/電柱(전주)/支柱(지주)/柱礎(주초)/柱石(주석)

往

훈음 갈 왕 **부수** 걸을 彳(척) ▶▶▶ 걸을 彳(척) + 主(주) ➡ 어딘가를 가는 발걸음

가다라는 뜻을 나타내기 위해 발 止(지)와 발음요소인 王(왕)으로 이루어진 글자였으나, 꼴이 바뀌자 의미를 분명히 하기 위해 걸을 彳(척)을 첨가하여 지금의 꼴로 바뀐 글자다. 훗날 '지난'이란 뜻으로 확대 사용되었다.

●●●●● 往復(왕복)/往年(왕년)/說往說來(설왕설래)

尞(료) 寮(료) 僚(료) 遼(료) 療(료) 瞭(료) – 횃불 같은 사람

훈음 벼슬아치 료 **부수** 집 宀(면) – 발음기호 ▶▶▶ 집 宀(면) + 횃불 료(尞) ➡ 밝아진 집

불(火)과 태양(日)이 합쳐진 빛날 경(炅)에 불 화(火)를 또 첨가하니 횃불 료(尞)자가 되었으며 어떤 집안(宀)이 밝은 횃불(尞)처럼 드높여졌다는 것은 출세하여 벼슬아치가 되었다는 뜻이다.

僚

훈음 동료 료 **부수** 사람 亻(인) ▶▶▶ 사람 亻(인) + 횃불 료(尞) ➡ 불꽃같은 환한 사람

태양처럼 밝게 빛나(尞)는 아름답고 멋진 사람을 표현하고자 한 글자였으나 지금은 '동료, 벼슬아치'로 더 많이 쓰인다. 벼슬이 높은 사람은 태양처럼 높이 떠 있는 사람이라 하여 의미가 통하지만 동료는 왜 멋진 사람일가? 아무튼 사람 亻(인)이 추가된 글자로 보이며 따라서 사람 亻(인)이 의미요소이고 나머지는 발음기호 겸 의미요소이다.

●●●●● 同僚(동료)/閣僚(각료)

遼

훈음 멀 요 **부수** 갈 辶(착) ▶▶▶ 갈 辶(착) + 횃불 료(尞) ➡ 불꽃이 멀리 사라지다

먼 길(辶)떠나는 사람을 횃불(尞)밝혀 배웅 하는 모습 또는 횃불(尞)을 들고 떠나니(辶) 점점 불 빛이 희미해지는 모습에서 만들어진 글자이다.

●●●●● 遼遠(요원)/燎原之火(요원지화)/前途遼遠(전도요원)

療

훈음 병 고칠/료 **부수** 병들 疒(녁) ▶▶▶ 병들어 기댈 疒(녁) + 횃불 료(尞) ➡ 병든 자에게 희망을

병을 치료하는 글자를 만들기 위해 병과 관련된 疒(녁)을 의미요소로 나머지는 발음기호다.

●●●●● 治療(치료)/療法(요법)/療養(요양)/醫療(의료)

瞭

훈음 밝을 료 **부수** 눈 目(목) ▶▶▶ 눈 目(목) + 횃불 료(尞) ➡ 눈이 밝아짐

눈이 밝음을 의미하는 글자로 눈 目(목)을 의미요소로 나머지는 발음기호이다.

●●●●● 明瞭(명료)/一目瞭然(일목요연)/簡單明瞭(간단명료)

龹(소) 送(송) 朕(짐) 勝(승) 藤(등) 騰(등) 謄(등)

送

훈음 보낼 송 **부수** 갈 辶(착) ▶▶▶ 갈 辶(착) + 火(화) + 廾(공) ➡ 횃불 치켜든 모습

횃불(火)을 들고(廾-두 손 공)있는 모습에서 꽃이 필/웃을 소(龹)자가 만들어졌고 두 손(廾)으로 횃불(火)을 높이 들고 길 떠나는(辶) 사람을 전송하는 장면에서 '보내다'라는 뜻이 생겼다.

●●●●● 郵送(우송)/送舊迎新(송구영신)/發送(발송)/送還(송환)

朕

훈음 나 짐 **부수** 달 月(월) ▶▶▶ 月(월) + 火(화) + 廾(공) ➡ 횃불 치켜든 모습

배 舟(月)와 불 火(화)와 두 손 廾(공)으로 이루어진 나 朕(짐)이라는 글자로 뱃(舟)길의 안전을 위해 횃불을 치켜든 모습 혹은 배 밑창이 새서 수리하는 모습, 또는 두 손으로 노를 젓는 모습 등의 설이 있다. 보통 사람이 자신을 가리킬 때 사용하던 말이었으나 秦始皇(진시황)때 법으로 황제의 自稱(자칭)으로 삼아버렸다.

●●●●● 兆朕(조짐)

勝

훈음 이길 승 **부수** 힘 力(력) ▶▶▶ 나 朕(짐) + 힘 力(력) ➡ 횃불 치켜든 모습

이기기 위해서는 힘이 있어야 하므로 힘 力(력)을 의미요소로 나머지 부분은 발음요소다. 여기서 힘 力(력)을 제외한 부분은 배 舟(주)와 불 火(화)와 두 손 廾(공)으로 이루어진 나 朕(짐)이라는 글자로 뱃(舟)길의 안전을 위해 횃불을 치켜든 모습으로 전쟁에서 이기고 돌아오는 모습으로 여겨졌다.

●●●●● 勝利(승리)/必勝(필승)/勝負(승부)/勝敗(승패)/決勝(결승)

藤

훈음 등나무 등 **부수** 풀 艸(초) ▶▶▶ 풀 艹(초) + 나 朕(짐) + 물 水(수) ➡ 높이 휘감고 오르는 나무

물이(水) 높이 솟구쳐(朕) 오르듯 줄기를 휘감고 높이 오르는 식물(艹)의 모습에서 갈등(葛藤)의 등나무 등(藤)자가 만들어졌고 말(馬)이 앞발을 높이 쳐든다(朕)하여 앙등(仰騰)의 오를 등(騰)자와 배(月) 머리(關)에서 대장의 공격 명령(言)을 복창(言)하는 장면에서 등본(謄本)/등사(謄寫)의 베낄 등(謄)자도 탄생하게 되었다.

●●●●● 葛藤(갈등)/白藤(백등)/暴騰(폭등)/騰落(등락)/殺氣騰騰(살기등등)/戶籍謄本(호적등본)

點(점) 燕(연) 鳥(조) 烏(오) 焉(언) 魚(어) 馬(마) 無(무)

훈음 점 점 부수 검을 黑(흑) ▶▶▶ 검을 黑(흑) + 점 占(점) ➡ 작고 까만 점

작고 까만 점을 나타내기 위한 글자이므로 검을 黑(흑)이 의미요소고 占(점)이 발음기호이다.

후에 점차로 '점찍다, 불을 켜다' 등으로 발전하여 點火(점화)/要點(요점) 등에 사용된다.

●●●●● 採點(채점)/點線(점선)/點燈(점등)/畵龍點睛(화룡점정)

※ 点(점) - 점 점 - 불 灬(화) - 點(점)의 俗字(속자).

훈음 제비 연 부수 불 火(화) ▶▶▶ 廿(입) + 北(북) + 口(구) + 灬(화) ➡ 삐쳐 나온 제비 꼬리/날개

날개가 꼬리처럼 긴 제비의 모습을 그린 글자로 불 灬(화)는 꼬리 부분이 변한 모습이다.

北(북)이 펼친 날개의 모습이고 ++(초)는 머리, 나머지는 몸통(口)과 꼬리(灬)의 모습이다.

●●●●● 燕尾服(연미복)/燕雀(연작)

훈음 새 조 부수 제 부수

새의 머리와 몸통과 꼬리, 다리 부분을 그린 그림글자(象形文字(상형문자)다.

●●●●● 鳥類(조류)독감/鳥足之血(조족지혈)/一石二鳥(일석이조)

훈음 까마귀 오 부수 불 火(화) ▶▶▶ 새 鳥(조) + 한 一(일) ➡ 맹인처럼 눈이 없는 새

새 鳥(조)자의 머리(白) 부분에서 一자가 빠져 마치 눈(一) 하나 없는 새라고 해서 까마귀 오자다. 실은 까마귀가 검어 눈이 없는 것처럼 보일 뿐이다.

●●●●● 烏飛梨落(오비이락)/烏骨鷄(오골계)/三足烏(삼족오)

훈음 어찌 언 부수 불 火(화) ▶▶▶ 바를 正(정) + 불 灬(화) ➡ 어떤 새의 상형

새 조(鳥)자의 머리 부분(白)이 바를 정(正)자로 바뀌어 있다. 焉(언)은 본래 어떤 새의 상형이었을 것이나 接續詞(접속사)/接尾辭(접미사)등으로 사용되면서 본뜻을 잃어버렸다.

●●●●● 焉敢生心(언감생심)

훈음 물고기 어 부수 제 부수

물고기의 형태를 그대로 그린 글자로 지느러미나 꼬랑지 부분이 불 灬(화)발로 바뀌었다.

●●●●● 魚族(어족)/魚頭肉尾(어두육미)/銀魚(은어)

훈음 말 마 부수 제 부수

말의 모습을 그대로 그린 글자로 말의 네 발을 불 灬(화)발로 표현했다.

●●●●● 馬車(마차)/騎馬兵(기마병)/馬耳東風(마이동풍)/走馬燈(주마등)

훈음 없을 무 부수 불 灬(화) ▶▶▶ 大(대) + 竹(죽) ➡ 춤추는 무당의 발모양

댓가지 같은 것을 양 손에 들고 춤추는 巫女(무녀)의 모습을 본뜬 글자였으나 발음이 같다는 이유로 '없다'를 뜻하는 글자로 가차됐다. 그래서 춤추는 두 발의 모습인 舛(천)을 첨가하여 춤출 舞(무)자를 따로 만들어 보존했다.

●●●●● 有無(유무)/無職(무직)/無能(무능)/無料(무료)

耒(뢰) 耕(경) 耤(적) 籍(적) 藉(자) 耗(모) 耘(운)

耒

훈음 쟁기 뢰 부수 제 부수
논과 밭을 갈 때 쓰는 농기구의 모습이 쟁기 뢰(耒)

耕

훈음 밭 갈 경 부수 쟁기 耒(뢰) ▶▶▶ 우물 井(정) + 쟁기 耒(뢰) ➡ 쟁기로 밭을 가는 모습
쟁기(耒)로 논밭의 이랑(井)을 내며 논밭을 가는 모습이 경작(耕作)의 밭 갈 경(耕)
●●●●● 耕地(경지)/農耕(농경)/耕耘機(경운기)/耕地整理(경지정리)/晝耕夜讀(주경야독)

耤

훈음 적전 적 부수 쟁기 耒(뢰)
▶▶▶ 예 昔(석) + 쟁기 耒(뢰) ➡ 임금님이 親耕(친경)하던 논밭
임금님이 친히 돌보시는 논밭을 일컬어 적전 적(耤)

籍

훈음 서적/문서 적 부수 대 竹(죽) ▶▶▶ 적전 耤(적) + 대 竹(죽) ➡ 대나무에 기록
친경(親耕)하는 적전(耤)의 소출/품군/품삯 등을 대나무(竹) 판에 자세히 기록한 것이 서적(書籍)/문서 적(籍)
●●●●● 國籍(국적)/妓籍(기적)/戶籍(호적)/本籍(본적)/無籍(무적)

藉

훈음 깔개 자 부수 풀 艸(초) ▶▶▶ 적전 耤(적) + 풀 艹(초) ➡ 풀로 엮어 만든 깔개
풀(艹)을 엮어(耤) 만든 깔개를 빙자(憑藉)의 깔개 자(藉)자로 한 자리 깔고 들어간다고 하듯 뭔가 핑계를 대려고 할 때 이야기를 다른 것과 섞어서 평퍼짐하게 만들어 버린다하여 憑藉(빙자)라는 단어가 탄생했으며 돕고 위로해 주다라는 뜻도 파생하였다.
●●●●● 慰藉料(위자료)/藉藉(자자)하다

耗

훈음 줄 모 부수 쟁기 耒(뢰) ▶▶▶ 털 毛(모) + 쟁기 耒(뢰) ➡ 털이 가늘어지듯
털(毛)이 가늘어 지듯 쟁기(耒)의 앞부분인 보습이 논밭을 갈면서 땅과 마찰하며 닳아서 줄어드는 모습에서 마모(磨耗)의 줄 모(耗)자가 만들어졌다.
●●●●● 磨耗(마모)/消耗(소모)/消耗戰(소모전)

耘

훈음 김맬 운 부수 쟁기 耒(뢰) ▶▶▶ 이를 云(운) + 쟁기 耒(뢰) – 발음기호
논밭을 가(耒)는 기계를 운(云)을 발음으로 경운기(耕耘機)의 김맬 운(耘)
●●●●● 耕耘(경운)/耕耘機(경운기)

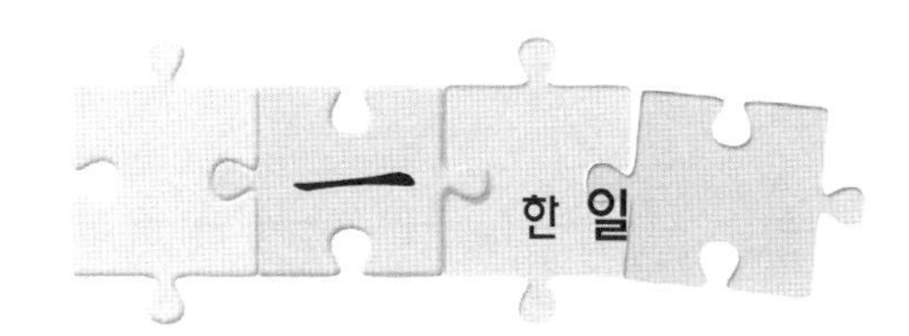

一(일)	上(상)	下(하)	丁(정)	亭(정)	停(정)
頂(정)	訂(정)	釘(정)	宁(저)	貯(저)	打(타)

一

훈음 한 일 부수 제 부수
물체의 개수를 나타내기 위해 짧은 한 선을 그어 '하나'의 뜻으로 쓰던 글자에서 '한번, 첫째, 오로지, 모두, 조금' 등의 뜻으로 쓰이게 되었다. 아래 下(하)나 위 上(상)에서는 숫자 一(일)과는 관계없는 임의의 線(선)으로 같은 꼴을 하고 있을 뿐이다.
●●●●● 一口二言(일구이언)/一網打盡(일망타진)/一等席(일등석)/唯一(유일)/一切(일체)/一寸光陰(일촌광음)

上

훈음 위 상 부수 한 一(일) ▶▶▶ 卜 + 한 一(일) ➡ 윗부분의 표시
사물(一)의 윗부분 즉 깔개(一) 위에 물건이(卜) 있는 것을 보고 만들어 낸 글자다.
●●●●● 上下(상하)/上昇(상승)/上官(상관)/上級生(상급생)/上司(상사)

下

훈음 아래 하 부수 한 一(일) ▶▶▶ 한 一(일) + 卜 – 하단부를 강조한 글자
덮개(一) 밑에 물건이(卜) 깔려 있다 하여 아래 下(하)자가 만들어졌다.
●●●●● 下手(하수)/下水道(하수도)/下品(하품)

丁

훈음 넷째 천간 정 부수 한 一(일) ▶▶▶ 한 一(일) + 갈고리 亅(궐) ➡ 못의 모양
못의 상형이라는 설과 못을 망치로 박는 모습이라는 설이 있다.
●●●●● 丁年(정년)/壯丁(장정)/白丁(백정)/兵丁(병정)

亭

훈음 정자 정 부수 머리 亠(두) ▶▶▶ 高의 윗부분 + 고무래 丁(정) ➡ 우뚝 솟은 건물
땅 위에 우뚝 솟은(亠) 반듯한 건물로 사람이 머무르며(丁) 쉬었다 가는, 오늘날의 호텔이나 여관에 해당하는 글자로 고무래 丁(정)이 발음기호이다.
●●●●● 亭子(정자)/土亭秘訣(토정비결)

停

훈음 머무를 정 부수 사람 亻(인) ▶▶▶ 사람 亻 + 정자 정(亭) ➡ 사람이 정자에 머무르다
머무르고 쉰다는 것은 머무를 곳(亭)과 쉬는 주체인 사람(亻)이 필요하므로 둘 다 의미요소이고 정자 亭(정)이 발음요소이다.
●●●●● 停車場(정거장)/停戰協定(정전협정)/停滯(정체)/停刊(정간)/停學(정학)/停止(정지)

訂

훈음 바로잡을 정 부수 말씀 言(언) ▶▶▶ 말씀 言(언) + 천간 丁(정) ➡ 말을 수정하여 다른 곳에 박다
박았던 못을 빼서 다른 곳에 다시 박듯이 내뱉은 말이나 글 또한 다시 고친다는 뜻을 갖는 글자로 두 글자 모두 의미요소이며 丁(정)이 발음기호이다.
●●●●● 訂正(정정)/改訂(개정)/校訂(교정)

頂

훈음 정수리 정 부수 머리 頁(혈) ▶▶▶ 천간 丁(정) + 머리 頁(혈) ➡ 머리 꼭대기

머리(頁) 한가운데 즉 정수리를 강조한 글자로 발음 요소인 丁(정)과 합자로 '가장 높은 곳, 꼭대기' 등의 의미로 확대됐다.

●●●●● 頂上(정상)/頂門一鍼(정문일침)/頂點(정점)

釘

훈음 못 정 부수 쇠 金(금) ▶▶▶ 쇠 金(금) + 천간 丁(정) ➡ 쇠 못

못의 재질인 금속을 상징하는 쇠 金(금)이 의미요소고 丁(정)은 발음 및 의미요소이다.

●●●●● 眼中之釘(안중지정)/竹釘(죽정)

宁

훈음 쌓을 저 부수 집 宀(면) – 단독 사용 없고 발음기호로

▶▶▶ 집 宀(면) + 못 丁(정) ➡ 집안에 단단히 박아만 둠

많이 벌어야 부자가 되지만 한번 집안(宀)에 들어온 것은 마치 정(丁)으로 박듯이 단단히 박아 놓아야 즉 저축(貯蓄)을 잘해야 부자가 된다는 뜻에서 생긴 글자다.

貯

훈음 쌓을 저 부수 조개 貝(패) ▶▶▶ 조개 貝(패) + 쌓을 宁(저) ➡ 보물을 비에 쌓아 놓음

주로 돈(貝)을 쌓고(宁) 모으는 것을 가리키는 '저축'의 개념을 갖는 글자로 조개 貝(패)와 쌓을 宁(저) 모두가 의미요소이며 宁(저)는 발음을 겸한다.

●●●●● 貯蓄(저축)/貯金(저금)/貯水池(저수지)/貯藏(저장)

打

훈음 칠 타 부수 손 手(수) ▶▶▶ 손 扌(수) + 못 丁(정) ➡ 못을 손으로 두들겨 박다

치거나 무엇을 박는다는 것은 손이 할 일이므로 손 扌(수)를 의미요소로 그 대상인 못 丁(정)을 의미요소에 기여하도록 한 글자다. 손으로(扌) 못이나 말뚝(丁)을 두드려 박는 행동을 그린 글자다.

●●●●● 打擊(타격)/打者(타자)/猛打(맹타)/打開(타개)/打樂器(타악기)/打鐘(타종)/一網打盡(일망타진)/打破(타파)/ 利害打算(이해타산)

且(차)	俎(조)	組(조)	祖(조)	助(조)	租(조)
粗(조)	査(사)	沮(저)	狙(저)	詛(저)	具(구)

且

훈음 또 차 부수 한 一(일)

도마 위에 겹겹이 쌓아놓은 고기의 모습으로 '도마'를 가리키는 글자였으나 가차되어 또 且(차)로 사용되자 고기 덩어리(仌)를 첨가하여 도마의 본뜻(且)을 살린 글자가 도마 조(俎)자이다.

●●●●● 苟且(구차)/且置(차치)/重且大(중차대)

組

훈음 끈 조 부수 실 糸(사) ▶▶▶ 실 糸(사) + 또 且(차) ➡ 묶는 수단인 끈을 강조

흩어져 있는 것을 어떤 목적을 위해 하나로 묶는 수단을 의미하는 것으로, 실 糸(사)가 의미요소고 또 且(차)가 발음기호이다.

●●●●● 組織(조직)/組版(조판)/組閣(조각)/組成(조성)

祖

훈음 조상 조 부수 보일 示(시) ▶▶▶ 보일 示(시) + 또 且(차) ➡ 제사상에 조상의 위패를 모심

마치 초상화 올려놓듯 조상의 위패(且)를 제사상 위에 올려놓고 죽은 조상을 기리는 모습에서 '조상, 할아비' 등의 뜻이 파생됐다. 여기서 위패(且)를 갑골문에서는 남성의 상징인 성기로 보고, 묘비 곁에 비석의 모양이 여기서 유래되었다 하여 역시 죽은 조상을 뜻하는 글자라고 한다.

●●●●● 祖上(조상)/先祖(선조)/祖國(조국)/元祖(원조)/祖父母(조부모)

助

훈음 도울 조 부수 힘 力(력) ▶▶▶ 또 且(차) + 힘 力(력) ➡ 남을 돕기 위해 힘이 필요함

남을 돕기 위해선 힘(力)이 필요하므로 힘 力(력)을 의미요소고 且(차)는 발음기호이다.

●●●●● 助力(조력)/助演(조연)/助手(조수)/助言(조언)/補助(보조)/相扶相助(상부상조)/援助(원조)

租

훈음 구실 조 부수 벼 禾(화) ▶▶▶ 벼 禾(화) + 또 且(차) ➡ 도지를 곡물로 내다

수확한 작물에 부과하던 세금을 나타내므로 벼 禾(화)가 의미요소고 且(차)는 발음기호이다.

●●●●● 租稅(조세)/租借地(조차지)

※ 組(조) - 끈 조/粗(조) - 거칠 조

粗

훈음 거칠 조 부수 쌀 米(미) ▶▶▶ 쌀 米(미) + 또 且(차) ➡ 정제하지 않은 쌀

거칠지 않은 즉 정제하지 않은 쌀을 의미하므로 쌀 米(미)가 의미요소 且(차)는 발음기호임

●●●●● 粗雜(조잡)/粗惡(조악)/粗暴(조포)

※ 租(조) - 구실 조

査

훈음 사실할 사 부수 나무 木(목) ▶▶▶ 나무 木(목) + 또 且(차) ➡ 제사상에 올리기 전에 살펴봄

나무로 만든 '남성 성기'라는 설과 '나무로 만든 神主(신주)'라는 두 설이 유력하나 원뜻은 알 길이 없다.

●●●●● 調査(조사)/査察(사찰)/審査(심사)/査頓(사돈)

沮

훈음 막을 저 부수 물 水(수) ▶▶▶ 물 氵(수) + 또 且(차) ➡ 제방을 쌓아 물길을 막다

제방을 겹겹이 쌓아올려 물길을 막다가 원뜻이므로 두 글자 모두 의미요소고 또 且(차)자 발음기호다.

●●●●● 沮止(저지)/沮害(저해)

詛

훈음 저주할 저 부수 말씀 言(언)

▶▶▶ 말씀 言(언) + 또 且(차) ➡ 남의 인생을 말로 가로막다

말로 남이 안 되길 비는 글자로 말씀 言(언)이 의미요소고 또 且(차)는 발음기호이다.

●●●●● 詛呪(저주)

狙

훈음 노리다/원숭이 저 부수 개 犭(견) ▶▶▶ 개 犭(견) + 또 且(차) ➡ 개가 노려보다

원숭이를 나타내는 글자로 사람과 가장 친한 동물인 개 犭(견)이 사람과 가장 닮은 유인원인 원숭이를 나타냈으며 또 且(차)는 발음기호이다.

●●●●● 狙擊(저격)/狙擊手(저격수)

具

훈음 갖출 구 부수 여덟 八(팔) ▶▶▶ 且(차) + 두 손 받들 廾(공) ➡ 두 손으로 솥을 들고 있음

또 且(차)자가 아닌 솥 鼎(정)자의 약자로 두 손(廾)으로 솥을 들고 있는 모습으로 '준비가 되었다/갖추었다'는 의미로 발전된 글자다.

●●●●● 具備(구비)/文房具(문방구)/具色(구색)

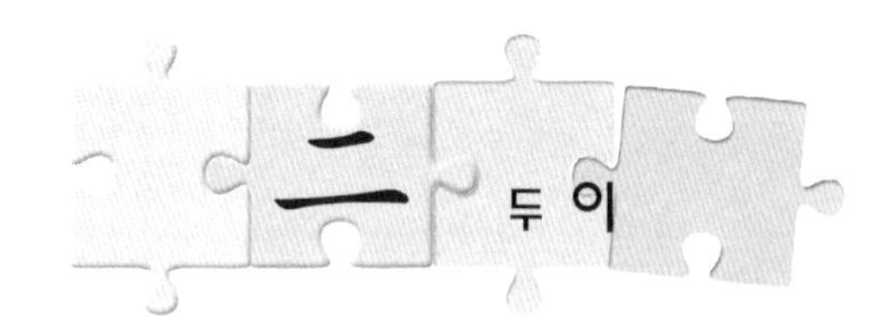

二(이) 五(오) 伍(오) 吾(오) 悟(오) 梧(오)
圄(어) 亞(아) 啞(아) 惡(악) 堊(악)

二

훈음 두 이 **부수** 제 부수

물체 두 개를 나타내기 위해 가로로 선을 두 개 그어 간단하게 사용하기 시작하였으며 점차로 '둘, 둘째' 등으로 뜻이 파생되었다. 부수의 編制(편제)를 위해 숫자 二(이)와는 전혀 관계없으나 다섯 五(오)나 어조사 于(우) 등에 사용되고 있다.

●●●●● 唯一無二(유일무이)/二壘手(이루수)

五

훈음 다섯 오 **부수** 두 二(이)

한 一(일)자 사이에 X자를 그어 '다섯 오'를 만든 글자로 계속하여 가로로만 선을 그어 숫자를 늘려 나갈 수 없었기에 편리함과 정확성을 위해 고안한 글자이며 줄지(五)어 가는 군인들(亻)의 모습에서 낙오(落伍)의 대오(隊伍) 오(伍)자가 태어났다.

●●●●● 五里霧中(오리무중)/五十步百步(오십보백보)

吾

훈음 나 오 **부수** 입 口(구) ▶▶▶ 입 口(구) + 다섯 五(오) – 발음기호

오(五)를 발음으로 오등(吾等)의 나 오(吾)자를 만들어서 거기에 마음 忄(심)을 더하면 마음(忄)의 작용인 각오(覺悟)의 깨달을 오(悟)가 되며 나무 木(목)을 더하면 나무(木)의 일종인 오동(梧桐)의 벽오동나무 오(梧)가 되고 둘레 위(囗)를 더해서 유치장(囗)에 갇힌 모습을 만들면 나 오(吾)를 발음으로 영어(囹圄)의 옥 어(圄)자를 간단하게 만들 수 있게 된다.

●●●●● 吾等(오등)/吾鼻三尺(오비삼척)/梧桐(오동)/大悟覺醒(대오각성)/囹圄(영어)의 몸

亞

훈음 버금 아 **부수** 두 二(이) ▶▶▶ 두 二(이) + 실존하는 궁궐에 버금가는 크기의 미리 파 놓은 무덤 터

궁궐이나 무덤을 만들기 위해 크게 파 놓은 터를 가리킨다. 마치 실존하는 궁궐에 버금가는 규모라 생전의 영화를 사후에도 누리는 왕족들의 장례 풍습에서 나온 글자다.

●●●●● 亞細亞(아세아)/亞洲(아주)/東南亞(동남아)/亞流(아류)

啞

훈음 벙어리 아 **부수** 입 口(구) ▶▶▶ 입 口(구) + 버금 亞(아) ➡ 말 못 하는 사람

벙어리란 말 못 하는 사람을 가리키므로 입 口(구)가 의미요소고 亞(아)는 발음기호이다.

●●●●● 聾啞(농아)/盲啞(맹아)/啞然失色(아연실색)

惡

훈음 악할 악 **부수** 마음 心(심) ▶▶▶ 버금 亞(아) + 마음 心(심) ➡ 자신을 높게 생각하는 것 자체가 악이다

자신은 하느님에 버금간다(亞)고 생각하는 마음(心) 자체가 악이다. "감히 자신을 왕처럼 높여!" 따라서 마음 두 글자 모두 의미요소이고 亞(아)가 발음기호이다, 마음 심(心) 자리에 흙 토(土)를 더하면 백악(白堊)기의 백토 악(堊)자가 된다.

●●●●● 善惡(선악)/惡人(악인)/惡習(악습)/嫌惡(혐오)/백악관(白堊館)

于(우)	宇(우)	迂(우)	亐(우)	夸(과)	誇(과)
亏(울)	汚(오)	云(운)	雲(운)	魂(혼)	陰(음)

于

훈음 어조사/전치사 우 부수 두 二(이) ▶▶▶ 두 二(이) + 갈고리 亅(궐)
그냥 외우자
●●●●● 于今(우금-지금까지)/于歸(우귀-시집감)

宇

훈음 집 우 부수 집 宀(면) ▶▶▶ 집 宀(면) + 어조사 于(우) ➡ 집을 가리킴
집의 처마를 가리키는 말로써 집 宀(면)이 의미요소고 于(우)는 단순히 발음기호이다.
훗날 '집, 하늘'을 가리키는 것으로 의미 확대되었다.
●●●●● 宇宙(우주)/宇下(우하)

迂

훈음 멀 우 부수 갈 辶(착) ▶▶▶ 갈 辶(착) + 어조사 于(우) ➡ 멀리 돌아가다
멀리 돌아서 가다라는 뜻을 가진 글자이므로 갈 辶(착)이 의미요소고 于(우)는 발음기호이다.
●●●●● 迂回(우회)/迂餘曲折(우여곡절)

亐

훈음 어조사 우 부수 두 二(이)
어조사 于(우)의 본 글자이므로 의미도 동일하다. 단, 글자의 모양을 위해 于(우)/亐(우)가 그 때 그 때 사용되는 것뿐이다.

夸

훈음 자랑할 과 부수 큰 大(대) ▶▶▶ 큰 大(대) + 어조사 亐(우) ➡ 말을 크게 과장되게 하는 모습
크게(大) 부풀려 말하다(亐)가 원뜻이므로 큰 大(대)가 의미요소로 쓰였으나, 독자적으로 사용되지 않자 말씀 言(언)을 추가하여 본뜻을 더욱 분명히 한 글자가 자랑할 誇(과)자이다.

誇

훈음 자랑할 과 부수 말씀 言(언)
▶▶▶ 말씀 言(언) + 자랑할 夸(과) ➡ 말을 크게 한다는 것은 자랑하는 것
'크게 부풀려 말하다'의 뜻으로 만든 글자이므로 큰 大(대)와 말씀 言(언)이 의미요소이고 夸(과)는 발음기호이다.
●●●●● 誇示(과시)/誇大(과대)/誇張(과장)/誇大妄想(과대망상)

汚

훈음 더러울 오 부수 물 氵(수) ▶▶▶ 물 氵(수) + 땅이름 울(亏) ➡ 물이 더럽다
땅(亏-땅이름 울)에 침(氵)을 뱉는 모양이 오염(汚染)의 더러울 오(汚)
●●●●● 汚染(오염)/汚職(오직)/汚水(오수)

云

훈음 이를 운 부수 두 二(이)
▶▶▶ 두 二(이) + 厶(사) ➡ 비가 올 것이라고 운운하는 것은 구름임
하늘에 구름이 매달려 있는 모습이었으나 점차 '말하다'로 사용되자 비 雨(우)를 첨가한 구름 雲(운)자를 따로 만들었다.
●●●●● 云云(운운)/云謂(운위)

雲

훈음 구름 운 부수 비 雨(우)
▶▶▶ 비 雨(우) + 이를 云(운) ➡ 비 올 것을 알려주는 구름
구름을 의미하는 글자로 비 雨(우)가 의미요소고 이를 云(운)은 발음기호이나, 구름은 마치 비(雨)가 올 것이라고 미리 말(云)하는 것과 같으므로 두 글자 모두 의미요소로 봐도 무방하다.
●●●●● 雲霧(운무)/風雲兒(풍운아)/靑雲萬里(청운만리)/雲集(운집)

陰

훈음 응달 음 부수 언덕 阜(부) ▶▶▶ 언덕 阝(부) + 이제 今(금) + 이를 云(운) ➡ 그늘진 곳
구름(云) 끼면 그늘이(阝) 생기므로 금(今)을 발음으로 음양(陰陽)의 응달 음(陰)
●●●●● 陰地(음지)/陰謀(음모)/陰毛(음모)/陰曆(음력)/陰德(음덕)/綠陰芳草(녹음방초)

魂

훈음 넋 혼 부수 귀신 鬼(귀) ▶▶▶ 이를 云(운) + 귀신 鬼(귀) ➡ 귀신 소리 – 혼이 있다고 생각함
사람이 죽으면 하늘을 떠도는 혼이 있다고 생각한 사람들이 만들어 낸 글자로, 귀신 鬼(귀)가 의미요소고 云(운)은 바뀌긴 했지만 발음요소로 사용됐다.
●●●●● 魂魄(혼백)/靈魂(영혼)/鎭魂祭(진혼제)

互(호) 瓦(와) 雍(옹) 擁(옹) 甕(옹) 壅(옹)

互

훈음 서로 호 부수 두 二(이) ▶▶▶ 서로 맞잡은 모양
손을 서로 맞잡고 있는 모습이 상호(相互)의 서로 호(互)
●●●●● 互角之勢(호각지세)

瓦

훈음 기와 와 부수 제 부수 – 암수가 맞물린 기와의 모습
암수가 서로(互) 맞물린(丶) 기와의 모습에서 개와(蓋瓦)/청와(靑瓦)대의 기와 와(瓦)
●●●●● 瓦解(와해)/瓦家(와가)

雍

훈음 화할/화목할/누그러질 옹 부수 새 隹(추) ▶▶▶ 새 추(隹) + 화할 옹(邕)
가슴에 새(隹)를 안고 있는 모습 또는 물길이 마을을 감싸며(邕) 도는 모습이 부드러울/화목할 옹(雍)

擁

훈음 안을 옹 부수 손 手(수) ▶▶▶ 손 手(수) + 화할 雍(옹) ➡ 손으로 감싸고 있는 모습
손(扌)으로 감싸(雍) 안은 모습이 포옹(抱擁)의 안을 옹(擁)
●●●●● 擁立(옹립)/擁護(옹호)/抱擁(포옹)

甕

훈음 독 옹 부수 기와 瓦(와) ▶▶▶ 화할 雍(옹) + 기와 瓦(와) ➡ 기와를 굽는 가마
기와(瓦)를 굽기 위해 가마로 감싸 안으니(雍) 옹기(甕器)/철옹성(鐵甕城)의 독 옹(甕), 이 글자의 속자가 독 瓮(옹)자이다.
●●●●● 鐵甕山城(철옹산성)

壅

훈음 막을 옹 부수 흙 土(토) 화할 雍(옹) + 흙 土(토) ➡ 가마의 틈새를 진흙으로 막다
옹기를 감싸 안은 가마(雍)의 열기가 빠져나가지 못하도록 틈새를 진흙(土)으로 틀어막는 모습에서 옹색(壅塞)/옹졸(壅拙)의 막을 옹(壅)
●●●●● 壅塞(옹색)/壅固執(옹고집)

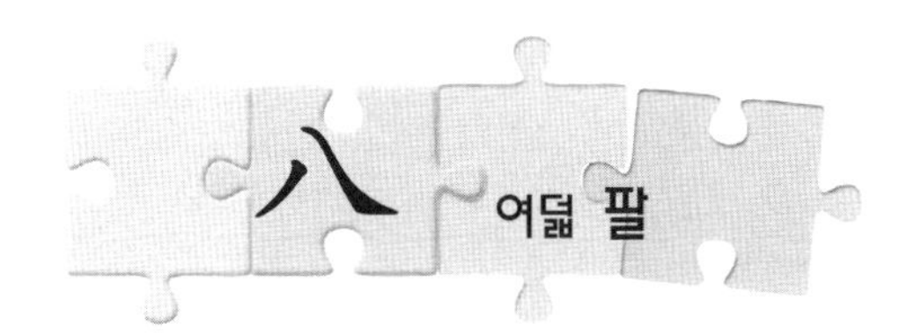

八(팔) 半(반) 伴(반) 叛(반) 切(절)

八

훈음 여덟 팔 **부수** 제 부수
숫자 여덟을 뜻하는 八(팔)자의 갑골문은 양쪽이 갈라진 모습의 左右同形(좌우동형)을 이루고 있으며 그 모양에서 '나누다 즉 무엇을 둘로 나눔을 의미하는 부호'로 이해하기도 하며, 다른 글자에 들어가 '전체, 절반'의 뜻으로 기여하기도 한다.
●●●●● 八等身(팔등신)/七顚八起(칠전팔기)/四方八方(사방팔방)

半

훈음 반 반 **부수** 열 十(십) ▶▶▶ 소 牛(우) + 여덟 八(팔) ➡ 칼로 소를 반으로 나누다
소(牛)를 칼로 반으로 나누는(八) 장면에서 '반쪽, 절반, 중간'의 뜻이 파생됐다.
●●●●● 折半(절반)/半年(반년)/半分(반분)/半價(반가)/半平生(반평생)

伴

훈음 짝/따를 반 **부수** 사람 亻(인) ▶▶▶ 사람 亻(인) + 반 半(반) ➡ 자신의 절반
자신의 절반은 평생을 함께하는 배우자를 말한다.
●●●●● 伴侶(반려)/同伴者(동반자)/隨伴(수반)/伴奏(반주)

叛

훈음 배반할 반 **부수** 또 又(우) ▶▶▶ 반 半(반) + 되돌릴 反(반) ➡ 반대편으로 되돌림
배반한다는 것은 한마음 같은 편에서, 다른 마음 다른 편으로 바뀐 것을 말하니 반 半(반)을 의미요소로 反(반)을 발음기호로 사용했다.
●●●●● 背叛(배반)/叛逆(반역)/叛旗(반기)/叛軍(반군)/叛亂(반란)

切

훈음 끊을 절 **부수** 칼 刀(도)
▶▶▶ 일곱 七(칠) + 칼 刀(도) ➡ 물체를 가로세로로 자르는 모습
일곱 七(칠) 자체만으로도 물체를 가로로 가른 모습이었으나 숫자 七(칠)로 가차되자, 그 뜻을 분명히 하기 위해 칼 刀(도)를 더한 글자로 일곱 七(칠)이 발음기호로도 쓰였다.
동물의 배를 가로세로(十-七로 변형)로 잘라(刀) 내장을 도려내고 하는 모습에서 생긴 글자다.
●●●●● 切斷(절단)/親切(친절)/切齒腐心(절치부심)/適切(적절)

公(공) 松(송) 頌(송) 訟(송) 誦(송) 翁(옹)

公

훈음 공변될 공 **부수** 여덟 八(팔) ▶▶▶ 여덟 팔(八) + 사사 사(厶) ➡ 나를 포함한 전체
무언가 만천하에 드러난 물건이나 장소로써 오픈되었다는 뜻이다.
●●●●● 公共(공공)/公開(공개)/公衆電話(공중전화)/公人(공인)

松

훈음 소나무 송 **부수** 나무 木(목) ▶▶▶ 나무 木(목) + 공변될 公(공) ➡ 기개 있는 소나무
기개가 있는 소나무를 가리키는 글자이므로 나무 木(목)이 의미요소고 公(공)은 발음기호임은 아래의 글자들도 마찬가지다.
●●●●● 松栮(송이)/紅松(홍송)/矮松(왜송)/松林(송림)

頌

훈음 기릴 송 **부수** 머리 頁(혈) ▶▶▶ 공변될 公(공) + 머리 頁(혈) ➡ 모든 사람이 칭찬함
모든 사람의 혹은 다 드러난(公) 머리(頁)라는 것은, 모든 사람이 인정하고 모든 사람이 칭송하는 것을 말한다.
●●●●● 稱頌(칭송)/頌德碑(송덕비)/頌祝(송축)

訟

훈음 송사할 송 **부수** 말씀 言(언) ▶▶▶ 말씀 言(언) + 공변될 公(공) ➡ 공평하게 쌍방의 말을 들어 봄
양쪽의 말을 오픈하여 들어 봐야 누구의 말이 옳은지 알 수 있다.
●●●●● 訴訟(소송)/訟事(송사)/訴訟取下(소송취하)

誦

훈음 욀 송 **부수** 말씀 言(언) ▶▶▶ 말씀 言(언) + 길 甬(용) ➡ 보지 않고 말하다
보지 않고 외우는 것을 말하는 것으로 말씀 言(언)이 의미요소고 길 甬(용)은 발음요소이다.
●●●●● 暗誦(암송)/朗誦(낭송)

翁

훈음 늙은이 옹 **부수** 깃 羽(우) ▶▶▶ 공변될 公(공) + 깃 羽(우) ➡ 늙은이에 대한 존칭
새의 목털을 의미한 글자였으나 '늙은이, 노인에 대한 존칭'으로 의미 변화되었다. 따라서 새 隹(추)가 의미요소이며 공변될 公(공)이 발음기호이며 여기에 기와 와(瓦)를 더하면 공(公)을 발음기호로 옹기(甕器)의 독 옹(甕)자와 동자(同字)인 독 옹(瓮)자도 만들 수 있다.
●●●●● 塞翁之馬(새옹지마)

分(분) 紛(분) 粉(분) 盆(분) 忿(분) 貧(빈)

分

훈음 나눌 분 **부수** 칼 刀(도) ▶▶▶ 여덟 八(팔) + 칼 刀(도) ➡ 칼로 반을 나누다
칼(刀)로 쪼개어 반으로 나누는(八) 모습을 본떠서 그린 그림글자다.
●●●●● 分割(분할)/分配(분배)/分房(분방)/四分五裂(사분오열)

紛

훈음 어지러워질 분 **부수** 실 糸(사) ▶▶▶ 실 糸(사) + 나눌 分(분) ➡ 실이 끊어져 주위가 어지러워짐
실(糸)이 절단(分)되어 여기저기 흩날리면 주체할 길이 없다.
●●●●● 紛亂(분란)/紛糾(분규)/粉末(분말)/紛紛(분분)/紛爭(분쟁)

粉

훈음 가루 분 **부수** 쌀 米(미) ▶▶▶ 쌀 米(미) + 나눌 分(분) ➡ 쌀을 곱게 가루 냄
곡식을 대표하는 쌀(米)을 쪼개고 나누면 가루가 됨을 의미하는 것으로 두 글자 모두 의미요소이며 나눌 分(분)이 발음기호이다.
●●●●● 粉乳(분유)/粉骨碎身(분골쇄신)/粉碎(분쇄)/粉食(분식)

盆

훈음 (물/술)동이 분 **부수** 그릇 皿(명) ▶▶▶ 나눌 分(분) + 그릇 皿(명) ➡ 밑 둥지가 우묵한 담는 용기
무엇을 담는 밑이 우묵한 그릇을 뜻하므로 그릇 皿(명)이 의미요소고 나눌 分(분)이 발음기호이다.
●●●●● 盆栽(분재)/盆地(분지)/叩盆之痛(고분지통)

忿

훈음 성낼 분 **부수** 마음 心(심)
▶▶▶ 나눌 分(분) + 마음 心(심) ➡ 마음을 나누는 야비한 행동에 노를 발함
두 마음을 품은 사람에게 적개심을 드러내는 모습으로 두 글자 모두 의미요소고 나눌 分(분)이 발음기호다.
●●●●● 忿怒(분노)/激忿(격분)

貧

훈음 가난할 빈 부수 조개 貝(패) ▸▸▸ 나눌 分(분) + 조개 貝(패) ➡ 재물을 나누어 주니 가난해진다
재산이나 가지고 있는 물질을 남에게 나누어(分) 주면 결코 부자가 될 수 없다? 따라서 '물질을 분배하면 몫이 적어진다'에서 파생된 글자이므로 두 글자 모두 의미요소이다.
●●●●● 貧困(빈곤)/貧富(빈부)/貧民(빈민)/貧弱(빈약)/極貧(극빈)/淸貧(청빈)/安貧樂道(안빈낙도)

其(기) 箕(기) 基(기) 期(기) 棋(기) 旗(기) 麒(기) 欺(기) 斯(사)

其

훈음 키/그 기 부수 여덟 八(팔) ➡ 키질하는 모습
곡식을 키질하는 키를 받침대 위에 받쳐둔 모습 혹은 두 손(廾)으로 들고 있는 모습에서 나온 글자다.
●●●●● 其他(기타)/其實(기실)/不知其數(부지기수)

箕

훈음 키 기 부수 대 竹(죽) – 단독 사용은 드물다 ▸▸▸ 대 竹(죽) + 그 其(기) ➡ 키질하는 키
키질하는 키 其(기)가 지시대명사 '그'로 쓰이자 키의 재질인 대나무 竹(죽)을 첨가하여 원래의 의미를 보존한 글자다.

基

훈음 터 기 부수 흙 土(토) ▸▸▸ 그 其(기) + 흙 土(토) ➡ 만물의 기초인 흙
동식물의 기초는 모두 흙(土)에 있다. 나무나 식물도 그 뿌리를 흙(土)에 내리며 사람도 동물도 땅(土)의 소출로 살아가므로 모든 삶의 터전은 흙(土) 즉 땅에 있다 하여 흙 土(토)를 의미요소로 그 其(기)를 발음기호로 사용했다.
●●●●● 基礎(기초)/基本(기본)/基盤(기반)/基本給(기본급)/基準(기준)

期

훈음 기약할 기 부수 달 月(월) ▸▸▸ 그 其(기) + 달 月(월) ➡ 보름달이 떠오를 때 만나자고 약속함
첫 보름달(月)이 떠오르는 그(其) 달(月)에 방앗간 뒤에서 만나자 하여 생긴 글자로, '만나다'가 본뜻이다. 달 月(월)이 의미요소이고, 그 其(기)는 발음기호이다.
●●●●● 期約(기약)/期待(기대)/短期(단기)/滿期(만기)/時期(시기)/延期(연기)/期必(기필)코

棋

훈음 바둑 기 부수 나무 木(목) ▸▸▸ 나무 木(목) + 그 其(기) ➡ 나무로 만든 바둑판
바둑판을 나무로 만들었으므로 나무 木(목)이 의미요소고 그 其(기)는 발음기호이다.
●●●●● 棋院(기원)/棋譜(기보)/將棋(장기)/棋士(기사)

旗

훈음 기 기 부수 모 方(방) ▸▸▸ 깃발 언(方+人) + 其(기) ➡ 사방팔방으로 휘날리는 깃발
4방8방으로 휘날리는 깃발의 모양에서 만들어진 글자로 깃발 언(方+人)이 의미요소 그 其(기)가 발음기호다.
●●●●● 太極旗(태극기)/星條旗(성조기)/旗手(기수)/白旗(백기)

麒

훈음 기린 기 부수 사슴 鹿(록) ▸▸▸ 사슴 鹿(록) + 그 其(기) ➡ 목이 긴 동물인 기린
목이 긴 동물인 기린을 나타내는 말로 사슴 鹿(록)이 의미요소고 그 其(기)는 발음기호이며 입 만 열었다(欠)하면 사기(詐欺)치니 기(其)를 발음으로 기만(欺瞞)의 속일 기(欺)자와 가차자인 사문난적(斯文亂賊)의 이 사(斯)자도 함께 외우자.
●●●●● 麒麟(기린)

十(십) 千(천) 宅(댁) 午(오) 許(허)
升(승) 昇(승) 飛(비) 協(협) 博(박)

十

훈음 열 십 **부수** 제 부수

손가락 열 개 또는 숫자 열을 표기하기 위해 처음엔 위에서 아래로 그냥 내리 그은 선(丨)을 사용했으나 점차 세상이 복잡해지면서 혼동을 피하기 위해 직선의 중간에 표시를 한 것이 지금의 열 十(십)으로 굳혀졌다. '숫자 열 외에 충족된 수로서 완전하거나 부족함이 없는'이라는 의미를 지녀 '열, 열 번, 열 배, 많다, 전부' 등의 뜻으로 파생되었다.

●●●●● 十中八九(십중팔구)/十匙一飯(십시일반)/十誡命(십계명)

千

훈음 일천 천 **부수** 열 十(십) ▶▶▶ 삐침 丿(별) + 열 十(십) ➡ 숫자 천

十(십)자 위에 한 획(丿)을 그어 더 큰 숫자인 千(천)을 나타낸 글자다.

●●●●● 千不當萬不當(천부당만부당)/千萬(천만)/千里(천리)/千斤(천근)

宅

훈음 집 택/댁 **부수** 집 宀(면) ▶▶▶ 집 宀(면) + 일천 千(천) ➡ 많은 사람을 머물게 할 수 있는 집

천(千) 명이나 되는 즉 아주 많은 사람이 머무를 수 있는 집(宀)이라면 당연히 저택이어야 할 것이다.

●●●●● 邸宅(저택)/家宅搜査(가택수사)/宅內(댁내)/住宅(주택)

午

훈음 낮 오 **부수** 열 十(십) ▶▶▶ 丿(별) + 방패 干(간) ➡ 절굿공이 모양

곡식을 빻고 찧을 때 위아래로 움직이는 절굿공이라는 설이 유력하다.

●●●●● 午前(오전)/午後(오후)/正午(정오)

許

훈음 허락할 허 **부수** 말씀 言(언) ▶▶▶ 말씀 言(언) + 절굿공이 午(오) ➡ 반복되는 요구에 허락함

절굿공이(午)가 위아래로 수없이 오르내리듯이 끊임없는(午) 요구(言)에 두 손 두 발 다 들고 마침내 허락하고 말았다는 사상을 담고 있는 글자이다. 두 글자 모두 의미요소고 절굿공이 午(오)가 발음에 영향을 미쳤다.

●●●●● 許諾(허락)/許可(허가)/免許(면허)/允許(윤허)/特許(특허)

升

훈음 되/오를 승 **부수** 열 十(십) ▶▶▶ 사람 亻(인) + 열 十(십) ➡ '열 홉'에 해당하는 그릇

용량의 단위로 '열 홉'에 해당되는 그릇의 모양이라는 설이 유력하다. 현재는 별로 쓰이지 않으며 타 글자의 발음요소로 쓰인다.

昇

훈음 오를 승 **부수** 해 日(일) ▶▶▶ 해 日(일) + 되 升(승) ➡ 해를 떠밀어 올림

해가 떠오르다가 원뜻이므로 해 日(일)이 의미요소고, 되 升(승)은 발음기호이나 해(日)를 마치 두 손(廾)으로 떠받쳐 밀어 올리는 듯한 모습에서 '올리다, 올라가다'라는 의미의 글자가 되었으며 날개(羽)를 펼치고 새가 날아오르는(升) 모습에서 비행기(飛行機)의 날 비(飛)자도 만들어 지게 되었다.

●●●●● 昇天(승천)/昇降機(승강기)/昇格(승격)/急上昇(급상승)/雄飛(웅비)/烏飛梨落(오비이락)

協

훈음 합할 협 부수 열 十(십) ▶▶▶ 열 十(십) + 힘 할할 劦(협) ➡ 힘을 합하다

'힘을 합쳐 일하다'라는 뜻을 나타내기 위해 힘 力(력) 세 개와 숫자 중 가장 큰 수인 열 十(십)을 의미요소로 만들었다.

●●●●● 協同(협동)/協力(협력)/協助(협조)

博

훈음 넓을 박 부수 열 十(십)

▶▶▶ 열 十(십) + 클 甫(보) + 마디 寸(촌) = 펼 尃(부) ➡ 크고 넓게 펼치는 모습

博士(박사)는 태어나는 게 아니고 적은(寸(촌))노력들을 거듭하여 지식을 크고(甫(보)) 많이(十(십)) 쌓아 사회에 도움이 되도록 노력한 사람을 말한다.

●●●●● 博士(박사)/博學多識(박학다식)/博愛(박애)/該博(해박)/博覽會(박람회)

卓(탁) 卒(졸) 猝(졸) 卉(훼) 奔(분) 卍(만) 南(남)

卓

훈음 높을 탁 부수 열 十(십) ▶▶▶ 점 卜(복) + 일찍 早(조) ➡ 아침에 치는 점이 기가 막히다 하여 생김

아침(早)에 치는 점(卜)이 기가 막히게 들어맞는다 하여 '탁월하다, 높다'라는 뜻이 파생됐다.

●●●●● 卓越(탁월)/卓球(탁구)/卓上空論(탁상공론)/食卓(식탁)

卒

훈음 군사/졸병/마칠 졸 부수 열 十(십)

▶▶▶ 열 十(십) + 옷 의(衣)의 생략형 – 물고기 모양의 조각으로 엮은 갑옷

청동기 조각을 촘촘히 엮어 물고기 비늘 모양을 하고 있는 갑옷의 모양에서 '군사, 병졸'의 뜻이 파생된 글자이다.

●●●●● 兵卒(병졸)/卒兵(졸병)/卒業(졸업)/腦卒中(뇌졸중)

猝

훈음 갑자기 졸 부수 개 犭(견) ▶▶▶ 개 犭(견) + 군사 卒(졸) ➡ 개가 갑자기 튀어나옴

개가 갑자기 튀어나와 사람을 쫓아오다가 본뜻이다. 개 犭(견)이 의미요소고 군사 卒(졸)이 발음기호이다.

●●●●● 猝地(졸지)/猝富(졸부)

卉

훈음 풀 훼 부수 열 十(십) ▶▶▶ 싹 날 철(屮) + 풀 艹(초) ➡ 풀이 무성히 돋아난 모습

무성히 돋아난 풀의 상형으로 특히 무덤을 덮고 있는 무성한 풀밭을 생각하면 된다.

●●●●● 花卉(화훼)/卉木(훼목)

奔

훈음 달릴 분 부수 큰 大(대)

▶▶▶ 큰 大(대) + 발 止(지)의 변형인 풀 卉(훼) ➡ 발바닥이 안 보이도록 뛰는 모습

맹렬히 달리는 모습을 그린 글자로 풀 卉(훼)의 원래 모습은 발(止)을 세 개 그린 글자로 분주하게 달리는 모습을 그린 글자다. 따라서 두 손 廾(공)과는 무관하다.

●●●●● 自由奔放(자유분방)/奔走(분주)/東奔西走(동분서주)/狂奔(광분)

卍

훈음 만자 만 부수 열 十(십)

범어의 萬字(만자)를 가리키는 글자로 무늬로도 사용되고 있다.

●●●●● 卍字(만자)/卍字窓(만자창)

南

훈음 남녘 남 부수 열 十(십) ▶▶▶ 열 十(십) + 멀 冂(경) + 羊(양) ➡ 남쪽에 배치한 악기의 모습

고대 악기의 모양으로 윗부분은 손잡이고, 아랫부분은 몸체의 상형으로 합주 시에 반드시 남쪽에 배치하였으므로 '남쪽'이란 뜻을 가지게 되었다는 설이 있다.

●●●●● 南韓(남한)/南北(남북)/南男北女(남남북녀)/南極(남극)

卑(비) 婢(비) 痺(비) 碑(비) 牌(패) 鬼(귀)

훈음 낮을 비 **부수** 열 十(십)

▶▶▶ 甲(갑) + 마디 寸(又) ➡ 의식에 사용되는 물건을 들고 있는 비천한 사람

여기서 甲(갑)은 껍질의 상형인 甲(갑)이 아니라 儀式(의식)에 사용되는 물건의 상형으로 그것을 들고 있는 손을 그려서 '의식을 치를 때 이 儀仗(의장)을 들고 있는 자의 신분이 비천하다 하여 '낮다, 천하다'의 뜻이 생겼다고 한다.

●●●●● 卑賤(비천)/卑怯(비겁)/卑屈(비굴)/男尊女卑(남존여비)/卑下(비하)/直系卑屬(직계비속)

훈음 여자 종 비 **부수** 계집 女(녀) ▶▶▶ 계집 女(녀) + 낮을 卑(비) ➡ 신분이 낮은 여자

낮은 여자 즉, 하녀를 가리키는 말로 두 글자 모두 의미요소이며 낮을 卑(비)가 발음을 겸하고 있다.

●●●●● 奴婢(노비)/婢妾(비첩)/官婢(관비)

훈음 마비 비 **부수** 병 질 疒(엄) ▶▶▶ 병들 疒(녁) + 낮을 卑(비) ➡ 몸에 마비가 와 움직이지 못함

몸이 저려 움직이지 못하게 되는 병(疒)을 낮을 비(卑)를 발음으로 하여 만든 글자.

●●●●● 痲痺(마비)/痲痹(마비)

※ 痹(비) - 저릴 비 - 줄 畀(비) + 병들어 기댈 疒(역)

훈음 돌기둥 비 **부수** 돌 石(석)변 ▶▶▶ 돌 石(석) + 낮을 卑(비) ➡ 돌로 만든 비석

죽은 사람을 묻고 그 무덤 앞에 세워 놓는 비석을 가리키는 글자로, 돌 石(석)이 의미요소고 낮을 卑(비)는 발음기호이다.

●●●●● 碑石(비석)/碑文(비문)/墓碑(묘비)/碑銘(비명)

훈음 패 패 **부수** 조각 片(편) ▶▶▶ 조각 片(편) + 낮을 卑(비) ➡ 나무나 돌에 글자를 새겨 걸어 둠

나뭇조각에 글씨를 써서 비석처럼 세운다거나 현관 위에 걸어 두던 바로 '글씨가 새겨진 나뭇조각'이 원뜻으로 조각 片(편)이 의미요소고, 낮을 卑(비)가 발음기호이다.

●●●●● 名牌(명패)/防牌(방패)/門牌(문패)/賞牌(상패)/位牌(위패)

훈음 귀신 귀 **부수** 제 부수 ▶▶▶ 귀신머리 田(불) + 사람 儿(인) + 사사 厶(사) ➡ 가면 쓴 인간

갑골문에서는 큰 가면(田)을 쓴 혹은 얼굴을 가리고(田) 있는 사람(儿)의 모습을 하고 있었으나 후에 '몰래 해치다'의 뜻을 더욱 분명히 하기 위해 '厶(사)'자가 첨가되었다. '귀신'이 원래 의미이고 '도깨비, 지혜롭다' 등의 의미로도 확대되었다.

●●●●● 鬼神(귀신)/惡鬼(악귀)/鬼才(귀재)/神出鬼沒(신출귀몰)

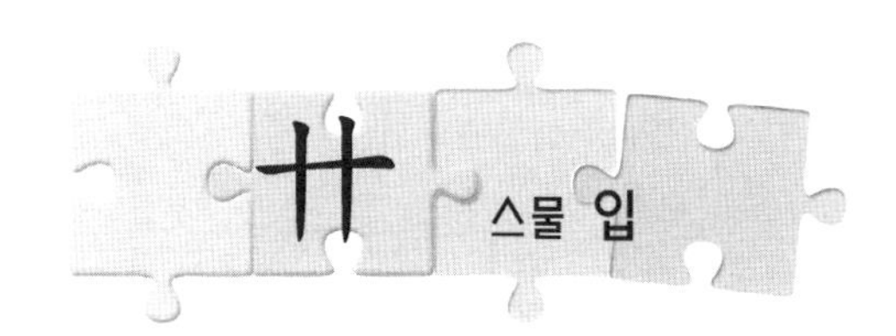

廿(입) 黃(황) 度(도) 渡(도) 席(석)

위의 글자들이 생김새는 다 스물 廿(입)자이나 갑골문의 모양새는 다 다르다

廿

훈음 스물 입 부수 한 一(일)

열 十(십) 두 개를 가로로 붙여 놓은 모양을 하고 있는 글자로 단독 사용은 없고 다른 글자의 구성 요소로 사용되나 숫자 '스물'로 사용되는 경우는 거의 없다.

黃

훈음 누를 황 부수 제 부수

고대 귀족들이 허리에 차고 있던 누런 玉(옥)에서 창안된 글자라고 하는 설도 꽤 유력하나 문자 학자들은 화살 矢(시)와 화살에 달린 장식물의 상징인 밭 田(전)으로 보는 견해가 우세하다. 황토처럼 '누런 색깔'을 나타내는 글자로 그냥 외우자.

●●●●● 黃土(황토)/黃金(황금)

度

훈음 법도 도 부수 집 广(엄)

▶▶▶ 집 广(엄) + 스물 廿(입) + 오른손 又(우) ➡ 법도란 측량해 보는 것 – 집과 관련 없음

길이를 재다가 본래의 의미라고 한다. 따라서 손 又(우)가 의미요소고 나머지가 아마 발음기호 역할을 했을 것이다. 점차로 '정도, 법도, 헤아리다' 등의 뜻으로 의미 확대되었다.

●●●●● 度量衡(도량형)/角度(각도)/制度(제도)/法度(법도)

渡

훈음 건널 도 부수 물 氵(수)

▶▶▶ 물 氵(수) + 법도 度(도) ➡ 건넌다는 것은 물을 건너는 것 – 집과 관련 없음

물을 건너다가 원뜻이므로 물 氵(수)가 의미요소고 법도 度(도)는 발음기호이다.

●●●●● 渡美(도미)/渡航(도항)/賣渡(매도)/讓渡(양도)

席

훈음 자리 석 부수 수건 巾(건)

▶▶▶ 큰 집 广(엄) + 廿(입) + 수건 巾(건) ➡ 자리란 천으로 만든 방석에서 시작

대궐(广)에는 고급 명주로 만든 자리(巾) 즉 높은 사람이 앉을 자리나 방석이 있었으며 계급 여하에 따라 앉는 자리가 달랐다.

●●●●● 座席(좌석)/首席(수석)/坐不安席(좌불안석)/席次(석차)

丿(별) 乍(사) 詐(사) 作(작) 昨(작) 窄(착)

丿

훈음 삐침 별 **부수** 제 부수

글자의 모양이 오른쪽 위에서 왼쪽 아래로 삐쳐 내린 형상이므로 '삐치다'의 뜻을 가졌고 '삐침 별'이라는 명칭을 갖게 된 것에 불과한 것으로, 단순히 漢字(한자)의 글자 모양에 이러한 모양이 많아서 부수체계를 정리하기 위해 필요하여 분류된 것이지 특별한 뜻이나 의미는 없다. 파임 乀(불)과는 반대 모양이며 筆劃(필획)이나 筆順(필순)의 학습 시 필요하므로 외워두도록 하자.

乍

훈음 잠깐 사 **부수** 삐침 丿(별) ▶▶▶ 人(인) + 𠂤 – 외마디 비명과 함께 순식간에 죽는 사람

갑골문에는 비수 匕(비)가 전서에는 亡(망)에 해당하는 모양과 부호(一)가 합쳐진 글자다. 외마디 비명과 함께 순식간에 죽는 사람의 모습에서 인생이란 참으로 짧고 허무함을 나타내기 위한 글자로, '잠깐, 언뜻, 순식간에, 졸지에' 등의 뜻이 파생되었다.

詐

훈음 속일 사 **부수** 말씀 言(언) ▶▶▶ 말씀 言(언) + 잠깐 乍(사) ➡ 순식간에 사람을 말로 속이다

'말로 남을 속이다'를 나타내는 글자이므로 말씀 言(언)이 의미요소고 乍(사)는 발음기호이다.

●●●●● 詐欺(사기)/詐稱(사칭)/詐取(사취)

作

훈음 지을 작 **부수** 사람 亻(인) ▶▶▶ 사람 亻(인) + 잠깐 乍(사) ➡ 사람이 만들어 낸 것

'만들다, 일으키다' 등의 뜻으로 쓰이는 글자로, 그러한 행위의 주체인 사람 亻(인)이 의미요소고 잠깐 乍(사)는 발음기호이다.

●●●●● 作品(작품)/造作(조작)/作爲的(작위적)

昨

훈음 어제 작 **부수** 해 日(일) ▶▶▶ 해 日(일) + 잠깐 乍(사) ➡ 지나간 짧은 날

어제라는 시간을 나타내는 글자로, 해 日(일)이 의미요소고 乍(사)는 발음기호이다.

●●●●● 昨年(작년)/昨今(작금)

窄

훈음 좁을 착 **부수** 구멍 穴(혈) ▶▶▶ 구멍 穴(혈) + 잠깐 乍(사) ➡ 좁을 동굴

입구가 협소한 또는 속이 좁고 협소한 동굴을 나타내기 위해 구멍 穴(혈)을 의미요소로 잠깐 乍(사)는 발음기호로 쓰였다.

※ 作(작) – 지을 작

●●●●● 狹窄(협착)

久(구) 灸(구) 之(지) 芝(지) 乏(핍) 貶(폄) 乎(호)
呼(호) 乘(승) 乖(괴) 乃(내) 孕(잉) 携(휴)

훈음 오랠 구 부수 삐침 丿(별) ▶▶▶ 사람 人(인) + 又(우) ➡ 사람을 뒤에서 붙잡다
이 글자의 갑골문을 보면 2획까지는 사람 人(인)의 상형이나 마지막 3획은 의견이 많다.
그러나 '사람을 붙잡거나 발을 묶어' 걷는데 어렵게 만든 글자임에는 틀림없다. 따라서 목적지까지 상당히 시간이 걸리므로 '오래다'라는 뜻이 파생되었다.
●●●●● 永久(영구)히/耐久性(내구성)

훈음 뜸 구 부수 불 火(화) ▶▶▶ 오랠 久(구) + 불 火(화) ➡ 불로 오랫동안 지지는 것이 뜸
뜸은 쑥에 불을 놓아 사람을 지지는 것을 말하는데 이 글자가 바로 그 모습을 보여준다.
●●●●● 鍼灸(침구)/灸點(구점)

훈음 갈 지 부수 삐침 丿(별) ▶▶▶ 삐침 丿(별) + 새 乙(을)
원래는 '가다'는 뜻을 갖는 발자국의 상형인 발 止(지)의 변형으로 대명사적 용법인 '그것'과 소유 관계를 나타내는 '~의'와 같은 어조사로 전용되어 쓰이고 있으며, 현재는 주로 四字成語(4자성어)에 많이 사용됨으로 쓰임새로 알아두자.
●●●●● 旣往之事(기왕지사)/易地思之(역지사지)/漁父之利(어부지리)

훈음 지초 지 부수 풀 艸(초) ▶▶▶ 풀 艸(초) + 갈 之(지) ➡ 神草(신초)로 여겨지는 풀 특히 버섯
상서로운 풀로 여기는 神草(신초)로 버섯의 일종이다. 따라서 풀 艸(초)가 의미요소이고 之(지)가 발음기호이다.
●●●●● 靈芝(영지)/芝草(지초)/芝蘭之交(지란지교)

훈음 가난할 핍 부수 삐침 丿(별) ▶▶▶ 삐침 丿(별) + 갈 之(지) ➡ 더 이상 나아가지 못하는 형국
사람이 장애(丿-가난)로 인해 더 이상 나아가지(之) 못하는 모습에서 파생된 글자이며, 재산(貝)이 적은 가난한(乏) 사람을 하찮게 보는 경향에서 폄하(貶下)의 떨어뜨릴 폄(貶)자가 생겨났다
●●●●● 缺乏(결핍)/貧乏(빈핍)/窮乏(궁핍)/貶論(폄론)

훈음 어조사 호 부수 삐침 丿(별)
감탄사나 어조사로 쓰이는 글자로 누군가를 부르는(丆) 모습이었으나 발음 기호로 언재호야(焉哉乎也)의 어조사 호(乎)자로 쓰이게 되자 부른다는 본뜻을 살리기 위해 호(乎)에 입 구(口)를 첨가하여 원 뜻을 살려 놓은 글자가 호명(呼名)의 부를 호(呼)자이다.
●●●●● 焉哉乎也(언재호야) - 마지막 글귀/呼出(호출)/呼價(호가)/呼訴(호소)/呼兄呼弟(호형호제)

乘

훈음 탈 승 부수 삐침 丿(별) ▶▶▶ 벼 禾(화) + 등질 北(배) ➡ 나무에 올라탄 사람
원 글자는 큰 大(대) + 나무 木(목)의 형태로 사람이 나무 위로 올라가 있는 모습에서 '올라가다, 타다'의 뜻이 파생되었으며 딛는 받침대가 없는 모양의 글자가 乖愎(괴퍅)의 어그러질 乖(괴)자이다.
●●●●● 搭乘(탑승)/乘客(승객)/乘務員(승무원)

훈음 이에/이리하여/저번에 내 부수 삐침 丿(별)
아이 밴 모습의 글자로 '이에, 이리하여' 등의 의미로 차용되어 사용되는 접속사 또는 2인칭 대명사로 사용되는 글자가 내지(乃至)의 이에 내(乃)이며 아이를 밴(乃) 글자임을 분명히 하기위해 아이 자(子)를 더하여 의미를 분명히 한 글자가 잉태(孕胎)의 아이 밸 잉(孕)자이다.
●●●●● 人乃天(인내천)/乃至(내지)/孕胎(잉태)

携

훈음 끌 휴 부수 손 手(수) ▶▶▶ 새 隹(추) + 손 扌(수) + 이에 乃(내) ➡ 품에 안음
자식을 품듯이(乃) 새(隹)를 손(扌)으로 감싸 안으니 휴대(携帶)/제휴(提携)의 끌 휴(携)
●●●●● 提携(제휴)/携帶電話(휴대전화)

丶(주) 主(주) 丸(환) 埶(예) 執(집) 勢(세) 熱(열) 藝(예) 丹(단)

丶

훈음 점 주 부수 제 부수

점이나 점을 찍다 혹은 호롱불의 심지에 해당하는 글자로 '점, 불꽃' 등의 명칭으로 불리우며 사물을 분별하거나 강조하기 위해 사용되는 경우가 많다.

主

훈음 주인 주 부수 점 丶(주) ▶▶▶ 점 丶(주) + 임금 王(왕) ➡ 호롱불의 중심인 심지의 불꽃

횃불의 상형으로 점 丶(주)가 심지의 불꽃이며, 王(왕)은 촛대나 횃불을 들고 있는 부분으로 임금과는 아무런 관련이 없다. 촛대(王) 위에서 지긋이 타고 있는 심지의 불꽃(丶)이 마치 모든 사물의 중심이 되므로 훗날 집안의 중심인 주인이라는 의미를 갖게 되었다.

●●●●● 主人(주인)/所有主(소유주)/民主主義(민주주의)/主權(주권)

丸

훈음 알 환 부수 점 丶(주) ▶▶▶ 점 丶(주) + 아홉 九(구) ➡ 사람이 언덕에서 구르는 모습

기울 仄(측)자를 왼쪽으로 돌려 놓은 모습(仄(측))을 좌우로 바꾼 모습과 사람이 언덕에서 굴러 떨어지는 모습에서 '구르다'가 됐다. 구르는 모습은 둥글므로 '둥글다' 탄환이나 알약 등은 둥글므로 알 '환'의 뜻을 갖게 된 글자로 타 글자와 함께 쓰일 경우는, 무릎을 꿇고 두 손을 앞으로 내민 형상을 하게 된다.

●●●●● 淸心丸(청심환)/彈丸(탄환)/丸藥(환약)

埶

훈음 심을 예 부수 흙 토

▶▶▶ 언덕 坴(륙) + 알 丸(환) ➡ 몸을 구푸려 나무를 심는 모습

심을 埶(예)의 왼편인 언덕 坴(륙)자와 알 丸(환)자의 원 글자를 보면 사람이 몸을 구푸려 땅에 나무를 심는 모습임을 분명히 알 수 있다. '심다'의 뜻은 가지고 있으나 글자꼴이 현재처럼 바뀐 것이다. 깊숙이 파서(力) 심어야(埶) 식물이 자라는데 필요한 땅의 기운을 받을 수 있다하여 만들어진 글자가 기세(氣勢) 세(勢)

●●●●● 勢力(세력)/攻勢(공세)/權勢(권세)/勢道家(세도가)/破竹之勢(파죽지세)/互角之勢(호각지세)

執

훈음 잡을 집 부수 흙 土(토)

▶▶▶ 다행 幸(행) + 알 丸(환) ➡ 차꼬에 손발이 묶인 모습

붙잡힌 죄수(丸)가 차꼬(幸)에 갇힌 모습으로 죄인을 '체포하다'가 원뜻으로 훗날 '잡다, 차지하다'의 뜻으로 파생되어 사용된다. 丸(환)은 꿇어앉은 죄수의 모습이 잘못 변한 것이다.

●●●●● 執行(집행)/執權(집권)/執念(집념)/執筆(집필)/固執(고집)

熱

훈음 더울 열 부수 불 火(화)

▶▶▶ 심을 埶(예) + 불 灬(화) ➡ 나무 심기를 하면 땅에서 올라오는 지열

한여름 땅에서 올라오는 이글거리는 열기를 나타낸 글자로 불 灬(화)가 의미요소이며 심을 埶(예)는 열기를 식혀주기 위해 그늘을 제공하는 나무심기를 말하므로 의미 겸 발음요소이다.

심을 埶(예)의 왼편인 언덕 坴(륙)자와 알 丸(환)자의 원글자를 보면 사람이 몸을 구푸려 땅에 나무를 심는 모습임을 분명히 알 수 있으므로 '심다'라는 뜻은 가지고 있지만 글자꼴이 현재처럼 바뀐 것이다.

●●●●● 熱氣(열기)/發熱(발열)/熱狂(열광)/以熱治熱(이열치열)

훈음 심을 예 부수 풀 艸(초)

▶▶▶ 풀 艹(초) + 심을 埶(예) + 이를 云(운) ➡ 두 손으로 나무를 심고 있는 모습

갑골문을 보면 사람이 두 손으로 나무를 들고 있는 모습에서 분명히 '나무를 심는 장면'임을 쉽게 알 수 있다. '나무 심기'가 재주가 필요한 일로 여겨졌는지 '재주, 재능' 쪽의 의미도 갖게 된 글자로 후대로 오면서 풀 艹(초)와 구름 云(운)이 추가 내지는 변형되어 현재의 글꼴로 바뀌었다.

●●●●● 技藝(기예)/藝術(예술)/武藝(무예)/園藝(원예)

훈음 붉을 단 부수 점 丶(주)

붉은색 원료인 광석을 캐내는 굴의 모습에서 '붉다, 깊은 속'의 뜻이 파생되었다고 한다.

●●●●● 丹靑(단청)/朱丹(주단)/丹心(단심)/丹田呼吸(단전호흡)

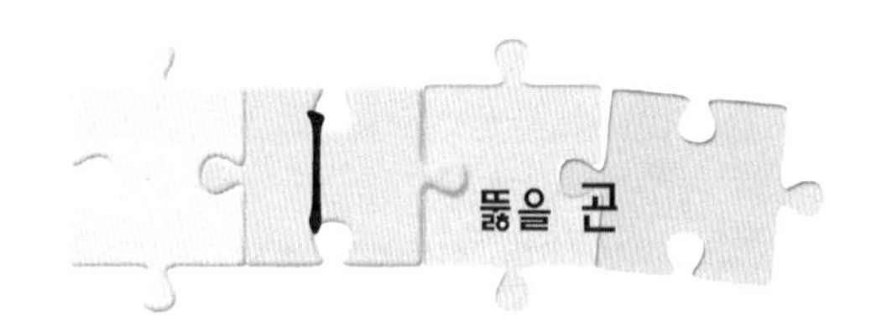

丨(곤) 中(중) 仲(중) 忠(충) 衷(충) 患(환) 串(관) 貴(귀)

丨

훈음 뚫을 곤 부수 제 부수

垂直線(수직선) 모양을 하고 있는 部首(부수)자로 위와 아래가 통한다는 의미를 지녔다. 단독 사용은 없으며 다른 글자의 구성에 筆劃(필획)으로 도움을 주는 역할을 한다.

●●●●●

中

훈음 가운데 중 부수 뚫을 丨(곤) ▶▶▶ 입 口(구) + 뚫을 丨(곤) ➡ 한가운데를 관통함

사물(口)의 한가운데를 관통(丨)하고 있다는 개념을 전달하여 가운데 中(중)자가 생겼다.

●●●●● 中央(중앙)/中心(중심)/的中(적중)/中國(중국)

仲

훈음 버금 중 부수 사람 亻(인) ▶▶▶ 사람 亻(인) + 가운데 中(중) ➡ 한가운데 있는 사람

사람과 사람 사이 중간에 서 있는 사람 혹은 중간에서 무엇인가를 하는 사람이라는 의미에서 만들어졌다. 두 글자 모두 의미요소이며 가운데 中(중)이 발음을 겸한다.

●●●●● 仲介人(중개인)/伯仲之勢(백중지세)/仲媒(중매)

忠

훈음 충성 충 부수 마음 心(심)

▶▶▶ 가운데 中(중) + 마음 心(심) ➡ 기울어지지 않고 중심을 지키는 마음

충성이란 가장 깊은(中) 마음(心)에서 우러나오는 정성을 가리키며 옷(衣) 속 깊은(中) 곳을 나타내어 충심(衷心)의 속마음 충(衷)

●●●●● 忠誠(충성)/忠心(충심)/衷情(충정)/苦衷(고충)/折衷(절충)/憂國衷情(우국충정)

患

훈음 근심 환 부수 마음 心(심) ▶▶▶ 꿸 串(관) + 마음 心(심) ➡ 근심은 마음 한가운데를 뚫고 지나감

마음(心) 한가운데를 꿰고(串) 있는 근심거리에서 근심 患(환)이라는 글자가 만들어졌다.

●●●●● 患難(환난)/患者(환자)

串

훈음 꿸 관/곶 곶 부수 뚫을 丨(곤) ▶▶▶ 口(구) + 뚫을 丨(곤) ➡ 조개나 감 등을 실로 꿰어 엮어 놓은 모습

조개(口)를 실로 꿰어서 엮어 놓은 모습에서 '꿰다'의 의미가 꼬치구이처럼 고기를 잘게 썰어 대꼬챙이에 꽂아서 익혀 먹는 풍습에서 '꿰다'의 뜻을 갖게 된 글자이기도 하며, 육지에서 바다로 길게 뻗어 있는 길고 좁은 땅인 '곶'을 가리키는 말이 되기도 하였다.

●●●●● 長山串(장산곶)/串柿(관시)

貴

훈음 귀할 귀 부수 조개 貝(패)

▶▶▶ 臾(유)의 변형 + 조개 貝(패) ➡ 양 손으로 귀중한 것을 움켜잡고 있는 모습

貴(귀)의 윗부분은 가운데 中(중)과는 전혀 무관한 글자로, 양 손(臼)으로 귀중한 것을 움켜잡으려고 하는 모습에서 재물을 상징하는 돈(貝)과 어우러져 '귀한 것'을 의미하게 되었다.

땅(一) 속(中) 깊이 묻어둔 재물(貝)이란 귀한 것이다.

●●●●● 貴族(귀족)/貴重品(귀중품)/高貴(고귀)/富貴榮華(부귀영화)

小(소)	少(소)	省(성)	省(생)	沙(사)	砂(사)
劣(렬)	妙(묘)	秒(초)	肖(초)	尖(첨)	

小

훈음 작을 소 부수 제 부수

'작다'라는 뜻의 추상적인 개념의 글자를 빗방울이나 모래알 같은 작은 물체의 상형을 나타낸 글자다. '작다와 적다'의 뜻을 동시에 나타냈으나 '적다'의 뜻은 적을 少(소)자가 나타내자 작을 小(소)는 주로 '작다'의 뜻을 담당하게 되었다.

●●●●● 大小(대소)/矮小(왜소)/小貪大失(소탐대실)/小兒(소아)

少

훈음 적을 소 부수 작을 小(소) ▶▶▶ 작을 小(소) + 삐침 丿(별) ➡ 수가 적음을 나타낸 글자

적다라는 뜻을 위해 몇 개의 모래알이 흩어져 있는 모습을 그린 글자이나 점차 '나이가 적다, 젊다, 숫자가 적다' 등으로 쓰이게 된 글자다.

●●●●● 少年(소년)/少數(소수)/減少(감소)

省

훈음 덜 생/살필 성 부수 눈 目(목) ▶▶▶ 적을 少(소) + 눈 目(목) ➡ 세세한 곳까지 살펴보다

눈(目)대중으로 대충 얼마를(少) 덜어내다. 혹은 세세한(少) 곳까지 보다(目)에서 '덜다, 살피다'로 파생된 글자로 두 글자 모두 의미요소이다.

●●●●● 省略(생략)/省察(성찰)/省墓(성묘)/歸省(귀성)

沙

훈음 모래 사 부수 물 水(수) ▶▶▶ 물 氵(수) + 적을 少(소) ➡ 물이 조금도 없는 곳

물이 거의 없는 사막의 모래를 나타내는 글자로 두 글자 모두 의미요소이다.

●●●●● 沙漠(사막)/沙鉢(사발)/白沙場(백사장)/沙上樓閣(사상누각)

砂

훈음 모래 사 부수 돌 石(석) ▶▶▶ 돌 石(석) + 적을 少(소) ➡ 작은 돌은 곧 모래

바위보다 작은 돌은 자갈, 자갈보다 작은 돌은 모래 따라서 아주 작은 돌이라는 의미에서 '모래'가 파생된 글자로 두 글자 모두 의미요소이다.

●●●●● 砂漠(사막)/砂糖(사탕)/砂金(사금)/砂防(사방)

劣

훈음 못할/적을 렬 부수 힘 力(력)

▶▶▶ 적을 少(소) + 힘 力(력) ➡ 힘이 부족한 상태를 묘사

힘(力)이 남보다 적다(少)는 것은 열등하다는 것을 의미한다.

●●●●● 劣勢(열세)/劣等感(열등감)/優劣(우열)

妙

훈음 묘할 묘 부수 계집 女(여) ▶▶▶ 계집 女(여) + 적을 少(소) ➡ 젊은 여자

젊은 여자를 나타내기 위한 글자로 두 글자 모두 의미요소이다. 젊으니까 '예쁘다'로, 묘한 매력이 있다 하여 '묘하다'의 뜻이 파생된 글자다.

●●●●● 妙齡(묘령)/妙技(묘기)

훈음 분초 초 **부수** 벼 禾(화) ▶▶▶ 벼 禾(화) + 적을 少(소) ➡ 벼나 보리의 까끄라기

벼나 보리의 까끄라기를 뜻하는 글자이므로 벼(禾)의 앞부분(少)이라 하여 모두가 의미요소이다. 少(소)가 발음을 겸한다는 것을 볶을 炒(초) 등에서도 알 수 있다. 훗날 벼의 까끄라기가 너무 작아서 시간의 가장 작은 단위인 "초"로 의미 확대되었다.

●●●●● 分秒(분초)/秒速(초속)/秒針(초침)

훈음 닮을 초 **부수** 고기 月(육) ▶▶▶ 작을 小(소) + 고기 月(육) ➡ 붕어빵

직역하면 작은(小) 고기(月)덩어리로, 아무리 작아(小)도 아기는 부모(月)를 닮는 법이다.

●●●●● 肖像畫(초상화)

훈음 뾰족할 첨 **부수** 작을 小(소) ▶▶▶ 작을 小(소) + 큰 大(대) ➡ 위로 갈수록 점차로 가늘어짐

큰 대(大)를 아래에, 작을 소(小)를 위에 배치하여 위로 갈수록 점점 좁아져 뾰족해진다는 뜻을 나타낸 글자다.

●●●●● 尖端(첨단)/尖銳(첨예)

확인학습문제

56강 - 농사

◘ 다음 글자의 훈과 음을 쓰시오.

(　　)農(　) - (　　)土(　) - (　　)田(　) - (　　)力(　) - (　　)穀(　)

1. "農"자와 관계 없는 것은?
① 田　② 雨　③ 書　④ 力

2. 다음 중 "土"가 필요 없는 것은?
① 農　② 穀　③ 魚　④ 田

3. "穀"자와 관계 없는 것은?
① 田　② 米　③ 字　④ 糧

◘ 다음 중 주어진 글자로 이루어지는 단어를 2개 이상 한자 또는 한글로 쓰시오.

4. 農 -

5. 土 -

6. 田 -

7. 力 -

8. 穀 -

확인학습문제

57강 - 흙 토(土)

◆ 다음 글자의 훈과 음을 쓰시오.

( )地( ) - ( )坤( ) - ( )均( ) - ( )堅( ) - ( )坐( ) - ( )垂( ) - ( )場( ) - ( )堂( ) - ( )域( ) - ( )境( ) - ( )陸( )

◆ 다음 글자를 두 부분으로 분해하시오.

1. 場 = [ ] + [ ] + [ ]
2. 域 = [ ] + [ ]
3. 境 = [ ] + [ ]
4. 陸 = [ ] + [ ]

◆ 다음 글자를 소리 부분(聲符)과 뜻 부분(意符)으로 분해하시오.

5. 均 = 소리 부분(聲符) [ ] + 뜻 부분(意符) [ ]
6. 堅 = 소리 부분(聲符) [ ] + 뜻 부분(意符) [ ]
7. 場 = 소리 부분(聲符) [ ] + 뜻 부분(意符) [ ]
8. 堂 = 소리 부분(聲符) [ ] + 뜻 부분(意符) [ ]
9. 域 = 소리 부분(聲符) [ ] + 뜻 부분(意符) [ ]
10. 境 = 소리 부분(聲符) [ ] + 뜻 부분(意符) [ ]
11. 陸 = 소리 부분(聲符) [ ] + 뜻 부분(意符) [ ]

12. 다음 중 서로 관계 없는 것은?
① 地 ② 土 ③ 空 ④ 坤

13. "堅"자와 비슷한 뜻을 가진 글자는?
① 軟 ② ③ 固 ④ 后

14. "坐"자와 반대의 뜻을 가진 글자는?
① 臥 ② 伏 ③ 起 ④ 休

15. "域"자와 비슷한 뜻을 가진 글자는?

① 境　　② 國　　③ 厓　　④ 訓

16. "陸"자와 관계 깊은 것은?

① 氵　　② 土　　③ 气　　④ 雨

◆ 다음 중 주어진 글자로 이루어지는 단어를 2개 이상 한자 또는 한글로 쓰시오.

17. 地 -　　18. 坤 -

19. 均 -　　20. 堅 -

21. 坐 -　　22. 垂 -

23. 場 -　　24. 堂 -

25. 域 -　　26. 境 -

27. 陸 -

◆ 다음 글자의 훈과 음을 쓰시오.

(　)塊(　) – (　)壞(　) – (　)壤(　) – (　)增(　) – (　)基(　) – (　)壓(　) –
(　)墨(　) – (　)城(　) – (　)壁(　) – (　)塔(　) – (　)堤(　) – (　)塞(　) –
(　)塗(　) – (　)壇(　) – (　)埋(　) – (　)墳(　) – (　)墓(　)

◆ 다음 글자를 소리 부분(聲符)과 뜻 부분(意符)으로 분해하시오.

1. 塊 = 소리 부분(聲符)　　+ 뜻 부분(意符)

2. 壞 = 소리 부분(聲符)　　+ 뜻 부분(意符)

3. 壤 = 소리 부분(聲符)　　+ 뜻 부분(意符)

4. 增 = 소리 부분(聲符)　　+ 뜻 부분(意符)

5. 基 = 소리 부분(聲符)　　+ 뜻 부분(意符)

6. 墨 = 소리 부분(聲符)　　+ 뜻 부분(意符)

7. 城 = 소리 부분(聲符)　　+ 뜻 부분(意符)

8. 壁 = 소리 부분(聲符) ______ + 뜻 부분(意符) ______

9. 塔 = 소리 부분(聲符) ______ + 뜻 부분(意符) ______

10. 堤 = 소리 부분(聲符) ______ + 뜻 부분(意符) ______

11. 塗 = 소리 부분(聲符) ______ + 뜻 부분(意符) ______

12. 壇 = 소리 부분(聲符) ______ + 뜻 부분(意符) ______

13. 墳 = 소리 부분(聲符) ______ + 뜻 부분(意符) ______

14. 墓 = 소리 부분(聲符) ______ + 뜻 부분(意符) ______

15. 다음 중 "음"이 서로 다른 글자는?
① 塊 ② 怪 ③ 壞 ④ 苦

16. "壞"자와 관계 깊은 것은?
① 油 ② 土 ③ 風 ④ 云

17. "增"자와 반대의 뜻을 가진 글자는?
① 文 ② 可 ③ 減 ④ 江

18. 다음 중 "흙, 땅"과 관계 없는 것은?
① 基 ② 城 ③ 埋 ④ 仕

19. "壁"자와 비슷한 뜻을 가진 글자는?
① 院 ② 石 ③ 池 ④ 玉

20. 다음 중 "塞"자의 의미는 무엇인가?
① 변두리 ② 중심지 ③ 추운 날씨 ④ 시장, 저자

21. "堤"자와 비슷한 뜻을 가진 글자는?
① 池 ② 防 ③ 海 ④ 靑

22. "墳"자와 비슷한 뜻을 가진 글자는?
① 自 ② 天 ③ 墓 ④ 干

◘ 다음 중 주어진 글자로 이루어지는 단어를 2개 이상 한자 또는 한글로 쓰시오.

23. 塊 - ______ 24. 壞 - ______

25. 壤 -

26. 增 -

27. 基 -

28. 壓 -

29. 墨 -

30. 城 -

31. 壁 -

32. 塔 -

33. 堤 -

34. 塞 -

35. 塗 -

36. 壇 -

37. 埋 -

38. 墳 -

39. 墓 -

◘ 다음 글자의 훈과 음을 쓰시오.

( )土( ) - ( )圭( ) - ( )奎( ) - ( )硅( ) - ( )佳( ) - ( )街( ) -
( )封( ) - ( )厓( ) - ( )崖( ) - ( )涯( )

◘ 다음 글자를 분해하시오.

1. 涯 = + +

2. 崖 = +

3. 厓 = +

4. 圭 = +

5. 佳 = +

6. 街 = +

◘ 다음 글자를 소리 부분(聲符)과 뜻 부분(意符)으로 분해하시오.

7. 奎 = 소리 부분(聲符) + 뜻 부분(意符)

8. 硅 = 소리 부분(聲符) + 뜻 부분(意符)

9. 佳 = 소리 부분(聲符) + 뜻 부분(意符)

10. 街 = 소리 부분(聲符) + 뜻 부분(意符)

11. 崖 = 소리 부분(聲符) + 뜻 부분(意符)

12. 涯 = 소리 부분(聲符) + 뜻 부분(意符)

13. 다음 중 “음”이 서로 다른 글자는?

① 圭　② 硅　③ 規　④ 厓

14. “佳”자와 비슷한 뜻을 가진 글자는?

① 首　② 凡　③ 美　④ 狼

15. 다음 중 서로 관계 없는 것은?

① 街　② 道　③ 路　④ 判

16. “封”자와 반대의 뜻을 가진 글자는?

① 西　② 小　③ 開　④ 余

17. 다음 중 “음”이 서로 다른 글자는?

① 厓　② 愛　③ 硅　④ 涯

◆ 다음 중 주어진 글자로 이루어지는 단어를 2개 이상 한자 또는 한글로 쓰시오.

18. 土 -　19. 圭 -

20. 奎 -　21. 硅 -

22. 佳 -　23. 街 -

24. 封 -　25. 厓 -

26. 崖 -　27. 涯 -

◆ 다음 글자의 훈과 음을 쓰시오.

(　)堇(　) - (　)勤(　) - (　)謹(　) - (　)饉(　) - (　)僅(　) - (　)艱(　) -
(　)難(　) - (　)歎(　)

◆ 다음 글자를 분해하시오.

1. 勤 = 　+ 　　2. 難 = 　+

◆ 다음 글자를 소리 부분(聲符)과 뜻 부분(意符)으로 분해하시오.

3. 勤 = 소리 부분(聲符) 　+ 뜻 부분(意符)

4. 謹 = 소리 부분(聲符) ______ + 뜻 부분(意符) ______

5. 饉 = 소리 부분(聲符) ______ + 뜻 부분(意符) ______

6. 僅 = 소리 부분(聲符) ______ + 뜻 부분(意符) ______

7. 艱 = 소리 부분(聲符) ______ + 뜻 부분(意符) ______

8. 難 = 소리 부분(聲符) ______ + 뜻 부분(意符) ______

9. 歎 = 소리 부분(聲符) ______ + 뜻 부분(意符) ______

10. 다음 중 "음"이 서로 다른 글자는?
① 堇 ② 斤 ③ 難 ④ 近

11. "勤"자와 반대의 뜻을 가진 글자는?
① 力 ② 安 ③ 惰 ④ 貯

12. 다음 "饉"자에 대한 설명 중 맞지 않는 것은?
① 주리다 ② 흉년 ③ 기근 ④ 갈증을 풀다

13. 다음 중 성격이 나머지 셋과 다른 것은?
① 難 ② 艱 ③ 患 ④ 喜

14. 다음 중 "음"이 서로 다른 글자는?
① 僅 ② 勸 ③ 謹 ④ 勤

15. "歎"자와 관계 깊은 것은?
① 입 ② 다리 ③ 귀 ④ 수염

◘ 다음 중 주어진 글자로 이루어지는 단어를 2개 이상 한자 또는 한글로 쓰시오.

16. 勤 - ______ 17. 謹 - ______

18. 饉 - ______ 19. 僅 - ______

21. 艱 - ______ 22. 難 - ______

23. 歎 - ______

확인학습문제

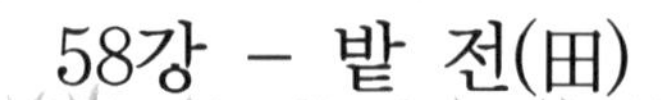

◘ 다음 글자의 훈과 음을 쓰시오.

( )田( ) - ( )畓( ) - ( )男( ) - ( )界( ) - ( )番( ) - ( )晝( ) - ( )思( ) - ( )當( ) - ( )略( )

◘ 다음 글자를 분해하시오.

1. 晝 = [ ] + [ ] + [ ]
2. 番 = [ ] + [ ]
3. 界 = [ ] + [ ]
4. 略 = [ ] + [ ]
5. 畓 = [ ] + [ ]
6. 當 = [ ] + [ ]

◘ 다음 글자를 소리 부분(聲符)과 뜻 부분(意符)으로 분해하시오.

7. 番 = 소리 부분(聲符) [ ] + 뜻 부분(意符) [ ]
8. 當 = 소리 부분(聲符) [ ] + 뜻 부분(意符) [ ]
9. 略 = 소리 부분(聲符) [ ] + 뜻 부분(意符) [ ]

10. 다음 중 서로 관계 없는 것은?
① 穀 ② 畓 ③ 田 ④ 士

11. "勇"자와 반대의 뜻을 가진 글자는?
① 眠 ② 怯 ③ 主 ④ 堂

12. 다음 중 서로 관계 없는 것은?
① 想 ② 思 ③ 步 ④ 考

13. 다음 중 나머지 셋과 뜻이 어울리지 않는 글자는?
① 當 ② 宜 ③ 不 ④ 妥

14. 다음 중 서로 관계 없는 것은?

① 境　　② 域　　③ 地　　④ 界

◘ 다음 중 주어진 글자로 이루어지는 단어를 2개 이상 한자 또는 한글로 쓰시오.

15. 田 -　　　　16. 畓 -

17. 男 -　　　　18. 界 -

19. 番 -　　　　20. 畵 -

21. 思 -　　　　22. 當 -

23. 略 -

◘ 다음 글자의 훈과 음을 쓰시오.

(　)由(　) - (　)胄(　) - (　)油(　) - (　)抽(　) - (　)袖(　) - (　)宙(　) - (　)笛(　) - (　)軸(　)

◘ 다음 글자를 소리 부분(聲符)과 뜻 부분(意符)으로 분해하시오.

1. 胄 = 소리 부분(聲符)　　+ 뜻 부분(意符)
2. 油 = 소리 부분(聲符)　　+ 뜻 부분(意符)
3. 抽 = 소리 부분(聲符)　　+ 뜻 부분(意符)
4. 袖 = 소리 부분(聲符)　　+ 뜻 부분(意符)
5. 宙 = 소리 부분(聲符)　　+ 뜻 부분(意符)

6. 다음 중 "음"이 서로 다른 글자는?

① 油　　② 由　　③ 酉　　④ 宙

7. "由"자의 뜻은 무엇인가?

① 폭설, 폭우　　② 밭, 땅　　③ 원인, 까닭　　④ 벌레

8. 다음 중 "음"이 서로 다른 글자는?

① 宙　　② 胄　　③ 抽　　④ 住

9. 다음 글자 중 "사람"의 뜻이 있는 것은?

① 油　　② 笛　　③ 軸　　④ 佳

◆ 다음 중 주어진 글자로 이루어지는 단어를 2개 이상 한자 또는 한글로 쓰시오.

10. 由 －　　11. 胄 －

12. 油 －　　13. 抽 －

14. 袖 －　　15. 宙 －

16. 笛 －　　17. 軸 －

◆ 다음 글자의 훈과 음을 쓰시오.

(　)異(　) － (　)翼(　) － (　)留(　) － (　)畿(　) － (　)畏(　) － (　)畜(　) －
(　)蓄(　) － (　)畢(　) － (　)鬼(　)

◆ 다음 글자를 분해하시오.

1. 蓄 = 　 + 　 + 　　2. 畜 = 　 +

3. 異 = 　 + 　　4. 翼 = 　 +

5. 留 = 　 + 　 + 　　6. 畿 = 　 +

7. 畏 = 　 + 　　8. 鬼 = 　 +

◆ 다음 글자를 소리 부분(聲符)과 뜻 부분(意符)으로 분해하시오.

9. 翼 = 소리 부분(聲符) 　 + 뜻 부분(意符)

10. 蓄 = 소리 부분(聲符) 　 + 뜻 부분(意符)

11. 留 = 소리 부분(聲符) 　 + 뜻 부분(意符)

12. 다음 중 "음"이 서로 다른 글자는?

① 祝　　② 畜　　③ 祈　　④ 蓄

13. "異"자와 비슷한 뜻을 가진 글자는?

① 汝　　② 自　　③ 他　　④ 戈

14. "留"자와 반대의 뜻을 가진 글자는?

① 去　　② 非　　③ 主　　④ 限

15. "畢"자와 비슷한 뜻을 가진 글자는?

① 始　　② 未　　③ 刂　　④ 終

◘ 다음 중 주어진 글자로 이루어지는 단어를 2개 이상 한자 또는 한글로 쓰시오.

16. 異 –

17. 翼 –

18. 留 –

19. 畿 –

20. 畏 –

21. 畜 –

22. 蓄 –

23. 畢 –

24. 鬼 –

◘ 다음 글자의 훈과 음을 쓰시오.

(　　)卯(　) – (　　)柳(　) – (　　)留(　) – (　　)貿(　) –(　　) 劉(　)

◘ 다음 글자를 분해하시오.

1. 劉 = ＿ + ＿ + ＿

2. 留 = ＿ + ＿

3. 貿 = ＿ + ＿

4. 卬 = ＿ + ＿

◘ 다음 글자를 소리 부분(聲符)과 뜻 부분(意符)으로 분해하시오.

5. 柳 = 소리 부분(聲符) ＿ + 뜻 부분(意符) ＿

6. 留 = 소리 부분(聲符) ＿ + 뜻 부분(意符) ＿

7. 貿 = 소리 부분(聲符) ＿ + 뜻 부분(意符) ＿

8. 劉 = 소리 부분(聲符) ＿ + 뜻 부분(意符) ＿

9. 다음 중 "음"이 서로 다른 글자는?

① 留　　② 貿　　③ 劉　　④ 油

10. “貿”자와 비슷한 뜻을 가진 글자는?

① 換 ② 授 ③ 倍 ④ 定

11. “劉”자와 반대의 뜻을 가진 글자는?

① 朱 ② 反 ③ 活 ④ 事

◆ 다음 중 주어진 글자로 이루어지는 단어를 2개 이상 한자 또는 한글로 쓰시오.

12. 卯 -

13. 柳 -

14. 留 -

15. 貿 -

16. 劉 -

◆ 다음 글자의 훈과 음을 쓰시오.

( )甲( ) - ( )押( ) - ( )鴨( ) - ( )狎( )

◆ 다음 글자를 소리 부분(聲符)과 뜻 부분(意符)으로 분해하시오.

1. 押 = 소리 부분(聲符) + 뜻 부분(意符)

2. 鴨 = 소리 부분(聲符) + 뜻 부분(意符)

3. 狎 = 소리 부분(聲符) + 뜻 부분(意符)

4. 다음 중 “음”이 서로 다른 글자는?

① 押 ② 狎 ③ 甲 ④ 鴨

5. “押”자와 비슷한 뜻을 가진 글자는?

① 走 ② 河 ③ 壓 ④ 車

◆ 다음 중 주어진 글자로 이루어지는 단어를 2개 이상 한자 또는 한글로 쓰시오.

6. 甲 -

7. 押 -

8. 鴨 -

9. 狎 -

◆ 다음 글자의 훈과 음을 쓰시오.

(　　)周(　) - (　　)週(　) - (　　)調(　) - (　　)彫(　) - (　　)稠(　)

◆ 다음 글자를 소리 부분(聲符)과 뜻 부분(意符)으로 분해하시오.

1. 週 = 소리 부분(聲符) ＋ 뜻 부분(意符)

2. 調 = 소리 부분(聲符) ＋ 뜻 부분(意符)

3. 다음 중 "음"이 서로 다른 글자는?

① 周　② 週　③ 調　④ 駐

4. "週"자와 비슷한 뜻을 가진 글자는?

① 運　② 只　③ 才　④ 光

◆ 다음 중 주어진 글자로 이루어지는 단어를 2개 이상 한자 또는 한글로 쓰시오.

5. 周 -　6. 週 -

7. 調 -　8. 彫 -

확인학습문제

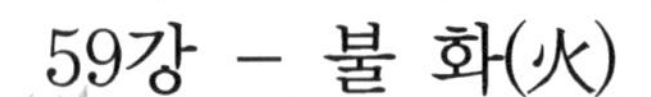

◆ 다음 글자의 훈과 음을 쓰시오.

( )炎( ) – ( )談( ) – ( )淡( ) – ( )營( ) – ( )榮( ) – ( )勞( ) – ( )螢( )

◆ 다음 글자를 분해하시오.

1. 榮 = ☐ + ☐ + ☐
2. 營 = ☐ + ☐
3. 螢 = ☐ + ☐ + ☐
4. 談 = ☐ + ☐
5. 淡 = ☐ + ☐
6. 勞 = ☐ + ☐

◆ 다음 글자를 소리 부분(聲符)과 뜻 부분(意符)으로 분해하시오.

7. 淡 = 소리 부분(聲符) ☐ + 뜻 부분(意符) ☐

8. 談 = 소리 부분(聲符) ☐ + 뜻 부분(意符) ☐

9. 다음 중 "음"이 서로 다른 글자는?
① 談 ② 淡 ③ 炎 ④ 擔

10. 다음 중 서로 관계 없는 것은?
① 語 ② 談 ③ 計 ④ 話

11. "榮"자와 비슷한 뜻을 가진 글자는?
① 恥 ② 華 ③ 貧 ④ 庶

12. "勞"자와 반대의 뜻을 가진 글자는?
① 日 ② 火 ③ 休 ④ 丘

◆ 다음 중 주어진 글자로 이루어지는 단어를 2개 이상 한자 또는 한글로 쓰시오.

13. 炎 –
14. 談 –
15. 淡 –
16. 營 –
17. 榮 –
18. 勞 –
19. 螢 –

◆ 다음 글자의 훈과 음을 쓰시오.

(　)滅(　) – (　)災(　) – (　)炭(　) – (　)焚(　) – (　)燃(　) – (　)燒(　) –
(　)秋(　) – (　)赤(　) – (　)赫(　) – (　)爆(　)

◆ 다음 글자를 분해하시오.

1. 滅 = 　+　+　
2. 秋 = 　+　
3. 災 = 　+　
4. 赤 = 　+　
5. 炭 = 　+　+　
6. 燃 = 　+　
7. 赤 = 　+　
8. 赫 = 　+　
9. 爆 = 　+　+　
10. 焚 = 　+　
11. 燒 = 　+　+　

◆ 다음 글자를 소리 부분(聲符)과 뜻 부분(意符)으로 분해하시오.

1. 燃 = 소리 부분(聲符) 　+ 뜻 부분(意符)
2. 燒 = 소리 부분(聲符) 　+ 뜻 부분(意符)
3. 爆 = 소리 부분(聲符) 　+ 뜻 부분(意符)

4. "滅"자와 비슷한 뜻을 가진 글자는?

① 盛 ② 又 ③ 氵 ④ 亡

5. "災"자와 비슷한 느낌이 아닌 글자는?

① 生 ② 殃 ③ 禍 ④ 厄

6. "燃"자와 관계 없는 글자는?
① 煙 ② 焚 ③ 炎 ④ 雨

7. 다음 "秋"자에 대한 표현 중 맞지 않는 것은?
① 추수 ② 서늘한 날씨 ③ 메뚜기 ④ 홍수

8. "赤"자와 반대의 뜻을 가진 글자는?
① 黑 ② 灰 ③ 靑 ④ 紅

◆ 다음 중 주어진 글자로 이루어지는 단어를 2개 이상 한자 또는 한글로 쓰시오.

9. 滅 –
10. 災 –
11. 炭 –
12. 焚 –
13. 燃 –
14. 燒 –
15. 秋 –
16. 赤 –
17. 赫 –
18. 爆 –

◆ 다음 글자의 훈과 음을 쓰시오.

( )爐( ) – ( )灰( ) – ( )煩( ) – ( )燥( ) – ( )熱( )

◆ 다음 글자를 두 부분으로 분해하시오.

1. 燥 = + +
2. 燔 = +
3. 爐 = +
4. 灰 = +

◆ 다음 글자를 소리 부분(聲符)과 뜻 부분(意符)으로 분해하시오.

5. 爐 = 소리 부분(聲符) + 뜻 부분(意符)
6. 燥 = 소리 부분(聲符) + 뜻 부분(意符)
7. 熱 = 소리 부분(聲符) + 뜻 부분(意符)

8. "煩"자와 반대의 뜻을 가진 글자는?

① 哀　② 泣　③ 樂　④ 行

9. "燥"자와 음이 같은 글자는?

① 消　② 爪　③ 本　④ 品

10. "熱"자와 반대의 뜻을 가진 글자는?

① 付　② 弓　③ 寒　④ 法

◘ 다음 중 주어진 글자로 이루어지는 단어를 2개 이상 한자 또는 한글로 쓰시오.

11. 爐 -　12. 灰 -

13. 煩 -　14. 燥 -

15. 熱 -

◘ 다음 글자의 훈과 음을 쓰시오.

(　)熟(　) - (　)烹(　) - (　)蒸(　) - (　)煮(　) - (　)然(　) - (　)焦(　)

◘ 다음 글자를 두 부분으로 분해하시오.

1. 蒸 = ＋ ＋　2. 烹 = ＋

3. 熟 = ＋　4. 焦 = ＋

◘ 다음 글자를 소리 부분(聲符)과 뜻 부분(意符)으로 분해하시오.

1. 熟 = 소리 부분(聲符) ＋ 뜻 부분(意符)

2. 烹 = 소리 부분(聲符) ＋ 뜻 부분(意符)

3. 蒸 = 소리 부분(聲符) ＋ 뜻 부분(意符)

4. 煮 = 소리 부분(聲符) ＋ 뜻 부분(意符)

5. 焦 = 소리 부분(聲符) ＋ 뜻 부분(意符)

6. 다음 중 성격이 나머지 셋과 다른 것은?

① 蒸　② 煮　③ 沈　④ 烹

7. 다음 글자 중 "불"과 관계 없는 것은?

① 烹　② 焦　③ 鳥　④ 煮

◆ 다음 중 주어진 글자로 이루어지는 단어를 2개 이상 한자 또는 한글로 쓰시오.

8. 熟 -　9. 烹 -

10. 蒸 -　11. 然 -

12. 煮 -　13. 焦 -

◆ 다음 글자의 훈과 음을 쓰시오.

(　)黑(　) - (　)熏(　) - (　)焰(　) - (　)煙(　) - 연기

◆ 다음 글자를 소리 부분(聲符)과 뜻 부분(意符)으로 분해하시오.

1. 焰 = 소리 부분(聲符)　+　뜻 부분(意符)

2. 煙 = 소리 부분(聲符)　+　뜻 부분(意符)

3. 다음 중 성격이 나머지 셋과 다른 것은?

① 墨　② 黑　③ 暗　④ 明

4. "불"과 관계 없는 글자는?

① 熏　② 煙　③ 焰　④ 陰

5. 다음 중 관계가 나머지 셋과 다른 것은?

① 火 - 焰　② 黑 - 暗　③ 寒 - 冷　④ 禁 - 煙

◆ 다음 중 주어진 글자로 이루어지는 단어를 2개 이상 한자 또는 한글로 쓰시오.

6. 黑 -　7. 熏 -

8. 焰 -　9. 煙 -

◆ 다음 글자의 훈과 음을 쓰시오.

(　)熙(　) - (　)煥(　) - (　)燭(　) - (　)光(　) - (　)照(　) - (　)烈(　) - 불꽃/등불/햇불

◆ 다음 글자를 분해하시오.

1. 燭 = + + 2. 照 = +

3. 光 = + 4. 烈 = 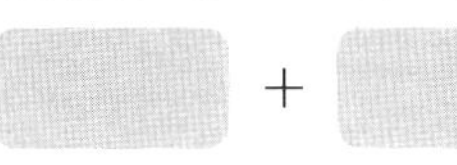 +

◆ 다음 글자를 소리 부분(聲符)과 뜻 부분(意符)으로 분해하시오.

5. 煕 = 소리 부분(聲符) + 뜻 부분(意符) 

6. 煥 = 소리 부분(聲符)  + 뜻 부분(意符) 

7. 燭 = 소리 부분(聲符)  + 뜻 부분(意符) 

8. 照 = 소리 부분(聲符)  + 뜻 부분(意符) 

9. 烈 = 소리 부분(聲符)  + 뜻 부분(意符) 

10. 다음의 "불"과 관계된 글자 중 "사람"이 들어간 것은?
① 燭 ② 光 ③ 煥 ④ 烈

11. 다음 글자 중 성격이 나머지 셋과 다른 것은?
① 照 ② 煥 ③ 煕 ④ 無

◆ 다음 중 주어진 글자로 이루어지는 단어를 2개 이상 한자 또는 한글로 쓰시오.

12. 煕 -  13. 煥 -

14. 燭 -  15. 光 -

16. 照 - 17. 烈 -

◆ 다음 글자의 훈과 음을 쓰시오.

( )主( ) - ( )住( ) - ( )柱( ) - ( )注( ) - ( )駐( ) - ( )註( ) - 호롱불의 심지

◆ 다음 글자를 소리 부분(聲符)과 뜻 부분(意符)으로 분해하시오.

1. 住 = 소리 부분(聲符)  + 뜻 부분(意符) 

2. 柱 = 소리 부분(聲符) [ ] + 뜻 부분(意符) [ ]

3. 注 = 소리 부분(聲符) [ ] + 뜻 부분(意符) [ ]

4. 駐 = 소리 부분(聲符) [ ] + 뜻 부분(意符) [ ]

5. 註 = 소리 부분(聲符) [ ] + 뜻 부분(意符) [ ]

6. 다음 중 "음"이 서로 다른 글자는?
① 主 ② 住 ③ 往 ④ 駐

7. 다음 "主"자에 대한 설명 중 맞는 것은?
① 장작과 아궁이 ② 불꽃과 심지 ③ 임금과 지팡이 ④ 구슬과 옥

8. "駐"자와 비슷한 뜻을 가진 글자는?
① 主 ② 留 ③ 守 ④ 氷

◘ 다음 중 주어진 글자로 이루어지는 단어를 2개 이상 한자 또는 한글로 쓰시오.

9. 主 - [ ]
10. 住 - [ ]
11. 柱 - [ ]
12. 注 - [ ]
13. 駐 - [ ]
14. 註 - [ ]

◘ 다음 글자의 훈과 음을 쓰시오.

( )僚( ) - ( )遼( ) - ( )療( ) - ( )瞭( )

◘ 다음 글자를 분해하시오.

1. 遼 = [ ] + [ ] + [ ]
2. 僚 = [ ] + [ ]
3. 療 = [ ] + [ ]
4. 瞭 = [ ] + [ ]

◘ 다음 글자를 소리 부분(聲符)과 뜻 부분(意符)으로 분해하시오.

5. 僚 = 소리 부분(聲符) [ ] + 뜻 부분(意符) [ ]

6. 遼 = 소리 부분(聲符) [ ] + 뜻 부분(意符) [ ]

7. 療 = 소리 부분(聲符) ______ + 뜻 부분(意符) ______

8. 瞭 = 소리 부분(聲符) ______ + 뜻 부분(意符) ______

9. 다음 중 "음"이 서로 다른 글자는?
① 僚 ② 料 ③ 療 ④ 科

10. "僚"자와 비슷한 뜻을 가진 글자는?
① 竹 ② 支 ③ 友 ④ 中

11. "遼"자와 반대의 뜻을 가진 글자는?
① 近 ② 車 ③ 召 ④ 白

◆ 다음 중 주어진 글자로 이루어지는 단어를 2개 이상 한자 또는 한글로 쓰시오.

12. 僚 - ______ 13. 遼 - ______

14. 療 - ______ 15. 瞭 - ______

◆ 다음 글자의 훈과 음을 쓰시오.

(　)送(　) – (　)朕(　) – (　)勝(　)

◆ 다음 글자를 분해하시오.

1. 勝 = ______ + ______ + ______ 2. 朕 = ______ + ______

3. 送 = ______ + ______ 4. 藤 = ______ + ______

5. "朕"자와 비슷한 뜻이 아닌 글자는?
① 余 ② 我 ③ 彼 ④ 吾

6. "送"자와 비슷한 뜻을 가진 글자는?
① 遣 ② 住 ③ 反 ④ 癶

7. "勝"자와 반대의 뜻을 가진 글자는?
① 論 ② 敗 ③ 爭 ④ 盃

◘ 다음 중 주어진 글자로 이루어지는 단어를 2개 이상 한자 또는 한글로 쓰시오.

8. 送 -　　　　9. 朕 -

10. 勝 -

◘ 다음 글자의 훈과 음을 쓰시오.

( )點( ) - ( )点( ) - ( )燕( ) - ( )鳥( ) - ( )烏( ) - ( )焉( ) - ( )魚( ) - ( )馬( ) - ( )無( )

◘ 다음 글자를 분해하시오.

1. 燕 = + +
2. 鳥 = +
3. 烏 = +
4. 馬 = +
5. 魚 = +
6. 無 = +

◘ 다음 글자를 소리 부분(聲符)과 뜻 부분(意符)으로 분해하시오.

7. 點 = 소리 부분(聲符) + 뜻 부분(意符)

8. 다음 중 "음"이 서로 다른 글자는?
① 占 ② 店 ③ 古 ④ 點

9. 다음 중 "날짐승"이 아닌 것은?
① 烏 ② 鳥 ③ 馬 ④ 燕

10. 다음 중 서로 관계 없는 것은?
① 鳥 ② 飛 ③ 魚 ④ 羽

11. 본래의 뜻이 "춤추는 사람"인 글자는?
① 点 ② 無 ③ 焉 ④ 燕

◘ 다음 중 주어진 글자로 이루어지는 단어를 2개 이상 한자 또는 한글로 쓰시오.

12. 點 -　　　　13. 点 -

14. 燕 -

15. 鳥 -

16. 烏 -

17. 焉 -

18. 魚 -

19. 馬 -

20. 無 -

확인학습문제

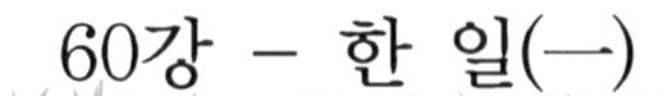

◆ 다음 글자의 훈과 음을 쓰시오.

( )一( ) – ( )丁( ) – ( )亭( ) – ( )停( ) – ( )頂( ) – ( )訂( ) –
( )釘( ) – ( )宁( ) – ( )貯( ) – ( )打( )

◆ 다음 글자를 소리 부분(聲符)과 뜻 부분(意符)으로 분해하시오.

1. 停 = 소리 부분(聲符) + 뜻 부분(意符)
2. 頂 = 소리 부분(聲符) + 뜻 부분(意符)
3. 訂 = 소리 부분(聲符) + 뜻 부분(意符)
4. 釘 = 소리 부분(聲符) + 뜻 부분(意符)
5. 貯 = 소리 부분(聲符) + 뜻 부분(意符)

6. 다음 중 음이 틀린 글자는?
① 停 ② 頂 ③ 訂 ④ 貯

7. 땅 위에 우뚝 솟은 반듯한 건물에 사람이 머무르며 쉬었다 간다는 뜻의 글자는?
① 停 ② 亭 ③ 宁 ④ 貯

◆ 다음 중 주어진 글자로 이루어지는 단어를 2개 이상 한자 또는 한글로 쓰시오.

8. 丁 –
9. 亭 –
10. 停 –
11. 頂 –
12. 訂 –
13. 釘 –
14. 貯 –
15. 打 –

◆ 다음 글자의 훈과 음을 쓰시오.

( )且( ) – ( )組( ) – ( )祖( ) – ( )助( ) – ( )租( ) – ( )粗( ) –
( )査( ) – ( )具( )

◆ 다음 글자를 분해하시오.

1. 組 = +
2. 租 = +
3. 祖 = +
4. 助 = +
5. 粗 = +
6. 査 = +
7. 具 = +

8. 수확한 작물에 부과하던 세금이었던 글자는?
① 粗 ② 組 ③ 租 ④ 助

9. "솥 정"자의 약자로 두 손으로 솥을 들고 있는 모습으로 준비가 되었다는 뜻의 글자는?
① 組 ② 査 ③ 租 ④ 具

◆ 다음 중 주어진 글자로 이루어지는 단어를 2개 이상 한자 또는 한글로 쓰시오.

10. 且 –
11. 組 –
12. 祖 –
13. 助 –
14. 租 –
15. 粗 –
16. 査 –
17. 具 –

◆ 다음 단어를 넣어 문장을 만들거나 뜻을 쓰시오.

18. 苟且(구차) –
19. 且置(차치) –
20. 先祖(선조) –
21. 助演(조연) –

22. 粗雜(조잡) -

23. 調査(조사) -

24. 具備(구비) -

◘ 다음 글자의 훈과 음을 쓰시오.

(　)沮(　) - (　)詛(　) - (　)狙(　)

◘ 다음 글자를 분해하시오.

1. 狙 = 　 + 　

2. 沮 = 　 + 　

3. 詛 = 　 + 　

4. 홍수가 나서 물을 막기 위한 노력을 나타낸 글자는?
   ① 粗　② 沮　③ 租　④ 狙

5. 철천지 원수에게 쏟아 내는 말의 글자는?
   ① 狙　② 沮　③ 租　④ 詛

◘ 다음 중 주어진 글자로 이루어지는 단어를 2개 이상 한자 또는 한글로 쓰시오.

6. 沮 -

7. 詛 -

8. 狙 -

◘ 다음 단어를 넣어 문장을 만들거나 뜻을 쓰시오.

9. 沮止(저지) -

10. 詛呪(저주) -

11. 狙擊(저적) -

◘ 다음 글자의 훈과 음을 쓰시오.

(　)二(　) - (　)五(　) - (　)亞(　) - (　)惡(　) - (　)啞(　)

◘ 다음 글자를 분해하시오.

1. 亞 = ＿ + ＿　　　2. 惡 = ＿ + ＿

3. 五 = ＿ + ＿　　　4. 啞 = ＿ + ＿

◘ 다음 글자를 소리 부분(聲符)과 뜻 부분(意符)으로 분해하시오.

5. 啞 = 소리 부분(聲符) ＿ + 뜻 부분(意符) ＿

6. 궁궐이나 무덤을 만들기 위해 크게 파 놓은 터를 가리키는 글자는?
① 堊　② 亞　③ 基　④ 地

7. 자신이 마치 하느님에 버금간다고 생각하는 나쁜 마음을 나타내는 뜻글자는?
① 堊　② 惡　③ 罪　④ 吾

◘ 다음 중 주어진 글자로 이루어지는 단어를 2개 이상 한자 또는 한글로 쓰시오.

8. 二 -　　　9. 五 -

10. 亞 -　　　11. 惡 -

12. 啞 -

◘ 다음 단어를 넣어 문장을 만들거나 뜻을 쓰시오.

13. 亞聖(아성) -

14. 嫌惡(혐오) -

15. 啞然失色(아연실색) -

16. 唯一無二(유일무이) -

17. 五十步百步(오십보백보) -

◘ 다음 글자의 훈과 음을 쓰시오.

(　)于(　) - (　)宇(　) - (　)迂(　) - (　)亐(　) - (　)夸(　) - (　)誇(　) -
(　)汚(　) - (　)云(　) - (　)雲(　) - (　)魂(　)

◆ 다음 글자를 분해하시오.

1. 誇 = ☐ + ☐ + ☐　　2. 夸 = ☐ + ☐

3. 亏 = ☐ + ☐　　4. 汚 = ☐ + ☐

5. 云 = ☐ + ☐　　6. 雲 = ☐ + ☐

7. 魂 = ☐ + ☐　　8. 迂 = ☐ + ☐

9. 宇 = ☐ + ☐　　10. 于 = ☐ + ☐

◆ 다음 글자를 소리 부분(聲符)과 뜻 부분(意符)으로 분해하시오.

11. 迂 = 소리 부분(聲符) ☐ + 뜻 부분(意符) ☐

12. 宇 = 소리 부분(聲符) ☐ + 뜻 부분(意符) ☐

13. 誇 = 소리 부분(聲符) ☐ + 뜻 부분(意符) ☐

14. 雲 = 소리 부분(聲符) ☐ + 뜻 부분(意符) ☐

15. 집의 처마를 나타내는 말이었는데 나중에 '하늘'을 가리키게 된 글자는?

① 迂　② 亏　③ 宇　④ 天

16. '크게　부풀려 말하다'의 뜻의 글자는?

① 誇　② 云　③ 擴　④ 魂

◆ 다음 중 주어진 글자로 이루어지는 단어를 2개 이상 한자 또는 한글로 쓰시오.

17. 于 - ☐　　18. 宇 - ☐

19. 迂 - ☐　　20. 誇 - ☐

21. 汚 - ☐　　22. 云 - ☐

23. 雲 - ☐　　24. 魂 - ☐

◆ 다음 단어를 넣어 문장을 만들거나 뜻을 쓰시오.

25. 于今(우금) - ☐

26. 誇張(과장) -

27. 汚染(오염) -

28. 云云(운운) -

29. 靈魂(영혼) -

30. 風雲兒(풍운아) -

31. 迂餘曲折(우여곡절) -

확인학습문제

61강 – 여덟 팔(八)

◇ 다음 글자의 훈과 음을 쓰시오.

( )八( ) – ( )公( ) – ( )穴( ) – ( )分( ) – ( )半( ) – ( )伴( ) – ( )叛( ) – ( )切( )

◇ 다음 글자를 분해하시오.

1. 伴 = ＿ + ＿ + ＿
2. 判 = ＿ + ＿
3. 半 = ＿ + ＿
4. 叛 = ＿ + ＿
5. 分 = ＿ + ＿
6. 公 = ＿ + ＿

◇ 다음 글자를 소리 부분(聲符)과 뜻 부분(意符)으로 분해하시오.

7. 伴 = 소리 부분(聲符) ＿ + 뜻 부분(意符) ＿
8. 叛 = 소리 부분(聲符) ＿ + 뜻 부분(意符) ＿

9. 무언가 만천하에 드러난 물건이나 장소로써 오픈되었다는 뜻의 글자는?
① 伴 ② 叛 ③ 穴 ④ 分

10. 한마음이 시간이 흘러 둘셋으로 나뉘게 된 데서 온 글자는?
① 分 ② 公 ③ 伴 ④ 叛

◇ 다음 중 주어진 글자로 이루어지는 단어를 2개 이상 한자 또는 한글로 쓰시오.

11. 八 – ＿
12. 公 – ＿
13. 穴 – ＿
14. 分 – ＿
15. 半 – ＿
16. 伴 – ＿
17. 叛 – ＿
18. 切 – ＿

◘ 다음 단어를 넣어 문장을 만들거나 뜻을 쓰시오.

19. 穴居(혈거) -

20. 分數(분수) -

21. 伴侶(반려) -

22. 背叛(배반) -

23. 公務員(공무원) -

24. 切齒腐心(절치부심) -

25. 半信半疑(반신반의) -

26. 四方八方(사방팔방) -

◘ 다음 글자의 훈과 음을 쓰시오.

( )公( ) - ( )松( ) - ( )訟( ) - ( )頌( ) - ( )誦( ) - ( )翁( )

◘ 다음 글자를 분해하시오.

1. 訟 = + +

2. 誦 = +

3. 松 = +

4. 公 = +

◘ 다음 글자를 소리 부분(聲符)과 뜻 부분(意符)으로 분해하시오.

5. 訟 = 소리 부분(聲符) + 뜻 부분(意符)

6. 頌 = 소리 부분(聲符) + 뜻 부분(意符)

7. 誦 = 소리 부분(聲符) + 뜻 부분(意符)

8. 翁 = 소리 부분(聲符) + 뜻 부분(意符)

9. 인격이나 학문이 뛰어나 모든 사람이 칭찬을 아끼지 않은 데서 나온 글자는?

① 頌 ② 訟 ③ 誦 ④ 松

10. 원글자는 "새의 목털"을 나타냈던 글자는?

① 羽　② 翁　③ 頌　④ 訟

◆ 다음 중 주어진 글자로 이루어지는 단어를 2개 이상 한자 또는 한글로 쓰시오.

11. 公 -　12. 松 -

13. 訟 -　14. 頌 -

15. 誦 -　16. 翁 -

◆ 다음 단어를 넣어 문장을 만들거나 뜻을 쓰시오.

17. 松林(송림) -

18. 訴訟(소송) -

19. 稱頌(칭송) -

20. 暗誦(암송) -

21. 公私多忙(공사다망) -

22. 塞翁之馬(새옹지마) -

◆ 다음 글자의 훈과 음을 쓰시오.

( )紛( ) - ( )粉( ) - ( )盆( ) - ( )忿( ) - ( )貧( )

◆ 다음 글자를 분해하시오.

1. 忿 = + +　2. 紛 = +

3. 盆 = +　4. 貧 = +

◆ 다음 글자를 소리 부분(聲符)과 뜻 부분(意符)으로 분해하시오.

5. 紛 = 소리 부분(聲符) + 뜻 부분(意符)

6. 盆 = 소리 부분(聲符) + 뜻 부분(意符)

7. 忿 = 소리 부분(聲符) + 뜻 부분(意符)

8. 곡식을 대표하는 쌀을 쪼개고 나누면 가루가 된 것을 의미하는 글자는?
① 紛 ② 粉 ③ 盆 ④ 忿

9. 물질을 분배하면 몫이 적어진다는 데서 파생된 글자는?
① 粉 ② 忿 ③ 紛 ④ 貧

◘ 다음 중 주어진 글자로 이루어지는 단어를 2개 이상 한자 또는 한글로 쓰시오.

10. 紛 -
11. 粉 -
12. 盆 -
13. 忿 -
14. 貧 -

◘ 다음 단어를 넣어 문장을 만들거나 뜻을 쓰시오.

15. 紛糾(분규) -
16. 盆栽(분재) -
17. 忿怒(분노) -
18. 貧則多事(빈즉다사) -
19. 粉骨碎身(분골쇄신) -

◘ 다음 글자의 훈과 음을 쓰시오.

( )其( ) - ( )基( ) - ( )期( ) - ( )箕( ) - ( )旗( ) - ( )麒( ) -
( )棋( ) - ( )斯( )

◘ 다음 글자를 분해하시오.

1. 旗 = + +
2. 基 = +
3. 期 = +
4. 其 = +

◘ 다음 글자를 소리 부분(聲符)과 뜻 부분(意符)으로 분해하시오.

5. 期 = 소리 부분(聲符) + 뜻 부분(意符)

6. 旗 = 소리 부분(聲符) + 뜻 부분(意符)

7. 棋 = 소리 부분(聲符) + 뜻 부분(意符)

8. 麒 = 소리 부분(聲符) + 뜻 부분(意符)

9. 棋 = 소리 부분(聲符) + 뜻 부분(意符)

10. 첫 보름달이 떠오르는 그 달에 방앗간 뒤에서 만나자고 해서 생긴 글자는?
① 箕 ② 棋 ③ 期 ④ 斯

11. 모든 생물의 기초는 흙에 있고 사람과 동물이 땅의 소출로 살아가기 때문에 삶의 터전은 땅에 있다는 데서 생긴 글자는?
① 基 ② 棋 ③ 旗 ④ 棋

◆ 다음 중 주어진 글자로 이루어지는 단어를 2개 이상 한자 또는 한글로 쓰시오.

12. 其 –
13. 基 –
14. 期 –
15. 箕 –
16. 旗 –
17. 麒 –
18. 棋 –
19. 斯 –

◆ 다음 단어를 넣어 문장을 만들거나 뜻을 쓰시오.

20. 基礎(기초) –
21. 期約(기약) –
22. 將棋(장기) –
23. 白旗(백기) –
24. 麒麟(기린) –
25. 斯文亂賊(사문난적) –
26. 不知其數(부지기수) –

확인학습문제

62강 - 열 십(十)

◆ 다음 글자의 훈과 음을 쓰시오.

(　)十(　) - (　)千(　) - (　)宅(　) - (　)午(　) - (　)許(　) - (　)升(　) -
(　)昇(　) - (　)協(　) - (　)博(　) - (　)南(　)

◆ 다음 글자를 분해하시오.

1. 博 = ＿ + ＿ + ＿　　2. 許 = ＿ + ＿

3. 午 = ＿ + ＿　　4. 升 = ＿ + ＿

5. 昇 = ＿ + ＿　　6. 協 = ＿ + ＿

7. 博 = ＿ + ＿　　7. 宅 = ＿ + ＿

9. 千 = ＿ + ＿　　10. 十 = ＿ + ＿

◆ 다음 글자를 소리 부분(聲符)과 뜻 부분(意符)으로 분해하시오.

11. 昇 = 소리 부분(聲符) ＿ + 뜻 부분(意符) ＿

12. 천 명이나 되는 즉 아주 많은 사람이 머무를 수 있는 집이라면 당연히 큰 집이어야 한다. 큰 집을 뜻하는 글자는?

① 家　② 博　③ 宅　④ 昇

13. 절굿공이가 위아래로 수없이 오르내리듯 끊임없는 요구에 두손 두발 다들고 마침내 허락하고 말았다는 사상을 담고 있는 글자는?

① 午　② 昇　③ 許　④ 升

◆ 다음 중 주어진 글자로 이루어지는 단어를 2개 이상 한자 또는 한글로 쓰시오.

14. 十 - ＿　　15. 千 - ＿

16. 宅 - ＿　　17. 午 - ＿

18. 許 -

19. 升 -

20. 昇 -

21. 協 -

22. 博 -

23. 南 -

◘ 다음 단어를 넣어 문장을 만들거나 뜻을 쓰시오.

24. 期約(기약) -

25. 邸宅(저택) -

26. 午睡(오수) -

27. 許諾(허락) -

28. 昇天(승천) -

29. 協助(협조) -

30. 博學多識(박학다식) -

31. 南男北女(남남북녀) -

32. 十匙一飯(십시일반) -

33. 千不當萬不當(천부당만부당) -

◘ 다음 글자의 훈과 음을 쓰시오.

(　)卓(　) - (　)卒(　) - (　)猝(　) - (　)卉(　) - (　)卍(　)

◘ 다음 글자를 분해하시오.

1. 卒 = 　 + 　 + 　

2. 猝 = 　 + 　

3. 卓 = 　 + 　

4. 卉 = 　 + 　

◘ 다음 글자를 소리 부분(聲符)과 뜻 부분(意符)으로 분해하시오.

5. 猝 = 소리 부분(聲符) 　 + 뜻 부분(意符)

6. 아침에 치는 점이 기가 막히게 들어맞는다 하여 '탁월하다, 높다'의 뜻으로 파생된 글자는?

① 卉 ② 卓 ③ 南 ④ 越

7. 말이 맹렬히 달리는 모습을 보면 발이 세 개로 보이는 데서 나온 글자는?

① 猝 ② 走 ③ 許 ④ 卉

◘ 다음 중 주어진 글자로 이루어지는 단어를 2개 이상 한자 또는 한글로 쓰시오.

8. 卓 -

9. 卒 -

10. 猝 -

11. 卉 -

12. 卍 -

13. 昇 -

◘ 다음 단어를 넣어 문장을 만들거나 뜻을 쓰시오.

14. 卓見(탁견) -

15. 卒業(졸업) -

16. 猝地(졸지) -

◘ 다음 글자의 훈과 음을 쓰시오.

( )卑( ) - ( )婢( ) - ( )痺( ) - ( )碑( ) - ( )鬼( ) - ( )魔( ) -
( )牌( )

◘ 다음 글자를 분해하시오.

1. 婢 = + +

2. 牌 = +

3. 碑 = +

4. 卑 = +

5. 鬼 = +

6. 魔 = +

◘ 다음 글자를 소리 부분(聲符)과 뜻 부분(意符)으로 분해하시오.

7. 婢 = 소리 부분(聲符) + 뜻 부분(意符)

8. 痺 = 소리 부분(聲符) + 뜻 부분(意符)

9. 碑 = 소리 부분(聲符) ______ + 뜻 부분(意符) ______

10. 나뭇조각에 글씨를 써서 비석처럼 세운다거나 현관 위에 걸어두던 바로 '글씨가 새겨진 나뭇조각'이 원뜻인 글자는?

① 婢 ② 牌 ③ 碑 ④ 痺

11. 사람이 병들면 몸이 구부러져 낮아진다는 데서 연유된 글자는?

① 痺 ② 碑 ③ 卑 ④ 魔

◘ 다음 중 주어진 글자로 이루어지는 단어를 2개 이상 한자 또는 한글로 쓰시오.

12. 卑 -

13. 婢 -

14. 痺 -

15. 碑 -

16. 鬼 -

17. 魔 -

18. 牌 -

◘ 다음 단어를 넣어 문장을 만들거나 뜻을 쓰시오.

19. 碑文(비문) -

20. 魔鬼(마귀) -

21. 位牌(위패) -

22. 男尊女卑(남존여비) -

23. 全身痲痺(전신마비) -

◘ 다음 글자의 훈과 음을 쓰시오.

( )卄( ) - ( )黃( ) - ( )度( ) - ( )渡( ) - ( )席( )

◘ 다음 글자를 분해하시오.

1. 度 = ______ + ______ + ______

2. 渡 = ______ + ______

3. 席 = ______ + ______

4. 黃 = ______ + ______

◆ 다음 글자를 소리 부분(聲符)과 뜻 부분(意符)으로 분해하시오.

5. 渡 = 소리 부분(聲符) [ ] + 뜻 부분(意符) [ ]

6. 길이를 재는 것이 본래 의미였던 글자는?
① 黃 ② 渡 ③ 度 ④ 席

7. 대궐에는 고급 명주로 만든 자리 즉 높은 사람이 앉을 자리나 방석이 있었는데 계급여하에 따라 앉는 자리가 달랐다. 거기서 연유된 글자는?
① 度 ② 渡 ③ 蓆 ④ 席

◆ 다음 중 주어진 글자로 이루어지는 단어를 2개 이상 한자 또는 한글로 쓰시오.

8. 黃 -
9. 度 -
10. 渡 -
11. 席 -

◆ 다음 단어를 넣어 문장을 만들거나 뜻을 쓰시오.

12. 黃金(황금) -
13. 法度(법도) -
14. 讓渡(양도) -
15. 坐不安席(좌불안석) -

확인학습문제

63강 - 삐침 별(丿)

◆ 다음 글자의 훈과 음을 쓰시오.

(　　)乍(　) - (　　)作(　) - (　　)昨(　) - (　　)詐(　)

◆ 다음 글자를 분해하시오.

1. 乍 = ＿＿ + ＿＿ + ＿＿
2. 作 = ＿＿ + ＿＿
3. 昨 = ＿＿ + ＿＿
4. 詐 = ＿＿ + ＿＿

◆ 다음 글자를 소리 부분(聲符)과 뜻 부분(意符)으로 분해하시오.

5. 詐 = 소리 부분(聲符) ＿＿ + 뜻 부분(意符) ＿＿

6. 외마디 비명과 함께 순식간에 죽는 사람의 모습에서 인생이란 참으로 짧고 허무함을 나타내기 위한 글자는?
① 作　② 昨　③ 乍　④ 詐

◆ 다음 중 주어진 글자로 이루어지는 단어를 2개 이상 한자 또는 한글로 쓰시오.

7. 作 - ＿＿
8. 昨 - ＿＿
9. 詐 - ＿＿

◆ 다음 단어를 넣어 문장을 만들거나 뜻을 쓰시오.

10. 作品(작품) - ＿＿＿＿＿＿＿＿

11. 昨年(작년) - ＿＿＿＿＿＿＿＿

12. 詐欺(사기) - ＿＿＿＿＿＿＿＿

◘ 다음 글자의 훈과 음을 쓰시오.

(　)久(　) – (　)灸(　) – (　)之(　) – (　)芝(　) – (　)乏(　) – (　)乎(　) – (　)乖(　) – (　)乘(　) – (　)乃(　)

◘ 다음 글자를 분해하시오.

1. 灸 = ☐ + ☐ + ☐　　2. 久 = ☐ + ☐

3. 之 = ☐ + ☐　　4. 乏 = ☐ + ☐

5. 芝 = ☐ + ☐　　6. 乃 = ☐ + ☐

7. 乖 = ☐ + ☐　　8. 乘 = ☐ + ☐

◘ 다음 글자를 소리 부분(聲符)과 뜻 부분(意符)으로 분해하시오.

9. 灸 = 소리 부분(聲符) ☐ + 뜻 부분(意符) ☐

10. 芝 = 소리 부분(聲符) ☐ + 뜻 부분(意符) ☐

11. 사람을 붙잡는다거나 발을 묶어 걷는데 시간이 오래 걸린다는 뜻의 글자는?
① 灸　② 乘　③ 久　④ 芝

12. 상서로운 풀로 여기는 神草(신초)로 버섯의 일종이다. 이 글자는?
① 灸　② 餌　③ 芝　④ 苗

◘ 다음 중 주어진 글자로 이루어지는 단어를 2개 이상 한자 또는 한글로 쓰시오.

13. 久 – ☐　　14. 灸 – ☐

15. 之 – ☐　　16. 芝 – ☐

17. 乏 – ☐　　18. 乎 – ☐

19. 乖 – ☐　　20. 乘 – ☐

21. 乃 – ☐

◘ 다음 단어를 넣어 문장을 만들거나 뜻을 쓰시오.

22. 鍼灸(침구) -

23. 窮乏(궁핍) -

24. 乘勝長驅(승승장구) -

25. 芝蘭之交(지란지교) -

◘ 다음 글자의 훈과 음을 쓰시오.

( )丶( ) - ( )主( ) - ( )住( ) - ( )注( ) - ( )柱( ) - ( )駐( ) - ( )註( ) - ( )往( )

◘ 다음 글자를 분해하시오.

1. 駐 = + +
2. 註 = +
3. 住 = +
4. 主 = +

◘ 다음 글자를 소리 부분(聲符)과 뜻 부분(意符)으로 분해하시오.

5. 住 = 소리 부분(聲符) + 뜻 부분(意符)
6. 注 = 소리 부분(聲符) + 뜻 부분(意符)
7. 柱 = 소리 부분(聲符) + 뜻 부분(意符)
8. 駐 = 소리 부분(聲符) + 뜻 부분(意符)
9. 註 = 소리 부분(聲符) + 뜻 부분(意符)

10. 논에 물을 대듯 말로 보충 설명이나 부언하는 것을 뜻하는 글자는?
① 住 ② 柱 ③ 駐 ④ 註

11. 칠흑같이 어두운 한밤중 깊은 산 속에서 불빛을 발견하면 그곳에 누군가가 살고 있을 거라고 해서 나온 글자는?
① 注 ② 駐 ③ 住 ④ 往

◘ 다음 중 주어진 글자로 이루어지는 단어를 2개 이상 한자 또는 한글로 쓰시오.

12. 主 -

13. 住 -

14. 注 -

15. 柱 -

16. 駐 -

17. 註 -

18. 往 -

◘ 다음 단어를 넣어 문장을 만들거나 뜻을 쓰시오.

19. 注目(주목) -

20. 駐屯(주둔) -

21. 註釋(주석) -

22. 衣食住(의식주) -

23. 說往說來(설왕설래) -

◘ 다음 글자의 훈과 음을 쓰시오.

( )丸( ) - ( )執( ) - ( )埶( ) - ( )熱( ) - ( )藝( ) - ( )丹( )

◘ 다음 글자를 분해하시오.

1. 熱 = + +

2. 埶 = +

3. 執 = +

4. 藝 = +

5. 丹 = +

6. 丸 = +

◘ 다음 글자를 소리 부분(聲符)과 뜻 부분(意符)으로 분해하시오.

7. 藝 = 소리 부분(聲符) + 뜻 부분(意符)

8. 무릎을 꿇고 두 손을 앞으로 내민 형상 글자는?

① 埶 ② 執 ③ 丹 ④ 丸

9. 한여름 땅에서 올라오는 이글거리는 열기를 나타낸 글자는?

① 熱 ② 藝 ③ 火 ④ 丹

◘ **다음 중 주어진 글자로 이루어지는 단어를 2개 이상 한자 또는 한글로 쓰시오.**

10. 丸 -

11. 執 -

12. 熱 -

13. 藝 -

14. 丹 -

◘ **다음 단어를 넣어 문장을 만들거나 뜻을 쓰시오.**

15. 彈丸(탄환) -

16. 藝術(예술) -

17. 丹靑(단청) -

18. 執行猶豫(집행유예) -

19. 以熱治熱(이열치열) -

확인학습문제

64강 - 뚫을 곤(丨)

◆ 다음 글자의 훈과 음을 쓰시오.

(　　)丨(　) - (　　)中(　) - (　　)仲(　) - (　　)忠(　) - (　　)患(　) - (　　)貴(　)

◆ 다음 글자를 분해하시오.

1. 貴 = ☐ + ☐ + ☐
2. 患 = ☐ + ☐
3. 忠 = ☐ + ☐
4. 中 = ☐ + ☐

◆ 다음 글자를 소리 부분(聲符)과 뜻 부분(意符)으로 분해하시오.

5. 仲 = 소리 부분(聲符) ☐ + 뜻 부분(意符) ☐

6. 사물의 한가운데를 관통하고 있다는 개념을 전달하는 글자는?
① 忠　② 中　③ 仲　④ 患

7. 마음 한가운데를 꿰고 있는 근심거리를 뜻하는 글자는?
① 中　② 貴　③ 忠　④ 患

◆ 다음 중 주어진 글자로 이루어지는 단어를 2개 이상 한자 또는 한글로 쓰시오.

8. 中 -
9. 仲 -
10. 忠 -
11. 患 -
12. 貴 -

◆ 다음 단어를 넣어 문장을 만들거나 뜻을 쓰시오.

13. 伯仲之勢(백중지세) -
14. 忠孝思想(충효사상) -
15. 內憂外患(내우외환) -
16. 富貴榮華(부귀영화) -

확인학습문제

65강 - 작을 소(小)

◆ 다음 글자의 훈과 음을 쓰시오.

( )小( ) - ( )少( ) - ( )省( ) - ( )沙( ) - ( )砂( ) - ( )劣( ) - ( )肖( ) - ( )妙( ) - ( )秒( ) - ( )尖( )

◆ 다음 글자를 분해하시오.

1. 沙 = [ ] + [ ] + [ ]
2. 少 = [ ] + [ ]
3. 省 = [ ] + [ ]
4. 砂 = [ ] + [ ]
5. 劣 = [ ] + [ ]
6. 秒 = [ ] + [ ]
7. 妙 = [ ] + [ ]
8. 尖 = [ ] + [ ]

◆ 다음 글자를 소리 부분(聲符)과 뜻 부분(意符)으로 분해하시오.

9. 少 = 소리 부분(聲符) [ ] + 뜻 부분(意符) [ ]

10. 젊은 여자를 나타내기 위하여 만들어진 글자로 젊다는 것은 뭔가 말로 표현하지 못할 매력이 있다는 데서 나온 글자는?

① 少 ② 妙 ③ 砂 ④ 秒

11. 벼나 보리의 까끄라기를 뜻하는 글자인데 나중에 까끄라기의 크기가 너무 작아 시간의 가장 작은 단위로 쓰인 글자는?

① 妙 ② 秒 ③ 時 ④ 分

◆ 다음 중 주어진 글자로 이루어지는 단어를 2개 이상 한자 또는 한글로 쓰시오.

12. 小 - [ ]

13. 少 - [ ]

14. 省 -

15. 沙 -

16. 砂 -

17. 劣 -

18. 肖 -

19. 妙 -

20. 秒 -

21. 尖 -

◘ 다음 단어를 넣어 문장을 만들거나 뜻을 쓰시오.

22. 妙齡(묘령) -

23. 靑少年(청소년) -

24. 小貪大失(소탐대실) -

25. 自我省察(자아성찰) -

26. 砂上樓閣(사상누각) -

27. 劣等意識(열등의식) -